# Hieb und Stich

# HIEB
und
# STICH

*Deutsche Satire
in 300 Jahren
Herausgegeben und
mit einem Nachwort von
Heinrich Vormweg*

*Kiepenheuer & Witsch*

Alle Rechte vorbehalten
Verlag Kiepenheuer & Witsch Köln Berlin
Gesamtherstellung Druckerei Am Fischmarkt Konstanz
Schutzumschlag und Einband Hannes Jähn Köln
Printed in Germany 1968

# Inhalt

FRIEDRICH VON LOGAU [1604–1655]
Satirische Epigramme .................. 9

CHRISTIAN HOFMANN VON HOFMANNSWALDAU
[1617–1679]
Poetische Grabinschriften ................ 10

ABRAHAM A SANTA CLARA [1644–1709]
Mode-Narren ..................... 11

AUGUST ADOLPH VON HAUGWITZ [1645–1706]
Über das heutige Brüderschafft-Sauffen der Deutschen .. 15

CHRISTIAN LUDWIG LISCOW [1701–1760]
Vortrefflichkeit und Notwendigkeit der elenden Skribenten .................... 16

GOTTLIEB WILHELM RABENER [1714–1771]
Aus »Satirische Briefe« ................. 26
Aus dem »Versuch eines deutschen Wörterbuchs« .... 30
Lebenslauf eines Märtyrers der Wahrheit .......... 34

CHRISTOPH MARTIN WIELAND [1733–1813]
Demokrit unter den Abderiten ............. 43

HELFRICH PETER STURZ [1736–1779]
Die Reise nach dem Deister ............... 65

JAKOB MICHAEL REINHOLD LENZ [1751–1792]
Pandämonium Germanikum ............... 70

GEORG CHRISTOPH LICHTENBERG [1742–1799]
Fragment von Schwänzen ................ 97

ADOLPH FREYHERR KNIGGE [1752–1796]
Die echten Pinsel ................... 104

HEINRICH VON KLEIST [1777–1811]
Lehrbuch der französischen Journalistik .......... 134

JEAN PAUL [1763–1825]
Die Doppelheerschau in Großlausau und in Kauzen samt Feldzügen ..................... 142

JOHANN ANDREAS WENDEL
Aufenthalt in Zipfelstadt ................ 183

LUDWIG BÖRNE [1786–1837]
Der Eßkünstler . . . . . . . . . . . . . . . . . . . 191

HEINRICH HEINE [1797–1856]
Ein neues Athen . . . . . . . . . . . . . . . . . . 202

WILHELM HAUFF [1802–1827]
Die Bücher und die Leserwelt . . . . . . . . . . . . . 209

JOHANN HERMANN DETMOLD [1807–1856]
Die schwierige Aufgabe . . . . . . . . . . . . . . . 230

GEORG WEERTH [1822–1856]
Fünf Skizzen aus dem deutschen Handelsleben . . . . . 276

HEINRICH MANN [1871–1950]
Gretchen . . . . . . . . . . . . . . . . . . . . . . 331

KARL KRAUS [1874–1936]
Die Mütter . . . . . . . . . . . . . . . . . . . . . 358
Das Ehrenkreuz . . . . . . . . . . . . . . . . . . 362

CARL STERNHEIM [1878–1942]
Vanderbilt . . . . . . . . . . . . . . . . . . . . . 366

FRANZ BLEI [1871–1942]
Der treue Diener seines Herrn . . . . . . . . . . . . 388

KURT TUCHOLSKY [1890–1935]
Hitler und Goethe . . . . . . . . . . . . . . . . . 403

KARL KRAUS [1874–1936]
Mir fällt zu Hitler nichts ein . . . . . . . . . . . . 407

WOLFDIETRICH SCHNURRE [geb. 1920]
Der Ausmarsch . . . . . . . . . . . . . . . . . . 408

HEINRICH BÖLL [geb. 1917]
Nicht nur zur Weihnachtszeit . . . . . . . . . . . . 414

HANS WERNER RICHTER [geb. 1908]
Das Ende der I-Periode . . . . . . . . . . . . . . . 445

REINHARD LETTAU [geb. 1929]
Der Feind . . . . . . . . . . . . . . . . . . . . . 453

HELMUT HEISSENBÜTTEL [geb. 1921]
Gruppenkritik . . . . . . . . . . . . . . . . . . . 463
Literatur als Aufklärung oder Satire in Deutschland . . . 467
Zur vorliegenden Auswahl . . . . . . . . . . . . . . 482

FRIEDRICH VON LOGAU
(1604–1655)

## Von den entblößten Brüsten

Frauen-Volck ist offenhertzig; so wie sie sich kleiden
[jetzt
Geben sie vom Berg ein Zeichen / daß es in dem Thale
[hitzt.

## Jungfern-Mord

Gestern war ein Freudenfest / drauff ward in der
[späten Nacht /
Eh es jemand hat gesehn / eine Jungfer umgebracht:
Einer ist / der sie vermutlich (alle sagens) hat ertödtet /
Dann so offt er sie berühret / hat die Leiche sich
[erröthet.

## Glauben

Luthrisch / Päbstisch und Calvinisch / diese Glauben
[alle drey
Sind verhanden; doch ist Zweiffel / wo das
[Christenthum dann sey.

## Genieß-Leute des Friedens

Wer wird / nun Friede wird / bey solcherley verwüsten
Zum ersten kummen auff? / die Hencker und Juristen

CHRISTIAN HOFMANN VON HOFMANNSWALDAU
(1617–1679)

## Poetische Grabinschriften

*Maria Magdalenae*

Hier ruht das schöne Haupt / hier ruht die schöne
                                              [Schooß /
Aus der die Liebligkeit mit reichen Strömen floß /
Nachdem diß zarte Weib verließ den Huren-Orden /
So sind die Engel selbst derselben Buhler worden.


*Einer Wittib*

Ich war ein schönes Schiff / das ohne Ladung lag /
Es plagte mich die Nacht / es kränckte mich der Tag.
Hier ist nicht Licht genug / mich deutlich zu verstehen /
Weil mir der Mast gebrach / must ich zu Grunde gehen.


*Einer Fliegen*

In einer Buttermilch verlohr ich Geist und Leben /
Ein zarter Weiber-Bauch hat mir das Grab gegeben.
Sey nicht Domitian / vergönne mir die Ruh /
Und schleuß in dieser Grufft die vörder Thüre zu.

ABRAHAM A SANTA CLARA
(1644–1709)

## Mode-Narren

Damit nur die Mode-Narren in ihrem Nest braviren mögen, wie viel tragen nicht ganze Wälder, Felder, Wiesen, Äcker auf dem Kopf und Rucken, und wofern man manche Fontangen mit Erlaubnuß der Frau Prinzipalin dörfte zu Geld machen, so brauchete man gewiß eine ganze Wechsel-Stuben, bis die Haar-Nadel, die Zitter-Nadel, die Spenadel, die Maschen, die Knöpf, die Zöpf, die Schöpf nach den billigen Preis ausgezahlet würden. Viel ausgeronnene Zaun-Stecken und Mist-Butten umhängen sich oft mit einem ganzen Dändler-Kram von Fetzen und Kitteln, darinnen stehen sie wie die Schrauf-Stöck und spreizen sich wie die Essig-Krüge, unterdessen ist nichts darhinter als Haut und Knochen, welcher sich nach ihrem Tod die Beindrechsler und Kamm-Macher bedienen, und die Buben die Nüß abwerfen können. Da heißt es wohl recht, was Ovidius geschrieben:

*Aufferimur cultu gemmis auroque teguntur,*
*Omnia, pars minima est ipsa puella sui.*
Mit Seiden, Gold und Schmuck ist alles so bedeckt,
Daß man oft nicht weiß, wo Leib und Antlitz steckt.

Man betrachte nur die kaum von zwei Jahren her in den Schwung gekommene sogenannte Raif- oder Strick-Röcke, welche sich schon jetzo dergestalten ausbreiten, daß manche einen kleinen Kegel-Platz damit bedecken kann. Ob nun diese Mode vielmehr aus Spanien von denen bekannten Gardefan, als aus Frankreich herstammet, so ist es doch ein Elend, daß man fast den Schauplatz aller Moden und Eitelkeiten nunmehro in

Teutschland suchen muß, wo man vorhero bei der alten redlichen Welt, die regulirtesten Trachten einer vollkommenen Polizei gefunden. Aber denen Mode-Narren die Kleider abziehen, ist einen Mohren waschen.

> Manche Sekretarin, bleibt gleichwohl die alte Närrin,
> Der Monsieur Wohlgemut
> Bleibt bei seinem hohen Hut,
> Der Rundimundius von den schmalen Brocken,
> Trägt seine neue Peruquen,
> Die Frau Delatilli prangt halt in ihrem Mantili,
> Sybilla, die bucklichte Ranzen,
> Hängt umb die gefälbelte Franzen,
> Die Magd beim Tisch tut sitzen,
> In ihren Modi-Spitzen,
> Hat alle Feiertag,
> Fast ein neues Fürtuch,
> Mit diesen tut sie beten und bitten,
> Um einen Mann von guldnen Sitten.

Was aber will ich erst anitzo von denen Schattierflecklein, Muschen und Anstrich melden, mit welchen ihr schon fast ein jede Docken das Gesicht zu einer Maler-Politen machet, das ganze himmlische Gestirn, Sonn, Mond und andere Planeten auf das Gesicht pichet, weilen es Gott vielleicht vergessen, die Annehmlichkeiten des Gesichts mit dergleichen papierenen Narren-Werk zu bedalken. Augustinus gibt hierüber gar eine schöne Lektion, schreibet solchen Mode-Närrinnen in das Ohr: Quanta amentia est effigiem mutare naturae, picturam et illicia quaerere, tolerabiliora propemodum in adulterio Crimina sunt, ibi pudicitia, hic nomina adulteratur: Was ist das nicht vor ein Narrheit, die natürliche Bildnuß des Gesichts mit Anstrich und allerhand Anreizungen zu verstellen, eine zuläßlichere Sünd ist der Ehebruch, dann alldorten wird die eheliche Pflicht und Schamhaftigkeit, hier aber die Natur selbsten, geäffet.

Also Augustinus ad Possitonium. Dasjenige, was den Anstrich anbetrifft, passieret in eben so schändlicher, schädlicher und närrischer Mode, als welcher sich heutiges Tags die Maler gebrauchen, ihr alte Bilder mit frischen und neuen Farben zu bestreichen, womit sie eine alte Xantippe vor die griechische Venus verkaufen; was unzählbare solche Mode-Narren seynd nicht zu finden, so da ihre Gesichter zu einen lautern parrhäsischen Gemäl machen, wo nichts zu sehen, als ein gemalte Trauben, unter der Hauben, wodurch sie die genäschichte Venus-Vögel zur Kost einladen. Ob nun diese vermeinte Gratien, Huld-Göttinnen über die Maßen schön zu glanzen sich mit ihren Anstrich einbilden, so kann doch nichts possirlichers gesehen werden, dann ein gefärbtes Angesicht im Winter, wo die natürliche Kälte den Zinober auf den Nasen-Spitzel heraustreibet, auf denen Wangen präsentiret sich der angestrichene Carmin, die Lefzen pariren so schön, als die durch Regen verderbte Ziegel-Dächer, woraus man nicht abnehmen kann, von was sie vor einer Farbe gewesen, im übrigen scheinet durch das gemalte Häutel, ob den durchdringenden Frost lauter schwarze, gelbe und blaue Flecken; wann dann die aufgepappte Schattier-Flecklein mit ihrer Todten-Farb an der noch übrigen Weiße des Gesichts abspielen, so glaube ich, daß ein solches Gesicht mit weit größerer Zeitvertreib könne betrachtet werden, als eine Scharlattans-Hosen, welche durch aufgenähte verschiedene Farben allerhand Merkwürdigkeiten denen Liebhabern vor Augen stellet. Wann ihnen dergleichen aberwitzige Mode-Narren nach meiner Geringfähigkeit raten ließen, wollte ich sie nur ein wenig mit ihren angestrichenen Gesichtern auf die Seiten führen, und ihnen die nachfolgende Vers in den Ovidio als einen weltbekannten Meister der Liebe aufschlagen, welcher von der Medicin des Gesichts also schreibet:

Quid juvat ornatô procedere vita lapillô
Et tenus Coa veste movere sinus?
Aut quid Oronteâ crines perfundere Myrrhâ
Teque peregrinis vendere muneribus,
Naturaeque decus mercato perdere vultu,
Nec sinere in propriis membra nitere bonis?
Crede mihi, non ulla tuae medicina figurae est,
Nudus amor formae non amat artificem.
                              Ovid. de Medi. faci.

Ich sage auf teutsch also:

Was hilft dich Phyllius doch, dein ausgeborgte Waar?
Wann du auch noch so schön, die zarte Lenden windest,
Den wohlgemachten Kopf mit schönsten Maschen
                                        [bindest,
Und mit Essenzen schmierst die goldgewolkten Haar,
Schau, es ist alles nur ein falsches Angesicht,
Leg alle Schminke doch, und fremde Farb darnieder,
Und laß im eignen Gut recht glänzen deine Glieder,
Dann nackend ist die Lieb, sie braucht des Künstlers
                                        [nicht.

AUGUST ADOLPH VON HAUGWITZ
(1645–1706)

## Über das heutige Brüderschafft-Sauffen der Deutschen

Es richten Freundschafft auff Soldaten durch Gefahr /
Durch Bücher und durch Schrifft der klugen Geister
[Schaar /
Und durch Gewinn pflegt sie der Kauffmann zu
[erkauffen /
Nur unser Deutscher muß dieselbe sich ersauffen.

CHRISTIAN LUDWIG LISCOW
(1701–1760)

# Vortrefflichkeit und Notwendigkeit der elenden Skribenten

Wer unter die guten Skribenten gerechnet sein will, der muß vernünftig, ordentlich und zierlich schreiben. In dessen Schrift also weder Vernunft, noch Ordnung, noch Zierlichkeit anzutreffen ist, der ist ein elender Skribent...
Ich bekenne aufrichtig, daß die elenden Skribenten ohne Vernunft schreiben. Dieses ist das schwere Verbrechen, welches uns in den Augen unserer Feinde so lächerlich und verächtlich macht. Aber eben das Geschrei, so die Verächter elender Schriften darüber erregen, daß die elenden Skribenten ihre Vernunft nicht gebrauchen, beweist die Unbilligkeit dieser Leute. Ich bitte meine Leser, unparteiisch zu urteilen: Ob es billig sei, uns elende Skribenten um eines Fehlers willen auszuhöhnen, den wir nicht nur mit unsern Feinden, sondern mit dem ganzen menschlichen Geschlecht, gemein haben? Lassen sich die Menschen in ihren Handlungen wohl von der Vernunft regieren? Folgen sie nicht allemal den törichten Begierden ihres Herzens? Sie wollen glücklich sein: Sie wollen vergnügt und lange leben: Sie wissen auch gar wohl, wie sie es anfangen müssen, wenn sie diesen Zweck erlangen wollen. Aber dennoch machen sie sich vorsätzlich selbst unglücklich, verkürzen ihr Leben und sind ihnen selbst die fruchtbarste Quelle alles Mißvergnügens, welches ihnen dasselbe sauer macht. Man kann also, ohne Verletzung der Wahrheit, sagen, daß die Menschen ihre Vernunft nicht gebrauchen. Dieses ist ein Satz, den die Torheiten, die Eitelkeiten, die Laster und der Aberglaube, worin das

menschliche Geschlecht verfallen ist, hinlänglich beweisen. Die Schriften der Geschichtschreiber, Poeten und Weltweisen sind voll von Klagen über dieses Verderben: Und man hat schon lange angemerkt, daß, wer recht vernünftig handeln wolle, gerade das Gegenteil von demjenigen tun müsse, was der größte Haufe vornimmt. Der Vorschlag ist gegründet; aber es haben sich doch zu allen Zeiten wenige gefunden, die Lust gehabt hätten, demselben zu folgen. Ich wundere mich darüber eben nicht; denn es wird dazu ein Eigensinn erfordert, den wenige Leute haben. Man muß sehr wunderlich sein, und eine unerträgliche Einbildung von sich selbst haben, wenn man sich der ganzen Welt entgegen setzen, und sich bereden will, man sei allein klug und der Rest des menschlichen Geschlechts rase.

Wie kann man es also den elenden Skribenten verargen, daß sie ihre Vernunft nicht gebrauchen? Sie können es nicht tun, ohne die Ehrerbietung zu verletzen, die man dem größten Haufen schuldig. Ich wollte nichts sagen, wenn die Vernunft im menschlichen Leben unentbehrlich wäre: Aber so sehe ich nicht, wozu sie nütze.

Es ist gar zu bekannt, daß die Weisheit, wodurch die Welt regiert wird, sehr gering sei. Parva est sapientia, qua regitur mundus. Es kommt alles auf die Vorsehung an. Wir sehen, daß die klügsten Anschläge oft zurück gehen, unvernünftige hergegen einen guten Fortgang haben, zum deutlichen Beweise, daß es wahr sei, was der Prediger sagt: »Daß zum Laufen nicht hilft schnell sein, zum Streit nicht hilft stark sein, zur Nahrung hilft nicht geschickt sein, zum Reichtum hilft nicht klug sein. Daß einer angenehm sei, hilft nicht, daß er ein Ding wohl könne, sondern alles liegt es an der Zeit und Glück.«

Die tägliche Erfahrung kann auch einen jeden überführen, daß auch die wichtigsten Geschäfte in der menschlichen Gesellschaft ohne Vernunft verrichtet werden können. Salomon sagt, daß der Unverstand unter den Gewaltigen sehr gemein sei; und von ihren vornehmsten Bedienten spricht ein heidnischer Poet: *Rarus ... ferme sensus communis in illa Fortuna.*

Diese Regel hat unstreitig ihre Ausnahme: Aber so viel ist doch gewiß, daß nicht allemal die Klügsten am Ruder sitzen. Wir sind so gut und glauben es. Ihre Gewalt, die äußerliche Pracht, und die ernsthaften gravitätischen Gebärden, wodurch sie sich ein Ansehen machen, prägen uns eine besondere Ehrerbietung ein, und verführen uns, sie für weise zu halten, weil sie groß sind; sollten wir aber diese Herren genauer kennen: so würden wir inne werden, daß ihre Klugheit an dem glücklichen Ausgange ihrer friedlichen und kriegerischen Verrichtungen den geringsten Anteil habe, und derselbe gutenteils dem Glück zuzuschreiben sei. Es gereicht dieses den Großen dieser Welt so wenig zur Schande, daß man vielmehr daraus ihr Vertrauen auf Gott abnehmen, und es als den einzigen Beweis ihres Christentums ansehen kann.

Können nun die Regenten, in Krieg- und Friedenszeiten, ihr Amt ohne Vernunft, mit Ruhm, führen: so können es die Gottesgelehrten noch weit füglicher tun; weil sie berufen sind, die Welt durch törichte Predigten selig zu machen. Sie haben mit Geheimnissen zu tun, darin sich die Vernunft nicht mischen muß, und predigen einen Glauben, dem dieselbe, ohne Ausnahme, zu gehorchen verbunden ist. Die Rechtsgelehrten und Advokaten gründen sich auf willkürliche Gesetze, und einen höchstunvernünftigen Schlendrian: sie brauchen also der Vernunft so wenig, als die Ärzte, die es in ihrer Kunst gemeiniglich auf eine zweifelhafte Erfahrung, und auf ein ungewisses Glück, ankommen lassen, Urin besehen, Rezepte verschreiben, und zufrieden sind, wenn sie ihre Patienten, *canonicamente, e con tutti gli ordini,* zur Ruhe bringen. Die Weltweisen scheinen der

Vernunft mehr benötigt zu sein: Allein sie haben sich, ohne Nachteil ihrer Ehre, derselben doch allemal wenig bedient. Cicero sagte schon zu seiner Zeit, es sei keine Torheit zu erdenken, die nicht einer von denen Weltweisen behauptet habe, und heutigen Tages, da wir so schöne Compendia Philosophiae haben, müßte einer ein Narr sein, wenn er ohne Not seine Vernunft abnutzen wollte. Hat er nur so viel Gedächtnis, daß er eines dieser heilsamen Bücher auswendig lernen kann, und Mauls genug, wieder herzubeten, was er gelernet hat, so ist er geborgen.

Da man nun ohne Vernunft ganze Völker regieren, Länder erobern, Schlachten gewinnen, Seelen bekehren, Rechtshändel entscheiden, Pillen drechseln, Rezepte verschreiben, und ein Weltweiser sein kann: so möchte ich wohl wissen, warum es dann nicht erlaubt sein sollte, ohne Vernunft ein Buch zu schreiben? Es wäre viel, wenn die Vernunft zu einer Sache von so weniger Wichtigkeit unentbehrlich sein sollte, da man doch ohne dieselbe die größten Taten verrichten kann. Ich glaube es nicht, und halte es für eine Himmelschreiende Unbilligkeit, daß man uns elenden Skribenten eine Last auflegen will, die niemand mit einem Finger anzurühren Lust hat.

Wenn unsere Feinde es redlich mit der Vernunft meinten: so würden sie, ohne Unterschied, wider alle diejenigen eifern, welche sich durch ihre Taten als Verächter derselben bezeigen, und nicht bloß uns arme Leute aus der unzähligen Menge dieser Verächter auskippen, um auf uns ihren Eifer auszulassen. Allein so hat alle Welt die Freiheit, die Vernunft so geringe zu achten, als es ihr beliebt; nur uns will man es nicht vergönnen. Unvernünftige Taten lässet man ungeahndet hingehen; aber eine unvernünftige Schrift zu machen, ist eine unvergebliche Missetat. Auf eine solche Schrift sind alle Pfeile der guten Skribenten gerichtet, die sich doch sonst, wie die Erfahrung lehret, eben kein Gewissen machen, die Vernunft, für deren Ehre sie eifern, in ihrem Leben und Wandel aufs gröbste zu verletzten. Wo dieses nicht Mücken seigen und Kamele verschlukken ist, so weiß ich's nicht.

Indessen haben wir eben nicht Ursache, uns über diese Unbilligkeit zu betrüben. Denn eben dieses widersinnige Betragen unserer Feinde muß zu unserer Rechtfertigung dienen. Sie geben einesteils dadurch zu erkennen, daß es nicht allemal nötig sei, seine Vernunft zu gebrauchen, und können also unmöglich eine gute Ursache anführen, warum sie es von uns, als eine unumgängliche Notwendigkeit, fordern; und andernteils kann man daraus, daß sie zu Torheiten von anderer Gattung als die unsern, still schweigen und bei Gelegenheit dieselbe mitmachen, deutlich abnehmen, daß ihr eigen Gewissen ihnen sage, wie schädlich es sei, der Vernunft in allen Stücken zu folgen.

Einer, der das Unglück hat, so weit zu verfallen, beraubet sich selbst alles Vergnügens, dessen ein Mensch hier auf Erden genießen kann. Denn die tiefe Einsicht, welche er, durch einen unmäßigen Gebrauch seiner Vernunft, in den wahren Wert aller irdischen Dinge bekommt, benimmt ihm gewisse Vorurteile, ohne welche man nicht glücklich sein kann. Montaigne sagt: *Une ame garantie de prejugé, a un merveilleux avancement vers la tranquilité.* Und daher sehen wir auch, daß der Pöbel, der sich begnüget, alles nur von außen anzusehen, mit dem gemeinen Laufe der Welt zufrieden ist, und die Mühseligkeit des menschlichen Lebens, worüber die Vernünftler so herzbrechend seufzen, kaum empfindet. Zu dieser glücklichen Zufriedenheit kann ein Mensch, der seiner Vernunft Gehör gibt, nicht gelangen. Die Eitelkeiten und Torheiten der Welt müssen ihm notwendig Verdruß und Ekel erwecken. Alle Ehre, aller Vorteil und alles Vergnügen, so die Welt

geben kann, ist in seinen Augen gar zu verächtlich, als daß er danach trachten sollte. Er spricht: Die Welt vergeht mit ihrer Lust. Die ganze Ordnung der Natur ist ihm zuwider. Er tadelt dieselbe und zweifelt, ob die Natur mütterlich, oder als eine Stiefmutter, mit uns gehandelt habe, *parens melior homini, an tristior noverca fuerit?* (Plinius). Ja seine Schwermut und Verzweiflung steigt bisweilen so hoch, daß er behauptet, das beste sei, gar nicht geboren zu werden, oder doch bald wieder sterben. (Plinius: *multi extitere, qui nun nasci optimum censerent, aut quam ocyssime aboleri.*)
Alle diese traurigen Gedanken rühren aus dem Gebrauche der Vernunft her. Wie kann aber mit diesen Einfällen die Glückseligkeit bestehen, nach welcher alle Menschen trachten? Mich deucht, diejenigen, die ein glücklicher Mangel von Nachdenken vor solchen schwermütigen Grillen sichert, haben nicht Ursache, Leute zu beneiden, die mit einer so verdrießlichen Weisheit begabt sind.
Ich verlange zum wenigsten nicht an ihrer Stelle zu sein; was sie auch von ihrer Glückseligkeit schwatzen. Denn das Mittel, wodurch sie glücklich werden wollen, ist im höchsten Grade lächerlich. Sie sagen, man könne nicht füglicher und eher zur Gemütsruhe, oder zu einer beständigen Zufriedenheit gelangen, als wenn man sich bemühe, seine Begierden einzuschränken, und zu dämpfen. Aber kommt dieser Vorschlag wohl viel klüger heraus, als wenn ich einem, der Kopfschmerzen hat, raten wollte, er solle sich den Kopf abhauen lassen? Und könnte man wohl besser von der Sachlichkeit der Vernunft überführt werden, als wenn man sieht, was sie vor verzweifelte Lehren gibt?
Ich bitte meine Leser, sich mit mir das Elend und die Verwirrung vorzustellen, die notwendig erfolgen würden, wenn die Begierden gedämpft wären, und die Ver-

nunft freie Hände hätte. Das ganze menschliche Geschlecht würde dadurch in eine Art von Schlafsucht verfallen. Ich gestehe, es unterbliebe alsdann viel Böses: Allein es würde auch wenig Gutes ausgerichtet werden; weil man gar nichts tun würde. *Si la raison dominoit sur la terre*, sagt einer von unsern ärgsten Feinden, *il ne s'y passeroit rien. On dit que les Pilotes craignent au dernier point ces mers pacifiques, où l'on ne peut naviger, & qu'ils veulent du vent, au hazard d'avoir des Tempêtes. Les passions sont chez les hommes les vents qui sont necessaires pour mettre tout en mouvement, quoiqu'ils causent souvent des orages* (Fontenelle).

Der Endzweck aller menschlichen Handlungen ist Ehre, Vorteil und Lust. Wenn der Mensch ohne Ehrgeiz, Geldgeiz und Wollust wäre: so würde er stille sitzen und die Hände in den Schoß legen. Ich begreife also nicht, wie es möglich sei, daß kluge Leute sich so große Vorteile von dem Siege der Vernunft über die Affekte versprechen können; da es doch so offenbar ist, daß ohne die Affekte nicht eine tugendhafte Tat verrichtet werden kann. Montaigne nennt sie mit Recht: *des piqueures & sollicitations acheminans l'ame aux actions vertueuses* (Montaigne) und scheut sich nicht, zu behaupten, daß eben die Unordnung, welche die Affekte in unserm Verstande anrichten, uns tugendhaft mache. *Par la dislocation que les passions apportent à nôtre raison, nous devenons vertueux.*

Ich möchte wohl wissen, ob sich, wenn die Begierde nach Ehre und Reichtum von der Vernunft unterdrückt und gänzlich aus der Menschen Herz ausgerottet wäre, jemand finden würde, der Lust hätte, für das Beste des Staats und der Kirche zu wachen? Ob wohl jemand so treuherzig sein würde, daß er sein Leben für sein Vaterland wagte? Ja, ob wohl, welches zur Beschämung unserer Feinde das meiste tut, die guten Skribenten sich die Mühe geben würden, die Welt durch ihre herrlichen

Schriften zu erbauen? Ich glaube es nicht und bin, was die guten Skribenten insonderheit anlangt, fest versichert, daß sie, wenn die Hoffnung des Lobes sie nicht zum Schreiben reizte, Zahnstocher aus ihren Federn machen, und wir nimmer das Vergnügen haben würden, eine Zeile von ihnen zu sehen.

Und dennoch schämen diese Leute sich nicht, von uns zu verlangen, daß wir die Vernunft gebrauchen sollen, die sie selbst, so oft sie schreiben, aus den Augen setzen müssen, die alle Tugend aufhebt, allen tapfern und zum Besten des Staats und der Kirche nötigen Unternehmungen entgegen, und gar so schädlich ist, daß man, ohne Gefahr zu irren, sagen kann, sie würde, wenn sie einmal über die Affekte die Oberhand bekommen sollte, die allergefährlichste Veränderung, so jemals in der Welt geschehen ist, verursachen, und das unterste zu oberst kehren. Denn wenn die Menschen sich nicht mehr von ihren Affekten regieren ließen, sondern bloß der Vernunft folgten: so wäre es um die Torheiten geschehen, denen wir einzig und allein unsere Verfassungen und gute Ordnungen zu danken haben. So bald ein jeder ungezwungen tut, was er zu tun schuldig ist, und freiwillig, wie es die Vernunft erfordert, die Regeln der Gerechtigkeit, der Ehrbarkeit und des Wohlstandes beobachtet, braucht man weder Strafe, noch Belohnung, noch Ermahnung; folglich weder Regenten noch Lehrer. Ein allgemeiner und immerwährender Gebrauch der Vernunft führt einen beständigen Frieden mit sich, und schließet allen Krieg, allen Streit und alle Uneinigkeit aus. Man braucht also weder Soldaten, noch Richter, noch Advokaten. Fällt die Begierde nach Reichtum weg, so liegt aller Handel und Wandel, und wie viele Menschen sind nicht in der Welt, die sich bloß von der Wollust und dem törichten Hochmute anderer nähren? Alle diese ehrlichen Leute würden aber an den Bettelstab kommen, wenn das menschliche Geschlecht zu klug werden, und der Vernunft zu folgen anfangen sollte.

Mich deucht, es erhellt hieraus deutlich, daß keine Republik bei dem Gebrauch der Vernunft bestehen könne, und daß eine gänzliche Dämpfung der Affekte und Ablegung der Torheit den Unterschied zwischen Obrigkeit und Untertanen aufhebe, und alle Stände der bürgerlichen Gesellschaft zu Grunde richte. Was soll man also von solchen Leuten denken, die so sehr auf den Gebrauch der Vernunft dringen? Ist es doch nicht anders, als wenn ihnen alle Ordnung und alle guten Verfassungen zuwider sind. Wollte man ihnen Gehör geben, und sie raten lassen: so würden sie uns in kurzem zu vollständigen Hottentotten machen.

Ich sage dieses nicht, um unsere Feinde, die guten Skribenten, in übeln Ruf zu bringen, und sie als gefährliche und dem gemeinen Wesen schädliche Leute vorzustellen. Was sie mir auch vor Blöße geben: so sei es doch ferne von mir, daß ich das Unrecht, welches sie uns elenden Skribenten zufügen, auf eine so grausame Art rächen sollte. Ich bin gewiß von ihnen versichert, daß sie so böse Absichten nicht haben, und glaube, daß sie vor den entsetzlichen Folgen ihrer Lehre selbst erschrecken. Sie würden am allerwenigsten ihre Rechnung dabei finden, wenn wir uns entschließen sollten, unsere Torheiten abzulegen und Hottentotten zu werden. Denn die Hottentotten schreiben nicht, und lesen keine Bücher, sie mögen auch so gut geschrieben sein, als sie wollen. Und man könnte also den guten Skribenten keinen ärgern Possen tun, als wenn man, wie sie es haben wollen, die Vernunft aufs höchste triebe. Ich glaube nicht, daß sie dieses Unglück jemals erleben werden. Denn was man auch von dem menschlichen Geschlechte sagt; so habe ich doch eine viel zu gute Meinung von demselben, als daß ich glauben sollte, es werde so einfältig sein, und sich entschließen, klug zu werden, und die Torheiten abzulegen, bei denen es sich allemal so wohl befunden hat. Wenn demnach auch die Absichten der guten Skribenten noch so böse wären, so hätte man doch keine Ursache dawider zu eifern; weil nicht zu besorgen ist, daß die Welt ihrem verführerischen Geschwätze Gehör geben werde.

Meine Widersacher können also glauben, daß alles, was ich bisher wider sie geschrieben habe, nicht auf ihre Verunglimpfung ziele. Ich bin zufrieden, wenn meine Leser nur erkennen, daß die Vernunft schädlich sei. Ich habe dieses, deucht mich, klärlich bewiesen und getraue es mir gegen unsere Feinde zu behaupten, wenn ich auch gleich zugäbe, daß die bürgerliche Gesellschaft durch einen unmäßigen Gebrauch der Vernunft nicht aufgehoben werde. Denn es bleibt doch allemal gewiß, daß die Vernunft eine Eigenschaft ist, die einen Menschen sehr ungeschickt macht, ein Glied der bürgerlichen Gesellschaft und der wahren Kirche zu sein.

## GOTTLIEB WILHELM RABENER
(1714–1771)

## Aus »Satirische Briefe«

Gnädiges Fräulein,

Ich habe ein Amt, welches mir einen ansehnlichen Rang in der Welt verschafft. Zweitausend Taler Renten und fünfzehnhundert Taler Besoldung machen, daß ich bei einer vernünftigen Wirtschaft sehr gemächlich leben kann. Meine Kinder sind alle versorgt, und haben ihr Brot. Ich bin noch munter genug, daß ich das Herz habe, Ihnen meine Hand anzubieten. Ihre eingezogene Lebensart und Ihr tugendhafter Charakter vermehren diese Hochachtung, die ich gegen Sie hege, und ich vergesse dabei, daß Sie nur sechzehn Jahre alt sind. Vielleicht würde ich behutsamer sein, Ihnen meine Neigung zu eröffnen, wenn ich Sie nicht für zu vernünftig hielte, als daß Sie durch den kleinen Unterschied der Jahre, der zwischen uns beiden ist, sich sollten abschrekken lassen, Ihr Glück zu befestigen, und mich zugleich zu dem glücklichsten Ehemanne zu machen. Seit vierzig Jahren habe ich die Lebhaftigkeit nicht empfunden, die ich itzt empfinde, da ich Ihnen sage, daß ich Sie liebe. Entschließen Sie sich bald, und wo möglich zu meinem Vorteile. Ich werde künftige Woche ins Carlsbad reisen, eine kleine Krankheit zu beheben, die sich ohnedem bald verlieren muß, da sie mir seit zwanzig Jahren beschwerlich gewesen ist, und in der Tat weiter nichts ist, als eine Folge meines flüchtigen und feurigen Geblütes, ungeachtet mein Medicus es für eine fliegende Gicht halten will. Lassen Sie mich nicht ohne die Hoffnung wegreisen, daß ich bei meiner Rückkunft die Erlaubnis haben werde, Ihnen mit der zärtlichsten Hochachtung zeitlebens zu sagen, daß ich sei,

>Gnädiges Fräulein,
>Ihr
>gehorsamster Diener

am 1sten Mai, 1740

N. S. Gegen meine Tochter, die Hofrätin, gedenken Sie nichts von meinem Vorschlage. Ich weiß, daß sie eine vertraute Freundin von ihr sind; aber sie möchte Ihre Vertraulichkeit mißbrauchen.

N. S. Mein Enkel, den Sie kennen werden, und der ein gutes Kind ist, wird Ihnen diesen Brief zustellen. Ich habe ihn beredet, es beträfe Ihre Vormundschaftsrechnungen. Lassen Sie sich nichts gegen ihn merken. Ungeachtet er nur achtzehn Jahr alt ist, so ist er doch schlau genug, mehr zu erraten, als ich ihm noch zur Zeit will wissen lassen.

N. S. Die Juwelen von meiner seligen Frau habe ich noch alle, und sie dürfen nur neu gefaßt werden. Die rechtschaffne Frau! In ihrem ganzen Leben hat sie mich nicht ein einzigesmal betrübt! und wenn ich auch der eifersüchtigste Mann von der Welt gewesen wäre; so hätte ich doch bei ihr nicht die geringste Gelegenheit gehabt, es zu sein.
Noch eins! Was halten Sie vom d'aylhoudischen Pulver? Ich finde es ganz gut.

\*

Madame,
Da ich nur fünfundzwanzig Jahr alt bin, und Sie gestern in Ihr siebenundfünfzigstes getreten sind; so wird mich die ganze Welt für einen Narren halten, wenn man erfährt, daß ich mich habe überwinden können, Ihnen zu

sagen, daß ich Sie liebe, und Sie um Ihre Gegenliebe bitte. Wäre ich einer von den jungen leichtsinnigen Menschen, welche auf weiter nichts sehen, als auf die Jahre, und auf ein frisches blühendes Gesicht, so würde ich mir selbst diesen Vorwurf der Torheit machen. Aber nein, Madame, meine Liebe ist gründlicher, und ernsthafter. Außer dem daß Sie, ungeachtet Ihrer Jahre, noch immer das muntre und frische Wesen beibehalten, das Sie in vorigen Zeiten schön und reizend gemacht haben mag; so besitzen Sie gewisse Vorzüge, Madame, die Ihren Wert unendlich erhöhen. Jedes Jahr, das Sie zu alt sind, können Sie mit tausend Talern abkaufen; und Sie kommen mir bei dieser Rechnung kaum als ein Mädchen von sechzehn Jahren vor. Ich schwöre Ihnen also bei Ihrem Gelde, und bei allem, was mir ehrwürdig ist, daß ich Sie und Ihre Vorzüge aufs heftigste liebe. Entschließen Sie sich, die Meinige zu sein. Ich glaube, Sie werden bei Ihren Umständen mehr nicht von mir verlangen, als Ehrfurcht und Geduld. Diese verspreche ich Ihnen. Da Sie so vernünftig sind, Madame, so traue ich Ihnen zu, daß Sie meine Geduld nicht mißbrauchen, und zum längsten in sechs Jahren Anstalt machen werden, mich in die Umstände zu setzen, daß ich den schmerzlichen Verlust einer so ehrwürdigen Frau als ein betrübter Witwer zwei Monate lang beweinen, und sodann durch Hilfe Ihres Geldes mir ein junges Mädchen wählen kann, in deren Armen ich dasjenige empfinde, was ich itzt nicht fühle, und welche mich vergessen läßt, daß ich mir die Gewalt angetan habe, zu sein,

Madame,<br>der Ihrige

Mein Herr,
Ich weiß in der Tat nicht mit Gewißheit zu sagen, wie alt ich eigentlich bin. Nach meinem Taufscheine bin ich etliche und fünfzig Jahre. Ich kann mir aber nichts an-

ders einbilden, als daß sich der Küster verschrieben haben muß, denn nach meinen Kräften, nach der Begierde, die Welt zu genießen, und nach dem Verlangen, Ihnen, mein Herr, zu gefallen, nach all diesen Umständen zu urteilen, bin ich unmöglich älter als dreißig, höchstens sechsunddreißig Jahre. Ich bin auf dem letzten Balle ungemein mit Ihnen zufrieden gewesen. Sie haben bei Ihren zwanzig Jahren etwas so Gesetztes, und Männliches, welches alle meine Aufmerksamkeit verdienet. Die andern jungen Herren flatterten um die Mädchen herum, die weder zum Lieben noch zum Tändeln alt genug, und viel zu jung sind, vernünftig mit sich reden zu lassen. Ich werde es ewig nicht vergessen, mit welcher Achtung Sie mir den ganzen Abend hindurch begegneten. Ich war die erste, die Sie zum Tanze aufforderten, und ich glaube mich nicht zu irren, wenn ich Sie versichre, daß ich bei aller Ihrer Bescheidenheit die lose Sprache Ihrer Augen verstanden, und Ihr ganzes Herz gesehen habe, als Sie mir die Hand zum ersten Male küßten. Fast sind Sie noch ein wenig zu furchtsam. Ich will Ihrer Schüchternheit auf dem halben Wege entgegenkommen. Ich will Ihnen sagen, daß ich Sie liebe. Urteilen Sie, wie jung mein Herz sein muß, da es mit dem Ihrigen einerlei fühlt. Wie glücklich werde ich sein, wenn ich bei einer genauern Verbindung mit Ihnen, mich wegen derjenigen Jahre schadlos halten kann, in denen ich an der Seite eines abgelebten närrischen Mannes ganz trostlos habe seufzen müssen. Meine Eltern zwangen mich, ihn zu heiraten, weil er Vermögen hatte; ich konnte ihn aber, aller Bemühungen ungeachtet, dahin nicht bringen, daß er seines Lebens überdrüssig geworden wäre. Dreißig Jahre, können Sie es wohl glauben? dreißig Jahre lebte er noch, und nur mir zum Trotze ist er nicht eher, als vor fünf Jahren gestorben. Ich bin ganz frei, und besitze, außer einem zärtlichen Herzen, Geld genug, Sie glücklich zu machen.

Wollen Sie meine Hand annehmen? Hier ist sie. Es kommt auf Sie an, wieviel Sie verlangen, sich einen Rang zu kaufen, und eine anständige Equipage anzuschaffen. Mit wem ich mein Herz teile, mit dem teile ich auch mein Vermögen. Mit der Zeit soll beides ganz Ihre sein. Wären Sie weniger blöde, so würde ich mehr behutsam sein, Ihnen meine Empfindungen zu entdecken. Ihre Liebe ist mir unschätzbar; wie groß wird das Vergnügen noch alsdann sein, wenn künftig einmal, der Himmel gebe, so spät, als möglich, die Zeiten kommen, die uns bei einem herannahenden Alter nötigen, unsere Liebe in eine ernsthafte Freundschaft zu verwandeln. Ich brenne vor Verlangen, Ihre Entschließung aus Ihrem Munde zu hören. Ich werde auf den Abend zuhause sein. Wie jugendlich schlägt mein Herz, da ich dieses schreibe! Ich zittere, aber vor Vergnügen zittre ich. Wie entzückend wird der Augenblick sein ... Nein, mein Herr, mehr kann ich nicht sagen. Beinahe vergesse ich, daß ich ein Frauenzimmer bin. Mit einem Worte, ich liebe Sie. Pressen Sie mir kein offenherziges Bekenntnis ab. Ich liebe Sie, und bin ganz
die Ihrige

## Aus dem »Versuch eines deutschen Wörterbuchs«

### *Pflicht*

*Pflicht, Amtspflicht, teure Pflicht, Pflicht und Gewissen*, sind bei unterschiednen Leuten, die in öffentlichen Geschäften stehen, eine gewisse Art Formeln, welche zu den Curalien gehören. In der Tat haben sie weiter nichts zu bedeuten, als was die übrigen Curalien bedeuten; inzwischen aber sind sie doch so unentbehrlich, als diese, und gehören mit zur Legalität.

*Einen in Pflicht nehmen,* wird also bei dergleichen Leuten so viel heißen, als einem ein Amt geben, worinnen er, unter dem Vorwande seiner aufhabenden Pflicht, dasjenige ausüben kann, was ein *Unverpflichteter* zu tun nicht wagen darf, ohne seine Leidenschaften zu verraten. Weil in gewissen Gegenden sowohl geistliche als weltliche Ämter nicht anders als durch viele Geschenke und aufzuwendende Unkosten erlangt werden: So ist es gar wohl zu verstehen, was die *geleistete teure Pflicht* heißt; und alsdann wird der Ausdruck *seine Pflicht sorgfältig zu erfüllen suchen* nichts anders sagen als wenn ich spreche: sich sorgfältig bemühen, auf alle mögliche Art von andern so viel wieder zu erpressen, als das Amt gekostet hat.

*Es läuft wider meine Pflicht,* wird ein gewissenhafter Richter sprechen, wenn ihm der Beklagte Geschenke anbietet. Ein vernünftiger Beklagter aber wird es gar leicht begreifen, daß des gewissenhaften Richters seine Frau Liebste nicht in *Pflichten* steht; und sich daher mit seinen Geschenken zu dieser wenden, wenn er anders, von ihrem Manne, ein *pflichtmäßiges Urteil* verlangt. Ich habe einen Schösser (Steuereinzieher) gekannt, welcher das Expensbuch beständig vor sich liegen hatte, und daher von sich selbst rühmte, *daß er seine Pflicht niemals aus den Augen ließe;* denn er glaubte, nur um deswillen sei er ein verpflichteter Schösser, daß er seinen Bauern liquidieren könne. *Ex officio* arbeiten, würde ein Schulmann vielleicht durch: *pflichtmäßig arbeiten* übersetzen. Aber das wäre ein erschreklicher Schnitzer wider den juristischen Donat. Wer es gründlicher lernen will, was es bedeutet, den will ich an einen gewissen Amtmann weisen. Wenn dieser über die nahrlosen Zeiten und den Verfall der Sporteln klagt; so spricht er allemal: »Ein ehrlicher Mann kann es fast nicht mehr ausstehen. Lauter Arbeit *ex officio!* Bald Armensachen! Bald Bericht wegen brandbeschädigter Untertanen! Bald wegen herrschaftlicher Sachen! Alles *ex officio!*« Sachen also, davon in der Taxordnung nichts steht, sind Sachen *ex officio*, und freilich sind dergleichen Arbeiten bis in den Tod verhaßt.

### Verstand

Weil ich hier nicht willens bin, eine philosophische Abhandlung zu schreiben; so wird man mir nicht zumuten, von demjenigen Begriffe etwas zu gedenken, welchen man sich auf dem Katheder von dem Worte *Verstand* macht.

Ich schreibe nicht für Pedanten, sondern für die große Welt, und in der großen Welt heißt Verstand so viel, als Reichtum.

*Ein Mann ohne Verstand*, ist nichts anders als ein Armer. Er kann ehrlich, er kann gelehrt, er kann witzig, mit einem Worte, er kann der artigste, und nützlichste Mann in der Stadt sein, das hilft ihm alles nichts; der Verstand fehlt ihm, denn er hat kein Geld.

*Es ist nicht für einen Dreier Verstand darinnen!* spricht mein Wirt, wenn er ein vernünftiges Gedicht liest. Warum? Mein Wirt ist ein Wechsler, welcher in der Welt nichts gelernt hat als addieren, und er glaubt, wenn er die schönste Ode auf die Börse trüge, so würde er doch nicht einen Dreier dafür bekommen.

*Das Mädchen hat Verstand*, sagt ein Liebhaber, der nur aufs Geld sieht, wenn gleich sein Mädchen nichts tut, als daß es Kaffee trinkt, Lomber spielt, Knötchen macht, zum Fenster hinaus sieht, und wenn es hochkommt, über das Nachtzeug ihrer Nachbarin spottet. In Gesellschaften, wo sie keines von diesem allen tun kann, ist sie nicht im Stande, etwas weiter zu sagen, als ein trokkenes Ja und Nein; und spielte sie nicht mit ihrem Fächer: So würde man sie für eine schöne Statue ansehen. Aber das tut alles nichts; für ihren Liebhaber hat

sie doch viel Verstand, denn ihre Mutter hat ihr ein sehr schönes Vermögen hinterlassen.
*Der Mensch hat einen sehr guten natürlichen Verstand,* heißt so viel: Er hat von seinen Eltern eine reiche Erbschaft überkommen, und nicht nötig gehabt, selbst Geld zu verdienen.
Was also dieses heißt: *Er wuchert mit seinem Verstande,* das darf ich niemanden erklären; es versteht sich von selbst.
Ich bin der Dümmste eben nicht, denn ich habe auch etwas weniges von Vermögen, und dieses hat mir Gelegenheit gegeben, durch eine dreißigjährige Erfahrung die verschiednen Grade des Verstandes kennenzulernen. Nach gegenwärtigem Kurs kann ich von dem Verstande meiner Landsleute ungefähr folgenden Tarif machen:

   1 000 Taler, nicht ganz ohne Verstand;
   6 000 Taler, ein ziemlicher Verstand;
  12 000 Taler, ein feiner Verstand;
  30 000 Taler, ein großer Verstand;
  50 000 Taler, ein durchdringender Verstand;
100 000 Taler, ein englischer Verstand;

und auf solche Weise steigt es mit jeden tausend Talern.
Ich habe den Sohn eines reichen Kaufmanns gekannt, welcher kaum so klug war als sein Reitpferd. Er besaß aber viermal hunderttausend Taler, und um deswillen versicherte mich mein Korrespondent, daß er in ganz Mecklenburg beinahe der Verständigste wäre.
*Der Kerl hat seinen Verstand verloren!* wird man also von einem bankrotten Kaufmann sagen, und ich kenne einige davon, welche dieser Vorwurf weit mehr schmerzt, als wenn man sagen wollte, sie hätten ihren ehrlichen Namen verloren. Dieses ist doch der einzige Trost für dergleichen Männer, daß ihre Weiber, welche durch ihre üble Wirtschaft und durch ihren unsinnigen Staat an diesem Verluste gemeiniglich die meiste Ur-

sache haben, dennoch ihren *eingebrachten Verstand*, daß ich mich kunstmäßig ausdrücke, oder deutlich zu reden, ihr eigenes Vermögen, und daher noch allemal so viel übrig behalten, als nötig ist, sich und ihren unverständigen Mann auf das bequemlichste zu ernähren.

## Lebenslauf eines Märtyrers der Wahrheit

Es ist in Gesellschaften nichts gewöhnlicher, als daß einer den andern mit beständigen Erzählungen von sich selbst und seinen Fähigkeiten unterhält. Wir sind uns die nächsten; und weil wir schuldig, von unsern Nächsten alles Gutes zu reden, so glauben wir, es erfordere die natürliche Pflicht, uns selbst zu loben. Ich will die wahrhaften Ursachen dieser törichten Eigenliebe nicht untersuchen; weil ich nicht gesonnen bin, mir auch nach meinem Tode Feinde zu machen. Ich führe solches nur um deswillen an, damit ich mein gegenwärtiges Vorhaben einigermaßen rechtfertige. Bezeugst du so viel Geduld, andere anzuhören, welche sich des bei lebendigen Leibe rühmen; so gönne mir deine Aufmerksamkeit, wenn ich dir nach meinem Tode sage, wer ich gewesen bin. Das habe ich mit andern Menschen gemein, daß ich meinem Namen die Unsterblichkeit wünsche, wenn auch gleich der Körper verwesen muß. Wolltest du mir aber verwehren, meinen Lebenslauf zu erzählen; so würde ich vor vielen unglücklich sein, an deren Verdienste man wenigstens so lange gedenkt, als die Erbteilung währt. Die Liebe zur Wahrheit hat mich in so geringe Umstände gesetzt, daß meinen Tod beinahe niemand, als der Leichenschreiber, erfahren hat. Hätte ich ein ansehnliches Vermögen besessen, so würden meine schmerzlich betrübten Erben durch eine verhüllte Frau der ganzen Stadt haben ansagen lassen, daß ihr Herr Vetter in Gott selig verschieden sei; oder ich würde mir noch auf meinem Todbette einen glaubwürdigen Redner haben mieten können, welcher der christlichen Gemeine die ewige Wahrheit bewiesen hätte, daß unter allem Erschrecklichen der Tod das Erschrecklichste, und meine tugendhafte Seele noch viel zu frühzeitig aus ihrem dreiundsechzigjährigen Körper gefahren sei ... Allein, meine Armut hat mir nicht verstattet, einen so prächtigen Abschied aus der Welt zu nehmen. Ich bin gestorben als ein Märtyrer der Wahrheit, das ist, arm und unbeweint; und wenn die Nachwelt etwas von mir erfahren soll, so muß ich ihr solches selbst sagen.

Daß ich im Jahre 1674 den 17ten September, zu Mühlberg, einem Städtchen an der Elbe, geboren bin, solches scheint kein Umstand von besonderer Wichtigkeit zu sein, und ich kann eben so wenig dafür, als es ohne mein Verschulden geschehen ist, daß mein Vater nicht ein Hochedelgeborener, Hochedler, Vester und Hochgelahrter Erb-, Lehn- und Gerichtsherr auf drei Rittergütern, sondern nur, wenn ich anders der Erzählung meiner Mutter glauben darf, Meister Lollinger, Bürger und Schneider daselbst, gewesen ist. Ich brachte zwei Zähne mit auf die Welt, und lernte gleich im ersten Jahre reden, und schon im andern war ich vermögend, durch mein Plaudern Vater und Mutter zu übertäuben. Meine Eltern hielten dieses für eine vergnügte Vorbedeutung, ich würde mit der Zeit ein großer Rechtskonsulent werden. Sie irrten sich aber, und die Folge hat gelehrt, daß es unglückliche Anzeigen meiner Liebe zur Wahrheit gewesen sind. Ich fing frühzeitig an, solches merken zu lassen. Kaum hatte ich vier Jahre erreicht, als ich bemerkte, daß mein Vater in seinem Berufe nicht gar zu gewissenhaft war. Ich verwies ihm solches auf eine zwar kindische, so empfindliche Art, und weil ich es oft tat, so gab er mir endlich, durch einen derben Schilling, die ersten Früchte der Wahrheit zu schmekken. Jedoch ward ich dadurch nicht furchtsam. Mein Vater starb, und hinterließ meine Mutter, als eine junge Witwe, mich aber als einen ungezogenen Knaben. Meine Mutter tat über diesen Tod recht jämmerlich. Sie heulte und schrie; sie versteckte sich hinter einen großen Schleier, sie wünschte mit ihrem Manne zu verwesen, und schwur der ganzen Welt ab. Ich dachte auch nach meiner kindischen Einfalt, es wäre ihr Ernst, und ich blieb zwölf Wochen lang in meinem Irrtume. Nach deren Verlauf war sie aufgeräumt; sie scherzte, sie lachte, sie besuchte ihre Nachbarn, und ich sah verschiedene junge Leute aus- und eingehen, ohne daß sie böse darüber war. Kurz, sie hatte ihren Mann vergessen, und die Lust war ihr vergangen, mit ihm zu verwesen. Ich fragte, warum sie mich und andere so betrogen hätte? Ein paar Ohrfeigen aber waren die ganze Antwort. Einstmals sah sie in den Spiegel, und fragte mich: ob ich nicht eine schöne Mutter hätte? Ich sagte: Nein; und dieses brachte mich um alle mütterliche Liebe. Sie konnte mich nicht länger um sich leiden, und es ward bald beschlossen, mich auf eine Schule zu tun. Es geschah auch, und ich kam an einen Ort, wo ich etliche Jahre lang die Gründe der Sprache lernte. Man fand es für gut, mich auf eine andere Schule zu bringen; ich folgte willig, und man war anfänglich wohl mit mir zufrieden; es dauerte aber nicht lange. Einige meiner Mitschüler waren faul; ich verwies ihnen ihre Faulheit. Einige legten sich mit großem Eifer auf die Erlernung solcher Wissenschaften, von denen ich glaubte, daß sie abgeschmackt, und einem Gelehrten nur zur Last wären. Einige waren hochmütig, weil sie auf lateinisch und griechisch zu sagen wußten, wer sie erschaffen hätte. Diese versicherte ich, daß ich sie ohne Lachen nicht ansehen könnte. Keiner aber dankte mir wegen meiner Freimütigkeit, und alle machte ich mir zu Feinden. Der Zorn eines meiner Lehrer, von dem ich das gegründete Urteil fällte, er habe mehr Stärke in der Faust, als in der Gelehrsamkeit; dieser Zorn, sage ich, war so nachdrücklich, daß ich alsbald die Schule räumen, und in einer öffentlichen Abbitte mich bedanken mußte, daß man mich ohne weitern Schimpf gehen ließ.

Dieser unvermutete Streich hätte mich bald zum Mammelucken gemacht. Im ersten Schrecken nahm ich mir fest vor, die Wahrheit nimmermehr wieder zu reden. Es ging mir aber, wie denjenigen Dichtern, welche die Verse verschworen. Ich zog auf die hohe Schule, von der ich mir einen sehr edlen Begriff gemacht hatte, wodurch ich aber meine Unerfahrenheit verriet. Leute, welche ihre einzige Sorge sein ließen, wie sie den Pflichten gegen ihr Vaterland Genüge leisten, die Hoffnung ihrer Eltern erfüllen, und deren saure Mühe und aufgewandten Kosten vergelten könnten; Leute, welche diejenigen Wissenschaften mit Ernste ausüben, nach denen sie sich nannten; solche Leute glaubte ich zu finden. Ich irrte mich. Gleich den ersten Abend erschreckte mich eine Gesellschaft trunkener Menschen, welche unter Schreien und Witzen nach ihren Wohnungen eilten. Anfänglich glaubte ich, es sei ein Auflauf, oder wenigstens Feuer in der Gasse. Ich sah durchs Fenster; in dem Augenblicke fiel ihr Anführer in den Kot, und ich hörte aus den Reden der anderen, daß sie sich bemühten, einem Meister der Weltweisheit wieder auf die Beine zu helfen. Diese Begebenheit machte mich aufmerksam. Ich beobachtete die Sitten meiner Mitschüler genauer. Ich lernte einen kennen, welcher der Gottesgelahrtheit eifrigst Beflißner war, und sich rühmte, er habe sich in der Schenke zweimal festgesoffen, wie er es nannte. Ein Landsmann von mir wollte sich die Würde eines Lehrers beider Rechte erstehen, weil er sich innerlich überzeugt fand, daß nimmermehr etwas aus ihm werden würde. Eine Summe von zwölf Taler machte ihn zum Autor und Respondenten; und weil ich ihm, zu mehrerer Sicherheit, seine Disputation ins deutsche übersetzen müßte, so versprach er mir zur Vergeltung ein Ansehnliches, welches er aber noch an demselben Abend verspielte und mich auf seine bevorstehende Heirat vertröstete. Mein Stubennachbar erlernte die Medizin, ging aber lieber mit fleischigen Körpern, als ekelhaften Gerippen um, und verfluchte den abgeschmackten Eigensinn seiner Lehrer, welche ihn mit so vielen griechischen Wörtern martern wollten. Diese und hundert dergleichen törichte Exempel fielen mir täglich in die Augen, und ich sollte schweigen? und ich sollte die Wahrheit nicht reden? Ich tat mir alle Gewalt an, meinen Schwur nicht zu brechen, und manche, die einen schönen Gedanken oder artigen Einfall haben, solchen aber nicht an den Mann bringen können, empfinden das innerliche Nagen und den unruhigen Schmerz lange nicht so sehr, als ich ihn dazumal empfand. Endlich überwand die Natur allen Zwang. Ich sagte es ungescheut, daß das Verfahren der meisten meiner Mitschüler unverantwortlich und unsinnig wäre. Bei aller Gelegenheit stellte ich ihnen ihre Torheit so wohl ernsthaft als lächerlich vor. Ich schilderte zu verschiedenen Malen nicht allein die Laster, sondern auch die Personen, auf eine satirische Art in Versen ab; und wenn ich dieses tat, so empfand ich bei mir selbst eine doppelte Wollust. Allein, meine Ehrlichkeit, mein Eifer für die Wahrheit, meine billigsten Absichten wurden schlecht belohnt. Man mied meine Gesellschaft, man verachtete, man verspottete, man verabscheute mich, und ich erfuhr, daß einige sich verschworen hatten, mich öffentlich zu beschimpfen. Es wäre auch gewiß geschehen, wenn ich nicht beizeiten die Vorsicht gebraucht, und mich an einen anderen Ort begeben hätte, um die angefangenen Studien zu vollenden.

Das Schicksal führte mich zu einem Manne, der mir freien Unterhalt gab, und mir große Gefälligkeiten erwies. Er glaubte, seine Gemütsneigung habe mit der meinigen viele Ähnlichkeit; und dieses bewog ihn zum Mitleiden. Ich kann nicht sagen, daß er ein hitziger Verehrer der Wahrheit gewesen wäre. Seine große Leidenschaft bestand in der Begierde, Recht zu behalten, seine vorgefaßte Meinung zu verteidigen, und mit allen aufs unbarmherzigste zu verfahren, welche anders urteilten. Es war einer von denen Gelehrten, welche die Fähigkeit nicht haben, selbst etwas Nützliches zu schreiben, aber mit desto größerem Vorwitze die Schriften andrer zu durchwühlen. Ein Komma, ein Punkt, ein einziger Buchstabe war vermögend, ihn in die größte Wut zu bringen, und diejenigen in den Bann zu tun, welche ihm widersprachen. Er besaß einen erstaunenden Vorrat an Büchern nach seinem Geschmacke; wie er denn glaubte, der sei kein rechtschaffner Gelehrter, welcher nicht wenigstens sechs bis acht Pfund Bücher geschrieben habe. Es fiel ihm ein, mich zu fragen, was ich von ihm hielte? Ich erblaßte über diese Anfrage. Sollte ich sprechen, er wäre ein geschickter und dem gemeinen Wesen nützlicher Mann, so würde er mich mit neuen Wohltaten überhäuft haben. Aber alle diese mußte ich verlieren, wenn ich die Wahrheit redete: Ich redete sie doch. Ich sagte, daß Männer von seinen Fähigkeiten bei dem Baue der Gelehrsamkeit unentbehrlich wären; indem sie den Schutt wegfahren müßten, welcher den Bauleuten hinderlich sei. Mehr brauchte ich nicht zu sagen, mich zu verderben. Ich mußte auf der Stelle aus dem Hause, unter Begleitung tausend lateinischer Schimpfwörter, welche ich vorher meine Tage nicht gehört, und erst lange hernach in Burmanns Schriften gelesen habe.

Der Verlust dieses Mäzenaten ward mir durch einen Rechtsgelehrten reichlich ersetzt. In den Landesgesetzen war er ganz unerfahren, desto geübter aber in den römischen Rechten. Es ging mir wohl bei ihm; weil man ihm aber hinterbrachte, ich hätte mich verlauten lassen, daß er mehr Geschicklichkeit habe, eine Rede pro rostris zu halten, als eine Rüge zu machen, so hob er seine Wohltaten gegen mich auf, und bewies mir ex. l. I. C. de donat. reuoc., daß ich ihm nicht wieder unter die Augen kommen sollte.

Ein unverhoffter Zufall brachte mich in eine Stadt, wo es schien, ich würde den Grund zu meinem künftigen Glück legen. Es ging mir alles nach Wunsche; ich weiß nicht, ob die Leute daselbst die Wahrheit besser vertragen konnten, oder ob es daher kam, daß ich nicht alles öffentlich sagte, was ich bei mir selbst dachte. Man gab mir ein Amt, welches nicht ansehnlich, aber doch austräglich war. Ich hatte es etliche Jahre verwaltet, als eine Gelegenheit erforderte, einen Glückwunsch zu verfertigen. Ich handelte darinnen von der Vernunft, und ließ ihn drucken, ob sich gleich meine Freunde mit allen Kräften dawider setzten. Ein Mann, welchen sein Amt ehrwürdig machte, fand sich dadurch beleidigt. Es würde verdächtig gelassen haben, wenn er seine Person hätte verteidigen wollen, er verteidigte also Schrift und Religion. Auf eine unschuldige Art hatte ich das Wort Brosamen mit einfließen lassen. Dieses war genug, Himmel und Hölle zu bewegen. Ein Verächter der Schrift, ein Religionsspötter, ein Atheist; dieses waren die gelindesten Namen, die man mir gab. Einige glaubten gar, ich sei der Antichrist. Kurz, ich sollte mich öffentlich auf den Mund schlagen, oder Amt und Stadt meiden. Ich wählte das Letzte, und zwölf Jahre in die Irre Gehen, ehe ich den heiligen Zorn meiner Feinde verwinden konnte.

Endlich schien mein widriges Schicksal versöhnt zu sein. Man bot mir ein Amt an, mit dem Bedinge, ein Frauenzimmer zu heiraten. Hunger und Armut überwanden allen Zweifel. Meine bisherigen Umstände hatten mich so schüchtern gemacht, daß ich mir alles gefallen ließ, welches mir ehedem unerträglich gewesen sein würde. Meine Frau liebte Gesellschaft, sie spielte, Vermögen und Einnahme ward auf Putz verwendet, die Haushaltung versäumt, und mir zugemutet, vieles zu übersehen, wozu mehr, als eine ordentliche Geduld gehört. Meine Geduld ward ermüdet. Ich sagte, ein Weib müsse sich bemühen, ihrem Manne zu gefallen, alle übermäßigen Ausgaben zu vermeiden, der Wirtschaft vernünftig vorstehen, und sich keiner Herrschaft anmaßen, welche Schrift und Ordnung nur den Männern gelassen hätten. Aber wie unglücklich machten mich diese Wahrheiten! Ich empfand, daß der Zorn eines Weibes schädlicher sei, als der Zorn aller andern Kreaturen. Man hieß mich einen nackigen Bettler, einen verlaufnen Kerl, den man auf der Straße aufgelesen hätte, der nicht wert sei, daß er durch die Heirat eines liebenswürdigen Frauenzimmers in eine so ansehnliche Schwägerschaft aufgenommen worden: ja, es fehlte wenig, daß ich nicht meiner Frau eine kniende Abbitte hätte tun müssen, welche aber, ich weiß nicht, ob zu meinem Glücke oder Unglücke, unvermutet starb. Die Menge meiner Feinde verfolgte mich alsdann unaufhörlich. Hatte ich keinen Menschen geschonet, so war auch nunmehr niemand, der sich meiner annahm. Man wußte meine Vorgesetzten auf eine tückische Art zu gewinnen, und mir Verbrechen aufzubürden, an denen ich gar keine Schuld hatte. Ich sollte mich verantworten und meine Fehler gestehen; ich behauptete aber, ich wäre unschuldig, meine Feinde wären Lügner und meine Vorgesetzten geblendete und parteiische Richter. Dieses war Ursache genug, mich zu verdammen. Die Entsetzung von meinem Amte, die Einziehung meines wenigen Vermögens, und ein achtjähriges Gefängnis waren die Belohnungen meiner offenherzigen Redlichkeit. Ich ward endlich freigelassen, und man legte mir auf, Stadt und Land zu räumen. Ich tat es, und seitdem ist es mir unmöglich gewesen, irgendwo mein Glück zu finden; vielmehr sah ich mich gezwungen, den Rest meiner Jahre auf eine so niederträchtige Art hinzubringen, daß ich Bedenken trage, solches der Nachwelt wissen zu lassen. Ich bin elend, nackend und bloß, ohne Freunde, in der äußersten Verachtung, jedoch zu meiner Beruhigung, als ein Märtyrer der Wahrheit im Jahre ... gestorben, und hat mich gleich die ganze Welt verabscheut, so bin ich doch mit mir selbst zufrieden gewesen.

\*

Der Lebenslauf dieses sogenannten Märtyrers der Wahrheit hat mir merkwürdig zu sein geschienen. Er ist wirklich im Jahre 1738 in seiner Wohnung tot gefunden worden, wo man vermutet, daß er vor Frost und Hunger gestorben sei. Sein Körper war auf die Anatomie verkauft, um die nötigsten Schulden zu bezahlen, und ich glaube, daß sein betrübtes Beispiel allen denen zur nachdrücklichen Warnung dienen kann, welche sich einbilden, es sei ein großmütiger Eifer für die Wahrheit, wenn sie, ohne Ansehen der Person, ohne Freunde und Vorgesetzte zu schonen, dasjenige mit einer unverschämten Stirn andern unter die Augen sagen, was ihnen oftmals Eigenliebe, Hochmut, Undank und Unvernunft in den Mund legen.

CHRISTOPH MARTIN WIELAND
(1733–1813)

## Demokrit unter den Abderiten

Demokrit – ich denke nicht, daß es Sie gereuen wird, den Mann näher kennenzulernen –
Demokrit war ungefähr zwanzig Jahre alt, als er seinen Vater, einen der reichsten Bürger von Abdera beerbte. Anstatt nun darauf zu denken, wie er seinen Reichtum erhalten oder vermehren oder auf die angenehmste oder lächerlichste Art durchbringen wollte, entschloß sich der junge Mensch, solchen zum Mittel – der Vervollkommnung seiner Seele zu machen.
»Aber was sagten die Abderiten zu dem Entschlusse des jungen Demokrit?«
Die guten Leute hatten sich nie träumen lassen, daß die Seele ein anderes Interesse habe als der Magen, der Bauch und die übrigen integranten Teile des sichtbaren Menschen. Also mag ihnen freilich diese Grille ihres Landsmannes wunderlich genug vorgekommen sein. Allein dies war nun gerade, was er sich am wenigsten anfechten ließ. Er ging seinen Weg fort und brachte viele Jahre mit gelehrten Reisen durch alle festen Länder und Inseln zu, die man damals bereisen konnte. Denn wer zu seiner Zeit weise werden wollte, mußte mit eignen Augen sehen. Es gab noch keine Buchdruckereien, keine Journale, Bibliotheken, Magazine, Enzyklopädien, Realwörterbücher, Almanache, und wie alle die Werkzeuge heißen, mit deren Hilfe man itzt, ohne zu wissen wie, ein Philosoph, ein Naturkundiger, ein Kunstrichter, ein Autor, ein Alleswisser wird. Damals war die Weisheit so teuer und noch teurer als – die schöne Lais. Nicht jedermann konnte nach Korinth rei-

sen. Die Anzahl der Weisen war sehr klein; aber die es waren, waren es auch desto mehr.

Demokrit reiste nicht bloß, um der Menschen Sitten und Verfassungen zu beschauen wie Ulysses, nicht bloß, um Priester und Geisterseher aufzusuchen wie Apollonius, oder um Tempel, Statuen, Gemälde und Altertümer zu begucken wie Pausanias, oder um Pflanzen und Tiere abzuzeichnen und unter Klassen zu bringen wie Doktor Solander, sondern er reiste, um Natur und Kunst in allen ihren Wirkungen und Ursachen, den Menschen in seiner Nacktheit und in allen seinen Einkleidungen und Verkleidungen, roh und bearbeitet, bemalt und unbemalt, ganz und verstümmelt, und die übrigen Dinge in allen ihren Beziehungen auf den Menschen kennenzulernen. Die Raupen in Äthiopien (sagte Demokrit) sind freilich nur – Raupen. Was ist eine Raupe, um das erste, angelegenste, einzige Studium eines Menschen zu sein? Aber da wir nun einmal in Äthiopien sind, so sehen wir uns immer nebenher auch nach den äthiopischen Raupen um. Es gibt eine Raupe im Lande der Seren, welche Millionen Menschen kleidet und nährt: wer weiß, ob es nicht auch am Niger nützliche Raupen gibt?

Mit dieser Art zu denken hatte Demokrit auf seinen Reisen einen Schatz von Wissenschaft gesammelt, der in seinen Augen alles Gold in den Schatzkammern der Könige von Indien und alle Perlen an den Hälsen und Armen ihrer Weiber wert war. Er kannte von der Zeder Libanons bis zum Schimmel eines arkadischen Käses eine Menge von Bäumen, Stauden, Kräutern, Gräsern und Moosen, nicht etwa bloß nach ihrer Gestalt und nach ihren Namen, Geschlechtern und Arten; er kannte auch ihre Eigenschaften, Kräfte und Tugenden. Aber, was er tausendmal höher schätzte als alle seine übrigen Kenntnisse, er hatte allenthalben, wo er es der Mühe wert fand, sich aufzuhalten, die Weisesten und die Besten kennengelernt. Es hatte sich bald gezeigt, daß er ihres Geschlechtes war. Sie waren also seine Freunde geworden, hatten sich ihm mitgeteilt und ihm dadurch die Mühe erspart, eignen Fleißes jahrelang und vielleicht doch vergebens zu suchen, was sie mit Aufwand und Mühe, oder auch wohl nur glücklicherweise, schon gefunden hatten.

Bereichert mit allen diesen Schätzen des Geistes und Herzens kam Demokrit nach einer Reise von zwanzig Jahren zu den Abderiten zurück, die seiner beinahe vergessen hatten. Er war ein feiner, stattlicher Mann, höflich und abgeschliffen, wie ein Mann, der mit mancherlei Arten von Erdensöhnen umzugehen gelernt hat, zu sein pflegt; ziemlich braungelb von Farbe, kam von den Enden der Welt und hatte ein ausgestopftes Krokodil, einen lebendigen Affen und viele andere sonderbare Sachen mitgebracht. Die Abderiten sprachen etliche Tage von nichts anderem als von ihrem Mitbürger Demokrit, der wiedergekommen war und Affen und Krokodile mitgebracht hatte. Allein in kurzer Zeit zeigte sich's, daß sie sich in ihrer Meinung von einem so weit gereisten Manne sehr verrechnet hatten.

Demokrit war von den wackern Männern, denen er indessen die Besorgung seiner Güter anvertraut hatte, um die Hälfte betrogen worden, und gleichwohl unterschrieb er ihre Rechnungen ohne Widerrede. Natürlicherweise mußte dies der guten Meinung von seinem Verstande den ersten Stoß geben. Die Advokaten und Richter wenigstens, die sich zu einem einträglichen Prozesse Hoffnung gemacht hatten, merkten mit einem bedeutenden Achselzucken an, daß es bedenklich sein würde, einem Manne, der seinem eigenen Hause so schlecht vorstehe, das gemeine Wesen anzuvertrauen. Indessen zweifelten die Abderiten nicht, daß er sich nun unter die Mitwerber um ihre vornehmsten Ehrenämter stellen würde. Sie berechneten schon, wie hoch sie ihm ihre Stimme verkaufen wollten, gaben ihm eine Tochter, Enkelin, Schwester, Nichte, Base, Schwägerin zur Ehe, überschlugen die Vorteile, die sie zur Erhaltung dieser oder jener Absicht von seinem Ansehen ziehen wollten, wenn er einmal Archon oder Priester der Latona sein würde, usw. Aber Demokrit erklärte sich, daß er weder ein Ratsherr von Abdera noch der Ehegemahl einer Abderitin sein wollte, und vereitelte dadurch abermal alle ihre Anschläge. Nun hoffte man wenigstens durch seinen Umgang in etwas entschädiget zu werden. Ein Mann, welcher Affen, Krokodile und zahme Drachen von seinen Reisen mitgebracht hatte, mußte eine ungeheure Menge Wunderdinge zu erzählen haben. Man erwartete, daß er von zwölf Ellen langen Riesen und von sechs Daumen hohen Zwergen, von Menschen mit Hunds- und Eselsköpfen, von Meerfrauen mit grünen Haaren, von weißen Negern und blauen Kentauren sprechen würde. Aber Demokrit log so wenig, und in der Tat weniger, als ob er nie über den thrakischen Bosporus gekommen wäre.

Man fragte ihn, ob er im Lande der Garamanten keine Leute ohne Kopf angetroffen habe, welche die Augen, die Nase und den Mund auf der Brust trügen? und ein abderitischer Gelehrter (der, ohne jemals aus den Mauern seiner Stadt gekommen zu sein, sich die Miene gab, als ob kein Winkel des Erdbodens wäre, den er nicht durchkrochen hätte) bewies ihm in großer Gesellschaft, daß er entweder nie in Äthiopien gewesen sei oder dort notwendig mit den Agriophagen, deren König nur ein Auge über der Nase hat, mit den Sambern, die allezeit einen Hund zu ihrem König erwählen, und mit den Artabatiten, die auf allen vieren gehen, Bekanntschaft gemacht haben müsse. »Und wofern Sie bis in den äußersten Teil des abendländischen Äthiopien eingedrungen sind«, fuhr der gelehrte Mann fort, »so bin ich gewiß, daß Sie ein Volk ohne Nasen angetroffen haben und ein andres, wo die Leute einen so kleinen Mund führen, daß sie ihre Suppe durch Strohhalme einschlürfen müssen.«

Demokrit beteuerte bei Kastor und Pollux, daß er sich nicht erinnere, diese Ehre gehabt zu haben.

»Wenigstens«, sagte jener, »haben Sie in Indien Menschen angetroffen, die nur ein einziges Bein auf die Welt bringen, aber demungeachtet wegen der außerordentlichen Breite ihres Fußes so geschwind auf dem Boden fortrutschen, daß man ihnen zu Pferd kaum nachkommen kann. Und was sagten Sie dazu, wie Sie an der Quelle des Ganges ein Volk antrafen, das ohne alle andre Nahrung vom bloßen Geruche wilder Äpfel lebt?«

»Oh, erzählen Sie uns doch«, riefen die schönen Abderitinnen, »erzählen Sie doch, Herr Demokrit! Was müßten Sie uns nicht erzählen können, wenn Sie nur wollten!«

Demokrit schwor vergebens, daß er von allen diesen Wundermenschen in Äthiopien und Indien nichts gesehen noch gehört habe.

»Aber was haben Sie denn gesehen?« fragte ein runder, dicker Mann, der zwar weder einäugig war wie die Agriophagen, noch eine Hundsschnauze hatte wie die Cymolgen, noch die Augen auf den Schultern trug wie die Omophthalmen, noch vom bloßen Geruche lebte wie die Paradiesvögel, aber doch gewiß nicht mehr Gehirn in seinem großen Schädel trug als ein mexikanischer Kolibri, ohne darum weniger ein Ratsherr von Abdera zu sein. »Aber was haben Sie denn gesehen«, sagte Wanst, »Sie, der 20 Jahre in der Welt herumgefahren ist, wenn Sie nichts von allem dem gesehen haben, was man in fernen Landen Wunderbares sehen kann?«

»Wunderbares?« versetzte Demokrit lächelnd. »Ich hatte so viel mit Betrachtung des Natürlichen zu tun, daß ich fürs Wunderbare keine Zeit übrigbehielt.«

»Nun, das gesteh' ich«, erwiderte Wanst, »das verlohnt sich auch der Mühe, alle Meere zu durchfahren und über alle Berge zu steigen, um nichts zu sehen, als was man zu Hause ebensogut sehen konnte!«

Demokrit zankte sich nicht gern mit den Leuten um ihre Meinungen, am allerwenigsten mit Abderiten; und gleichwohl wollt' er auch nicht, daß es aussehen sollte, als ob er gar nichts sagen könne. Er suchte unter den schönen Abderitinnen, die in der Gesellschaft waren, eine aus, an die er das richten könnte, was er sagen wollte; und er fand eine mit zwei großen junonischen Augen, die ihn trotz seiner physiognomischen Kenntnisse verführten, ihrer Eigentümerin etwas mehr Verstand oder Empfindung zuzutrauen als den übrigen. »Was wollten Sie«, sagte er zu ihr, »daß ich zum Beispiel mit einer Schönen, welche die Augen auf der Stirn oder am Ellbogen trüge, hätte anfangen sollen? Oder was würde mir's nun helfen, wenn ich noch so gelehrt in der Kunst wäre, das Herz einer – Menschenfresserin zu rühren? Ich habe mich immer zu wohl dabei befunden, mich der sanften Gewalt von zwei schönen Augen, die an ihrem natürlichen Platze stehen, zu überlassen, um jemals in Versuchung zu kommen, das große Stierauge auf der Stirn einer Zyklopin zärtlich zu sehen.«

Die Schöne mit den großen Augen, zweifelhaft, was sie aus dieser Anrede machen sollte, guckte dem Manne, der so sprach, mit stummer Verwunderung in den Mund, lächelte ihm ihre schönen Zähne vor und sah sich zur rechten und linken Seite um, als ob sie den Verstand seiner Rede suchen wollte.

Die übrigen Abderitinnen hatten zwar ebensowenig davon begriffen; weil sie aber aus dem Umstande, daß er sich gerade an die Großäugige gewendet hatte, schlossen, er habe ihr etwas Schönes gesagt, so sahen sie einander jede mit einer eignen Grimasse an. Diese rümpfte eine kleine Stumpfnase, jene zog den Mund in die

Länge, eine dritte spitzte den ihren, eine vierte riß ein Paar kleine Augen auf, eine fünfte brüstete sich mit zurückgezogenem Kopf usw.
Demokrit sah es, erinnerte sich, daß er in Abdera war – und schwieg.

\*

Schweigen – ist zuweilen eine Kunst, aber doch nie eine so große, als uns gewisse Leute glauben machen wollen, die dann am klügsten sind, wenn sie schweigen.
Wenn ein weiser Mann sieht, daß er es mit Kindern zu tun hat, warum sollt' er sich zu weise dünken, nach ihrer Art mit ihnen zu reden?
»Ich bin zwar«, sagte Demokrit zu seiner neugierigen Gesellschaft, »aufrichtig genug gewesen zu gestehen, daß ich von allem, was man will, das ich gesehen haben sollte, nichts gesehen habe; aber bilden Sie sich darum nicht ein, daß mir auf so vielen Reisen zu Wasser und zu Lande gar nichts aufgestoßen sei, das Ihre Neubegierde befriedigen könnte. Glauben Sie mir, es sind Dinge darunter, die Ihnen vielleicht noch wunderbarer vorkommen würden als diejenigen, wovon die Rede war.«
Bei diesen Worten rückten die schönen Abderitinnen näher und spitzten Mund und Ohren. »Das ist doch ein Wort von einem gereisten Manne«, rief der kurze, dicke Ratsherr. Des Gelehrten Stirn entrunzelte sich durch die Hoffnung, daß er etwas zu tadeln und zu verbessern bekommen würde, Demokrit möchte auch sagen, was er wollte.
»Ich befand mich einst in einem Lande«, fing unser Mann an, »wo es mir so wohl gefiel, daß ich in den ersten drei oder vier Tagen, die ich darin zubrachte, unsterblich zu sein wünschte, um ewig darin zu leben.«
»Ich bin nie aus Abdera gekommen«, sagte der Ratsmann, »aber ich dachte immer, daß es keinen Ort in der

Welt gäbe, wo es mir besser gefallen könnte als in Abdera. Auch geht es mir gerade wie Ihnen mit dem Lande, wo es Ihnen so wohl gefiel; ich wollte mit Freuden auf die ganze übrige Welt Verzicht tun, wenn ich nur ewig in Abdera leben könnte! – Aber warum gefiel es Ihnen nur drei Tage lang so wohl in dem Lande?«
»Sie werden es gleich hören. Stellen Sie sich ein unermeßliches Land vor, dem die angenehmste Abwechslung von Bergen, Tälern, Wäldern, Hügeln und Auen unter der Herrschaft eines ewigen Frühlings und Herbstes allenthalben, wohin man sieht, das Ansehen des herrlichsten Lustgartens gibt, alles angebaut und bewässert, alles blühend und fruchtbar, allenthalben ein ewiges Grün und immer frische Schatten und Wälder von den schönsten Fruchtbäumen, Datteln, Feigen, Zitronen, Granaten, die ohne Pflege wie in Thrakien die Eicheln wachsen; Haine von Myrten und Jasmin; Amors und Cytheräens Lieblingsblume nicht auf Hekken wie bei uns, sondern in dichten Büscheln auf großen Bäumen wachsend, und voll aufgeblüht wie die Busen meiner schönen Mitbürgerinnen –
(Dies hatte Demokrit nicht gut gemacht; und es kann künftigen Erzählern zur Warnung dienen, daß man sich vorher wohl in seiner Gesellschaft umsehen muß, ehe man Komplimente dieser Art wagt, so verbindlich sie auch an sich selbst klingen mögen. Die Schönen hielten die Hände vor die Augen und erröteten. Denn zum Unglück war unter den Anwesenden keine, die dem schmeichelhaften Gleichnis Ehre gemacht hätte, wiewohl sie nicht ermangelten, sich aufzublähen, so gut sie konnten.)
– und diese reizenden Haine«, fuhr er fort, »vom lieblichen Gesang unzähliger Arten von Vögeln belebt und mit tausend bunten Papageien erfüllt, deren Farben im Sonnenglanz die Augen blenden. Welch ein Land! ich

begriff nicht, warum die Göttin der Liebe das felsige Cythere zu ihrem Wohnsitz erwählt hatte, da ein Land wie dieses in der Welt war. Wo hätten die Grazien angenehmer tanzen können als am Rande von Bächen und Quellen, wo zwischen kurzem, dichtem Gras vom lebhaftesten Grün Lilien und Hyazinthen und zehntausend noch schönere Blumen, die in unsrer Sprache ohne Namen sind, freiwillig hervorblühen und die Luft mit wollüstigen Wohlgerüchen erfüllen?«

Die schönen Abderitinnen waren, wie leicht zu erachten, mit einer nicht weniger lebhaften Einbildungskraft ausgestattet als die Abderiten, und das Gemälde, das ihnen Demokrit, ohne dabei an Arges zu denken, vorstellte, war mehr, als ihre kleinen Seelchen aushalten konnten. Einige seufzten laut vor Behäglichkeit; andere sahen aus, als ob sie die wollüstigen Gerüche, die in ihrer Phantasie düfteten, mit Mund und Nase einschlürfen wollten; die schöne Juno sank mit dem Kopf auf ein Polster des Kanapees zurück, schloß ihre großen Augen halb und befand sich unvermerkt am blumigen Rand einer dieser schönen Quellen, von Rosen- und Zitronenbäumen umschattet, aus deren Zweigen Wolken von ambrosischen Düften auf sie herabwallten. In einer sanften Betäubung von süßen Empfindungen begann sie eben einzuschlummern, als sie einen Jüngling, schön wie Bacchus und dringend wie Amor, zu ihren Füßen liegen sah. Sie richtete sich auf, ihn desto besser betrachten zu können, und sah ihn so schön, so zärtlich, daß die Worte, womit sie seine Verwegenheit bestrafen wollte, auf ihren Lippen erstarben. Kaum hatte sie –

»Und wie meinten Sie«, fuhr Demokrit fort, »daß dieses zauberische Land heißt, von dessen Schönheiten alles, was ich davon sagen könnte, Ihnen kaum den Schatten eines Begriffs geben würde? Es ist eben dieses Äthiopien, welches mein gelehrter Freund hier mit Ungeheuern von Menschen bevölkert, die eines so schönen Vaterlandes ganz unwürdig sind. Aber eine Sache, die er mir für wahr nachsagen kann, ist: daß es in ganz Äthiopien und Libyen (wiewohl diese Namen eine Menge verschiedener Völker umfassen) keinen Menschen gibt, der seine Nase nicht ebenda trüge wo wir, nicht ebensoviel Augen und Ohren hätte als wir, und kurz –«

Ein großer Seufzer von derjenigen Art, wodurch sich ein von Schmerz oder Vergnügen gepreßtes Herz Luft zu machen sucht, hob in diesem Augenblick den Busen der schönen Abderitin, welche, während Demokrit in seiner Rede fortfuhr, in dem Traumgesichte, worin wir sie zu belauschen Bedenken trugen, (wie es scheint) auf einen Umstand gekommen war, an welchem ihr Herz auf die eine oder andre Art sehr lebhaft Anteil nahm. Da die übrigen Anwesenden nicht wissen konnten, daß die gute Dame einige hundert Meilen weit von Abdera unter einem äthiopischen Rosenbaum in einem Meere der süßesten Wohlgerüche schwamm, tausend neue Vögel das Glück der Liebe singen hörte, tausend bunte Papageien vor ihren Augen herumflattern sah und zum Überfluß einen Jüngling mit gelben Locken und Korallenlippen zu ihren Füßen liegen hatte – so war es natürlich, daß man den besagten Seufzer mit einem allgemeinen Erstaunen empfing. Man begriff nichts davon, daß die letzten Worte Demokrits die Ursache einer solchen Wirkung gewesen sein könnten. »Was fehlt Ihnen, Lysandra?« riefen die Abderitinnen aus einem Munde, indem sie sich sehr besorgt um sie stellten. Die schöne Lysandra, die in diesem Augenblick wieder gewahr wurde, wo sie war, errötete und versicherte, daß es nichts sei. Demokrit, der nun zu merken anfing, was es war, versicherte, daß ein paar Züge frische Luft alles wieder gutmachen würden; aber in seinem Herzen beschloß er, künftig seine Gemälde nur mit einer Farbe zu malen wie die Maler in Thrakien. Gerechte Götter! dacht' er, was für eine Einbildungskraft diese Abderitinnen haben!

»Nun, meine schönen Neugierigen«, fuhr er fort, »was meinen Sie, von welcher Farbe die Einwohner eines so schönen Landes sind?«

»Von welcher Farbe? – Warum sollten sie eine andre Farbe haben als die übrigen Menschen? Sagten Sie uns nicht, daß sie die Nase mitten im Gesicht trügen und in allem Menschen wären wie wir Griechen?«

»Menschen, ohne Zweifel; aber sollten sie darum weniger Menschen sein, wenn sie schwarz oder olivenfarb wären?«

»Was meinen Sie damit?«

»Ich meine, daß die schönsten unter den äthiopischen Nationen (nämlich diejenigen, die nach unserm Maßstabe die schönsten, das ist, uns die ähnlichsten sind) durchaus olivenfarb wie die Ägypter, und diejenigen, welche tiefer im festen Lande und in den mittäglichsten Gegenden wohnen, vom Kopf bis zur Fußsohle so schwarz und noch ein wenig schwärzer sind als die Raben zu Abdera.«

»Was Sie sagen! – Und erschrecken die Leute nicht voreinander, wenn sie sich ansehen?«

»Erschrecken? Warum dies? Sie gefallen sich sehr mit ihrer Rabenschwärze und finden, daß nichts schöner sein könne.«

»Oh, das ist lustig!« riefen die Abderitinnen. »Schwarz am ganzen Leibe, als ob sie mit Pech überzogen wären, sich von Schönheit träumen zu lassen! Was das für ein dummes Volk sein muß! Haben Sie denn keine Maler, die ihnen den Apollo, den Bacchus, die Göttin der Liebe und die Grazien malen? Oder könnten sie nicht schon von Homer lernen, daß Juno weiße Arme, Thetis Silberfüße und Aurora Rosenfinger hat?«

»Ach«, erwiderte Demokrit, »die guten Leute haben

keinen Homer; oder wenn sie einen haben, so dürfen wir uns darauf verlassen, daß seine Juno kohlschwarze Arme hat. Von Malern habe ich in Äthiopien nichts gehört. Aber ich sah ein Mädchen, dessen Schönheit unter seinen Landsleuten beinahe ebensoviel Unheil anrichtete als die Tochter der Leda unter den Griechen und Trojanern; und diese afrikanische Helena war schwärzer als Ebenholz.«

»Oh, beschreiben Sie uns doch dies Ungeheuer von Schönheit!« riefen die Abderitinnen, die aus dem natürlichsten Grunde von der Welt an dieser Unterredung unendlich viel Vergnügen fanden.

»Sie werden Mühe haben, sich einen Begriff davon zu machen. Stellen Sie sich das völlige Gegenteil des griechischen Ideals der Schönheit vor: die Größe einer Grazie und die Fülle einer Ceres, schwarze Haare, aber nicht in langen, wallenden Locken um die Schultern fließend, sondern kurz und von Natur kraus wie Schafwolle, die Stirne breit und stark gewölbt, die Nase aufgestülpt und in der Mitte des Knorpels flachgedrückt, die Wangen rund wie die Backen eines Trompeters, der Mund groß –«

Philinna lächelte, um zu zeigen, wie klein der ihrige sei.

»Die Lippen sehr dick und aufgeworfen, und zwei Reihen von Zähnen wie Perlenschnuren –«

Die Schönen lachten insgesamt, wiewohl sie keine andre Ursache dazu haben konnten, als ihre eignen Zähne zu weisen; denn was war sonst hier zu lachen?

»Aber ihre Augen?« fragte Lysandra.

»Oh, was die betrifft, die waren so klein und so wasserfarbig, daß ich lange nicht von mir erhalten konnte, sie schön zu finden –«

»Demokrit ist für Homers Kuhaugen, wie es scheint«, sagte Myris, indem sie einen höhnischen Seitenblick auf die Schöne mit den großen Augen warf.

»In der Tat«, versetzte Demokrit mit einer Miene, woraus ein Tauber geschlossen hätte, daß er ihr die größte Schmeichelei sage, »schöne Augen müßten sehr groß sein, wenn ich sie zu groß finden sollte, und häßliche können, deucht mich, nie zu klein sein.«

Die schöne Lysandra warf einen triumphierenden Blick auf ihre Schwestern und schüttete dann eine ganze Glorie von Zufriedenheit aus ihren großen Augen auf den glücklichen Demokrit herab.

»Darf man wissen, was Sie unter schönen Augen verstehen?« fragte die kleine Myris, indem sich ihre Nase merklich spitzte.

Ein Blick der schönen Lysandra schien ihm zu sagen: Sie werden nicht verlegen sein, die Antwort auf diese Frage zu finden.

»Ich verstehe darunter Augen, in denen sich eine schöne Seele malt«, sagte Demokrit.

Lysandra sah albern aus wie eine Person, der man etwas Unerwartetes gesagt hat und die keine Antwort darauf finden kann. – »Eine schöne Seele!« dachten die Abderitinnen alle zugleich. »Was für wunderliche Dinge der Mann aus fernen Landen mitgebracht hat! Eine schöne Seele! Dies ist noch über seine Affen und Papageien!«

»Aber mit allen diesen Subtilitäten«, sagte der dicke Ratsherr, »kommen wir von der Hauptsache ab. Mir deucht, die Rede war von der schönen Helena aus Äthiopien, und ich möchte doch wohl hören, was die ehrlichen Leute so Schönes an ihr finden konnten.«

»Alles«, antwortete Demokrit.

»So müssen sie gar keinen Begriff von Schönheit haben«, sagte der Gelehrte.

»Um Vergebung«, erwiderte der Erzähler; »weil diese äthiopische Helena der Gegenstand aller Wünsche war, so läßt sich sicher schließen, daß sie der Idee von Schönheit glich, die jeder in seiner Einbildung fand.«

»Sie sind aus der Schule des Parmenides?« sagte der Gelehrte, indem er sich in eine streitbare Positur setzte.
»Ich bin nichts – als ich selbst, welches sehr wenig ist«, erwiderte Demokrit halb erschrocken. »Wenn Sie dem Wort Idee gram sind, so erlauben Sie mir, mich anders auszudrücken. Die schöne Gulleru – so nannte man die Schwarze, von der wir reden –
»Gulleru?« riefen die Abderitinnen, indem sie in ein Gelächter ausbrachen, das kein Ende nehmen wollte: »Gulleru! welch ein Name!« – »Und wie ging es mit Ihrer schönen Gulleru?« fragte die spitznäsige Myris mit einem Blick und in einem Tone, der noch dreimal spitziger als ihre Nase war.
»Wenn Sie mir jemals die Ehre erweisen, mich zu besuchen«, antwortete der gereiste Mann mit der ungezwungensten Höflichkeit, »so sollen Sie erfahren, wie es mit der schönen Gulleru gegangen ist. Jetzt muß ich diesem Herrn mein Versprechen halten. Die Gestalt der schönen Gulleru also –
(»Der schönen Gulleru«, wiederholten die Abderitinnen und lachten von neuem, aber ohne daß Demokrit sich diesmal unterbrechen ließ.)
– flößte zu ihrem Unglück den Jünglingen ihres Landes die stärkste Leidenschaft ein. Dies scheint zu beweisen, daß man sie schön gefunden habe; und ohne Zweifel lag der Grund, weswegen man sie schön fand, in allem dem, warum man sie nicht für häßlich hielt. Diese Äthiopier fanden also einen Unterschied zwischen dem, was ihnen schön und was ihnen nicht schön vorkam; und wenn zehn verschiedene Äthiopier in ihrem Urteile von dieser Helena übereinstimmten, so kam es vermutlich daher, weil sie einerlei Begriff oder Modell von Schönheit und Häßlichkeit hatten.«
»Dies folgt nicht!« sagte der abderitische Gelehrte. »Konnte nicht unter zehn jeder etwas andres an ihr liebenswürdig finden?«

»Der Fall ist nicht unmöglich; aber er beweist nichts gegen mich. Gesetzt, der eine hätte ihre kleinen Augen, ein andrer ihre schwellenden Lippen, ein dritter ihre großen Ohren bewundernswürdig gefunden, so setzt auch dies immer eine Vergleichung zwischen ihr und andern äthiopischen Schönen voraus. Die übrigen hatten Augen, Ohren und Lippen sowohl wie Gulleru. Wenn man also die ihrigen schöner fand, so mußte man ein gewisses Modell der Schönheit haben, mit welchem man zum Beispiel ihre Augen und andre Augen verglich; und dies ist alles, was ich mit meinem Ideal sagen wollte.«

»Indessen«, erwiderte der Gelehrte, »werden Sie doch nicht behaupten wollen, daß diese Gulleru schlechterdings die Schönste unter allen schwarzen Mädchen vor ihr, neben ihr und nach ihr gewesen sei? Ich meine die Schönste in Vergleichung mit dem Modelle, wovon Sie sagten.«

»Ich wüßte nicht, warum ich dies behaupten sollte«, versetzte Demokrit.

»Es konnte also eine geben, die zum Beispiel noch kleinere Augen, noch dickere Lippen, noch größere Ohren hatte?«

»Möglicherweise, soviel ich weiß.«

»Und in Absicht dieser letztern gilt ohne Zweifel die nämliche Voraussetzung, und so ins Unendliche. Die Äthiopier hatten also kein Modell der Schönheit; man müßte denn sagen, daß sich unendlich kleine Augen, unendlich dicke Lippen, unendlich große Ohren denken lassen?«

Wie subtil die abderitischen Gelehrten sind! dachte Demokrit. »Wenn ich eingestand«, sagte er, »daß es ein schwarzes Mädchen geben könne, welches kleinere Augen oder dickere Lippen hätte als Gulleru, so sagte ich damit noch nicht, daß dieses schwarze Mädchen den Äthiopiern darum schöner hätte vorkommen müssen als Gulleru. Das Schöne hat notwendig ein bestimmtes Maß, und was über solches ausschweift, entfernt sich ebenso davon wie das, was unter ihm bleibt. Wer wird daraus, daß die Griechen in die Größe der Augen und in die Kleinheit des Mundes ein Stück der vollkommenen Schönheit setzen, den Schluß ziehen: eine Frau, deren Augäpfel einen Daumen im Durchschnitt hielten, oder deren Mund so klein wäre, daß man Mühe hätte, einen Strohhalm hineinzubringen, müßte von den Griechen für desto schöner gehalten werden?«

Der Abderit war geschlagen, wie man sieht, und fühlte, daß er's war. Aber ein abderitischer Gelehrter hätte sich eher erdrosseln lassen, als so was einzugestehen. Waren nicht Philinnen und Lysandren und ein kurzer, dicker Ratsherr da, an deren Meinung von seinem Verstand ihm gelegen war? Und wie wenig kostete es ihm, Abderiten und Abderitinnen auf seine Seite zu bringen! – In der Tat wußte er nicht sogleich, was er sagen sollte. Aber in fester Zuversicht, daß ihm wohl noch was einfallen werde, antwortete er indessen durch ein höhnisches Lächeln, welches zugleich andeutete, daß er die Gründe seines Gegners verachte und daß er im Begriff sei, den entscheidenden Streich zu führen. »Ist's möglich«, rief er endlich in einem Ton, als ob dies die Antwort auf Demokrits letzte Rede sei, »können Sie die Liebe zum Paradoxen so weit treiben, im Angesicht dieser Schönen zu behaupten, daß ein Geschöpf, wie Sie uns diese Gulleru beschrieben haben, eine Venus sei?«

»Sie scheinen vergessen zu haben«, versetzte Demokrit sehr gelassen, »daß die Rede nicht von mir und dieser Schönen, sondern von Äthiopiern war. Ich behauptete nichts; ich erzählte nur, was ich gesehen hatte. Ich beschrieb Ihnen eine Schönheit nach äthiopischem Geschmack. Es ist nicht meine Schuld, wenn die griechische Häßlichkeit in Äthiopien Schönheit ist. Auch seh'

ich nicht, was mich berechtigen könnte, zwischen den Griechen und Äthiopiern zu entscheiden. Ich vermute, es könnte sein, daß beide recht hätten.«
Ein lautes Gelächter, dergleichen man aufschlägt, wenn jemand etwas unbegreiflich Ungereimtes gesagt hat, wieherte dem Philosophen aus allen anwesenden Hälsen entgegen.
»Laß hören, laß doch hören«, rief der dicke Ratsherr, indem er seinen Wanst mit beiden Händen hielt, »was unser Landsmann sagen kann, um zu beweisen, daß beide recht haben! Ich höre für mein Leben gern so was behaupten. Wofür hätte man auch sonst euch gelehrte Herren? – Die Erde ist rund; der Schnee ist schwarz; der Mond ist zehnmal so groß als der ganze Peloponnes; Achilles kann keine Schnecke im Laufen einholen. – Nicht wahr, Herr Antistrepsiades? – Nicht wahr, Herr Demokrit? – Sie sehen, daß ich auch ein wenig in Ihren Mysterien eingeweiht bin. Ha, ha, ha!«
Die sämtlichen Abderiten und Abderitinnen erleichterten sympathetischerweise ihre Lungen abermals, und Herr Antistrepsiades, der einen Anschlag auf die Abendmahlzeit des jovialischen Ratsherrn gemacht hatte, unterstützte gefällig das allgemeine Gelächter mit lautem Händeklatschen.

\*

Demokrit war in der Laune, sich mit seinen Abderiten und den Abderiten mit sich Kurzweile zu machen. Zu weise, ihnen irgendeine von ihren National- oder Individualunarten übelzunehmen, konnt' er es sehr wohl leiden, daß sie ihn für einen überklugen Mann ansahen, der seinen abderitischen Mutterwitz auf seiner langen Wanderschaft verdünstet hätte und nun zu nichts gut wäre, als ihnen mit seinen Einfällen und Grillen etwas zu lachen zu geben. Er fuhr also, nachdem sich das Gelächter über den witzigen Einfall des dicken Ratsherrn endlich gelegt hatte, mit seinem gewöhnlichen Phlegma fort, wo ihn der kleine joviatische Mann unterbrochen hatte:

»Sagt' ich nicht, wenn die griechische Häßlichkeit in Äthiopien Schönheit sei, so könnte wohl sein, daß beide Teile recht hätten?«

»Ja, ja, das sagten Sie, und ein Mann steht für sein Wort.«

»Wenn ich es gesagt habe, so muß ich's wohl behaupten; das versteht sich, Herr Antistrepsiades.«

»Wenn Sie können.«

»Bin ich etwa nicht auch ein Abderit? Und zudem brauch' ich hier nur die Hälfte meines Satzes zu beweisen, um das Ganze bewiesen zu haben; denn daß die Griechen recht haben, darf nicht erst bewiesen werden; dies ist eine Sache, die in allen griechischen Köpfen schon längst ausgemacht ist. Aber daß die Äthiopier auch recht haben, da liegt die Schwierigkeit! – Wenn ich mit Sophismen fechten oder mich begnügen wollte, meine Gegner stumm zu machen, ohne sie zu überzeugen, so würd' ich als Anwalt der äthiopischen Venus die ganze Streitfrage dem innern Gefühl zu entscheiden überlassen. Warum, würd' ich sagen, nennen die Menschen diese oder jene Figur, diese oder jene Farbe schön? – Weil sie ihnen gefällt. – Gut; aber warum gefällt sie ihnen? – Weil sie ihnen angenehm ist. – Und warum ist sie ihnen angenehm? O mein Herr, würde ich sagen, Sie müssen endlich aufhören zu fragen, oder – ich höre auf zu antworten. Ein Ding ist uns angenehm, weil es – einen Eindruck auf uns macht, der uns angenehm ist. Ich fordre alle Ihre Grübler heraus, einen besseren Grund anzugeben. Nun würd' es lächerlich sein, einem Menschen abstreiten zu wollen, daß ihm angenehm sei, was ihm angenehm ist, oder ihm zu beweisen, er habe unrecht, sich wohlgefallen zu lassen, was einen wohlgefallenden Eindruck auf ihn macht. Wenn also die Figur einer Gulleru seinen Augen wohltut, so gefällt sie ihm, und wenn sie ihm gefällt, so nennt er sie schön, oder es müßte gar kein solches Wort in seiner Sprache sein.«

»Und wenn – und wenn ein Wahnwitziger Pferdeäpfel für Pfirschen äße?« – sagte Antistrepsiades.

»Pferdeäpfel für Pfirschen! – Gut gesagt, bei meiner Ehre! gut gesagt«, rief der Ratsherr. »Knacken Sie das auf, Herr Demokrit!«

»Fi, fi doch, Demokrit!« lispelte die schöne Myris, indem sie die Hand vor die Nase hielt, »wer wird auch von Pferdeäpfeln reden? Schonen sie wenigstens unsrer Nasen!«

Jedermann sieht, daß sich die schöne Myris mit diesem Verweise an den witzigen Antistrepsiades hätte wenden sollen, der die Pferdeäpfel zuerst aufgetragen hatte, und an den Ratsherrn, der Demokriten gar zumutete, sie aufzuknacken. Aber es war nun einmal darauf abgesehen, den gereisten Mann lächerlich zu machen. Der Instinkt vertrat bei den sämtlichen Anwesenden hierin die Stelle einer Verabredung, und Myris konnte diese schöne Gelegenheit zu einem Stich, der die Lacher auf ihre Seite brachte, unmöglich entwischen lassen. Denn gerade der Umstand, daß Demokrit, der ohnehin an den Äpfeln des Antistrepsiades genug zu schlucken hatte, noch obendrein einen Verweis deswegen erhielt, kam den Abderiten und Abderitinnen so lustig vor, daß sie alle zugleich zu lachen anfingen und sich völlig so gebärdeten, als ob der Philosoph nun aufs Haupt geschlagen sei und gar nicht wieder aufstehen könne.

Zu viel ist zu viel. Der gute Demokrit hatte zwar in zwanzig Jahren viel erwandert; aber seitdem er aus Abdera gegangen war, war ihm kein zweites Abdera aufgestoßen; und nun, da er wieder drin war, zweifelte er zuweilen auf einen oder zwei Augenblicke, ob er

irgendwo sei. Wie war es möglich, mit solchen Leuten fertig zu werden?
»Nun, Vetter?« sagte der Ratsherr, »kannst du die Pferdeäpfel des Antistrepsiades nicht hinunterkriegen? Ha, ha, ha!«
Dieser Einfall war zu abderitisch, um die Zärtlichkeit der sämtlichen gebogenen, stumpfen, viereckigen und spitzigen Nasen in der Gesellschaft nicht zu überwältigen.
Die Damen kicherten ein zirpendes Hi, hi, hi in das dumpfe, donnernde Ha, ha, ha der Mannspersonen.
»Sie haben gewonnen«, rief Demokrit; »und zum Zeichen, daß ich mein Gewehr mit guter Art strecke, sollen Sie sehen, ob ich die Ehre verdiene, Ihr Landsmann und Vetter zu sein.« Und nun fing er an, mit einer Geschicklichkeit, worin ihm kein Abderit gleichkam, von der untersten Note stufenweise crescendo bis zum Unisono mit dem Hi, hi, hi der schönen Abderitinnen ein Gelächter aufzuschlagen, dergleichen, solange Abdera auf thrakischem Boden stand, nie erhört worden war.
Anfangs machten die Damen Miene, als ob sie Widerstand tun wollten; aber es war keine Möglichkeit, gegen das verzweifelte Crescendo auszuhalten. Sie wurden endlich davon wie von einem reißenden Strom ergriffen, und da die Gewalt der Ansteckung noch dazu schlug, so kam es bald so weit, daß die Sache ernsthaft wurde. Die Frauenzimmer baten mit weinenden Augen um Barmherzigkeit. Aber Demokrit hatte keine Ohren, und das Gelächter nahm überhand. Endlich ließ er sich, wie es schien, bewegen, ihnen einen Stillstand zu bewilligen; allein in der Tat bloß, damit sie die Peinigung, die er ihnen zugedacht hatte, desto länger aushalten könnten. Denn kaum waren sie wieder ein wenig zu Atem gekommen, so fing er die nämlich Tonleiter, eine Terze höher, noch einmal zu durchlachen an, aber mit

so vielen eingemischten Trillern und Rouladen, daß sogar die runzligen Beisitzer des Höllengerichts, Minos, Äakus und Rhadamanthus, in ihrem höllenrichterlichen Ornat aus der Fassung dadurch gekommen wären.

Zum Unglück hatten zwei oder drei von unsern Schönen nicht daran gedacht, ihre Personen gegen alle möglichen Folgen einer so heftigen Leibesübung in Sicherheit zu setzen. Scham und Natur kämpften auf Leben und Tod in den armen Mädchen, vergebens flehten sie den unerbittlichen Demokrit mit Mund und Augen um Gnade an; vergebens forderten sie ihre vom Lachen gänzlich erschlafften Sehnen zu einer letzten Anstrengung auf. Die tyrannische Natur siegte, und in einem Augenblick sah man den Saal, wo sich die Gesellschaft befand, u . . . . W . . . . . g . . . . . . .

Der Schrecken über eine so unversehene Naturerscheinung (die desto wunderbarer war, da das allgemeine Auffahren und Erstaunen der schönen Abderitinnen zu beweisen schien, daß es eine Wirkung ohne Ursache sei) unterbrach die Lacher auf etliche Augenblicke, um sogleich mit verdoppelter Gewalt wieder loszudrücken. Natürlicherweise gaben sich die erleichterten Schönen alle Mühe, den besondern Anteil, den sie an dieser Begebenheit hatten, durch Grimassen von Erstaunen und Ekel zu verbergen und den Verdacht auf ihre schuldlosen Nachbarinnen fallen zu machen, welche durch unzeitige, aber unfreiwillige Schamröte den unverdienten Argwohn mehr als zu viel bestärkten. Der lächerliche Zank, der sich darüber unter ihnen erhob; Demokrit und Antistrepsiades, die sich boshafterweise ins Mittel schlugen und durch ironische Trostgründe den Zorn derjenigen, die sich unschuldig wußten, noch mehr aufreizten, und mitten unter ihnen allen der kleine, dicke Ratsherr, der unter berstendem Gelächter einmal über das andere ausrief, daß er nicht die Hälfte von Thrakien um diesen Abend nehmen wollte: alles dies zusammen machte eine Szene, die des Griffels eines Hogarth würdig gewesen wäre, wenn es damals schon einen Hogarth gegeben hätte.

Wir können nicht sagen, wie lange sie gedauert haben mag; denn es ist eine von den Tugenden der Abderiten, daß sie nicht aufhören können. Aber Demokrit, bei dem alles seine Zeit hatte, glaubte, daß eine Komödie, die kein Ende nimmt, die langweiligste unter allen Kurzweilen sei – eine Wahrheit, von welcher wir (im Vorbeigehn gesagt) alle unsre Dramenschreiber und Schauspielvorsteher überzeugen zu können wünschen möchten –; er packte also alle die schönen Sachen, die er zur Rechtfertigung der äthiopischen Venus hätte sagen können, wofern er es mit vernünftigen Geschöpfen zu tun gehabt hätte, ganz gelassen zusammen, wünschte den Abderiten und Abderitinnen – was sie nicht hatten, und ging nach Hause, nicht ohne Verwunderung über die gute Gesellschaft, die man anzutreffen Gefahr lief, wenn man – einen Ratsherrn von Abdera besuchte.

HELFRICH PETER STURZ
(1736–1779)

## Die Reise nach dem Deister

»Ich verlange durchaus Herr im Hause zu bleiben«, sagte neulich Herr Simon, »nicht aus Steifsinn, denn ich bin verträglich, sondern aus Grundsätzen, Arist. – Glauben Sie mir, das beste Weib hat seltsame Launen und taumelt unter Grillen und Torheiten herum, wenn sie nicht zum Gehorsam geübt wird.«
»Ist das so leicht, Herr Simon?«
Er: Alles besteht in der Methode, mein Herr. Wenn man nie etwas abschlägt, oder begehrt, als mit vernünftigen Gründen, die man, wie Sie wissen, immer findet, so lernt die Frau bald den Willen ihres Mannes für den klügsten Willen halten, und folgt dann ohne Widerspruch.
Ich schwieg betroffen; denn, im Vertrauen gesagt, der häusliche Mut dieses redlichen Mannes wird in der Stadt nicht gebührend anerkannt. Jedermann glaubt vielmehr, daß ihn seine Dame, obwohl an einem seidenen Faden, doch sicher wie in Ketten, leitet.
Es ist Sünde, dachte ich, so ein Wohlbehagen, so ein täuschendes Gefühl der Kraft zu stören; doch entfiel mir, daß es Täuschungen gäbe, daß mancher Günstling eigenen Willen dem Sultan für den seinigen verkaufe, und daß jede Frau eine geborene Staatskünstlerin sei.
»Ei Possen! Possen« rief Herr Simon. »Ja, wenn man ihre Winkelzüge nicht endlich durchforscht hätte! Wer mit den Wendungen ihrer List, mit dem Labyrinth ihrer Einleitung bekannt ist, der lauscht am rechten Ort, und hört sie auf den Zehen kommen.« – »Herr Simon«, sprach ich, »lieber Herr Simon! es gibt aber doch eine Menge Krümmen, die sich nicht berechnen lassen!«

Vor einigen Tagen traf ich die Frau meines Freundes allein zu Hause, ein freundliches, angenehmes Weib, die so natürlich spricht und handelt, daß, wenn sich Frau Simon verstellt, Verstellung notwendig die Natur der Damen sein müßte.–
»Herrliches Wetter!« rief sie mir entgegen. »Jetzt wäre das so recht eine Zeit, um den Hallerbrunnen zu besuchen. Die Gegend, sagt man, ist wunderschön; wollen Sie mit von der Partie sein?«
Ich. Wenn es morgen sein kann – herzlich gern.
Sie. Morgen? Gut, es bleibt dabei. Je eher je lieber! Das Wetter kann sich ändern.
Ich. Ob's auch Herr Simon zufrieden sein wird?
Sie (lächelnd). Mein Mann ist, wie sie wissen, ein gütiger Mann, und schlägt mir ein unschuldig Vergnügen nicht ab. Machen Sie sich nur immer zurecht; wir fahren um sechs präzise. – Hier wurde sie abgerufen, und ich setzte mich im Bücherkabinett meines Freundes nieder.
Nach einer halben Stunde trat Herr Simon unter einem lebhaften Gespräch mit seiner Frau ins Vorzimmer, und weil ich das Wort Deister hörte, so lauscht' ich neugierig, wie die Sache wohl negotürt werden möchte? Hier ist der interessanteste Teil ihres Gesprächs.
Frau Simon. Du hast recht, mein Kind, es ist eine teure Langweile. Man jagt über die kahle Chaussee, ißt und trinkt schlecht, ermüdet sich, erhitzt sich und kriegt am Ende nichts als Bäume zu sehen, die man in der Nähe haben kann. – Arist ist gewaltig für die Reise eingenommen. –
Herr Simon. Ich diene meinen Freunden gern; nur müssen sie nicht verlangen, daß ich mich ihretwegen ennuyieren soll. – Außerdem geht's morgen nicht an; ich habe dringende Geschäfte und weiß mich kaum durch die Papiere zu finden. Überhaupt sind mir alle die Partien zuwider, wo man so feierlich nach Freude läuft, und

sie erst findet, wenn alles vorbei ist. Ach, rufen wir dann ermüdet – wie froh bin ich, wieder zu Hause zu sein! – Warum gingen Sie denn aus dem Hause, Mesdames?

Frau Simon. Eben das ist meine Meinung und damit ist's aus. Arist mag sich eine andere Gesellschaft suchen. Nein, das herrliche Wetter will ich besser anwenden, und morgen kann ich endlich tun, was ich schon so lange willens war. Deine Stube hier, die Bücherkammer will ich nun einmal recht waschen und scheuern und reinigen lassen; alles muß hier umgewandt und in eine vernünftige Ordnung gebracht werden. Jetzt trocknet's geschwind, und so wirst du endlich den ekelhaften Unrat los.

Herr Simon. Dorothen, nein, ums Himmels willen, das geht noch weniger an! Euer Kramen und Poltern, weißt du doch, ist mir ein rechter Abscheu. Laß das bis auf ein andermal gut sein; morgen muß ich arbeiten.

Frau Simon. Aber könntest du nicht, lieber Mann, ein paar Tage in der kleinen Torstube sitzen? Ich muß mich wahrlich schämen, wenn hier ein Fremder kommt. – Alles das legt man endlich der Frau im Hause zur Last. – Einmal muß es doch geschehen.

Herr Simon. Ja, und soll auch geschehen; aber nur, wenn ich nicht zu Hause bin.

Frau Simon. Damit hältst du mich nun schon viele Monate hin. – Zürne nicht, mein lieber Mann, diese Unordnung macht uns beiden wenig Ehre. Ist es gesund, ist es angenehm, in einem solchen Stalle zu leben? Ist es schicklich, irgend jemand hier herein zu führen? Auch du wohnst gern in einer reinlichen Stube. Wie dir's wohl sein wird, wenn der Greuel einmal weg ist, wenn deine Kammern durch die gesunde Frühlingsluft recht durchweht und durchgereinigt sind.

Herr Simon (nach einigem Nachdenken). Hör, mir fällt etwas ein – weil doch Arist seinen Sinn darauf gesetzt hat – so laß uns nach dem Deister reisen – unterdessen mögen sie poltern.

Frau Simon. Gut, lieber Mann! – Reise du mit ihm hin, und mache dir viel Vergnügen – ich will alles wohl besorgen.

Herr Simon. Nein, Madame, das war die Meinung nicht! da fehlen mir hundert Bequemlichkeiten – ohne dich reis' ich nicht aus der Stelle.

Frau Simon. Kann der Schreiber nicht acht geben, daß man die Papiere nicht rührt, die Bücher abnehmen und aufsetzen? Ist dazu deine Gegenwart nötig?

Herr Simon. Nein, Kind – aber Sie reisen mit, wenn es gefällig ist.

Frau Simon. Lieber Mann!

Herr Simon. Kurz und gut! – Eine Gefälligkeit ist der andern wert; und wenn ich in das Ausräumen willige, so mußt du mit nach dem Deister.

Frau Simon. Werde nicht heftig, lieber Mann! deine Wünsche sind Befehle für mich; ich will gleich die Berutsche bestellen.

Hier umarmten sie sich, und ich schlich aus der Haustüre leise die Treppe hinab.

Wir reisten nach dem Deister. Als wir in den Wagen stiegen, drückte mir Herr Simon freundlich mit den Worten die Hand: diesen Tag haben Sie mir zu verdanken. Meine Frau wollte durchaus nicht dran; aber sie versteht zu gehorchen.

Warum gelingt es jeder klugen Frau, ihren vernünftigen Mann, so oft sie Lust hat, nach dem Deister zu führen?

Weil die Freude zu gebieten, ce qui plaît aux Dames, das Studium ihres Lebens ist, und weil der Stolz des Herrn der Schöpfung sie geradezu nach dem Throne führt; denn uns ahnt so ein Hochverrat nicht. Wir brüsten uns in unserer Repräsentation, und geben für die Zeichen der Regierung die Regierung selbst hin.

Aber ist es denn so ein Unglück, durch eine Frau geleitet zu werden? Einen freundlichen Richter zu erkennen, der entscheidet, wenn Unentschlossenheit an unserer Ruhe nagt? An der Hand einer sanften Gebieterin durch das dornige Leben zu wandeln, wo wir in unserer Leidenschaft gewiß den Pfad nicht immer fänden, der sicher zwischen Abgründen hinführt?

## JAKOB MICHAEL REINHOLD LENZ
(1751–1792)

## Pandämonium Germanikum
### Eine Skizze

Erster Akt *Der steil' Berg*

Erste Szene
*Goethe. Lenz (im Reisekleid).*

GOETHE: Was ist das für ein steil' Gebirg mit so vielen Zugängen?
LENZ: Ich weiß nicht, Goethe, ich komm' erst hier an.
GOETHE: Ist's doch herrlich dort von oben zuzusehen, wie die Leutlein ansetzen und immer wieder zurückrutschen. Ich will hinauf.
LENZ: Wart doch, wo willst du hin, ich hab dir noch so manches zu erzählen.
GOETHE: Ein andermal. *(Goethe geht um den Berg herum und verschwindet.)*
LENZ: Wenn er hinaufkommt, werd ich ihn schon zu sehen kriegen. Hätt' ihn gern kennen lernen, er war mir wie eine Erscheinung. Ich denk', er wird mir winken, wenn er auf jenen Felsen kommt. Unterdessen will ich den Regen von meinem Reiserock schütteln. *(Erscheint eine andere Seite des Berges, ganz mit Busch überwachsen. Lenz kriecht auf allen Vieren.)*
LENZ *(sich umkehrend und ausruhend)*: Das ist böse Arbeit. Seh' ich doch niemand hier, mit dem ich reden könnte. Goethe, Goethe! wenn wir zusammenblieben wären, ich fühl's, mit dir wär' ich gesprungen, wo ich itzt klettern muß. Es sollte mich einer der stolzen Kritiker sehen, wie würd' er die Nase rümpfen? Was gehn sie mich an, kommen sie mir doch nicht nach und sieht

mich hier keiner. Aber weh! es fängt wieder an zu regnen. Himmel! bist du so erbost über einen handhohen Sterblichen, der nichts als sich umsehen will. Fort! das Nachdenken macht Kopfweh. *(Klettert von neuem.)*
*Wieder eine andere Seite des Berges, aus der ein kahler Fels hervorsticht. Goethe springt 'nauf.)*

GOETHE *(sich umsehend):* Lenz! Lenz! daß er da wäre. – Welch herrliche Aussicht! – Da – o da steht Klopstock. Wie, daß ich ihn von unten nicht wahrnam? Ich will zu ihm. Er deucht mich auszuruhen, auf dem Ellbogen gestützt. Edler Mann! wie wird's dich freuen, jemand lebendiges hier zu sehn!

*(Wieder eine andere Seite des Berges. Lenz versucht zu stehen.)*

LENZ: Gottlob, daß ich einmal wieder auf meine Füße kommen darf. Mir ist vom Klettern das Blut in den Kopf geschossen. O so allein. Daß ich stürbe. Ich sehe hier wohl Fußstapfen, aber alle hinunter, keinen herauf. Gütiger Gott, so allein.

*(In einiger Entfernung Goethe auf einem Felsen, der ihn gewahr wird. Mit einem Sprung ist er bei ihm.)*

GOETHE: Lenz, was Teutscher machst du denn hier?

LENZ *(ihm entgegen):* Bruder Goethe. *(Drückt ihn ans Herz.)*

GOETHE: Wo zum Henker bist du mir nachkommen?

LENZ: Ich weiß nicht, wo du gegangen bist, aber ich hab' einen beschwerlichen Weg gemacht.

GOETHE: Ruh hier aus – und dann weiter.

LENZ: An deiner Brust. Goethe, es ist mir, als ob ich meine ganze Reise gemacht, um dich zu finden.

GOETHE: Wo kommst du denn her?

LENZ: Aus dem hintersten Norden. Ist mir's doch, als ob ich mit dir geboren und erzogen wäre. Wer bist du denn?

GOETHE: Ich bin hier geboren. Weiß ich, wo ich her bin? Was wissen wir alle, wo wir herstammen?

LENZ: Du edler Junge! Ich fühl' kein Haar mehr von all meinen Mühseligkeiten.
GOETHE: Tatst du die Reise für deinen Kopf?
LENZ: Wohl für meinen. Alle klugen und erfahrenen Leute widerrieten's mir. Sie sagten, ich suche zu sehr, was zum Gutsein gehöre, und versäume darüber das Sein. Ich dachte seid! und will gut sein.
GOETHE: Bist mir willkommen, Bübgen! Es ist mir, als ob ich mich in dir bespiegelte.
LENZ: O mach' mich nicht rot.
GOETHE: Weiter!
LENZ: Weiß es der Henker, wie mir mein Schwindel vergangen ist, seitdem ich dich unter den Armen habe.
*(Gehn beide einer Anhöhe zu.)*


Zweite Szene
*Die Nachahmer*

*(Goethe steht auf einem Felsen und ruft herunter zu einem ganzen Haufen Gaffer)*

GOETHE: Meine werte Herrn! wollt Ihr's auch so gut haben, dürft nur da herumkommen – denn daherum – und denn daherum, 's ist gar nicht hoch, ich versichere Euch, und die Aussicht ist herrlich. – Lenz, nun sollst du deinen Spaß haben.
*(Geht ein jämmerlich Gepurzel an. Bleiben ihrer etliche am Fuß des Berges auf Feldsteinen stehen und rufen den andern zu.)*
Meine Herren, wollt Ihr's auch so gut haben, dürft nur da herum kommen.
ANDERE VON DEM HAUFEN: Sollst gleich herunter sein, Hans Pickelhäring, bist ja nur um eine Hand hoch höher als wir. *(Stoßen einander herunter, jene wehren sich mit den Steinen, auf denen sie standen.)*

*(Goethe schlägt in die Hände. Zu Lenz:)*
GOETHE: Ist das nicht ein Gaudium?
*(Die, so jene vorher heruntergestoßen, sagen:)*
Wollen doch sehen, ob wir die von oben nicht auch hinabbekommen können, ist's uns doch mit diesen gelungen.
EINER: Hör, hast du nicht eine Lorgnette bei dir, ich kann sie nicht recht unterscheiden dort oben, ich möchte dem einen zu Leibe, der uns herabgerufen hat.
DER ANDERE: Mensch, wo denkst du hin, wie willst du an ihn kommen?
ERSTER: Kam doch David mit der Schleuder bis an Goliath herauf, und ich bin doch auch so niedrig nicht. Ich will mich auf jenen Stein stellen, dort gegen ihm über.
DER ANDERE: Probier's.
*(Goethe stößt Lenzen an, der lauert gleichfalls hinunter.)*
ERSTER *(schwingt einen Stein)*: Hör du dort, halt mir ein wenig den Arm fest, er ist mir aus dem Gelenk gegangen.
ZWEITER *(durch die Lorgnette guckend)*: Da, da oben gerade, wo ich mit dem Finger hindeute, da steht der Goethe, ich kenn' ihn eigentlich mit seinen großen schwarzen Augen, er paßt auf, er wird sich wohl bücken, wenn der Stein kommt, und der andere hat sich hinter ihm verkrochen.
ERSTER *(schleudert aus aller seiner Macht)*: Da mag er's denn darnach haben. *(Der Stein fällt wieder zurück und ihm auf den Fuß. Hinkt herum.)* Aye! Aye! was hab ich doch gemacht?
ZWEITER: O du alte Hure! hat grade soviel Kraft in seiner Hand als meine alte Großmutter. *(Wirft die Lorgnette weg, faßt den Stein ganz wütend und wirft blindlings über die Schulter seinem Nachbar ins Gesicht, daß der tot zur Erde fällt.)* Der Teufel! ich dacht ihn doch recht gezielt zu haben. So hat mich die Lorgnette betro-

gen. Es wird heutzutage doch kein vernünftig Glas mehr geschliffen.

GOETHE: Wollen uns doch die Lust machen und was herunterwerfen! Hast du einen Bogen Papier bei dir?

LENZ: Da ist.

GOETHE: Sie werden meinen, es sei ein Felsstück. Du sollst dich zu Tode lachen.

*(Läßt den Bogen herabfallen. Sie laufen alle mit erbärmlichem Geschrei.)*

O weh! er zermalmt uns die Eingeweide, er wird einen zweiten Ätna auf uns werfen. *(Einige springen ins Wasser, andere kehren alle Vier in die Höhe, als ob der Berg schon auf ihnen läge.)*

EIN PAAR PEDANTEN: Wir wollen sehen, ob wir uns nicht Schilde flechten können, testudines, nach Art der Alten. Es werden solcher mehr kommen. *(Verlieren sich in ein Weidengebüsch.)*

EIN GANZER HAUFEN *(auf Knien, die Hände in die Höhe)*: O schone, schone! weitwerfender Apoll!

GOETHE *(kehrt sich lachend um, zu Lenz)*: Die Narren!

LENZ: Ich möchte fast herunter zu ihnen und sie bedeuten.

GOETHE: Laß sie doch. Wenn keine Narren auf der Welt wären, was wär' die Welt?

*(Der ganze Haufe kommt den Berg herangekrochen wie Ameisen, rutschen alle Augenblick zurück und machen die possierlichsten Capriolen.)*

UNTEN: Das ist ein Berg!

Der Henker hol' den Berg.

Ist ein Schwerenotsberg. Ei, was ist dran zu steigen, wollen gehen und sagen, wir sind droben gewesen.

ALLE: Das wird das gescheiteste sein.

*(Kommt ein Haufen Fremder zu ihnen, sie komplimentieren sich. Kennen Sie den Herrn Goethe? Und seinen Nachahmer, den Lenz? Wir sind eben bei ihnen gewesen, die Narren wollten nicht mit herunterkommen, sie*

*sagten, es gefiel ihnen so wohl da in der dünnen Luft.)*
EIN FREMDER: Wo geht man hinauf, meine Herren, ich möchte Sie gern besuchen.
EINER: Ich rate es Ihnen nicht. Wenn Sie zum Schwindel geneigt sind –.
FREMDER: Ich bin nicht schwindlicht.
ERSTER: Schadet nichts, Sie werden's schon werden. Unter uns gesagt, die Wege sind auch verflucht verworren durcheinander, wir müßten Sie bis oben hinauf begleiten. Der Lenz selber soll sich einmal verirrt haben ganze drei Tage lang.
FREMDER: Wer ist denn der Lenz, den kenn' ich ja gar nicht.
ERSTER: Ein junges aufkeimendes Genie aus Kurland, der bald wieder nach Hause zurückkehren wird. Er ist von meinen vertrautesten Freunden und schreibt kein Blatt, das er nicht vorher mir weist.
FREMDER: Und der ist so hoch heraufgekommen?
ERSTER: Der Goethe hat ihn mitgenommen, er hat mir's auch angetragen, aber ich wollte nicht, meine Lunge ist mir zu lieb. Doch habe ich ihn besucht oben.
FREMDER: Ich möchte doch die beiden Leute gern kennen lernen, es müssen sonderbare Menschen sein.
ERSTER: Ach, sie werden gleich herunterkommen, wenn wir ihnen winken werden. *(Winken mit Schnupftüchern, jene kehren sich um und gehen fort.)*
FREMDER: Sehen Sie? Warten Sie nur einen Augenblick, sie werden gleich da sein.
ZWEITER: Wart du bis morgen früh. Da sind sie schon auf einem anderen Hügel.
FREMDER: Das ist impertinent. Wenn man bei uns Autor ruft, und er kommt nicht gleich, wird er ausgepfiffen.
ERSTER: Wollen wir auch pfeifen?
ZWEITER: Was hilft's, sie hören's doch nicht.
ERSTER: Desto besser.

## Dritte Szene
*Die Philister*

*Lenz (sitzt an einem einsamen Ort, ins Tal hinabsehend, seinen Hofmeister im Arm. Einige Bürger aus dem Tal reden mit ihm).*

EINER: Es freut mich, daß wir Sie näher kennen lernen.
ZWEITER: Es verdrießt mich aber doch in der Tat, daß Ihre Stücke meist unter einem anderen Namen herumlaufen.
LENZ: Und mich freut's. Wenn sie so geschwinder ihr Glück machen, soll ich's meinen Kindern mißgönnen? Würd' ein Vater sich grämen, wenn sein Sohn seinen Namen veränderte, um desto leichter emporzukommen?
DRITTER: Wenn man nun aber zu zweifeln anfinge, ob Sie allein imstande gewesen wären –
LENZ: Laß sie zweifeln. Was würd' ich durch ihren Glauben gewinnen? Das Gefühl, an diesem Herzen ist er warm geworden, hier hat er sein Feuer und alle gutartige Mienen bekommen, die anderen Leuten an seinem Gesicht Vergnügen machen, ist stärker und göttlicher, als alles Schmettern der Trompete der Fama eins aufschütteln kann. Dies Gefühl ist mein Preis und der angenehme Taumel, in den mich der Anblick eines solchen Sohnes bisweilen zurücksetzt, und der fast der Entzückung gleicht, mit der er geboren ward.
*(Goethe, über ein Tal herabhängend, in welchem eine Menge Bürger emporgucken und die Hände in die Höhe strecken.)*
EINER: Traut ihm nicht!
ZWEITER: Da bewegt er sich. Gewiß, in der andern Hand, die er auf dem Rücken hält, hält er nichts guts.
EIN GELEHRTER UNTER IHNEN: Es scheint, der Mann will gar nicht rezensiert sein.

EIN PHILISTER: Ihr Narren, wenn er euch auch freien Willen ließe, er würde bald unter die Füße kommen. Und er streitet nicht für sich allein, sondern auch für seine Freunde.

## Vierte Szene
*Die Journalisten*

EINER: Es fängt da oben an bald zu wölken, bald zu tagen. Hört, Kinder, es ist euch kein andrer Rat, wir müssen hinauf und sehen, wie die Leute das machen.
ZWEITER: Ganz gut, wie kommen wir aber hinauf?
ERSTER: Wollen wir ein Luftschiff machen wie die bösen Geister im Noah, das uns in die Höhe hebt?
ZWEITER: Ein vortrefflicher Einfall. Es kommt auch so ein Wind von oben herab, der uns schon heben wird.
ERSTER: Ich habe auch eben nichts besseres zu tun, und es wäre doch kurios, den Leuten auf die Finger zu sehen.
DRITTER: Mir wird die Zeit auch so verflucht lang hier unten, ich weiß wahrhaftig nicht mehr, was ich angreifen soll.
VIERTER: So können wir uns auch mit leichter Mühe berühmt machen.
FÜNFTER: Und ich will meine Akten und all' ins Feuer werfen, was Henkers nützen einem auch die Brotstudia. Es soll uns so an Geld nicht fehlen.
SECHSTER *(zum Siebenten):* Wenn die droben sind, wollen wir einen Geist der Journale schreiben. Das geneigte Publikum wird doch gescheut sein und pränumerieren, wie dem Klopstock da.
SIEBENTER: Es ist der Geist der Zeit. Laßt uns keine Zeit verlieren. Wer zuerst kommt, der mahlt erst.
*(Heben sich auf ihrem Luftschiff mit Goethes Wind und machen ihm Komplimente).*
GOETHE: Landt an, landt an! *(Zu Lenz:)* Wollen den Spaß

mit den Kerlen haben *(wirft ihnen ein Seil zu, die Journalisten verwandeln sich alle in Schmeißfliegen und besetzen ihn von oben bis unten).*
Nun, zum Sakkerment! *(Schüttelt sie ab.)*
*(Sie bekommen die Gestalt kleiner Jungen und laufen auf dem Berg herum, Hüglein auf, Hüglein ab. Goethe steigt eine neue Erhöhung hinan, eine Menge von ihnen umklammert ihm die Füße.)* Nimm' mich mit, nimm' mich mit.
GOETHE: Liebe Jungens, laßt mich los, ich kann ja sonst nicht weiter kommen.
EINER: Womit soll ich dich vergleichen? Alexander, Caesar, Friedrich, o, das waren alles kleine Leute gegen dich.
ZWEITER: Wo sind die großen Genien der Nachbarn, die Shakespeare, die Voltaire, die Rousseau?
DRITTER: Was sind die so sehr berühmten Alten selber? Der Schwätzer Ovid, der elende Virgil und dein so sehr erhabener Homer selbst? Du, du bist der Dichter der Dichter der Deutschen, und soviel Vorzüge unsere Nation vor den alten Griechen –
LENZ *(sein Haupt verhüllend)*: O weh, sie verderben mir meinen Goethe.
GOETHE: Daß euch die schwere Not! *(Schüttelt sie von den Beinen und wirft sie alle kopflängs den Berg hinunter.)* Ihr Schurken, daß ihr euch immer mit fremder Größe beschäftigt und nie eure eigene ausstudiert. Wie seid ihr im Stande zu fühlen, was Alexander war, oder was Cäsar war, wie seid ihr im Stande zu fühlen, was ich bin? Wie unendlich anders die Größe eines Helden, eines Staatsmannes, eines Gelehrten und eines Künstlers! Ich bin Künstler, dumme Bestien, und ich verlangte nie mehr zu sein. Sagt mir, ob's mir in meiner Kunst geglückt ist, ob ich wo einen Strich wider die Natur gemacht habe, und dann sollt ihr mir willkommen sein. Übrigens aber halt's Maul mit euren wahn-

witzigen Ausrufungen von groß göttlich und merkt euch die Antwort, die der König von Preußen einem gab, der ihn zum Halbgott machen wollte. Und der König von Preußen ist doch ein ganz andrer Mann als ich.

DIE JOURNALISTEN: Wir wollen alle Künstler werden.

GOETHE: In Gottes Namen. Ich will euch dazu behilflich sein.

EINER: Wir brauchen eurer Hilfe nicht. Ich bin schon ein zehnmal größerer Mann als du bist.

LENZ *(sieht wieder hervor):* Also auch als alle die, die er unter dich gestellt hat.

GOETHE *(lacht):* So aber gefällt mir der Kerl.

LENZ: Lieber Goethe, ich möchte mein Dasein verwünschen, wenn's lauter Leute so da unten gäbe.

GOETHE: Haben sie's andern Nationen besser gemacht? Woher denn der Verfall der Künste, wenn sie zu einer gewissen Höhe gestiegen waren?

LENZ: Ich wünschte dann lieber mit Rousseau, wir hätten gar keine und kröchen auf allen Vieren herum.

GOETHE: Wer kann dafür?

LENZ: Ach, ich nahm mir vor hinabzugehen und ein Maler der menschlichen Gesellschaft zu werden: aber wer mag da malen, wenn lauter solche Fratzengesichter unten anzutreffen? Glücklicher Aristophanes, glücklicher Plautus, der noch Leser und Zuschauer fand. Wir finden, weh uns, nichts als Rezensenten, und könnten eben so gut in die Tollhäuser gehen, um menschliche Natur zu malen.

## Zweiter Akt · *Der Tempel des Ruhms*

### Erste Szene
*(Hagedorn spaziert einsam herum und pfeift zum Zeitvertreib Liederchen.)*

HAGEDORN: Wie wird mir die Zeit so lang, Gesellschaft zu finden. *(Setzt sich an eine schwarze Tafel und malt einige Tiere hin. Lafontaine, der mit einigen anderen Franzosen hinter einem Gitter auf dem Chor sitzt, bückt sich über dasselbe hervor und ruft, indem er in die Hände patscht.)*
Bon! bon! cela passe!
*(Tritt herein ein schmächtiger Philosoph, ducknackigt, mit hagerem Gesicht, großer Nase, eingefallenen hellblauen Augen, die Hände auf die Brust gefaltet. Bleibt verwundert Hagedorn gegenüber stehen, ohn' aus seiner Stellung zu kommen. Auf einmal erblickt er Lafontaine, kehrt sich weg und tritt in den Winkel, um nicht gesehen zu werden. Nach einer Weile kommt er mit einigen Papieren voll Zeichnungen hervor, die er sich vor die Stirne hält. Hagedorn läßt die Kreide fallen, eine Menge Menschen umringen und bewundern ihn, der Haufe wird immer größer, er verzieht seine sauertöpfische Miene und sagt mit hohler Stimme und hypokondrischem Lachen):*
Was seht ihr da? – Wenn ihr mir gute Worte gebt, mal' ich euch Menschen.
*(Gleich drängen sich verschiedene, die sein frommes Aussehen dreist macht, zu ihm, unter denen ein großer Haufe alter Weiber und zutätiger Mütterchen. Er wendet sich um – und flugs steht eine von ihnen auf dem Papier da, die er danach vorzeigt. Da geht ein überlautes Gelächter von der einen, ein Geschimpf von der anderen Seite an.)*
ALTES WEIB: Der Gotteslästerer! Er hat keinen Glauben,

er hat keine Religion, sonst würd' er das ehrwürdige Alter nicht spotten. Es ist ein Atheist.
*(Bei diesen Worten fällt Gellert auf die Knie und bittet um Gotteswillen, man solle ihm das Bild zurückgeben, das man ihm schon aus den Händen gewunden hat, er wolle es verbrennen.)*
EINIGE FRANZOSEN *(hinterm Gitter):* Oh, l'original!
MOLIERE *(sich den Stutzbart streichend):* Je ne puis pas concevoir ces Allemands là. Il se fait un crime d'avoir si bien réussi. Il n'auroit qu'à venir à Paris, il se corrigeroit bien de cette maudite timidité.
*(Herr Weiße, einer aus dem Haufen, sehr weiß gepudert, mit Steinschnallen in den Schuhen, läuft schnell heraus und nimmt sich ein Billet auf die Landkutsche nach Paris.)*
*(Gellert unterdessen dringt durch den Haufen zu seinem Winkel, wo er sich auf die Knie wirft und die bittersten Tränen weint. Auf einmal fängt er an, geistliche Lieder zu singen, worauf er am Ende in ein gänzlich trübsinniges Stillschweigen verfällt, als ob er ein schwer Verbrechen auf dem Gewissen hätte. Ein Engel fliegt vorbei und küßt ihm die Augen zu.)*
EINE STIMME: Redliche Seele! selbst in deinen Ausschweifungen ein Beweis, daß eine deutsche Seele keiner unedlen Narrheit fähig sei.
*(Als er stirbt:)*
DIE FRANZOSEN: Il est fou.
*(Am äußersten Ende des Gitters, auf beide Ellbogen gestützt:)*
ROUSSEAU: C'est un ange.


Zweite Szene

RABENER *(tritt ein, den Haufen um Gellert zerstreuend):* Platz, Platz für meinen Bauch *(mit der Hand)* und nun

noch mehr für meinen Satyr, daß er gemächlich auslachen kann. Was in aller Welt sind das Gesichter hier? *(Zieht einen zylindrischen Spiegel hervor. Sie halten sich alle die Köpfe und entlaufen mit großem Geschrei wie eine Herde gescheuchter Schafe. Einige ermannen sich und treten sehr gravitätisch näher: Als sie nahe kommen, können sie sich doch nicht enthalten, mit den Köpfen zurückzufahren. Als vernünftige Leute lachen sie aber selbst über die Grimassen, die sie machen.)*
RABENER: Seid Ihr's bald müde? *(Gibt einem nach dem anderen den Spiegel in die Hand, sie erschrecken sich mit ihren eigenen Gesichtern.)*
ALLE: So gefällt's uns doch besser, als nach dem Leben.
RABELAUS *(und)* Scarron *(von oben):* Au lieu du miroir, s'il s'étoit oté la culotte, il aurait mieux fait.
*(Liskow horcht herauf, und da eben ein paar Waisenhäuserstudenten neben ihm stehen, zieht er sich die Hosen ab, die schlagen ein Kreuz, er jagt sie so rücklings zum Tempel hinaus. Ein ganzer Wisch junger Rezensenten bereden sich, bei erster Gelegenheit ein gleiches zu tun. Klotz bittet sie, nur so lang zu warten, bis er sich zu jenen drei Stufen hervorgedrängt, auf die er steigen und sodann zu allgemeiner Niederlassung der Hosen das Signal geben will.)*
KLOTZ: Das wird einen Teufels-Jokus geben. Es bleibt keine einzige Dame in der Kirche.
EINER: Die Komödiantinnen bleiben doch.
ZWEITER: Und die Herren. Wir wollen Oden auf sie machen.
*(Anakreons Leier wird hervorgesucht und gestimmt. Die honetten Damen, die was merken, entfernen sich in eine Ecke der Kirche. Die anderen treten näher. Rost spielt auf. Zu gleicher Zeit zieht Klotz die Hosen ab. Eine Menge folgen ihm. Das Gelächter, Gekreisch und Geschimpf wird allgemein. Die honetten Damen und die Herren von gutem Ton machen einen Zirkel um*

*Rabener und lassen sich mit ihm in tiefsinnige Diskurse ein.)*
EINE STIMME: Flor der deutschen Literatur.
EINE ANDERE: Saeculum Augusti.
DIE FRANZOSEN *(von oben):* Voilà ce qui me plait. Ils commencent à avoir de l'esprit, ces gueux d'Allemands là.
CHAULIEU *(und)* CHAPELLE: En voilà un qui ne dit pas le mot, mais il semble bon enfant, voyez, comme il se plait à tout cela, comme il sourit secouant la tête.
*(Stoßen ihn mit dem Stock an, winken ihm heraufzukommen, er geht hinauf.)*
*(Gleim tritt herein, mit Lorbeern ums Haupt, ganz erhitzt, in Waffen. Als er den neckischen tollen Haufen sieht, wirft er Rüstung und Lorbeer weg, setzt sich zu der Leier und spielt, jedermann klatscht. Der ernsthafte Zirkel wird auch aufmerksam, Utz tritt daraus hervor, wie Gleim aufgehört hat, setzt er sich gleichfalls an die Leier.)*
*(Ein junger Mensch tritt aus dem ernsthaften Haufen hervor, mit verdrehten Augen, die Hände über dem Haupt zusammengeschlagen, sagt:)*
Was für ein Unterfangen, was für eine zahmlose und schamlose Frechheit ist das? Habt ihr so wenig Achtung, so wenig Ansehen für diese würdigen Personen, ihre Ohren und Augen mit solchen Unflätereien zu verwunden? Schämt euch, verkriecht euch, Ihr sollt diese Stelle nicht länger schänden, die ihr usurpiert habt, heraus mit euch Bänkelsängern, Wollustsängern, Bordellsängern, heraus aus dem Tempel des Ruhms!
*(Ein paar Priester folgen dicht hinter ihm drein, trommeln mit den Fäusten auf die Bände, zerschlagen die Leier und jagen sie alle zum Tempel hinaus.)*
*(Wieland bleibt stehen, die Herren und Damen umringen ihn und erweisen ihm viel Höflichkeiten für die Achtung, so er ihnen bewiesen.)*
WIELAND: Womit kann ich den Damen itzt aufwarten,

ich weiß in der Geschwindigkeit wahrhaftig nicht – sind Ihnen Sympathien gefällig – Briefe der Verstorbenen an die Lebendigen, oder befehlen Sie ein Heldengedicht, eine Tragödie?

DIE GESELLSCHAFT: Was von Ihnen kommt, muß alles vortrefflich sein.

*(Er kramt seine Taschen aus. Die Herrn und Damen besehen die Bücher und loben sie höchlich. Endlich weht sich die eine mit dem Fächer, die andere gähnend:)*

Haben Sie nicht noch mehr Sympathien?

WIELAND: Nein wahrhaftig, gnädige Frau – o lassen Sie sich doch die Zeit nur nicht lang werden – Warten Sie nur noch einen Augenblick, wir wollen sehen, ob wir nicht etwas finden können *(geht herum und sucht, findet die zerbrochne Leier, die er zu reparieren anfängt)*. Sogleich, sogleich – nur einen Augenblick – ich will sehen, ob ich noch was herausbringe.

*(Spielt: alle Damen halten die Fächer vor den Gesichtern, man hört hin und wieder ein Gekreisch.)*

Um Gottes willen, hören Sie doch auf!

*(Er läßt sich nicht stören, sondern spielt nur immer rasender.)*

DIE FRANZOSEN: Ah le gaillard! Les autres s'amusoient avec des grisettes, cela débauche les honnêtes femmes. Il a pourtant bien pris son parti.

EINER: Je ne crois pas que ce soit un Allemand, c'est un Italien.

CHAPELLE *(und)* CHAULIEU: Ah ça – pour rire – descendons notre petit *(lassen Jakobi auf einer Wolke von Nesseltuch nieder, wie Amor gekleidet)*, cela changera bien la machine.

JEDERMANN: Ach sehen Sie doch um Himmelswillen.

*(Jakobi spielt in einer Wolke auf einer kleinen Sackvioline. Einige aus der Gesellschaft fangen an zu tanzen. Er läßt eine erschreckliche Menge Papillons fliegen. Die Damen haschen nach ihnen und rufen:)*

Liebesgötterchen! Liebesgötterchen!

JAKOBI *(springt aus der Wolke und schlägt die Arme kreuzweis übereinander, schmachtend zusehend):* O mit welcher Grazie!

WIELAND: Von Grazie hab' ich auch noch ein Wort zu sagen.

*(Spielt. Die Damen minaudieren erschrecklich, die Herren setzen sich einer nach dem andern in des Jakobi Wolke und schaukeln damit herum. Andere lassen gleichfalls Papillons fliegen. Die Alten tun sie unter das Vergrößerungsglas, und einige Philosophen legen die Finger an die Nase, um die Unsterblichkeit der Seele aus ihnen zu beweisen. Eine Menge Offiziere machen die Kokarden von Papillonsflügeln, andere kratzen mit dem Degen an der Leier, sobald Wieland zu spielen aufhört. Endlich gähnen sie alle.)*

*(Eine Dame, die, um nicht gesehen zu werden, hinter Wielands Rücken, unaufmerksam auf alles, was vorging, gezeichnet hatte, gibt ihm das Bild zum Sehen, er zuckt die Schultern, lächelt, macht ihr ein halbes Kompliment und reicht es großmütig herum. Jedermann macht ihm Komplimente darüber, er bedankt sich schönstens, steckt es wie halbzerstreut in die Tasche und fängt wieder an zu spielen. Die Dame errötet. Die Palatinen der anderen Damen, die Wieland zuhören, kommen in Unordnung, weil die Herrchen zu ungezogen werden. Wieland winkt ihnen lächelnd zu, und Jakobi hüpft wie unsinnig von einer zur anderen herum. Indessen klatscht die ganze Gesellschaft und ruft gähnend:)*

Bravo! bravo! bravo! le moyen d'ouir quelque chose de plus ravissant.

GOETHE *(stürzt herein in Tempel, glühend, einen Knochen in der Hand):* Ihr Deutsche? – – Hier ist eine Reliquie eurer Vorfahren. Zu Boden mit euch und angebetet, was ihr nicht werden könnt.

*(Wieland macht ein höhnisches Gesicht und spielt fort. Jakobi bleibt mit offenem Mund und niederhängenden Händen stehen.)*
GOETHE *(auf Wieland zu)*: Ha, daß du Hektor wärst und ich dich so um die Mauern von Troja schleppen könnte! *(Zieht ihn an den Haaren herum.)*
DIE DAMEN: Um Gotteswillen, Herr Goethe, was machen Sie?
GOETHE: Ich will euch spielen, obschon's ein verstimmtes Instrument ist. *(Setzt sich hin, stimmt ein wenig und spielt. Jedermann weint.)*
WIELAND *(auf den Knien)*: Das ist göttlich.
JAKOBI *(hinter Wieland, gleichfalls auf den Knien)*: Das ist eine Grazie, eine Wonneglut!
EINE GANZE MENGE DAMEN *(stehn auf und umarmen Goethe)*: O Herr Goethe!
*(Die Chapeaux werden alle ernsthaft. Eine Menge laufen heraus, andere setzen sich Pistolen an die Köpfe, setzen aber gleich wieder ab. Der Küster, der das sieht, läuft und stolpert aus der Kirche.)*


Dritte Szene
*Küster, Pfarrer*

KÜSTER: O Herr Pfarrer, um Gotteswillen, es geschieht Mord und Todschlag in der Kirche, wenn Sie nicht zu Hilfe kommen. Da ist der Antichrist plötzlich hereingetreten, der ihnen allen die Köpfe umgedreht hat, daß sie sich das Leben nehmen wollen. Sie haben alle Schießgewehr bei sich, meine arme Frau, meine armen Kinder sind auch drunter, wer weiß, wie leicht ein Fehlschuß sie treffen kann.
PFARRER *(zitternd und bebend)*: Meine Frau ist auch da, Gott steh mir bei. Kann er sie nicht herausrufen?
KÜSTER: Nein, Herr Pfarrer, Sie müssen selber kommen,

das ganze Ministerium muß kommen, es ist, als ob der Teufel in sie alle gefahren wäre, ich glaube, Gott verzeih mir, der jüngste Tag ist nahe.

PFARRER *(einmal über das andere sich trostlos umsehend)*: Wenn meine Frau nur kommen wollte! Konnt' er ihr nicht zurufen? *(Die Hände ringend.)* Hab ich das in meinem Leben gehört, sie wollen sich erschießen, und warum denn?

KÜSTER: Um unserer Weiber willen, allerliebster Herr Pfarrer. Das ist Gott zu klagen, ich glaube, es ist ein Hexenmeister, der unter sie gekommen ist. Vorhin saßen sie da in aller Eintracht und hatten ihren Spaß mit den Papillons, da führt ihn der böse Feind hinein und sagt, wenn's doch gespielt sein soll, so spielt mit Pistolen.

PFARRER: Ob sie aber auch geladen sind.

KÜSTER: Das weiß ich nun freilich nicht. Aber auch mit ungeladenen ist's doch sündlich. Man weiß, wie leicht der Böse sein Spiel haben kann.

PFARRER *(sehr wichtig und nachdenklich)*: Wir wollen ein Mandat vom Consistorio auswirken.

KÜSTER: Das wäre meine Meinung auch, Herr Pfarrer, so. Und daß sie den Prometheus verbrennen sollen, oder den höllischen Proteus, wie er da heißt. Andern zur Warnung mein' ich.

PFARRER: Wenn meine Frau nur kommen wollte.

KÜSTER: Sie wird sich noch in ihn verlieben und meine Frau auf den Kauf mit ein, die Weiber sind all wie bestürzt auf das Ding, sie sagen, sie haben sowas in ihrem Leben noch nicht gehört. Denn sehen Sie, es ist kein einzig Weib, das nicht glaubt, heimlich in der Stille haben sich schon zwölf arme Buben um sie zu Tode gegrämt, und dieser erschießt sich gar, das ist ihnen nun ein gar zu gesundes Fressen das. In Böhmen ist neuerdings wieder ein Bauernkrieg ausgebrochen, gebt acht, Herr Pfarrer, dieser Mensch gibt uns einen Weiber-

krieg, wo am Ende keine Mannsseele mehr am Leben bleibt als ich und der Herr Pfarrer. Wir wollten endlich das menschliche Geschlecht auch nicht ausgehen lassen.
PFARRER: Seid unbesorgt. Wenn ich mich nur *durch die Hintertür* in die Kirche schleichen und dem Unwesen zusehen könnte. Ich wollte sodann ganz in der Stille die Kanzel heraufkriechen und auf einmal zu donnern anfangen. Das tut seine Wirkung, glaubt es mir.
KÜSTER: Sicher, Herr Pfarrer, ich mein es auch so, und ich will den Glauben zu gleicher Zeit anstimmen, daß der Teufel aus der Kirche fährt.
PFARRER: Ihr könnt das Te Deum laudamus hernach singen, wenn ich fertig bin. *(Gehn ab.)*


Vierte Szene
*(Goethe zieht Wieland das Blatt Zeichnung aus der Tasche, das er vorhin von der Dame eingesteckt.)*

GOETHE *(hält's hoch):* Seht dieses Blatt, und hier ist die Hand, die es gezeichnet hat *(die Verfasserin der Sternheim ehrerbietig an die Hand fassend.)*
EINE PRÜDE *(weht sich mit dem Fächer):* O, das wäre sie nimmer imstande gewesen, allein zu machen.
EINE KOKETTE: Wenn man ein so großes Genie zum Beistand hat, wird es nicht schwer, einen Roman zu schreiben.
GOETHE: Errötest du nicht, Wieland? verstummst du nicht? Kannst du ein Lob ruhig anhören, das soviel Schande über dich zusammenhäuft? Wie, daß du nicht deine Leier in den Winkel warfst, als die Dame dir das Bild gab, demütig vor ihr hinknietest und gestandst, du seist ein Pfuscher? Das allein hätte dir Gnade beim Publikum erworben, das deinem Wert nur zu viel zugestand. Seht dieses Bild *(stellt es auf eine Höhe, alle Männer fallen auf ihr Angesicht. Rufen:)*

Sternheim! wenn du einen Werther hättest, tausend Leben müßten ihm nicht zu kostbar sein.

PFARRER *(von der Kanzel herunter mit Händen und Füßen schlagend):* Bösewichter! Unholde! Ungeheuer! Von wem habt ihr das Leben? Ist es euer? Habt ihr das Recht, hierüber zu schalten?

EINER AUS DER GESELLSCHAFT: Herr Pfarrer, halten Sie das Maul.

KÜSTER *(mischt sich unter sie):* Ja, erlauben Sie, meine großgünstige Herren, es *ist* aber auch ein Unterschied zwischen einer *schönen* Liebe und einer solchen Gottes vergessenen, und denn so mit ihrer großgünstigen Erlaubnis, der Herr Pfarrer hat auch so unrecht nicht, denn sehen Sie einmal, meine arme Frau steht auch in Gefahr, eines Menschen Leben auf ihr Gewissen zu laden, und da ich mit den Gespenstern nichts gern zu teilen habe.

EIN BUCHBINDER: Ei freilich, ich bin auch von des Herrn Küsters Partei, meine Nachtruhe ist mir lieb auch.

KÜSTER: Also mit Ihrer gnädigen Erlaubnis, meine Herren, wäre mein Rat wohl, wir gingen fein alle nach Hause und schlössen die Kirchentür zu. Wer Lust hat, den Werther zu machen, kann immer drin bleiben, he, he, he, ich denk, er wird doch in der Einsamkeit schon zu Verstand kommen, wir andere ehrliche Bürgersleut' aber gehen heim nach dem Sprüchlein Lutheri

Ein jeder lern seine Lektion
So wird es wohl im Hause stohn.

GOETHE: Geht in Gottes Namen. Ich bleib' allein hier. *(Es bleiben einige bei ihm im Tempel. Die meisten gehn heraus, und der Küster schließt die Kirchentür zu.)*

KÜSTER: So, Du sollst mir nicht mehr herauskommen.

PFARRER: Nur die Schlüssel der Frau nicht gegeben.

FRAU PFARRER: Mannchen! Der arme Werther.

PFARRER *(und)* KÜSTER: Da haben wir's, da wirkt das höllische Gift. Ich wollt, er läg auf unserm Kirchhof,

oder der verachtungswürdige Proteus an seiner Stelle. Wir wollten die Knochen ausgraben lassen, verbrennen und die Asche aufs Meer streuen.
KÜSTER: Ich wollt einen Mühlstein an die Asche hängen und sie ersäufen lassen. Er hat mich in die Seele hinein geärgert. Mein armes Weibchen, was machst du denn? Du wirst doch nicht toll sein und dir auch deinen Werther schon angelegt haben, ich wollte dich – es ist wohl gut, daß es in Deutschland keine Inquisition ist, aber es ist doch nicht gar zu gut. Ich wollte mein Leben dran setzen, einen solchen Rebellen, einen solchen –
KÜSTERS FRAU: Er ein Rebell?
KÜSTER: Red mir nicht. Was für schnöde Worte er im Munde führt. Wenn man das alles auseinandersetzte, was der Werther sagt –
KÜSTERS FRAU: Er sagt es ja aber in der Raserei, da er nicht recht bei sich war.
KÜSTER: Er soll aber bei sich bleiben, der Hund. Wart' nur, ich will ein Buch schreiben, da will ich dich lehren und alle, die den Werther mir so gelobt haben – kurz und gut, Weib, lieber doch einen Schwager als einen Werther, kurz von der Sache zu reden. Und damit so weißt du meine Meinung und laß mich in Frieden.


Fünfte Szene
*Die Dramenschreiber*
*Weiße und Küsters Frau vor der Kirchentür.*


WEISSE: Liebe Frau, ich bin eben aus Welschland zurückgekommen, mach' sie mir nur auf, Ihr Mann wird nichts dawider haben. Ich hab' die Taschen voll, ich muß hinein. Ich werd' dort gewiß keinen Unfug anrichten, das sei sie versichert.
*(Sie macht auf. Er tritt ein in einem französischen Sommerkleide mit einer kurzen englischen Perücke, macht*

*im Zirkel herum viel Scharrfüße und fängt folgender Gestalten an:)*
Meine werte Gesellschaft, ist es Ihnen gefälliger zu lachen oder zu weinen. Beides sollen Sie in kurzer Zeit auf eine wunderbare Art an sich erfahren. *(Kehrt sich weg, zieht einige Papiere heraus und murmelt die Expressionen, als ob er sie repetierte:)* Hell! destruction! Damnation! *(Darauf tritt er hervor und deklamiert in einem unleidlich hohlen Ton mit erstaunenden Contorsionen.)*
HERR SCHMIDT *(ein Kunstrichter, steht vor ihm, beide Finger auf den Mund gelegt)*: Es ist mir, als ob ich die Engländer selber hörte.
MICHAELIS: Es ist unser deutscher Shakespeare.
SCHMIDT: Sehn Sie nur, was für wunderbare Vereinigung aller Vollkommenheiten, die das englische sowohl als das französische Theater auszeichnen. Das Griechische mit eingeschlossen. Ich wünschte Garriken hier.
WEISSE *(mit vielen Kratzfüßen sehr freundlich)*: So sehr es meiner Bescheidenheit kostet, mich mit in diesen Streit zu mengen, so muß ich doch gestehen, daß ich glaube, Herr Schmidt habe mich am richtigsten beurteilt.
MICHAELIS: Herr Schmidt ist unser deutscher Aristarch, er hört nicht auf das, was andere sagen, sondern fällt sein Urteil mit einer Festigkeit und Gründlichkeit, die eines Skaliger würdig ist.
SCHMIDT: O ich bitte um Vergebung, ich richte mich mit meinem Urteil immer nach der allgemeinen Stimme von Deutschland. Zu dem Ende korrespondiere ich mit den Pedellen von fast allen deutschen Akademien und bleibt mir nicht viel Zeit übrig im Skaliger zu lesen und seine Manier anzunehmen. Ich bin ein Original.
WEISSE: Belieben Sie nun noch ein Pröbchen von einer anderen Art zu sehen. *(Nimmt den Hut untern Arm und trippt auf den Zehen herum.)* Mais Mon Dieu hi

hi hi *(im Soubrettenton)*. Vous êtes un sot animal *(trillert und singt)*. Monseigneur, voyez mes larmes.

EINE STIMME AUS DEM WINKEL: Das sollen Deutsche sein?

SCHMIDT: Sehen Sie doch, es ist mir, als ob ich in Paris wäre. Es ist wahr, alle die Züge sind nachgeahmt, aber mit solcher Delikatesse, als man die blaue Haut einer Pflaume anfaßt, ohne sie abzustreifen.

MICHAELIS: O wunderbarer Ausspruch eines wahren kritischen Genies. – – Ich habe solche Kopfschmerzen. Herr Schmidt, wollen Sie mich denn nicht auch kritisieren vor meinem Tode?

SCHMIDT: Mir sind die letzten Briefe ausgeblieben.

MICHAELIS: Ei, Sie sind ja wohl Manns genug, selber ein Urteil zu fällen. Sehen Sie, hier hab ich auch eine Operette.

SCHMIDT: Nein, nein, erlauben Sie mir, das wag' ich nicht. Seit der selige Klotz vor mir die Hosen abgezogen hat, bin ich ein wenig geschreckt worden. Herr Lessing hat mir auch einmal einen unter die Rippen gegeben, von dem ich zehn Tage lang engen Atem behielt. Ich habe hernach alles anwenden müssen, die beiden Herren zu besänftigen: besonders Herrn Lessing zu gefallen hab ich wohl zehn Nächte nacheinander aufgesessen, um nach seiner Idee zehn englische Sprüche in eines zu bringen, und der fürchterliche Plan hat mir eine solche Migräne verursacht, daß ich fürchte, Herr Lessing hat sich auf die Art schlimmer an mir gerochen als auf die erstere.

MICHAELIS: So muß ich denn wohl unbeurteilt sterben. Deinen Segen, deutscher Shakespeare!

WEISSE *(mit feiner Stimme, wie unter der Maske)*: Bon voyage, mon cher Monsieur! je vous suis bien obligé de toutes vos politesses.

SCHMIDT *(aus den deutschen Literaturbriefen)*: Der Mann hat eine wunderbare Gabe, sich in alle Formen zu passen.

## Sechste Szene

*(Lessing, Klopstock, Herder treten herein, umarmt, Klopstock in der Mitte, in sehr tiefsinnigen Gesprächen, ohne Weißen gewahr zu werden.)*

LESSING: Was ist das, was haben die Leute? *(Weiße macht seine Kunststücke fort.)* Soll das Nachahmung der Franzosen sein oder der Griechen?
WEISSE *(scharrfüßelnd)*: Beides.
LESSING: Wißt ihr, was die Franzosen für Leute sind? Laßt uns einmal ihre Bilderchen besehen. *(Tritt vor eine Galerie und examiniert.)* Da zu hoch, da zu breit, da zu schmal, nirgends Zusammenhang, nirgends Ordnung, nirgends Wahrheit. Und das sind eure Muster?
HERDER: Ich hörte da was von Shakespeare raunen. Kennt Ihr den Mann? – – Tritt unter uns, Shakespeare, seliger Geist! steig herab aus deinen Himmelshöhen.
SHAKESPEARE *(einen Arm um Herder geschlungen)*: Da bin ich.
*(Weiße schleicht zum Tempel heraus. Sein ganzer Anhang folgt ihm. Jedermann drängt zu, Shakespeare zu sehen, einige fallen vor ihm nieder. Aus einer Reihe französischer Dramendichter, die auf einer langen Bank sitzen und alle kritzeln oder zeichnen, hebt sich einer nach dem andern wechselweise hervor und guckt nach Shakespeare, setzt sich aber gleich wieder mit einer verachtungsvollen Miene und zeichnet fort nach griechischem Muster.)*
KLOPSTOCK *(vor Shakespeare, sieht ihm lange ins Gesicht)*: Ich kenne dies Gesicht.
SHAKESPEARE *(schlägt den andern Arm um Klopstock)*: Wir wollen Freunde sein.
KLOPSTOCK *(umarmt ihn brünstig, zuckt auf einmal und sieht sich umher)*: Wo sind meine Griechen? Verlaßt mich nicht!

*(Shakespeare verschwindet wieder. Herder wischt sich die Augen.)*
HERDER *(in sanfter Melancholie vorwärts gehend)*: Was der Junge dort haben mag, der so im Winkel sitzt und Gesichter über Gesichter schneidet. Ich glaub, es gilt den Franzosen. Bübgen, was machst du da *(Lenz sieht auf und antwortet nicht)*, was ist dir?
LENZ: Es macht mich zu lachen und zu ärgern, beides zusammen.
HERDER: Was denn?
LENZ: Die Primaner dort, die uns weiß machen wollen, sie wären was, und der große hagere Primus in ihrer Mitte, und sind Schulknaben wie ich und andere. Zeichnen da ängstlich und emsig nach Bildern, die vor ihnen liegen, und sagen, das soll unseren Leuten ähnlich sehen. Und die Leut' sind solche Narren und glauben ihnen.
HERDER: Was verlangst du denn?
LENZ: Ich will nicht hinterherzeichnen – oder gar nichts. Wenn ihr wollt, Herr, stell ich euch gleich ein paar Menschen hin, wie ihr sie da so vor euch seht. Was den Alten galt mit ihren Leuten, soll uns doch auch gelten mit unseren.
HERDER *(gütig)*: Probiert's einmal.
LENZ *(kratzt sich den Kopf)*: Ja da müßt' ich einen Augenblick allein sein.
HERDER: So geh in deinen Winkel, und wenn du fertig bist, bring mir's.
*(Lenz kommt und bringt einen Menschen nach dem anderen, kreischend, und stellt sie vor sie hin.)*
HERDER: Mensch, die sind viel zu groß für unsere Zeit.
LENZ: So sind sie für die kommende. Sie sehn doch wenigstens ähnlich. Und Herr! Die Welt solle doch auch itzt anfangen, größere Leute zu haben als ehemals. Ist doch solang gelebt worden.
LESSING: Eure Leute sind für ein Trauerspiel.

LENZ: Herr, was ehemals auf dem Kothurn ging, sollte doch heutzutag mit unsern im Sokkus reichen. Soviel Trauerspiele sind doch nicht umsonst gespielt worden, was ehemals grausen machte, das soll uns lächeln machen.
LESSING: Und unser heutiges Trauerspiel?
LENZ: Oh, da darf ich mal nicht nach heraussehn. Das hohe tragische von heut, ahnt ihr's nicht? Geht in die Geschichte, seht einen emporsteigenden Halbgott auf der letzten Staffel seiner Größe gleiten oder einen wohltätigen Gott schimpflich sterben. Die Leiden griechischer Helden sind für uns bürgerlich, die Leiden unserer sollten sich einer verkannten und duldenden Gottheit nähern. Oder führt ihr Leiden der Alten auf, so wären es biblische, wie dieser tat *(Klopstock ansehend)*. Leiden wie der Götter, wenn eine höhere Macht ihnen entgegenwirkt. Gebt ihnen alle tiefe, voraussehende, Raum und Zeit durchdringende Weisheit der Bibel, gebt ihnen alle Wirksamkeit, Feuer und Leidenschaften von Homers Halbgöttern, und mit Geist und Leib stehen eure Helden da. Möcht ich die Zeiten erleben!
KLOPSTOCK: Gott segne dich!
GOETHE *(springt von hinten zu und umarmt ihn)*: Mein Bruder.
LENZ: Wär' ich all dessen würdig. Laßt mich in meinem Winkel! *(Auf dem halben Wege steht er still und betet.)* Zeit! du große Vollenderin aller geheimen Ratschlüsse des Himmels, Zeit, ewig wie Gott, allmächtig wie er, immer fortwirkend, immer verzehrend, immer umschaffend, erhöhend, vollendend – laß mich – laß mich's erleben. *(Ab.)*
KLOPSTOCK, HERDER *(und)* LESSING: Der brave Junge. Leistet er nichts, so hat er doch groß geahndet.
GOETHE: Ich will's leisten. –
*(Eine Menge junger Leute stürmen herein mit verstörten Haaren.)* Wir wollen's auch leisten.

*(Bringen mit Ungestüm Papier her, Farben her, schmieren Figuren zusammen, heben die Papiere hoch empor:)* Sind sie das nicht?

GOETHE: Hört, liebe Kinder! ich will euch eine Fabel erzählen. Als Gott, der Herr, Adam erschuf, macht' er ihn aus Erde und Wasser sehr sorgfältig, bildete alle seine Gliedmaßen, seine Eingeweide, seine Adern, seine Nerven, blies ihm einen lebendigen Odem in die Nase, da ging der Mensch herum und wandelte und freute sich und alle Tiere hatten Respekt vor ihm. Kam der Teufel, sagte, ei was eine große Kunst ist denn das, solche Figuren zu machen, darf ich nur ein bissel Mörtel zusammenkneten und darauf blasen, wird's gleich herumgehen und leben und die Tiere in Respekt erhalten. Tät er dem auch also, pappte eine Menge Leim zusammen, rollt's in seinen Händen, behaucht' und begeiferte es, blies sich fast den Odem aus, fu fi fi fu – aber geskizzen wor nit gemohlen.

GEORG CHRISTOPH LICHTENBERG
(1742–1799)

## Fragment von Schwänzen

**Silhouetten**

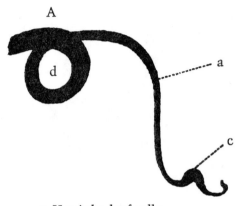

1 Heroische, kraftvolle
 A Ein Sauschwanz
 B Englischer Doggenschwanz

A. Wenn du in diesem Schwanz nicht siehst, lieber Leser, den Teufel in Sauheit (obgleich hoher Schweinsdrang bei a), nicht deutlich erkennest den Schrecken Israels in c, nicht mit den Augen riechst, als hättest du die Nase drin, den niedren Schlamm, in dem er aufwuchs, bei d, und nicht zu treten scheinst in den Abstoß der Natur und den Abscheu aller Zeiten und Völker, der sein Element war – so mache mein Buch zu; so bist du für Physiognomik verloren.

Dieses Schwein, sonst geborenes Urgenie, luderte Tage lang im Schlamm hin; vergiftete ganze Straßen mit unaussprechlichem Mistgeruch, brach in eine Synagoge bei der Nacht und entweihte sie scheußlich; fraß, als sie Mutter ward, mit unerhörter Grausamkeit drei ihrer Jungen lebendig, und als sie endlich ihre kannibalische Wut an einem armen Kinde auslassen wollte, fiel sie in das Schwert der Rache, sie ward von den Bettelbuben erschlagen und von Henkersknechten halb gar gefressen.

B

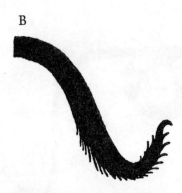

B. Der du mit menschlichem warmem Herzen die ganze Natur umfängst, mit andächtigem Staunen dich in jedes ihrer Werke hineinfühlst, lieber Leser, teurer Seelenfreund, betrachte diesen Hundeschwanz und bekenne, ob Alexander, wenn er einen Schwanz hätte tragen wollen, sich eines solchen hätte schämen dürfen. Durchaus nichts weichlich, »hundselndes, nichts damenschösichtes, zuckernes« mausknapperndes, winzigtes Wesen. Überall Mannheit, Drangdruck, hoher erhabener Bug und ruhiges, bedächtliches, kraftherbergendes Hinstarren, gleichweit entfernt von untertänigem Verkriechen zwischen den Beinen und hühnerhündischer, wildwitternder, ängstlicher, unschlüssiger Horizontalität. Stürbe der Mensch aus, wahrlich der Szepter der Erde fiele an diese Schwänze. Wer fühlt nicht hohe, an menschlicher Idiotität angrenzende Hundheit in der Krümmung bei a. An Lage wie nach der Erde, an Bedeutung wie nach dem Himmel. Liebe, Herzenswonne, Natur, wenn du dereinst dein Meisterstück mit einem Schwanze zieren willst, so erhöre die Bitte deines bis zur Schwärmerei warmen Dieners und verleihe ihm einen wie B.

Dieser Schwanz gehörte Heinrich des VIII. Leibhunde zu. Er hieß Caesar und war Cäsar. Auf seinem Halsbande stand das Motto: Aut Caesar aut nihil mit goldenen Buchstaben, und in seinen Augen eben dasselbe, weit leserlicher und weit feuriger. Seinen Tod verursachte ein Kampf mit einem Löwen, doch starb der Löwe fünf Minuten früher als Cäsar. Als man ihm zurief, Max, der Löwe ist tot, so wedelte er dreimal mit diesem verewigten Schwanze und starb als ein gerochener Held.

Molliter ossa quiescant.

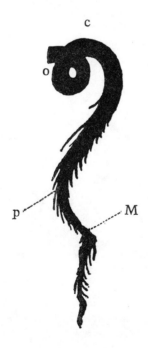

C. Silhouette vom Schwanze eines, leider! zur Mettwurst bereits bestimmten Schweinsjünglings in G ... von der größten Hoffnung, den ich allen warmen, elastischen, beschnittenen und unbeschnittenen, Genie ausbrütenden Stutzern von Mensch- und Sauheit bittewimmernd empfehle. Fühlt's, hört's! und Donner werde dem Fleischer, der dich anpackt.
Noch zur Zeit nicht ganz entferkelt; mutterschweinische Weichmut im schlappen Hang und läppische Milchheit in der Fahnenspitze. Aber doch bei p schon keimendes Korn von Keilertalent; ja wäre bei M nicht sichtbarlich städtische Schwäche und mehr Spickespeck als Haugeist, und wäre unter dem Schwanz bei o minder Rauchkammer- als Ruhmstempel und minder Mettwurst als Triumph, so sagte ich: dein Ahnherr überwand den Adonis, und der Ebergeist des Herkulesbekämpfers ruht auf deinem Schwanz.

*Einige Silhouetten von unbekannten,
meist tatlosen Schweinen*

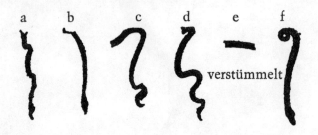

a. schwach arbeitende Tatkraft; b. physischer und moralischer Speck; c. unverständlich, entweder monströs oder Himmelsfunken lodernder Keim, vom Wanderer zertreten; d. vermutlich verzeichnet, sonst blendender, auffahrender Eberblitz; f. Kraft, mit Speck vertatloset.

*Acht Silhouetten von Purschenschwänzen zur Übung*

*Erklärungen*

D. 1. Ist fast Schwanzideal. Germanischer eiserner Elater im Schaft; Adel in der Fahne; offensiv liebende Zärtlichkeit in der Rose; aus der Richtung fletscht Philistertod und unbezahltes Konto. Durchaus mehr Kraft als Besonnenheit.
2. Hier überall mehr Besonnenheit als Kraft. Ängstlich gerade, nichts Hohes, Aufbrausendes, weder Newton noch Rüttgerot, süßes Stutzerpeitschchen, nicht nur Zucht, sondern zur Zierde, und zartes Marzipanherz

ohne Feuerpuls. Ein Liedchen sein höchster Flug, ein Küßchen sein ganzer Wunsch.

3. Eingezwängter Fülldrang. Eine Pulvertonne unter einem Feuerbecken vergessen, wenn's auffliegt, füllt's die Welt. Edler, vortrefflicher Schwanz, englisch in beiderlei Verstand. Schade, daß du von sterblichem Nacken herabstarrst. Flögst du durch die Himmel, die Kometen würden sprechen: Welcher unter uns will es mit ihm aufnehmen? Studiert Medizin.

4. Satirmäßig verdrehte Meerrettigform. Der Kahlköpfigkeit letzter Tribut, an Schwanzheit bezahlt. Alte Feldmarschallskraft, zu Fähndrichs Natur aufpomadet, aufgekämmt und aufaffektiert. Kampf zwischen Natur und Kunst, wo beide auf dem Platz bleiben. Strecke du das Gewehr, armer Teufel, und laß die Perücke einmarschieren.

5. An Schneidergesellheit und Lade grenzende schöne Literatur. In dem scharfen Winkel, wo das Haar den Bindfaden verläßt, wo nicht Goethe, doch gewiß Bethge hoher Federzug mit Nadelstich. Polemik in der horizontalen Richtung, Freitisch in der Quaste. In der fast zu dünne gezeichneten Wurzel Winzigkeit mit Hände reibender Pusillanimität. Informiert auf dem Klaviere.

6. Sicherlich entweder junger Kater oder junger Tiger, mit einem Haarübergewicht zum letztern.

7. Abscheulich. Ein wahrhaftes Pfui! Wie kannst du an einem Kopf gesessen haben, den Musen geheiligt! Im trunkenen Streit mußt du vielleicht einmal irgendeinem Badergesellen oder Stadtmusikanten entrissen und aus Triumph am Purschenhaar geknüpft sein. Elendes Werk, nicht der Natur, sondern des Seilwinders. Hanf bist du, und als Hanf hättest du dich besser geschickt, den Hals deines geschmacklosen Besitzers an irgendeinen Galgen zu schnüren.

8. Heil dir und ewiger Sonnenschein, glückseliges Haupt, das dich trägt. Stünde Lohn bei Verdienst, so müßtest

du Kopf sein, vortrefflicher Zopf und du zopfbeglückter Kopf. Welche Güte in dem seidenen zarten Anhang, wirkend ohne Hanf, herbergendes maskierendes Band, und doch Wonne lächelnd wie geflochtene Sonnenstrahlen.
So weit über selbst gekrönte Haarbeutel als Heiligenglorie über Nachtmütze.
Sechs solcher Schwänze in einer Stadt, und ich wollte barfuß deine Tore suchen, du Gesegnete, die Schwelle deines Rathauses küssen und mich glücklich preisen, mit meinem eigenen Blut unter die Zahl deiner letzten Beisassen eingezeichnet zu werden.

*Fragen zur weitern Übung*

Welcher ist der kraftvollste?
Welcher hat am meisten Tatstarrendes?
Welcher Schwanz wird schwänzen?
Welcher ist der Jurist? der Mediziner? der Theologe? der Weltweise? der Taugenichts? der Taugewas?
Welcher ist der verliebteste?
Welcher alterniert mit dem Haarbeutel?
Welcher hat den Freitisch?
Welchen könnte Goethe getragen haben?
Welchen würde Homer wählen, wenn er wiederkäme?

ADOLPH FREYHERR KNIGGE
(1752–1796)

## Die echten Pinsel

*1. Bruchstücke aus der Lebensbeschreibung
des Herrn Etatsraths von Schaafskopf;
von ihm selbst gesammelt.*

Meine Familie ist bekanntlich eine der ältesten, angesehensten und ausgebreitetsten in unserm Vaterlande; ein Zweig derselben aber hat sich in Dänemark niedergelassen, und dort vorzüglich sein Glück gemacht. In Deutschland sind, besonders an einigen kleinern Höfen im ober- und niederrheinischen Kreise, oft die wichtigsten Hof- und Staats-Bedienungen mit meinen Verwandten besetzt, ja! so wie in manche Domstifter nur Personen aus gewissen Familien aufgenommen werden; so wie der Kaiser, wenn er bei seiner Krönung Ritter schlagen will, erst fragen muß: »ist kein Dalberg da?« so giebt es Provinzen, in denen niemand zu einer Ehrenstelle gelangen kann, der nicht, durch Geburt oder Heirat, zu dem Stamme Derer von Schaafskopf gehört. Die mehrsten meiner Verwandten aber leben, als Land-Edelleute, auf ihren Gütern. Dies war auch bei meinem wohlseligen Herrn Vater der Fall. Er wohnte mit den Seinigen auf unserm Gute Hammelsburg, war in seiner Jugend Kadett in holländischen Diensten gewesen, hatte sich aber hernach, als er vierundzwanzig Jahre alt war, in Ruhe gesetzt, und für hundert Dukaten einen Kammerherrn-Schlüssel gekauft, wodurch er dann General-Majors Rang bekam.

Ich war in meiner ersten Jugend ein wenig schwächlich, wurde desfalls sorgfältig gewartet und gepflegt, sehr warm gehalten, auch vor frischer Luft und vor körper-

licher Bewegung bewahrt. Bis in mein vierzehntes Jahr erhielt ich meine Erziehung von meiner Mutter und vier alten Tanten, die würdige Frauenzimmer waren und die sich gewiß in ihrer Jugend würden verheiratet haben, wenn sie nicht unglücklicher Weise verwachsen gewesen wären. – Lieber Gott! Seine Gestalt hat man sich nicht selber gegeben; aber heut zu Tage sieht man leider! immer bei dem Heiraten auf das Äußere. – Sobald ich konfirmiert war, verschrieb mein wohlseliger Herr Vater einen Informator für mich. Es war ihm daran gelegen, einen Mann von exemplarischer Rechtgläubigkeit zu finden; desfalls mietete er einen jungen Gottesgelehrten aus dem Württembergischen, der in einem der dortigen Seminarien der Geistlichkeit war abgerichtet worden. Er gab Diesem einen guten Lohn und ließ ihn, wenn wir keine Fremde hatten, mit an unserm Tische speisen. Mein Gedächtnis ist von je her nicht sehr gut gewesen; allein meinem Herzen gab der Magister Psalmann immer das beste Zeugnis. Der gute Mensch bekam aber bald einen Ruf in sein Vaterland und heiratete meiner wohlseligen Frau Mutter Kammermädchen, worauf denn mein Herr Vater seliger beschloß, mich auf die Schule nach Kloster Bergen zu schicken. Hier ließ ich es, ohne mich zu rühmen, unter Gottes Segen, an gutem Willen und Fleiße nicht fehlen, war aber fast immer mit Schnupfen und Husten geplagt. Als endlich mein Vater seliger glaubte, daß ich alt genug wäre, auf Universitäten zu gehn, zog ich mit einem Bedienten nach Rinteln und, anderthalb Jahre nachher, nach Kiel. Ich habe viel Collegia gehört, besonders in Rinteln; in Kiel waren die mehrsten Professoren damals verreist. Ich hielt mir auch einen Repetenten und ließ alles in Hefte aufschreiben, die sich noch unter meinen Papieren finden müssen; mein alter Bedienter Jacob weiß Bescheid, wo sie liegen.
Grade als ich lange genug studiert hatte, starben meine

wohlseligen Eltern beide. Bei meinem Herrn Vater seliger waren wohl Hämorrhoidal-Umstände mit im Spiele; was aber der Mama gefehlt hat, weiß ich nicht. Der Pastor Rehbock hat beiden die Parentationen gehalten, die gedruckt sind und sich noch unter meinen Papieren finden müssen. Jacob weiß auch, wo sie liegen, und daß ich damals honett dafür bezahlt habe.

Der eine Professor in Kiel (Sein Name ist mir wieder entfallen; sie sagten aber Alle, er wäre ein sehr geschickter Mann) riet mir, auf Reisen zu gehn und gab mir sieben Briefe mit. Ich reiste erst im Osnabrückschen und Westphälschen herum, auch über Bremen, wo der große Roland auf dem Markte steht, und ging denn ganz hinauf bis nach Straßburg, wo sogar die gemeinen Leute Französisch sprechen können. Was ich Merkwürdiges sah; das schrieb ich alles auf, in ein Buch; das Buch wird sich auch noch wohl finden, wenn Jacob nachsucht.

Am besten gefiel mir's auf dieser Reise in Mannheim. Das ist des Kurfürsten von der Pfalz seine Residenz und die schönste Stadt, die ich je gesehn habe; lauter kleine niedliche Häuser! Da hatte ich nun einen Brief abzugeben an einen Professor, der ein Jesuit war, aber sonst ein sehr ehrlicher Mann. Derselbe riet mir, in pfälzische Dienste zu treten, welcher Vorschlag mir ungemein wohl anstand. »Es taugt nicht«, sagte mein Herr Vater seliger immer, »wenn ein junger Mensch sich nicht erst eine Zeitlang in der Welt umher versucht, ehe er sich zur Ruhe begibt.« Nun hatte er, wie ich schon erzählt habe, in Kriegsdiensten gestanden; allein dies unruhige Leben paßte nicht für mich; ich wollte lieber so im Zivil etwas werden, hauptsächlich, weil ich doch auf Universitäten gewesen war. Da jedoch mein Gedächtnis schwach ist, wie ich auch schon erzählt habe; so konnte ich mich eben nicht immer auf das besinnen, was ich gelernt hatte und wollte mich daher nicht gern examinieren lassen, wie es in einigen Ländern üblich ist. Das war aber hier nicht nötig. Der Herr Professor in Mannheim machte mich mit einem Juden bekannt, und Dieser brachte es durch sein Vorwort dahin, daß ich Hof-Kammerrat wurde. Mit der Arbeit ging es nun Anfangs nicht sonderlich, bis ich erst in die Gewohnheit kam; aber der Herr Professor half mir, und zuletzt konnte ich ganz ohne Beistand fertig werden und habe drei Jahre hintereinander die neue Auflage vom pfälzischen Staats-Kalender ganz allein besorgt.

Der Herr Professor führte mich auch in einem Hause ein, wo ich ein hübsches Fräulein fand, welches mir bald ausnehmend gefiel. Mein einziger Anstoß war, daß sie sich zur katholischen Religion bekannte; aber der Herr Jesuit benahm mir gänzlich den Widerwillen dagegen und vermochte mich, um das Fräulein anzuhalten, welche mich auch heiratete. Er machte mir begreiflich, daß bald Ein Hirt und Eine Herde unter den Christen sein würde. Hernach war ich bei den Katholiken, wie zu Hause, und wenn in Heidelberg um Ostern die Prozession gehalten wurde, lieh ich immer meinen damastnen Bräutigams-Schlafrock an Den, welcher den Moses mit den Hörnern vorstellte.

Meine Frau Liebste hatte viel Freunde unter den Vornehmen. Der Herr Minister selbst war uns sehr gewogen und bewirkte, daß ich in München eine gute Stelle erhielt. Als nun die Untersuchung gegen die schändlichen Illuminaten anging, wurde ich auch dabei gebraucht und erwarb mir das Zutraun des Herrn von Kraitmayer, von Dummhof und des hochwürdigen Paters Frank. Es war in der Tat Zeit, daß diese Leute ausgerottet wurden, sonst würde es bald in Bayern ausgesehn haben, wie es leider! in andern Ländern, zum Beispiel im Preußischen, Hannöverschen, Braunschweigischen und in Sachsen aussieht. Kaum war auch dies Illuminaten-Nest zerstört; so fanden die Angesehensten unter den Verführern, die ich mit der Rotte Coran,

Datan und Abyram vergleiche, aller Orten, sogar in Wien, Schutz und Ehrenstellen – So verderbt ist die Welt, ausser Bayern.

In München hatte ich auch das Glück, in die gebenedeite Brüderschaft der deutschen Gold- und Rosenkreuzer aufgenommen zu werden, und es bei selbiger in kurzer Zeit, durch Gottes Segen, ziemlich weit zu bringen. Diese erhabne Brüderschaft besitzt das natürlich-magische Urim und Thummim, das rechte Urimasda, Asch-Jah, oder das Feuer Gottes, durch welches sie der ganzen Natur ins Herz sehen, Kunst, Weisheit und Tugend erlangen, Gott gefallen und den Menschen dienen können, und dieses, von bösen Menschen verfolgte Häuflein ist es, wovon Jesaias, Cap. LIV. Vers II. sagt: »Du geplagte, von allen Wettern Zerrüttete, und Du Trostlose! Siehe, ich bin, der Deine Steine nach der Reihe in Puch setzt und will Dich gründen mit Saphyren; Deine Tore sollen Carbunkel sein, und alle Deine Grenzen Steine des Verlangens.«

Es konnte aber meine Frau Gemahlin die Luft in München und das Bier nicht vertragen; deswegen bat sie mich, diesen Ort zu verlassen und brachte es dahin, daß ich wieder in Mannheim und zwar beim Lotto angesetzt wurde. Vorher machten Wir, ihrer Gesundheit halber, eine Reise nach dem Wilhelmsbade. Dies ist ein berühmter Brunnen-Ort, bei Hanau. Man speist vortrefflich da und kann auch allerlei mineralische Wasser bekommen.

Dort machten wir die Bekanntschaft eines artigen jungen Offiziers unter einem kaiserlichen Frei-Bataillon. Derselbe war, wie sich's fand, ein Vetter von meiner Frau Gemahlin und bezeugte ihr und mir desfalls viel Freundschaft. Da ich mit ihm zuweilen von geheimen Bündnissen redete; so lenkte er meine Aufmerksamkeit auf den alten, berühmten Pinsel-Orden und versprach, mir zu der Aufnahme in denselben zu verhelfen.

Ich hatte diese Verbindung nie, wenigstens unter dem Namen nicht, gekannt, obgleich meine hochwürdigen Rosenkreuzer-Obern, wie ich nachher erfuhr, mit ihr in genauen Verhältnissen standen und größtenteils nach gleichförmigen Planen handelten. Was mich noch mehr für dieses Bündnis einnahm, war, daß mir auch mein Freund, der Jesuit und Professor in Mannheim, als ein Mitglied desselben genannt wurde. Ich musste aber, um zur Aufnahme zu gelangen, eine Reise nach Nürnberg machen, welche Mühe und Unkosten ich mich auch nicht verdrießen ließ. Der Lieutenant, welcher mir Empfehlungsbriefe an einige Patrizier und andre angesehene Mitglieder des Ordens in Nürnberg mitgab, hatte noch die Gefälligkeit, während meiner Abwesenheit, meiner Frau Gemahlin, die in Mannheim blieb, Gesellschaft zu leisten.

Die ganze Einrichtung nun dieses hochverehrten Pinsel-Ordens fand ich, meinem schlechten Verstande nach, vortrefflich. Ich habe alle Papiere, welche die Verfassung desselben betreffen und mir mitgeteilt wurden, sorgfältig aufgehoben. Jacob hat sie mir neulich noch in ein Bündel binden müssen, und wenn ich einmal aus diesem Jammertale abgerufen und in das himmlische Jerusalem versetzt werde, woselbst ich zu den Füßen des großen Zoroasters, Athanasii, Kircheri, Asch-Mezareph und andrer Weisen-Meister, das echte Buch Jazirah und die Alphabethe des Notariakon und der Gematria studieren werde; dann sollen meine Erben, will's Gott, jene Papiere, zur Belehrung der argen Welt, in Druck herausgeben.[1]

*

*So weit reichen die von dem Herrn Etatsrathe von Schaafskopf selbst zu Papier gebrachten Nachrichten von seinem Lebenslaufe. Wir, die Herausgeber, fügen*

---

[1] Welches in den folgenden Blättern hiemit geschieht.

denselben nur noch die Erzählung folgender Umstände hinzu: Unser wertester Herr Vetter bekam, nachdem er einige Jahre der wohltätigen Anstalt des Lotto in Mannheim vorgestanden hatte, vermutlich durch Mitwirkung der geheimen Bündnisse, in welchen er zu stehn das Glück hatte, einen Ruf nach Hessen, welchen er annahm. Hier widmete er sich vorzüglich den so genannten höhern Wissenschaften, als da sind: Alchymie, Trosophie, Erfindung der Universal-Arzenei und Geisterzwang. In diesem Lande behauptete er nun, wie er zu sagen pflegte, recht in seinem Elemente zu sein. Dennoch verließ er dies Gosen, weil er sich, durch Familien-Verhältnisse und höhere Protektion, eine Aussicht in Dänemark eröffnet hatte. Dahin zog er also, bekam den Titel als Etatsrath, kaufte sich ein Gut im Hollsteinschen und starb auf demselben in vorigem Jahre an der Wassersucht. Seine Kinder sind sämtlich auf's beste versorgt.

\*

II. Umständliche Nachricht von der verbesserten Einrichtung des uralten Pinsel-Ordens, in Auszügen

Von dem Zwecke dieses Ordens

Der große Hauptzweck des ehrwürdigen, alten, nunmehro auf die festesten Grundsätze zurückgeführten und durch freundschaftliche Assoziation und anderen Verbindungen und Brüderschaften zu einem hohen Grade von Macht gestiegenen Pinsel-Ordens, ist der: der einreissenden Zuversicht zu der trüglichen menschlichen Vernunft und deren Herrschaft entgegen zu arbeiten; die alte Würde eines auf Autorität und Tradition gestützten Glaubens wieder herzustellen; dem mühsamen und beunruhigenden Untersuchungs- und Forschungsgeiste zu steuern; das Reich der sogenannten

Aufklärer auf immer zu zerstören; diejenigen, die über ihre Brüder sich erhaben glauben könnten, auf alle Weise zur Demut zu bringen, um die goldne Mittelmäßigkeit unter den Menschen zu erhalten; das abscheuliche Laster der Toleranz zu bekämpfen; und gegen die vermaledeite Publizität, Denk-, Sprech- und Preß-Freiheit mutig zu streiten.

\*

Auszug aus der Geschichte des Ordens

Es ist der ehrwürdige Pinsel-Orden so alt, wie die Welt, obgleich er nicht immer in einerlei Gestalt existiert, bald als politisches System, bald als Religions-Partei und herrschende Kirche, bald als gelehrte Gesellschaft und Fakultät, bald als geheime Verbindung gewirkt und sich offenbart hat. Aber seine Spuren waren unverkennbar in allen Zeitaltern; ihm haben wir unzählige landesherrliche Edikte, Bullen, Abhandlungen, Kunstwerke, Methoden in der Arzneikunst, Kriege und Friedensschlüsse zu verdanken.

So wie dieser Orden nicht immer in derselben Form tätig gewesen ist; so sind auch seine Macht und sein Einfluß nicht in allen Perioden sich gleich geblieben. Zuweilen bekam die verführerische Vernunft in einzelnen Provinzen die Oberhand; aber stets erhielt in irgendeinem Winkel des Erdbodens ein Häuflein echter Brüder seine Gewalt; ja! in manchen europäischen Ländern sind uns, alle Jahrhunderte hindurch, Monarchen, Staatsmänner, Gelehrte, Priester und Laien treu geblieben.

Unser erster Stifter war der hochwürdige, nun verklärte Bruder Adam! allein durch die abscheuliche List des Erzvaters aller Aufklärer Satanas, wurde er und wir Alle in namenloses Unglück gestürzt.

Unter den nachfolgenden Patriarchen halfen manche

dem Orden ein wenig wieder auf. Bei der Sündflut wurden die Dokumente desselben glücklich gerettet; unser hochwürdiger Meister Noah hielt sie in einem Kästlein in der Kajüte seines Transportschiffs aufbewahrt. Durch die bekannte Sprach-Verwirrung bei dem Turmbaue in Babylon, welcher nützliche Bau eigentlich durch unsre Meister war veranstaltet worden, würden unsre Brüder auf immer zerstreuet und getrennt worden sein, wenn nicht, durch Hilfe unsrer geheimen, einem Eingeweihten unverkennbaren Zeichen, von denen in der Folge gehandelt werden soll, bald nachher die getrennten Mitglieder sich einander wieder gefunden und vereiniget hätten. Abraham war einer unsrer besten Leute; die Art, wie er sein Weib Sarah zweimal für seine Schwester ausgab und sich dadurch ökonomische und politische Vorteile verschaffte, war ganz in unsrer Manier. Lot war so eifrig für unsre Verbindung, daß er sogar seine Töchter den Männern in Sodom preisgab, um dadurch ein Paar reisende besuchende Brüder von unangenehmen Zudringlichkeiten zu befrein. Isaak gehörte gleichfalls zu der Verbrüderung, dagegen der Spötter Ismael es offenbar mit den Illuminaten der damaligen Zeit hielt. Unserm Jacob gelang es, über den unruhigen Weltbürger Esau zu triumphieren und ihm die Erstgeburt und des Vaters Segen abzugewinnen, weswegen er von den hochwürdigen Obern sehr gelobt wurde. Hingegen wurde er von seinem Schwiegervater, der ein Weltkind war, in Heiratsangelegenheiten überlistet. Allein im Schafhandel und durch Wegnahme seiner Hausgötzen drängte er es dem alten Laban wieder ein und rettete dadurch die Ehre des Ordens. Die zehn ältesten Söhne des alten Israel wirkten treulich für den Orden und schafften den unruhigen Kopf Joseph fort; aber Dieser schwang sich durch seine geheimen Wissenschaften in Ägypten empor, und als er nachher seine Familie zu sich berief und sich mit dem Orden wieder aussöhnte, legte er in die höhern Grade desselben die Kunst der Traumdeutung und andre geheime Wissenschaften, die er den Magiern abgelernt hatte, hinein, zeigte auch einen eifrigen Ordensgeist, indem er alle Untertanen des Königs Pharao durch Finanz-Operationen, zu Leibeignen machte.

Das jüdische Volk welches nun im Besitze der hohen Mysterien war, nahm, bei seiner Abreise aus Ägypten, die goldenen und silbernen Logen-Gerätschaften ihrer bisherigen unrechtmäßigen Obern mit. Auf der Reise zeichnete sich unser großer Klerikus Aaron durch die Geschichte mit dem goldnen Kalbe sehr vorteilhaft aus. Bei der Ankunft im gelobten Lande gaben unsre Brüder warnende Beispiele für Die, welche sich etwa wollten einfallen lassen, sich dem abscheulichen Laster der Toleranz zu ergeben. Bei Eroberung der Stadt Jericho gingen auch allerlei Dinge von unsrer Art und Kunst vor. Josuas Firmaments-Arbeiten bewiesen seine Fortschritte in höhern Wissenschaften. Die mehrsten der folgenden Richter waren Mitglieder unsers erhabnen Ordens. Von Simson braucht wohl kaum erwähnt zu werden, daß er alle die herrlichen Taten mit den Füchsen und so ferner nicht verrichtet, das geistreiche Rätsel nicht erfunden, sich aber auch von seiner Gutmütigkeit nicht würde haben verführen lassen, der schönen Delila sein Geheimnis zu entdecken, wenn er nicht in den Grundsätzen unsers Ordens wäre erzogen worden. Was Samuel über die Rechte der Könige sagt, beweist seine tiefen, auf unsre Grundsätze des Natur- und Völkerrechts gestützten Einsichten. Nach diesen Grundsätzen handelte denn auch die ganze Reihe der jüdischen Könige, unter denen David durch den kleinen Fürsten-Spaß, den er sich mit Urias machte, Salomon, durch seinen scharfsinnigen Richterspruch, durch seine großen Kenntnisse in reiner Architektur und durch seine tausend Gemahlinnen, die nachfolgenden Könige in Juda und Israel. Alle aber

durch Anwendung unsrer Systeme, im Moralischen und Politischen, sich hervortaten.
Unterdessen war unsre vortreffliche Verbindung auch unter andern Völkern ausgebreitet worden, und nachdem das jüdische Volk in die babylonische und nachher in die persische Gefangenschaft geraten war, blühte eine Menge der schönsten Logen unsers Systems in Ninive, Babylon, Sardes, in ganz Ägypten, Medien und Persien. Nebukadnezar, Sardanapal, Crösus, Kambyses, Pseudo-Smerdis, die Xerxesse, Ochus und viel andre Monarchen waren Alle unsre durchlauchtigsten Brüder. In den mehrsten Provinzen Griechenlands wollte es anfangs mit unsrer Praxis nicht fort. Die Verfassung der freien Republiken ist uns von jeher ungünstig gewesen. Da war kein System-Geist, weder im Politischen, noch Wissenschaftlichen. Die unglücklichen Begriffe von Freiheit, der Mangel an Subordination, die Abschaffung der unumschränkten königlichen Gewalt und Würde, die philosophischen Schulen, darin Jeder lehren durfte, was er wollte – Du lieber Gott! das alles mußte notwendig unsre Operationen hindern, bis endlich der große Alexander dem Unwesen ein Ende machte, und vorzüglich in den letzten Jahren seiner glorreichen Regierung, sich als ein würdiges Mitglied unsrer Verbrüderung zeigte. Wir müssen bei dieser Gelegenheit nochmals die Bemerkung machen, daß von Anbeginn der Welt her bis auf unsre Zeiten unter allen Selbstherrschern und unumschränkten Herrn unser erlauchter Orden immer geblüht hat, und schon das allein kann seinem innern Werte und umgekehrt wieder den Vorzügen einer monarchischen Verfassung das Wort reden. Daß aber diese Behauptung wahr ist, wird sich zeigen, wenn wir die echten Grundsätze des Ordens entwickeln, die, wie man sehn wird, durchaus nicht da gedeihn können, wo sogenannte Freiheit herrscht.
Unter den Römern ging es uns herrlich, selbst in den

Zeiten der vermeintlichen freien Republik, denn da waren doch noch Patrizier, Sklaven, Luxus, stehende Armeen, Priester, Auguren; und nun vollends unter den Cäsarn und Kaisern – welch' ein Paradies für unsre Ordens-Brüder! Wie viel verdanken wir nicht den durchlauchtigst-hochwürdigen Brüdern August, den die Weltleute einen kalten, eiteln Pedanten schimpfen; Hadrian; Constantin dem Großen, welcher ein Concilium wider die Arianer veranstaltete; Justinian dem Großen, welcher die herrliche Sammlung geistvoller Gesetze, das vortreffliche Corpus Juris verfertigen ließ, seiner Baase Amalasuntha wegen Krieg anfing und in Regierungs-Geschäften dem weisen Rate der Damen folgte – und unter den Kaisern im Orient und Occident so Vielen, die unsrer Verbindung Ehre machen?

Das ganze türkische Reich ist bis auf den heutigen Tag nach unsern Grundsätzen regiert worden.

Nicht so glücklich, besonders seit Peter des Großen Zeiten, sind wir in Rußland gewesen.

Spanien und Portugal sind noch gegenwärtig unsre besten Pflanzschulen und waren es von je her.

In Frankreich war eine unsrer glänzendsten Perioden die der Regierung Ludwigs des Vierzehnten; die Dankbarkeit, welche ihm der Orden schuldig ist, hat unser großer Bruder Bossuet unter andern durch seine herrliche Lobrede auf die Dragonaden an den Tag gelegt.

Mit Untergange des Hauses Stuart bekamen wir in England einen großen Stoß; doch ist Hoffnung da, daß, wenn Luxus, Einfluß des Geldes bei den Wahlen, Titelsucht, Sektengeist und Hang zur Mystik fortfahren, so wohltätig, wie seit einiger Zeit geschehn, in Großbritannien sich auszubreiten, wir dort wieder ein neues Reich gründen werden.

In Dänemark sind unsre stärksten Kolonien; in Schweden, Norwegen, Polen und den Niederlanden fehlt es nicht an mutigen Kämpfern für die gerechte Sache.

In der Schweiz sind uns wenigstens einige größere Kantons treu geblieben.

Von Italien ist es bekannt genug, wie groß dort das Ansehn unsers Ordens ist. Was hätten auch die Päpste, besonders der unvergeßliche Alexander der Sechste, ohne unsern Beistand ausrichten wollen?

Von allen Jahrhunderten ist vorzüglich das sogenannte mittlere Zeitalter reich an unsern Taten. Die vermaledeite Reformation drohte uns den Untergang; aber zum Glück sind ihre Folgen nicht ganz so ausgedehnt geworden, als zu befürchten war und unsre hochwürdigen Obern arbeiten mit Eifer daran, daß es dahin nicht komme.

So viel aber lehrt uns die Geschichte, daß von Anbeginn der Welt her in allen Ländern, ausser in denen, wo die bürgerliche Verfassung auf die gefährlichen Grundsätze von Freiheit und Gleichheit und bloßer gesetzlicher Unterwerfung beruhte, die Völker immer nach unsern Grundsätzen sind regiert worden. Auch hat allein uns die Welt die größten und herrlichsten Anstalten zu danken, welche aber nur in despotischen Staaten gedeihen können, als da sind: Inquisitionen, Tortur, Leibeigenschaft, Bücher-Zensur, lettres de cachet, Stiftung von Ritter- und Mönchs-Orden, Bluthochzeiten, Religions-Kriege und dergleichen.

Da Wir uns billiger Weise aller Schmeicheleien enthalten; so wollen wir hier nicht namentlich die jetzt lebenden hohen Potentaten nennen, die wir vorzüglich als durchlauchtige Brüder verehren; (Sie möchten uns einige Empfindlichkeit über ihre beleidigte Bescheidenheit zeigen) können jedoch zum Troste jedes Aufzunehmenden, auf unsre Ehre versichern, daß noch jetzt viel gekrönte Häupter, große und kleine Fürsten, die eifrigsten Mitglieder unsrer Verbindung sind.

Leider! nur haben wir in manchen Ländern heftig zu kämpfen, werden aber überwinden, ja! überwinden.

Von dem abtrünnigen Frankreich wollen wir gar nicht reden; allein man nehme nur einmal, wie es jetzt in Deutschland, besonders in den unglücklichen ober- und niedersächsischen Kreisen aussieht! wie frei dort die Menschen reden, schreiben, denken und atmen dürfen! wie sehr sich in Preussen die Denkungsart verändert hat, wenn man sich dagegen in die Zeiten von Friedrich, dem ersten Könige von Preussen, zurückdenkt, welcher deswegen die Vermählung mit der Prinzessin von Nassau nicht vollzog, weil ihre Mutter ihr, an dem feierlichen Tage, die Schleppe nicht nachtragen wollte, und deswegen die Holländer mit Zurückziehung seiner Armee bedrohete, weil die Gesandtin, eine Frau von Lintlo, der Gräfin von Wartemberg in Berlin am Hofe mit Faustschlägen den Rang streitig machen wollte – O! wo sind jene goldnen Zeiten hin? – Doch sie werden ad majorem dei gloriam wiederkommen; allein es ist Zeit, Ernst zu zeigen, sonst windet man uns hochwürdigen Pinseln das Ruder, das wir so lange in der ganzen policierten Welt geführt haben, aus der Hand.

Wir haben bis dahin nur von der Geschichte des Ordens in Rücksicht auf die politische Verfassung der Welt geredet; was nun die Gelehrsamkeit und Literatur betrifft; so hätten wir ein weites Feld vor uns, wenn wir entwickeln wollten, welchen Einfluß unser erhabner Orden darauf von Anbeginn der Welt her und vorzüglich seit Erfindung der Buchdrucker-Kunst gehabt hat. Hieran kann niemand zweifeln, wenn er bedenkt, daß gewiß von jeden zwölf Bogen, die jemals sind gedruckt worden, elf mit unsern Grundsätzen angefüllt sind. Man betrachte doch nur, besonders in Deutschland, Frankreich und Holland, die herrliche Menge theologischer, besonders polemischer, exegetischer, homiletischer, asketischer Schriften; die Legenden; die Werke unsrer lieben Kirchenväter; die Arbeiten der scholastischen Philosophen; die Commentarien über die römischen Gesetze;

die philologischen und medizinischen Streitschriften; die mystischen, magisch-cabalistisch-trosophisch-theurgischen, alchymistischen und astrologischen Bücher; die Produkte mancher Freimaurer-Sekten; die zahllosen Romane, Märchen, Schauspiele, kritischen und andern Journale und Verse-Sammlungen! – Und wer dann noch unsre Einwirkung mißkennt; der ist mit sehenden Augen blind. Vorzüglich tätig aber haben sich unsre Mitglieder in den neuern Zeiten in der schönen Literatur gezeigt. Sie haben die Kunst verstanden, bald diesen, bald jenen einförmigen Ton anzugeben, den dann alle junge Schriftsteller ganze Perioden hindurch fortgeleiert haben. Bald war es Tändelei; bald Sturm und Drang; bald Anakreontismus; bald unbändiges Geniewesen; bald Empfindsamkeit; bald Physiognomik; bald Mystik; bald Weltbürgergeist; bald Bardenton; bald Idyllen-Sprache, bald altdeutsches Ritterwesen. Und so künstlich wissen dies unsre erhabnen Obern zu veranstalten; daß sie selbst die Gedanken, Form, Art und Weise der Werke solcher verruchten Weltkinder, als Shakespeare, Yorik, Goethe, Wieland, Geßner, Klopstock, Schiller und Andre sind, zu nützen wissen, um durch Nachahmung derselben, die Manier dieser Unholde nach unserm Fuße zu behandeln und zu unsern Zwecken zu nützen.

\*

### Von Erhaltung der Einigkeit
### und des Zusammenhangs unter den Mitgliedern
### und der Gewalt über die Feinde des Ordens

Ein Haupt-Augenmerk unsrer hochwürdigen Obern ist die Erhaltung wahrer, brüderlicher Einigkeit unter den Mitgliedern des Ordens. Sie bieten daher alle Kräfte auf, um jedes echten Bruders bescheidene Wünsche auf eine solche Weise zu befriedigen, daß sein Vorteil mit dem Interesse der übrigen nie in Streit gerate. Und was wünscht denn auch ein wahrer vollendeter Pinsel in dieser Welt anders, als Gemächlichkeit und zeitliche Güter? Die zahllose Menge der beschwerlichen geistigen Bedürfnisse überläßt er gern den Weltkindern – ja! wenn er auch gar nichts von jenen erlangen kann; so ist er doch zufrieden, in so fern er nur weiß, daß kein Andrer mehr davon besitzt, als er. Wo wir daher einmal ein Übergewicht im Staate erlangt haben; da pflegen wir uns bescheiden und brüderlich in die schlechtern irdischen Vorteile zu teilen und die stolzen Geistes-Gaben und Güter den armen Vernunftsmenschen preiszugeben.

Kein ärgerliches Schauspiel aber kann erdacht werden, als wenn zwei Pinsel sich, wie ein Paar Philosophen, vor dem Publico zanken und schimpfen. Dergleichen haben wir noch kürzlich erleben müssen, da gegen einen unsrer würdigsten Brüder, der mit allen Weltkindern in Deutschland in Streit geraten war, weil sie ihm schnöde Ruhmtätigkeit und dabei grober Tücke Schuld gaben, ein anders, obgleich heimliches Mitglied unsers Ordens unter erborgten Nahmen eine Epistel in Versen schrieb. Solche Irrungen aber rühren gewöhnlich daher, daß die Brüder nicht immer wissen, wer zu dieser ausgebreiteten Verbindung gehört; denn wir haben nicht nur Stufen und Grade, sondern auch besondre Neben-Abteilungen, so daß ein Mann in einem bestimmten Fache für den Pinsel-Orden arbeiten kann, der im übrigen zu den schnöden Vernunftmenschen gehört. Das aber müssen wir allen Brüdern, den Aufgenommenen, Affiliierten und Ordens-Freunden zum Ruhme nachsagen, daß alle Mißverständnisse unter ihnen aufhören und sie Ein Herz und Eine Seele sind, sobald es darauf ankommt, gegen einen gemeinschaftlichen Feind zu operieren. Wir wollen nun einige Vorschriften geben, wie dies am behendesten und sichersten anzufangen ist.

Die Haupt-Unternehmung gegen unsre Feinde muß darin bestehn, daß man ihnen die Achtung des Publikums, den Mut und die Zuversicht zu sich selber benehme. Wenn daher jemand den Verdacht auf sich ladet, daß er sehr tätig und wirksam sei, sich gern durch Gemeinnützigkeit und nicht alltägliche Handlungen auszeichne, sich über wohl hergebrachte alte Gewohnheiten hinaussetze, sich einfallen lasse, gewisse Meinungen, wovon man nicht grade den Grund angeben kann, Vorurteile zu nennen oder das, was so mancher ehrliche Mann auf Autorität glaubt, bloß deswegen nicht ohne Beweis annehmen zu wollen, weil es mit der sogenannten gesunden Vernunft streitet, endlich, daß er gern über kleine Torheiten lache und satyrisiere; so soll man vor einem Solchen, als vor einem unruhigen Kopfe, neuerungssüchtigen, höchst gefährlichen, feindseligen, keine Subordination vertragenden Subjekte, das Gott und Menschen nicht schone, die ganze Christenheit treu fleißig warnen, und dies nicht nur mündlich und durch bedeutende Mienen und Achselzucken, sondern auch durch Briefe an alle Mitverbündeten in solchen Gegenden, wo er etwa sein zeitliches Glück machen könnte, damit er zu nichts in der Welt gelangen möge. Doch soll dies auf gerechte und liebreiche Weise geschehn, nämlich also, daß man dabei das so genannte Gute nicht verschweige. Man kann daher immer sagen: »Es ist wahr, der Mann hat Verstand; Schade, daß er ihn nicht besser anwendet« oder: »Es fehlt ihn nicht an Kenntnissen; aber leider! taugt sein Herz nicht.« u. s. f. Dies pflegt selten seine Wirkung zu verfehlen; sollte es aber nicht helfen; so darf man auch, der guten Sache wegen, die Sitten des Mannes verdächtig machen; ärgerliche Anekdoten von ihm ausbreiten, wozu kleine, in der Jugend begangne Übereilungen leicht Stoff liefern. Es giebt dann eine Kunst, die Facta durch die Art der Darstellung umzumodeln und Bewegungsgründe, die er hätte haben können, anzuführen, als wenn er sie wirklich gehabt hätte, welches alles man verstehn muß. Kann man die Eitelkeit und Neugier der Frauenzimmer, den Stolz und Eigennutz der Geistlichen zur Rache gegen ihn aufbringen; so ist man des Siegs gewiß. Es findet sich ja auch wohl die Veranlassung, ihn als einen Religions-Spötter abzuschildern. Hat er etwa einmal über die jüdischen Geschichtsbücher, die freilich mit der christlichen Lehre nichts gemein haben, oder über die Patriarchen im Orient, die uns in der Tat nichts angehen, ein wenig frei geurteilt; so gibt das Gelegenheit, ihn, als einen Verächter des göttlichen Worts, bei dem Volke anzuschwärzen. Sollte aber ein solcher Widersacher zu vorsichtig im Reden und Handeln sein, als daß man ihm im gemeinen Leben etwas anhaben könnte; so sucht man freundlich sein Zutraun zu gewinnen, ihn treuherzig zu machen und sammelt dann, wenn er sich aufschliesst, seine übereilten Reden, um, wie er es verdient, seine geheimen Tücke der Welt bekannt werden zu lassen. Wenn man auf solche Art Jahre hindurch seinen Feind unaufhörlich geneckt und beunruhigt hat; so müsste es wundersam zugehn, wenn er nicht endlich in Zorn geriete und in diesem Zorn etwas redete und täte, was wirklich nicht recht wäre – und dann hat man ja auf alle Weise gewonnen. Überhaupt muß man den erhabnen Grundsatz nie aus den Augen verlieren, daß man durch Ausdauer, wenn man dabei alle Demütigungen und Erniedrigungen nicht achtet, am Ende immer seinen Zweck erlangt. – Und man sage, was man will, dies eigentliche Ausdauern verstehen wir besser, als die Kinder der eitlen Vernunft. Auf Männer die sich durch Schriften, in welchen die verblendeten Weltmenschen Weisheit oder Witz bewundern, bekannt machen, soll man vorzüglich aufmerksam sein. Diese können großes Unheil stiften. Es stehen deren jetzt Viele in Deutschland bei uns auf dem schwarzen Brette, und Lichtenberg, der Sohn der Finsternis, an ihrer Spitze. Wir wollen unter der Menge der Andern nur den einzigen verstockten Nicolai anführen, der so wohl mit seiner sündlichen allgemeinen deutschen Bibliothek, als auch mit seinen eignen Schriften, nun seit einer langen Reihe von Jahren uns auf alle nur ersinnliche Weise verfolgt. Angehende Schriftsteller, die es wagen, gegen uns zu Felde zu ziehn, kann man schon zu Paaren treiben, indem man feile Rezensenten an sie hetzt, oder sie als gefährlich verschreit, oder affektiert, sie als unbedeutend zu verachten. Die Schriften unsrer Leute hingegen lässt man ausposaunen, und im Notfalle für Geld eine vorteilhafte Rezension derselben in den gelehrten Artikel des hamburgischen Correspondenten einrücken. Im Ganzen aber taugt das Bücherschreiben nicht; Es kömmt nichts dabei heraus, als das allerlei naseweise Wahrheiten unter solchen Menschenklassen ausgebreitet werden, die ohne diesen Unfug gänzlich in unsrer Gewalt bleiben würden. Auch gibt es Gelegenheit, daß Leute, die wir sorgfältig unterdrückt, von öffentlichen Ämtern ausgeschlossen und als unbrauchbare Subjekte geschildert haben, uns zum Trotze, sich durch die Schriftstellerei einen größern Namen in der Welt zu machen, als unsre vornehmsten Mitglieder, die am Ruder sitzen. Das muß nicht sein; Zuletzt sollten ja wohl der schnöde Verstand und Witz und Talente der Philosophie in der Welt eben so viel gelten, als Rang, Geburt und Sitz und Stimme im Staatsrate! Daß übrigens die verruchte Preß-Freiheit aller Orten gehindert, für strenge Zensur gesorgt werden, und daß man besonders Diejenigen züchtigen müsse, die es wagen, über Gesetze, Verordnungen, öffentliche Anstalten und landesväterliche Einrichtungen ihre Meinung zu sagen, das versteht sich wohl von selbst. Zu diesem Endzwecke ist es gut getan, die Zensur in die Hände der Geistlichkeit, oder solcher Männer zu legen, die ehemals sich dem geistlichen

Stande gewidmet haben. Ein glorreiches Beispiel davon sehen wir an unserm hochwürdigen Bruder. – Doch, wir nennen ihn lieber nicht; wir beleidigen sonst die Bescheidenheit dieses von ruchlosen Vernunftmenschen allgemein verhöhnten Märtyrer unsers Ordens.

Wie dem einreißenden Freiheitstriebe, dieser Pest, die zu uns aus Frankreich herüber gekommen ist, entgegengearbeitet werden müsse, davon giebt uns der sehr ehrwürdige Bruder General-Procurator des Ordens, Herr von Sch\*\*ch, in seinem p. J. das Muster. So muß man die Facta verdrehn, die Nachricht verstümmeln, so einseitig urteilen, so die Fürsten schmeicheln, so die Schwachen in Furcht setzen – o, unnachahmlicher Sch\*\*ch! wenn dir das keine Vermehrung Deiner Pension und Deiner Titel einbringt; so ist keine Gerechtigkeit mehr auf Erden.

Nie kann endlich der Orden, um seine Macht zu erhalten und seine Feinde zu stürzen, aufmerksam genug auf die Besetzung aller Bedienungen im Staate sein. Unsre Vettern, Freunde und Bundesverwandte müssen aller Orten in die ersten Stellen eingeschoben werden, und wo das Häuflein derselben nicht groß genug ist; da setze man wenigstens solche an, die sich im Verborgnen lenken lassen, denen es nicht einfällt, Aufsehn zu erregen, damit die goldne Mittelmäßigkeit aufrecht erhalten werde; Sela!

\*

Von dem äussern Anstande, der Lebensart, Diät
und den Gewohnheiten eines echten Pinsels

Die Mitglieder unsers ehrwürdigen Ordens müssen sich im Äussern und Innern, im Tun und Lassen, von der Rotte der gefährlichen Vernunftmenschen unterscheiden. Ein echter Pinsel geht still und demütig einher, wenn vornehme, oder solche Personen gegenwärtig sind, die von den Weltleuten für klug, witzig oder gelehrt gehalten werden. Er heftet dann entweder die Augen auf die Erde, oder wirft seine Blicke ungewiß und flüchtig umher, damit niemand erforsche, ob etwas und was in ihm vorgeht. Doch kann es nicht schaden, wenn er zuweilen bedächtig aussieht, sollte er auch nichts denken, besonders sobald von etwas die Rede ist, worüber er gar nichts zu sagen weiß. Nach und nach pflegen sich dann der Stirne gewisse Falten einzudrücken, die ein ehrwürdiges Ansehn geben. Ganz anders aber ist sein Betragen, wenn er keine Feinde wittert; Dann blickt Zuversicht und Selbstzufriedenheit aus seinen Augen; dann spricht er viel, laut und entscheidet über alles – Doch davon in der Folge mehr! Seine Stimme sei übrigens ein wenig singend, gedehnt; Er rede also langsam! Das Tragen des Kopfs richtet sich nach den Leuten, die er vor sich hat, so, daß er ihn entweder auf die Seite hänge, oder wanken und wackeln lasse, oder zurückwerfe, oder zwischen die Schultern ziehe, oder die Füße beschaue. Er gehe ein wenig schiebend, langsam und mit gebognen Knien, wobei er auch die Arme bewegen mag; wenn nur überhaupt alles, was einer Anspannung im Physischen und Geistigen ähnlich sieht, sorgfältig vermieden wird.

Man kann den Mitgliedern nie genug empfehlen, alles bedächtig und langsam zu tun. »Was lange dauert, wird gut« – Das ist ein goldner Spruch. Fällt etwas auf die Erde; so lasse man es liegen, bis noch etwas dazu fällt; dann ist es, wie man zu sagen pflegt, Ein Aufheben und vermeidet man, sich doppelte Mühe zu machen.

Schlaf und Ruhe sind dem Menschen notwendig; doch soll man darin auch nicht zu viel tun. Zwölf Stunden in einer Reihe fort geschlafen, sind einem gesunden Menschen zur Erquickung hinlänglich. Man braucht deshalb aber nicht gleich aufzustehn. Vielmehr ist es sehr wohltätig, sein Frühstück im Bette zu nehmen und dabei die Transpiration fortzusetzen. Mehr als dreimal aber soll man sich nicht wecken lassen; Wer dann wiederum einschläft, der versündigt sich an seinen Domestiken, die man nicht unnützerweise quälen muß. Die Nacht hindurch braucht das Ofen-Feuer in der Schlaf-Kammer nicht unterhalten zu werden, und wenn nur des Abends ein Vorrat von Holz eingelegt wird; so bleibt es bis zum Morgen warm.

Bei der Wahl seines Anzugs ist es gut, Frauenzimmer zu Rate zu ziehen; Diese wissen am besten, was uns gut kleidet und was die neueste Mode fordert.

»Essen und Trinken« pflegt man zu sagen: »hält Leib und Seele zusammen« und »am Tische wird man nicht älter«. Man geize und spare also nichts bei den Ausgaben für die Tafel und übereile sich nicht, wenn man am Tische sitzt, denn das ist sehr ungesund; auch kann man viel mehr geniessen, wenn man langsam speist. Man halte aber seine ordentliche Zeit zu den Mahlzeiten, nämlich: das Frühstück, und nachher gegen Mittag einen Bissen, doch nicht zu viel, zu den Magentropfen; denn die Haupt-Mahlzeit; Nachmittags, beim Kaffee, nach Appetit; hierauf das Vesperbrot, und Abends die ordentliche Mahlzeit; ausserdem aber nichts, es müsste denn ein wenig Obst und ein Glas Wein sein. Auch zu der Verdauung und den nötigen Ausleerungen soll man die gehörige Zeit nehmen und sich dabei durch keine Art von Geschäften stören lassen; denn Gesundheit geht vor alles. Ist man nicht reich; so muß man freilich mit schlechten, wohlfeilen und wenig Schüsseln vorlieb nehmen; aber sobald man Fremde bei sich bewirtet, besonders wenn sehr vornehme Gäste uns beehren, darf es an nichts fehlen; Man kann sich nachher, wenn man wieder allein ist, dagegen desto einfacher behelfen. Da manche Leute bei Tische blöde sind und nicht zugreifen, so versäume man nicht, seine Gäste zum Essen und Trinken zu nötigen. Endlich, was den

Rang am Tische betrifft; so muß derselbe wohl beachtet werden.

Die besten und größten Zimmer im Hause hält man, wie sich's versteht, verschlossen, und werden dieselben nur dann gebraucht, wenn man Fremde bei sich sieht; die schlechtern werden bewohnt. Kutscher und Informatoren werden gewöhnlich in's Hinterhaus logiert, damit man keinen Lärm und Tabaks-Gestank in seiner Nachbarschaft habe.

Bei Garten-Anlagen ist der holländische und französische Geschmack zu empfehlen.

Wenn Fremde kommen, muß alles rein im Hause sein.

Erwartet man jemand, so pflegt man oft das Fenster zu öffnen, um zu sehn, ob er noch nicht kommt, oder ihm aus Ungeduld entgegen zu gehn. Es ist wohl wahr, daß er dadurch um nichts früher erscheint; allein es kann doch wenigstens nicht schaden.

Bekommt man einen Brief und erkennt nicht gleich die Hand, welche die Aufschrift geschrieben; so pflegt man denselben wohl mehrmals umzudrehn und hin und her zu raten, von wem der Brief herrühren könnte, statt daß die eiligen Weltleute, ihn geschwind erbrechen, um dies zu erfahren. Wir ziehen, als Prüfung der Geduld, die erste Methode vor.

Wenn man mit jemand redet und ihn etwa dabei an einem Rockknopfe oder Ärmel festhält; so hat das den Nutzen, daß er uns nicht entwischen kann, sondern aufmerksam zuhören muß.

Man klagt zuweilen über uns, wenn wir gewisse Dinge zu mechanisieren treiben, zum Beispiel: alle Türen, auch die, welche andre Leute mit Vorsatz geöffnet hatten, hinter uns zuziehen, oder immer etwas zum Spielen zwischen den Fingern haben, auch alles in die Hand nehmen und zusammendrücken, was wir liegen finden. Allein man überlegt nicht, wie mühsam es sein würde, wenn man bei jeder kleinen Handlung, die Ursache, warum man sie unternimmt, vorher überdenken sollte; und warum lässt man denn Sachen, welche man nicht will betastet noch zerdrückt haben, umherliegen?

\*

Moralische Grundsätze und Vorschriften, wonach unsre Mitglieder in wichtigen Fällen handeln sollen

Das Haupt-Augenmerk der echten Mitglieder des ehrwürdigen Pinsel-Ordens muß auf das gerichtet sein, was andre Leute von ihnen sagen. Was hilft die hochbelobte innere Überzeugung, daß man recht und nach Grundsätzen gehandelt habe? Kann man doch dafür keine Nuß kaufen! Und was ist in dieser Welt das wert, was nichts einbringt? Vox populi est vox dei; man muß sich also nach den allgemeinen Meinungen richten und kommt hier auf Erden mit sogenannten Grundsätzen nicht durch. Die Grundsätze müssen sich nach den Umständen fügen; da können stündlich Fälle kommen, wo man aus Gefälligkeit Ausnahmen machen, oder, um sein zeitliches Glück zu gründen, ganz anders handeln muß, als man für recht erkennt.
Überhaupt gehören Gefälligkeit und Geschmeidigkeit im höchsten Grade zu den Prinzipal-Tugenden eines vollendeten Ordens-Mitglieds. Das, was die hochfahrenden Weltmenschen Originalität nennen, ist eine eigensinnige alberne Gemütsart, womit man nicht weit kommt. Leute, die so etwas Eignes vorstellen wollen, soll man auf alle Art demütigen. Aber ach! man hat nur gar zu viel mit den bösartigen Vernunftmenschen zu kämpfen. Man muß ihnen mit vereinten Kräften die Stange halten – keine Duldung gegen sie und gegen ihre Meinung! Verderben sei den beiden neumodischen Kobolden, der sogenannten Toleranz und der Aufklärung geschworen! Ihre Namen müssen verächtlich und stinkend werden unter allen echten Brüdern; Sela!

Man halte fest an den alten Sitten und Meinungen unsrer Väter, welche die Weltmenschen abscheulicherweise Vorurteile und Bocksbeutel zu nennen pflegen! Die Neuern suchen allen Glauben an Überlieferungen, allen Kredit der Autorität und alles Zutraun zu übernatürlichen Wirkungen zu Schande zu machen; aber gottlob! noch haben wir in der Schweiz, in Berlin, in München und in so viel Gegenden von Europa erhabne und berühmte Kämpfer für die fromme Sache. »Ein guter Mann« (das sind selbst eines Spötters, des berüchtigten Rabelais Worte, welche ihm die Wahrheit wider Willen auspresst) »Ein guter Mann glaubt alles, was ihm gesagt wird, besonders, wenn er gedruckte Zeugnisse darüber in Händen hat, bis man ihm das Gegenteil dartut; und die Theologen lehren uns, es liege in dem Glauben selber das kräftigste Argument für solche Dinge, die gar keine Wahrscheinlichkeit haben.«

Der große Kampf aber wider die Weltmenschen muß mit Politik und Sanftmut geführt werden, und auf unsern Gesichtern müssen sie immer die süßeste Liebes-Brüderlichkeit und Leidens-Demut lesen, wenn wir am heftigsten ihren verruchten Werken, Grundsätzen und Machenschaften entgegenarbeiten – »der Sachen Feind, der Menschen Freund!« sagt ein altes, bewährtes Sprichwort.

Durch äussere christliche gute Werke suche man die wohlverdiente Achtung des Volkes zu gewinnen. Wen der himmlische Vater mit irdischen Gütern gesegnet hat, der vergesse nicht Kirchen zu beschenken, Altäre zu bekleiden und öffentliche Armen-Anstalten zu unterstützen! Bei andern Armen und Bettlern, die in die Häuser schleichen und uns allerlei Klagen über die Menge zu ernährender Kinder, teure Zeiten und dergleichen Litaneien vorwinseln, soll man vorsichtig zu Werke gehn. Man pflegt sie schamhafte Arme zu nennen; denn es hat gemeiniglich einen Haken, warum sie sich schämen müssen. Da soll man erst strenge untersuchen, ob sie auch unsrer Wohltat würdig sind und solchen Herumläufern, statt des geforderten Geldes, tüchtige Wahrheiten auf den Weg geben. Am besten aber ist es, bei seinen Bedienten zu bestellen, daß sie uns vor solchen Leuten verleugnen, die armselig gekleidet sind; denn Die haben immer ein Anliegen.

Da wir alle schwache Menschen sind und man sich leicht durch seine Gutherzigkeit verleiten lassen kann, gegen die Klugheit zu handeln; so soll man sich lieber, wenn man sich nicht Stärke genug zutraut, vor dem Anblicke des Elendes hüten. Überhaupt, da uns der liebe Schöpfer in diese Welt gesetzt hat, um uns in derselben froh zu machen; so entferne man von sich und den Seinigen alle trüben Gedanken und Bilder von Not und Tod und Kummer, damit man nicht in Mißmut verfalle, oder sein Gut an Bettler verschwende!

Allein zu milden Stiftungen, zu Kollecten für Auswärtige, zu Erbauung von Kirchen und dergleichen, weigere man nicht, sein Scherflein zu reichen! Da sieht man doch, wo es hinkommt!

Auch in Erteilung guten Rats, selbst wenn man nicht darum gebeten wird, zeige man seine Wohltätigkeit! Man suche die kleinen häuslichen Verhältnisse und Familien-Zwistigkeiten zu erfahren, um, wenn es nicht etwa zu Besserung der Menschen notwendig sein sollte, die Uneinigkeit zu unterhalten, Frieden zu stiften! Man empfehle auch gute Hausmittel, Rezepte, Mirakel-Pflaster und allgemeine Arzeneien! Unser lieber Bruder der Redakteur des hamburgischen Korrespondenten ist angewiesen, dergleichen Mittel in seiner Zeitung zu recommandieren und anzukündigen.

Da viel daran gelegen ist, dem Orden Glanz, Macht, Gewalt und Ansehn zu verschaffen; so sollten die Mitglieder jeder Gelegenheit, sich emporzuschwingen, sich geachtet zu machen, Einfluß und Glücksgüter zu erlangen, nachstreben. Aller Orten soll man es mit der herrschenden Partei halten und in jedem Streite das Interesse des stärkeren Teils ergreifen.

Weil das weibliche Geschlecht sehr viel Einfluß in alle Welthändel zu haben pflegt; so ist es sehr wichtig, die Damen, besonders die alten Matronen, auf seine Seite zu lenken, und ist dies eine Kunst, die besonders studiert werden muß, man soll aber auch ihrem Rate, in allen wichtigen Fällen, treulich folgen.

Um mit Anstand und Gewicht in der großen Welt zu erscheinen, ist es sehr nützlich, Titel, Orden, Adelsbriefe und dergleichen zu kaufen, wenn man das Geld an eine solche Standes-Erhöhung zu wenden irgend vermag.

Das blinde Glück pflegt Leuten unsrer Art nicht ungünstig zu sein; nur muß man die Wege betreten, die es uns bahnt. Lotterien und Lotto sind wahre Gold-Gruben für uns; man versäume ja nicht, fleißig einzusetzen!

Große, mühsame Entwürfe hingegen, womit mancher sich, oder andre Menschen, oder die Welt im Allgemeinen recht weit zu bringen denkt, sind nichts für uns. – Das sind lauter Schwärmereien! Es ist nicht zu begreifen, wie Leute, welche ihre Ruhe lieben, für so etwas Sinn haben können.

Damit man sich nie in Entschlüssen übereile; so fasse man deren keinen einzigen schnell und auf der Stelle, sondern frage erst immer andre um Rat, so geht man sicher, und kann gewiß sein, daß man nachher nicht getadelt wird. Sind die Ratgeber nicht einerlei Meinung; so ist es am schicklichsten, dem Letzten zu folgen, der gewöhnlich Recht zu haben pflegt. Freilich geht darüber zuweilen der günstige Zeitpunkt verloren; aber das ist doch nicht immer der Fall.

So oft Dich daher jemand um etwas bittet; so sage es nicht gleich zu, sondern erkläre: Du wolltest Dich darauf besinnen, und dann höre erst fremde Meinungen darüber!

Alle menschliche Unternehmungen werden am wichtigsten nach dem Erfolge beurteilt. Deswegen ist es gefährlich, eher Partei zu ergreifen, ehe man weiß, wie eine Sache ausfallen wird. Ist es zum Beispiel nicht gewiß, daß die Nordamerikaner allgemein für schändliche Rebellen anerkannt werden würden, wenn sie im Kriege mit England den Kürzeren gezogen hätten? Wie weise hat sich nicht deswegen unser lieber Bruder Schirach bis dahin in Ansehung der französischen Revolution betragen! Nur jetzt scheint es fast Zeit zu sein, daß er andrer Meinung werde, sonst möchten seine Prophezeihungen nicht eintreffen. – Doch wer weiß, wie es noch kommen kann!

Die wenigsten Leute pflegen es gern zu sehn, daß man über Dinge, die nun einmal geschehn, und nicht mehr zu ändern sind, weitläufig redet und klagt, oder, wenn sie Fehler begangen haben, die sich nicht mehr verbessern lassen, ihnen darüber hinterher gute Lehren gibt. Ja, ja! so etwas schmeckt nicht; aber wer kann dazu schweigen? Das Gegenwärtige und Künftige ist in des Himmels Hand; aber über das Vergangne können wir recht passend und verständig räsonnieren und es lassen sich darüber viel gute Sachen sagen, besonders, wie es hätte kommen können, wenn es nicht so gekommen wäre, wie es gekommen ist.

Im vorigen Dezennio kamen ein Paar unsrer Mitglieder auf den Gedanken, sich zu stellen, als wollten sie sich ein wenig nach dem Geschmacke der Weltkinder richten. Sie heckten also ein System aus, welches unter dem Namen des Weltbürger-Systems bekannt ist und welches das Eigentümliche hatte, daß man beim ersten Anblicke glauben sollte, es habe ein Vernunftmensch den Plan dazu angelegt; bei genauerer Einsicht aber merkte man leicht, daß das Ganze einer Satire auf die hochfahrenden Entwürfe unserer Feinde nicht unähnlich sah. Die anscheinende Größe davon lag nur in den Worten und bewies, was für ein edles Ding die menschliche Phantasie ist. Dies System diente eigentlich dazu, unsre Halbbrüder herbeizulocken. Es wurde ihnen nämlich darin bewiesen, daß die natürlichen Bande unter den Menschen, als da sind: die zwischen Eltern und Kindern, zwischen Landsleuten, zwischen Geschwistern, Freunden und dergleichen nichts wert wären; daß man diese alle der großen Wärme für das allgemeine Beste aufopfern müsse. Die guten Narren merkten es nicht, daß das allgemeine Beste ein Unding sein würde, wenn es nicht auf Übereinstimmung der einzelnen häuslichen und andern Privat-Glückseligkeiten gebaut wäre, und daß die Wärme für jenes nur dann Stich halten könnte, wenn wir es als Mittel betrachteten, das uns näherliegende Privatwohl zu befestigen. Das Ganze war in die Form einer geheimen Verbindung gebracht und darauf abgesehn, den Leuten so die Köpfe zu verwirren, daß Die, welche auf halbem Wege waren, uns untreu zu werden, dadurch gänzlich zu uns zurückgeführt würden. Allein es gelang nicht; ein vermaledeiter Vernunftmensch schrieb ein Buch, betitelt: Enthüllung des Systems der Weltbürger-Republik – und die Mehrsten von Denen, die schon angekörnt waren, gingen wieder ab.

Überhaupt will es jetzt mit den geheimen Verbindungen, die uns lange Zeit hindurch so herrliche Dienste geleistet haben, gar nicht mehr fort. Noch haben wir einige Eiferer für die gute Sache, die sonst nichts zu tun haben und sonst zu nichts nützen. Der Eine schreibt so gelehrt und verwirrt, als möglich, über die Notwendigkeit geheimer Bündnisse und der Andre rezensiert diese Bücher und lobt – aber kein Mensch liest sie. Ein Dritter schickt Hirtenbriefe in die ganze Christenheit umher – aber er bekommt keine tröstliche Antworten –

doch die Zeiten werden sich ja auch ändern, wenn wir nur ausdauern.

\*

Von den Kennzeichen der Mitglieder

Wir bedürfen nicht, wie andre Orden, solcher Zeichen, Worte und Griffe, durch welche man sich seinen Brüdern pflegt zu erkennen zu geben. Unsre Grundsätze, unser äusserer Anstand, unsre Lebensart, unsre Studien und Beschäftigungen – alles verrät uns. Süß ist es, auf diese Weise, unter einem Haufen unbekannter Menschen, seine treuen Mitarbeiter von den Kindern der Welt zu unterscheiden. In einer zahlreichen Gesellschaft fremder Personen hört man zu seinem großen Ärgernisse einen Mann lobpreisen, der den Ruf vorzüglicher Aufklärung, Tätigkeit oder Wohltätigkeit erhascht hat. Die Vernunftmenschen stimmen allgemein einen Chor zu seiner Ehre an; man muß das so mit anhören, seufzt innerlich und kann nicht zu Worte kommen. Auf einmal aber dringt aus der Ecke ein dissonierender Ton »ja! ja! wenn Sie diesen Mann wie ich, vor zehn Jahren gekannt hätten, als er noch in Wien wohnte; Sie würden eine andre Meinung von ihm haben. Nichts als Heuchelei steckt hinter seinen großen Handlungen.« – Willkommen Bruder! Du bist Einer der Unsrigen. Oder an einer Wirthaustafel ist die Rede von der französischen Revolution; alle Gäste sind von der Partei der Demokraten; nur einer deklamiert feurig zum Vorteile des Adels und der Geistlichkeit – Wahrlich! der gehört uns an; wir umarmen ihn brüderlich.
So grüne und blühe dann immerdar der alte ehrwürdige Pinsel-Orden und zerstöre die losen Werke der Aufklärer von nun an bis in Ewigkeit!

HEINRICH VON KLEIST
(1777–1811)

# Lehrbuch der französischen Journalistik

*Einleitung*

§ 1  Die Journalistik überhaupt, ist die treuherzige und unverfängliche Kunst, das Volk von dem zu unterrichten, was in der Welt vorfällt. Sie ist eine gänzliche Privatsache, und alle Zwecke der Regierung, sie mögen heißen, wie man wolle, sind ihr fremd. Wenn man die französischen Journale mit Aufmerksamkeit liest, so sieht man, daß sie nach ganz eignen Grundsätzen abgefaßt worden, deren System man die *französische Journalistik* nennen kann. Wir wollen uns bemühen, den Entwurf dieses Systems, so, wie es etwa im geheimen Archiv zu Paris liegen mag, hier zu entfalten.

*Erklärung*

§ 2  *Die französische Journalistik* ist die Kunst, das Volk glauben zu machen, was die Regierung für gut findet.

§ 3  Sie ist bloß Sache der Regierung, und alle Einmischung der Privatleute, bis selbst auf die Stellung vertraulicher Briefe die die Tagesgeschichte betreffen, verboten.

§ 4  Ihr Zweck ist, die Regierung, über allen Wechsel der Begebenheiten hinaus, sicherzustellen, und die Gemüter, allen Lockungen des Augenblicks zum Trotz, in schweigender Unterwürfigkeit unter das Joch derselben niederzuhalten.

*Die zwei obersten Grundsätze*

§ 5  Was das Volk nicht weiß, macht das Volk nicht heiß.

§ 6  Was man dem Volk dreimal sagt, hält das Volk für wahr.

*Anmerkung*

§ 7  Diese Grundsätze könnte man auch Grundsätze des Talleyrand nennen. Denn ob sie gleich nicht von ihm erfunden sind, so wenig, wie die mathematischen von dem Euklid: so ist er doch der erste, der sie, für ein bestimmtes und schlußgerechtes System, in Anwendung gebracht hat.

*Aufgabe*

§ 8  Eine Verbindung von Journalen zu redigieren, welche 1) alles was in der Welt vorfällt, entstellen, und gleichwohl 2) ziemliches Vertrauen haben?

*Lehrsatz zum Behuf der Auflösung*

*Die Wahrheit sagen heißt allererst die Wahrheit ganz und nichts als die Wahrheit sagen.*

*Auflösung*

Also redigiere man zwei Blätter, deren eines niemals lügt, das andere aber die Wahrheit sagt: so wird die Aufgabe gelöst sein.

### Beweis

Denn weil das eine niemals lügt, das andre aber die Wahrheit sagt, so wird die *zweite* Forderung erfüllt sein. Weil aber jenes verschweigt, was wahr ist, und dieses hinzusetzt, was erlogen ist, so wird es auch, wie jedermann zugestehen wird, die *erste* sein. q. e. d.

### Erklärung

§ 9  Dasjenige Blatt, welches niemals lügt, aber hin und wieder verschweigt was wahr ist, heiße der *Moniteur*, und erscheine in offizieller Form; das andere, welches die Wahrheit sagt, aber zuweilen hinzu tut, was erstunken und erlogen ist, heiße *Journal de l'Empire*, oder auch *Journal de Paris*, und erscheine in Form einer bloßen Privatunternehmung.

### Einteilung der Journalistik

§ 10  Die französische Journalistik zerfällt in die Lehre von der Verbreitung 1) *wahrhaftiger*, 2) *falscher* Nachrichten. Jede Art der Nachricht erfordert einen eignen *Modus der Verbreitung*, von welchem hier gehandelt werden soll.

### Kap. 1  *Von den wahrhaftigen Nachrichten*

**Art. 1**  *Von dem guten Lehrsatz*

§ 11  *Das Werk lobt seinen Meister.*

*Beweis*

Der Beweis für diesen Satz ist klar an sich. Er liegt in der Sonne, besonders wenn sie aufgeht; in den ägyptischen Pyramiden; in der Peterskirche; in der Madonna des Raphael; und in vielen andern herrlichen Werken der Götter und Menschen.

*Anmerkung*

§ 12  Wirklich und in der Tat: man möchte meinen, daß dieser Satz sich in der französischen Journalistik nicht findet. Wer die Zeitungen aber mit Aufmerksamkeit gelesen hat, der wird gestehen, er findet sich darin; daher wir ihn auch, dem System zu Gefallen, hier haben aufführen müssen.

*Korollarium*

§ 13  Inzwischen gilt dieser Satz doch nur, in völliger Strenge, für den *Moniteur*, und auch für diesen nur, bei guten Nachrichten von außerordentlichem und entscheidenden Wert. Bei guten Nachrichten von untergeordnetem Wert kann der *Moniteur* schon das Werk ein wenig loben, das *Journal de l'Empire* aber und das *Journal de Paris* mit vollen Backen in die Posaune stoßen.

*Aufgabe*

§ 14  *Dem Volk eine gute Nachricht vorzutragen?*

*Auflösung*

Ist es z. B. eine gänzliche Niederlage des Feindes, wobei derselbe Kanonen, Bagage und Munition verloren hat und in die Moräste gesprengt worden ist: so sage man dies, und setze das Punktum dahinter (§ 11). Ist es ein bloßes Gefecht, wobei nicht viel herausgekommen ist: so setze man im *Moniteur* eine, im *Journal de l'Empire* drei Nullen an jede Zahl, und schicke die Blätter mit Kurieren in alle Welt (§ 13).

*Anmerkung*

§ 15  Hierbei braucht man nicht notwendig zu lügen. Man braucht nur z. B. die Blessierten, die man auf dem Schlachtfelde gefunden, auch unter den Gefangenen aufzuführen. Dadurch bekommt man zwei Rubriken; und das Gewissen ist gerettet.

Art. 2  *Von den schlechten Nachrichten*

*Lehrsatz*

§ 16  *Zeit gewonnen, alles gewonnen.*

*Anmerkung*

§ 17  Dieser Satz ist so klar, daß er, wie die Grundsätze, keines Beweises bedarf, daher ihn der Kaiser der Franzosen auch unter die Grundsätze aufgenommen hat. Er führt, in natürlicher Ordnung, auf die Kunst, dem Volk eine Nachricht zu verbergen, von welchem sogleich gehandelt werden soll.

*Korollarium*

§ 18  Inzwischen gilt auch dieser Satz nur, in völliger Strenge, für das *Journal de l'Empire* und für das *Journal de Paris*, und auch für diese nur, bei schlechten Nachrichten von der gefährlichen und verzweifelten Art. Schlechte Nachrichten von erträglicher Art, kann der *Moniteur* gleich offenherzig gestehen: das *Journal de l'Empire* aber und das *Journal de Paris* tun, als ob nicht viel daran wäre.

*Aufgabe*

§ 19  *Dem Volk eine schlechte Nachricht zu verbergen?*

*Auflösung*

Die Auflösung ist leicht. Es gilt für das Innere des Landes in allen Journalen Stillschweigen, einem Fisch gleich. Unterschlagung der Briefe, die davon handeln; Aufhaltung der Reisenden; Verbote, in Tabagien und Gasthäusern davon zu reden; und für das Ausland Konfiskation der Journale, welche gleichwohl davon zu handeln wagen; Arretierung, Deportierung und Füselierung der Redaktoren; Ansetzung neuer Subjekte bei diesem Geschäft: alles mittelbar entweder durch Requisition oder unmittelbar, durch Detaschements.

*Anmerkung*

§ 20  Diese Auflösung ist, wie man sieht, nur eine bedingte; und früh oder spät kommt die Wahrheit ans Licht. Will man die Glaubwürdigkeit der Zeitungen nicht aussetzen, so muß es notwendig eine Kunst geben, dem Volk schlechte Nachrichten vorzutragen. Worauf wird diese Kunst sich stützen?

### Lehrsatz

§ 21  *Der Teufel läßt keinen Schelmen im Stich.*

### Anmerkung

§ 22  Auch dieser Satz ist so klar, daß er nur erst verworren werden würde, wenn man ihn beweisen wollte, daher wir uns nicht weiter darauf einlassen, sondern sogleich zur Anwendung schreiten wollen.

### Aufgabe

§ 23  *Dem Volk eine schlechte Nachricht vorzutragen!*

### Auflösung

Man schweige davon (§ 5) bis sich die Umstände geändert haben (§ 16). Inzwischen unterhalte man das Volk mit guten Nachrichten; entweder mit wahrhaftigen, aus der Vergangenheit, oder auch mit gegenwärtigen, wenn sie vorhanden sind, als Schlacht von Marengo, von der Gesandtschaft des Persenschahs, und von der Ankunft des Levantischen Kaffees; oder in Ermangelung aller mit solchen, die erstunken und erlogen sind: sobald sich die Umstände geändert haben, welches niemals ausbleibt (§ 21), und irgend ein Vorteil, er sei groß oder klein, errungen worden ist: gebe man (§ 14) eine pomphafte Ankündigung davon; und an ihren Schwanz hänge man die schlechte Nachricht an. q. e. dem.

### Anmerkung

§ 24   Hierin ist eigentlich noch der Lehrsatz enthalten: *wenn man dem Kinde ein Licht zeigt, so weint es nicht*, denn darauf stützt sich zum Teil das angegebene Verfahren. Nur der Kürze wegen, und weil er von selbst in die Augen springt, geschah es, daß wir denselben in abstracto nicht haben aufführen wollen.

### Korollarium

§ 25   *Ganz still zu schweigen*, wie die Auflösung fordert, ist in vielen Fällen unmöglich; denn schon das Datum des Bülletins, wenn z. B. eine Schlacht verloren und das Hauptquartier zurückgegangen wäre, verrät dies Faktum. In diesem Fall *antedatiere* man entweder das Bülletin; oder aber *fingiere einen Druckfehler* im Datum; oder endlich lasse das Datum *ganz weg*. Die Schuld kommt auf den Setzer oder Korrektor.

JEAN PAUL
(1763–1825)

## Die Doppelheerschau
## in Großlausau und in Kauzen samt Feldzügen
Eine Groteske

*Erstes Kapitel,*
*worin mehr als ein Fürst auftritt*

Sowohl das kleine Fürstentum Großlausau als das ebenso enge Kauzen[1] hatten Haupt- oder Residenzstädte – denn diese besitzt auch ein Land, das nicht einmal Dörfer aufzeigt, geschweige Städte; – beide Fürstentümer aber wiesen noch zum Überfluß einige Dörfer um die Hauptstadt auf. Aus der Kleinheit dieser Länder mach' ich mirs am begreiflichsten, warum man sie auf keinen andern Karten angedeutet findet als auf ihren eigenen Spezialkarten; aber auf ihren Generalkarten schon nicht; daher denn für Länder, die in keinem geographischen Atlas vom mythologischen Atlas Napoleon gefunden wurden, auch nichts von ihm getan werden konnte, sondern sie mußten alles selber tun und sich eigenhändig zu Souveräns zu krönen suchen, als alles um sie her sich souveränisierte. Aber niemand erfuhrs im Druck als die Untertanen.

Der Großlausauer Fürst, Maria Puer[2], war ein Herr von

---

[1] Es versteht sich, daß hier nicht vom Volke der Kauzen die Rede ist, welches Tacitus das edelste deutsche, das seine Größe nur auf Gerechtigkeit baute, nennt, und welches im Bremischen, Oldenburgischen und Ostfriesländischen gewohnt haben soll, und das, wenn man den Reisenden so viel glauben muß als dem Tacitus, noch da wohnt.

[2] Ein Beiname nach alter Zeit. So hieß z. B. Anno 1235 der erste Herzog zu Braunschweig-Lüneburg Otto puer.

Ehre und Glanz, so daß er Gott gedankt hätte, wenn ein Friedrich II. bei der Plünderung seines Schlosses, wie bei jener des Grafen Brühl, nicht weniger als 600 Paar Stiefel, 322 Dosen, 80 Stöcke, 528 Kleider und eine Stube voll Perücken vorgefunden hätte[1]; aber zur Anschaffung vorher hatt' er von jeher das Geld nicht. Was er inzwischen ohne edle Metalle ausmünzen konnte, nämlich fremde Ehre, um eigne zu haben, das prägte er bei eintretender Souveraineté reich aus. Zu einer Tafel ließ er keinen andern tafelfähigen Mann mehr zu als einen von 32 Ahnen, welchen er aber vorher zu adeln hatte, um im Adelbriefe ihm die nötigen 32 Ahnen anstatt der gewöhnlichen 4 vorzugeben. Was nur sein Zepter erreichen konnte, schlug dieser zum Großkreuz, da er glücklicherweise die nötigen Orden vorher dazu gestiftet, so daß er alles, was er berührte, schöner als Midas, ins Flitter-, Rausch- und Katzengold von Titeln verwandeln konnte und so durch diese Ehren sich selber die honneurs machte; daher er einen Fremden von seiner Tafel selten anders wie als einen Kommandeur fortschickte. Er hätte wohl gern das ganze Land geadelt, mußte sich aber darauf einziehen, daß er die restierenden Unadeligen nur zu Räten machte. Die sämtlichen Dörfer selber erhob er wirklich in den Adelstand von Residenzgassen; und indem er, da die meisten oft über eine halbe Meile von der Hauptstadt ablagen, solche zu Vorstädten der letzten ernannte, so umgab und umzingelte er sich durch bloßes Ausmerzen und Einziehen der Dörfer vielleicht mit einem glänzenden großen Paris im kleinen. – Überhaupt vergrößern Fürsten lieber die Stadt als das Land, weil jene für die Menschen ein Blumentopf ist, in welchem die Gewächse bekanntlich stärker wachsen und treiben als im Lande. –
Auch führte Napoleon wenige Ehrenämter ein, die

[1] Memoiren von Dutens.

Maria nicht in Ehrenämtchen nachgedruckt hätte; nur daß, da es ihm an Dienern und Geldern gebrach, er mehre nötigste Chevaliers d'honneur in *einen* zusammenzuschmelzen hatte, wie denn z. B. der Unter-Zeremonienmeister aus Mangel an Gage zugleich Ober-Zeremonienmeister sein mußte. Wer aber den redlichen Maria nicht kannte, sah seine Nachäffung Napoleons ordentlich für eine Satire auf die deutschen Hof-Nachäffungen desselben an; aber der Treffliche wollte ausgemacht nur Glanz. Wie oft hatte er sich nicht als die Katze von La Lande geträumt, die am Himmel als Sternenbild sitzt, oder sich an die Stelle eines elenden toten Sextanten von Hadley gesetzt, der ebenfalls oben hängt! Und wie schmerzlich mußt' er aus seiner Täuschung erwachen, wenn er sah, daß nichts von ihm, nicht einmal ein Strumpf oder Stiefel droben glänzte! Wenn er alsdann fluchte und sagte: »ich will nicht selig werden, wenn ich etwas anderes werde als berühmt«, so ist es wohl zu entschuldigen.
Er bewies mehr als gemeinen Verstand dadurch, daß er seinen Erbprinzen Napoleon taufen ließ; denn wenn sein Prinz den kurzstämmigen Thron besteigt, eigentlich beschreitet, so nennt dieser sich, weil er nicht anders kann, Napoleon den Ersten; »und dann« (so denkt der Vater) »wollen wir sehen, ob nicht ein Napoleon der Erste mehr in der Welt ist.«
Ein ganz anderer Fall wars mit dem Grenzfürsten von Kauzen, Tiberius dem Neunundneunzigsten (Tiberius LXXXXIX.); ein Herr von so wahrhaft kriegerischem Geiste, ein Feind aller marianischen Paradebetten und Paradepferde, aber ein Freund aller Paradeplätze.
Nur gehörte er leider unter die kriegerischen Fürsten, welche dem sitzenden Jupiter von Phidias ähnlichen, welchem man vorwarf, daß er, wenn er in seinem Tempel sich aufrichtete, mit seinem Kolossen-Körper das Dach einstieße; und in der Tat konnte der kriegslustige Tibe-

rius sich nicht von seinem Throne erheben, ohne seinen Thronhimmel durchzustoßen. Als er vom Fortgange der eingeführten Konskriptionen hörte, konskribierte er, was nur zu haben war, und verstärkte seine Heermacht dergestalt, daß er mit einer 150 Mann starken jede Minute ausrücken konnte, wiewohl er doch oft heimlich nachsann, ob nicht gar der ganze Staat anzuwerben wäre. Es entging ihm nicht, daß Staaten, so wie man auf Universitäten sich in alle Würden und in die Erlaubnis zu lesen hineindisputieren muß, sich von jeher ebenso in alle Würden und Selbsterlaubnisse hineingeschossen und -gehauen haben. Daher ließ er sogar am Sonntage sein Heer schießen und prügeln. Schildwachen stellt er auf vor jedes öffentliche Nest, vor das Rathäuschen, vor das Drehhaus des Prangers, vor das heimliche Gemach in seinem Schlosse, und so weiter. Vorposten und enfans perdus verteilte er sogar im Frieden vorsichtig, um alles mehr abzuhärten. Kurz er war der Mann, der auf nichts dachte, als alle seine Untertanen auf dem leichtesten Wege zu den freiesten Republikanern zu machen, nämlich zu Soldaten; denn ein stehendes Heer wird nicht gefesselt, sondern fesselt bloß das sitzende; ja prätorianische Kohorten voll Kanonenfieber beherrschen nicht nur die Untertanen voll Gefängnisfieber, sondern sogar ihre Beherrscher selber. – Sein Militär stand an Freiheiten der gallikanischen und der triumphierenden Kirche gegen den Zivilstand keinem (vorigen) preußischen nach.
Manche Einrichtungen von ihm verdienen daher wohl Nachahmung. Er sah es gern, wenn seine Offiziere im Frieden, wo sie sich mit keinen auswärtigen Feinden messen konnten, sich an nähern übten, zu welchen sie für ihre Fechter- und Ritterspiele sich Bürger und Bauern leicht zuschnitten. Wenn daher ein Offizier, mit kurzem Verzichtleisten auf sein altes Vorrecht, nur mit seinesgleichen und mit gleichen Waffen zu fechten,

einen Bürger oder Bauer, der kaum Waffen hatte, geschweige die nämlichen, demungeachtet des Hauens oder Stechens würdigte: so machte der Fürst sich aus ein paar Bauernasen oder Bauerleben, die etwa dabei abgehauen wurden, natürlich wenig, weil damit drei oder vier tapfre Offiziere mehr gar nicht zu teuer erkauft wurden. Nach Dorfkirmessen – an deren Rheinufern der Freude gewöhnlich Rheinschnaken der Soldateska stachen – wurden daher die Gestochenen zur Strafe gezogen, wenn sie durch ihr Verteidigen Männer angriffen, die sich an ihnen bloß für höhere Feinde, wie Schützen an Schwalben für edlere Vögel, zu üben getrachtet.
Der Fürst erreichte auch sein Ziel; ja sogar, wie nach Benzenberg die Gewitter im Winter gefährlicher sind als die im Sommer, so schlugen seine Helden in der kühlen gemäßigten Kirmes-Zeit noch stärker ein als in der Hitze der Schlacht.
Aber das Beste fehlte jetzo dem Fürsten, ordentlicher echter Krieg. Es fehlte ihm nämlich an einer Kriegkasse aus Mangel an einer Friedenkasse; daher unter seiner ganzen Regierung keinem Verbrecher (wie etwan im Orient) zerlassenes Gold in den Hals gegossen wurde, indem keines da war. Doch ungeachtet aller Armut hätt' er den seltenen Vogel Phönix, den Krieg, der sich immer im *Feuer* erneuert, erwischen können (sah er ein), wäre sein Land nur größer gewesen. Daher beneidete er sehr geldarme, aber größere Regenten, welche ihren stillliegenden Untertanen, wenn sie ihnen nichts zahlen und reichen können, bloß Marschordres geben; eine schöne Nachahmung des wundertätigen Petrus, welcher (Apost. Geschichte c. 3. v. 6) zu einem Bettler sagte: Geld könnt' er ihm nicht geben, aber wohl (durch ein Wunder) Gehvermögen, worauf der lahme Kerl sogleich aufbrach und marschierte.
So standen beide Fürsten und Helden dieser Groteske gegeneinander, jeder mit andern Vorzügen ausgerüstet.

*Zweites Kapitel,*
*worin Erklärungen und Zurüstungen*
*des Krieges vorkommen*

Einst besuchte Tiberius LXXXXIX. seinen Grenznachbar Maria. Jener sprach viel und froh von seiner bevorstehenden Heerschau (Revue) und beklagte nur, daß er des Lumpenpacks so wenig habe: »Herr Vetter, mein Lager wird, sorg' ich, wie eine lebendige Trödelbude aussehen, die Kerle haben nicht viel.« – »Desto besser«, versetzte Maria, »daß Sie auch nicht viele Kerle haben. Ich habe einiges Volk.« – Er sprach nur aus Bescheidenheit so; denn da nach der Jurisprudenz schon 10 Mann [1] ein Volk ausmachen: so wird man sich von seiner Volkmenge einen Begriff machen, wenn ich sage, daß sie sich über 500 Köpfe belief. Tiberius, ein geheimer Spötter des an seine Stelzen noch Kothurne anschuhenden Fürsten, versetzte: »Kleider und Schneider machen Leute und reimen sich.«

Es ist wohl kein schicklicherer Ort als dieser, um die Welt an eine alte Notiz zu erinnern, und ihr eine neue zu geben. Erinnern muß sie sich nämlich, daß sie gelesen, wie in Frankreich zwischen den Schneidern und Trödlern ein mehr als zweihundertundsechsundvierzigjähriger Prozeß (Anno 1530 ging er an, 1776 schwebte er noch) geführt worden, worin dreißigtausend Urteile ergangen, um womöglich auszumitteln, welche Kleider zu alten oder zu neuen zu rechnen sind [2] Nun hatte das Fürstentum Großlausau – dies ist der Welt die neue Notiz – das Eigentümliche, daß es, um die benachbarten Ländchen mit Kleidern zu versorgen, fast ganz aus Schneidern bestand, wie etwan in Rußland ein Dorf

---

[1] Nach Bartolus sind 10 Menschen ein Volk (populus); nach Apulejus in seiner Apologie 15 Freie. Gundlings Otia. St. I.
[2] Französische Miszellen v. 1805. B. 10. St. 3.

lauter Handwerker von einerlei Art besitzt[1]. Die Kauzen hingegen waren lauter Trödler, was weniger seltsam ist, da sowohl im Fürstentum selber als in der Nachbarschaft es sehr an Leuten mangelte, denen wenig mangelte, und die etwas anzuziehen hatten.
Beide Länder oder Handwerker wünschten einander nun nichts als wechselseitigen Totschlag; alte und neue Kleider stifteten da hitzigere Sekten als sonst Altes und Neues Testament, oder jetzo ästhetische Antike und Moderne; Flicken des Trödels wurde für Schneidern genommen, ein kaum getragenes Kleid für ein neues und umgekehrt.
Nun fällt auf tausend Sachen in unserer Geschichte Licht. Tiberius kam jetzo auf den Vorschlag, den er dem Vetter tun wollte: »Wie wär's, Herr Vetter, würfen wir unsre beiden Revuen für dieses Jahr zusammen, und jeder mit seinem Heere rückte gegen den andern vernünftig an? Es sähe bei Gott ordentlich wie ein Krieg aus; nur müßte man Spaß verstehen. Geübt würden freilich die Leute unglaublich, und alle andere Revuen wären Bettel dagegen.«
Ein solches Spiegelzimmer von Selbst-Ansichten erfaßte den Maria als einen Liebhaber glänzender Sünden anfangs über die Maßen; aber als er sich ein wenig sammelte, gab er zu bedenken, es sei, da schon auf dem Theater und in Heerschauen, wo Freunde gegen Freunde fechten, sich der böse Feind zuweilen mit seinem Unkraut einmischte und Feinde aussäete, die einander gute reelle Schläge gäben, es sei, sagt' er, in einem Falle noch mehr zu beherzigen und zu befürchten, wo fremde Heere, vollends gar Trödler und Schneider gegeneinander ins Feld zögen, weil vielleicht mancher Trödler eine Schuld durch einen Kolbenstoß abzustoßen suchen

---

[1] Z. B. Rabotnika hat lauter Schmiede, Pawlowsk lauter Schlössermeister, Semenowa lauter Blechschmiede u. s. w. Fabris Journal II, 1809.

könnte, oder ein Schneider sich seines Kerbholzes durch einen Ladstock zu entledigen.

Er gab allerdings so fein als möglich zu verstehen, daß die Kauzen oder Tiberianer viel seinen Großlausauern oder Marianern schuldig wären. »Ah, pah«, versetzte Tiberius, »schlage meinetwegen einander tot, was will; wenn man nur gescheut kommandiert und seine richtigen Evolutionen macht; Gerechtigkeit darf nach der alten Sprache kein Mitleiden haben (justitia non compassionem habere debet), und Krieg ist das allerstärkste peinliche Recht. – Lassen Sie Ihre Schneider, Herr Vetter, nur brav laufen, was ihnen nach dem langen Sitzen recht gesund sein wird: so steh' ich Ihnen dafür, meine Leute schlagen ihnen keinen einzigen Ellenbogen entzwei.«

Maria gab nach; er hatte überhaupt nur andeuten wollen, daß Tiberius' Heer nicht viel hätte, ohne zu bedenken, daß er damit wider Willen lobe. Denn eben Platons idealer Republik, worin bloß die Soldaten gar kein Eigentum besitzen durften, nähern sich Staaten doch einigermaßen, in welchen sie wenigstens nicht vieles haben, so daß, wie man oft Bettler zur Strafe unter die Soldaten steckte, man zum Lohne diese unter jene steckt. Nach Arvieux schürzen die arabischen Balbiere sich die Ärmel bis hinter den Ellenbogen zurück, um immer die Narben aufzudecken, welche sie sich zu Ehren ihrer Geliebten eingeschnitten; aber wie viel mehr wird benarbten Kriegern nicht der vielleicht eitle, aber verzeihliche Wunsch, die Ehrenzeichen ihres Leibes den ganzen Tag vorzuzeigen, vom Staate erleichtert, wenn er ihnen absichtlich nichts gegeben, was den Leib und also die Narben bedeckt!

Indes war nun der Schaukrieg zwischen beiden Vettern organisiert, und die Zurüstungen fingen an. Maria Puer hielt sogleich Kriegrat und beratschlagte sich darin über die Schutzwaffen, welche Kriegern, wie die Großlausauer Handwerker, noch nötiger waren als Trutzwaffen. Um nur vor allen Dingen sich den Rücken zu decken, wurde vom Fürsten ein Zopf genehmigt, der den ganzen Rücken bis ans Steißbein herablief; hinter diesem Sturmzopf und Ankerseil war jeder ganz hiebfest, der lief; es war eine Ableitkette der Wunden, wie das Kettchen auf dem Kopfe der französischen Pferde. Außerdem hatte ein ganzes Heer mit solchen Rückenschlangen, Zornruten und Krieggurgeln im Rückzuge etwas Pompöses und jagte Schrecken ein.

Puer war überhaupt in sehr verschiedenem Sinne der Berliner Zopfprediger Schulze, nämlich ein Prediger und Verfechter der Zöpfe, weil er sie für die absteigenden Zeichen und Staubfäden hielt, die den Wehrstand so sehr unterschieden vom Lehrstande – für die den Spitz- und Backenbärten ziemlich entsprechenden längern Nackenbärte von hinten und überhaupt für die Zeiger und Perpendikel des Kriegs; und der Fürst begriff es am leichtesten, wie der Held Ziethen als Knabe an jedem Sonnabend zwei Stunden von Wustrau nach Ruppin marschierte, um sich da einen Zopf machen zu lassen auf eine ganze Woche. Nun konnte ihm als Generalissimus schon längst nicht gleichgültig sein, daß seine Truppen Zöpfe trugen, welche nicht in der Länge über *einen* Kamm geschoren waren. Demzufolge wurden, da man viele falsche anbinden mußte, manche Bandzöpfe waren wahre Haarröhrchen –, Haarlieferungen an die Großlausauerinnen ausgeschrieben, die sich bei dieser Gelegenheit als schöne Schwestern jener alten Römerinnen erwiesen, welche ihre Haare zu Stricken gegen die belagernden Gallier abgeschnitten und zusammengedreht, daher die Venus calva (die kahle Venus) einen Tempel bekommen[1]. Wenn oft so eine Geliebte ihrem Geliebten, mit der Schere in der Hand, ihr Haar abtrat

---

[1] Lactant. Inst. L. I. de falsa religion. c. 10.

und ihres mit einem durch ein Zopfband – wie beide künftig selber durch ein kirchliches – vereinigt wurden, so fielen Auftritte vor, welche ergriffen und Bearbeiter verdienten.

Kostspieliger war die zweite Zurüstung – weil dazu ganz andere Wesen Haare lassen mußten als die Untertanen –, daß man der ganzen Armee die großen Hüte der Franzosen aufsetzte, die jetzo jeder deutsche Offizier und Zivilist, der etwas vorstellen will, aufhat, gleichsam Schwämme mit dünnem Stiel, aber unendlichem Hute. Nach dergleichen wurde sogar für Kleinigkeiten, besonders für Soldaten gesorgt; und es wurde den ganzen Tag konskribiert und exerziert. Statt der Stieglitze, die man sonst Kanönchen abschießen, und statt der Pudel, die man Gewehr halten lehrte, wurden Meister und Gesellen geübt, so daß sie ebenso wie die Juden am Bau des zweiten Tempels arbeiteten, in der einen Hand das Handwerkzeug, in der andern die Waffe; aber ist denn überhaupt Schneiderhandwerk von Krieghandwerk bei so vielem Stechen, Durchlöchern, Schneiden, Führen des heißen Eisens anders als im Gegenstande unterschieden? Der ganze auf Kriegsfuß gesetzte Staat sah zuletzt so martialisch aus wie englische Damen während der Bedrohung der französischen Landung; Flinten, Kanonen, Trommeln waren etwas Gewöhnliches in weiblichen Haaren, und zwar sogar von Gold als Nadeln; Helme und Tartschen hingen in ihren Ohrläppchen, und eine Sturmleiter, vom Juwelier gezimmert, schimmerte am Busen als Busennadel[1]. Letztes gefällt mir, daß die Festung selber die Leiter zum Ersteigen heraushängt, und daß die Schönen überhaupt sich bloß bewaffnen, um entwaffnet und erobert zu werden. Ich übergehe mehre Zurüstungen Mariens; gar nicht etwan als wären sie weniger bedeutend – denn eine

---

[1] Französ. Miszellen. B. 13. I.

davon war, daß der Hofmaler als Schlachtenmaler angestellt und mobil gemacht wurde, eine andere die, daß der Zuckerbäcker auf die Hoftafel lauter Aufsätze von alten Helden und Siegen, ganze Schlachtstücke aus Zucker liefern mußte, um die Generalität teils zu erhitzen, teils zu exerzieren –, sondern weil sie in einem »Kriegkalender für gebildete Leser aller Stände« einen Platz wegrauben, der größern Kriegen gehört.
Wer nun für den nächsten Feldzug Mut suchte, der konnte ihn bei Maria Puer finden. Als ein glanzliebender Herr wünschte er schon in seiner Jugend nichts so feurig, als großen Helden ähnlich zu werden und wie ein Cäsar, Friedrich II., Napoleon aus großen und häufigen Schlachten zurückzukehren mit dem Leben. Er äußerte oft, wer Kriegruhm liebe, werde wünschen, lebendig heimzukommen, um ihn zu genießen, und bedauerte die tausend Totgeschossenen, die bei Lebzeiten nichts davon haben. »Himmel!« sagt' er, »welche Wunder der Tapferkeit würde mancher tun, wenn er wüßte, er bliebe nicht, sondern könnte sie selber erzählen.« – »Was ist dies anders als Kriegmanier, Herr Vetter?« sagte einmal Tiberius. »Die Pferde, gerade mehr als die Hälfte der Reuterei, gehen auch tapfer ins Feuer und bleiben; aber man redet von ihnen so wenig im Bulletin als vom Fußvolke; die Ehre gehört den Offizieren.«
Tiberius selber fragte, gleich seinen Trödlern, nicht stark nach Glanz. Wie sonst Bärenwildpret *auf* den Hoftafeln war, so gehörte er zu den wenigen tafelfähigen Bären *an* der Tafel. Dies würde ich schon glauben, wäre auch die Anekdote von ihm erdichtet – denn eben das Erdichten bewiese für mich –, welche ich im Gasthof selber gehört, wo sie vorgefallen sein sollte, daß er nämlich, als er inkognito aus Eile sich den Bart von einem fremden Balbier abnehmen lassen, welcher zu unvorsichtig einen Viertel-Backenbart mit wegge-

schoren, den Backenbartputzer so lange geprügelt, bis die Wangen-Mähne wieder nachgewachsen war. Unglaublich genug! Gewiß aber betete er, wie die alten Römer, die Lanze an und hielt die Staaten für Flaschen, welche nur der Flintenschrot, d. h. der Krieg, gut ausspült und reinigt; worin er freilich den Selbvermittler Adam Müller auf seiner Seite hat. Daher wurd' ihm dieser Krieg etwas dadurch verkümmert, daß wenig oder nichts totgeschlagen werden sollte, und er so das ganze Ährenfeld mit seinen Schnittern vergeblich, ohne einen Schnitt zu machen, durchziehen mußte. Maria hatte die entgegengesetzte Bekümmernis, daß er, wie einmal Sophokles für sein Trauerspiel mit einer Feldherrnstelle belohnt wurde, umgekehrt für sein Feldherrnamt mit einem Trauerspiel bezahlt werde; den Trödlern war nicht zu trauen. Daher trauete Tiberius ihnen desto mehr; er ließ seine kecken Tiberianer oder Kauzen fast in nichts vorüben als im Laufen, weil er, sagt' er, sich nicht schmeichle, daß sie darin mit den Schneidern wettliefen, wenn diese das Feld räumten. Übrigens verließ er sich darauf, daß hier Schuldner, also Undankbare, gegen Gläubiger losschlugen und gerade den Zorn mitführten, der den Menschen, wie Sauerteig den Teig, so hebt. Zum Überfluß organisierte er noch ein Freicorps von Kamm- und Knopfmachern, von welchen er sich allerlei versprach, wenn sie alle übrigen Waffen aus der Hand würfen und dann mit der letzten allein – da beide Handwerker die längsten Fingernägel führen müssen – durch ihre zehn Pincetten oder Glaserdiamanten die feindlichen Gesichter, also die gordischen Knoten des Kriegs, vorteilhaft zerschnitten.
Jetzo stehen wir nun vor der großen Stunde, in welcher beide Mächte gegeneinander vorrücken.
Nachts zog Maria aus, damit alle Untertanen, wenn der Generalmarsch geschlagen würde, nach der Kriegregel

Lichter an die Fenster setzten, gleichsam als Vorspiel und Aurora künftiger Siegerleuchtung. Nie marschierte wohl ein Heer mutiger und gefährlicher aus dem Tore als die Großlausauer Schneidermeisterei, wenn Galiani Recht hat, daß Mut eine Frucht der Furcht ist; denn die Versammlung schien ordentlich die wiedergeborne Kirchenversammlung zu Tours im Jahre 1163, welche bei Kirchenbuße alles Blutlassen verboten, und es gab Betende darunter, vor welchen wohl ein herzhafterer Mann als Galiani hätte zu beben gehabt. Indes wenn die Spartaner sonst bloß unter Flötenspiel auszogen, um ihren wilden Mut zu mildern: so stimmte auf dieselbe glückliche Weise schon die Trommel und Trommete und andere Kriegmusik den Großlausauer Mut um vieles herab. An sich aber wars erhaben, es zu sehen, wie man auszog; nicht nur die sogenannte Prima Plana war bei dem Heere (die Gemeinen verstanden sich von selber), sondern auch ein Regimentstab samt Unterstab und über fünfviertel Generalstab; der Rumormeister aber erschien als wahrer Überfluß. Ich sehe sie noch vor mir hinmarschieren, die Helden der Zukunft. Wenigere Jammergesichter wären freilich in der Armee gesehen und geschnitten worden, hätte nicht Tiberius die Bosheit ausgeübt – wovon leider die ganze Armee gehört –, daß er aus dem Tollhause einen verrückten Trödler, der sich seit Jahren für einen Premierleutnant in Kauzner Diensten aus eigner Idee gehalten, in die Montur stecken und mit anmarschieren lassen. Dies verwirrte aber die Schneider, wenigstens viele.
Verständigere darunter sagten sich unverhohlen: »Dergleichen kann keinen vernünftigen Militär erfreuen. Wir ziehen da so fröhlich und keck in den Krieg, aber wer steht uns dafür, wenn der Verrückte dabei ist (der keine Vernunft annimmt), daß nicht unsre Macht Beulen und Prügel heimbringt, ja noch mehr Beulen als Männer? Kann nicht der Premierleutnant Ladstöcke

laden und abschießen? – Beim Himmel! Hübsche Vexierschlachten, wenn darin mehr Leute verwundet werden können als in einem Realkrieg in Welschland sonst im 15ten Jahrhundert, wo oft in einem Feldzuge kein Mann umkam. So hol doch der Teufel einen so unsinnigen Krieg, wobei man kaum des Lebens sicher bleibt!«

Auch dies verstärkte nicht sonderlich ihren Mut, daß Tiberius seine ganze Generalität von Affen mitgenommen, weil solches Vieh, unbekannt mit Kriegzucht, durch ungestümes Nachäffen tapferer Gefechte ja mehr Schaden anrichten konnte als die Fechtenden selber. Es bestand aber die Generalität aus einem Hundeaffen und zwei Meerkatzen; und der Regimentstab aus einem seltenen Beelzebub mit Rollschwanz (der Coaita oder Pani cus) und einigen Pavianen; allen aber hatte er bestimmte Namen von Kriegwürden zugeteilt. Einer und der andere, der ihn näher kennt als wir alle, will hinter diesem Affen-Militär heimlichen Spott auf Mariens Kopiermaschinen des Hofs und Kriegs vermuten, was ich sehr ungern sähe.

*Drittes Kapitel,*
*worin Würste und Galgen von strategischer*
*Bedeutung sind*

Endlich standen beide Heere einander im Angesicht... Aber hier ist der Ort, wo der Verfasser dieses das demütige Geständnis ablegen muß, daß er nur Levanen, Vorschulen, Titanen geschrieben, und niemals Kriegsoperationen aus Mangel an Sachkenntnis, und daß folglich dieser Mangel jetzo, wo seine Federzüge an Feldzüge sich wagen sollen, ihn ungewöhnlich bedenklich machen muß, wie er den Großlausauer und Kauzner Feldzug beschreiben soll, ohne entweder sich lächerlich

zu machen, oder die Helden, oder beides. Daher verspricht er auch nur Unparteilichkeit für beide Mächte und will ohne Rücksichten bald Tiberius, bald Maria loben; indem er doch der Hoffnung lebt, daß nach ihm irgendeine Feder von Handwerk, die vielleicht mitgefochten – gleichsam aus dem Adlerflügel selber ausgezogen –, der Welt diesen Krieg mit aller der taktischen und strategischen Kenntnis darstellt, ohne welche jede Beschreibung davon lächerlich ausfällt.
Beide Heere waren darüber einig, daß der ganze Erfolg der Heerschau oder des Feldzugs davon abhänge, welches von beiden zuerst sich des Galgenbergs – der übrigens nur mit *einem* Manne besetzt war, der noch dazu am Galgen hing – bemächtigte; wer dann bei dem oder an dem Galgen war, sah ruhig dem übrigen Kriege zu und machte, wie der Gehenkte, bloß aus Spaß noch Schwenkungen. Alle verständigen Militärposten, die ich noch darüber gesprochen, versicherten nun einmütig, daß die Kauzen oder Trödler viel früher als die Großlausauer den Galgen, woran so viel hing, hätten besetzen können, wenn nicht unterwegs ein Unglück vorgefallen wäre, welches zum Unglück die Kauzen für ein Glück genommen. O so sehr siegt totes, aber volles Gedärm über lebendiges, das leer ist, und elende Würste schießen sich als Feldschlangen ab und halten ganze Heere auf! Es ist nämlich nur gar zu erwiesene Tatsache – ich kenne jeden Zeitungschreiber, der sie zu verdecken suchte –, daß die streit- und eßlustigen Kauzen auf ihrer Militärstraße gerade vor eines Fleischers Hause vorbeigemußt, das brannte. Nun warf die Lohe aus dem Rauchfange alle darin hängenden Würste und Sausäcke wie Wachteln (dreipfündige Handgranaten) auf die Kauzen heraus, so daß der Kern des hungrigen Heers, davon durchbrochen, sich umher streuete, um die auf sie gefeuerten Würste aufzulesen und aufzuessen, mit welchen der Rauchfang, kein Hungerturm, sondern ein

Füllhorn, kaum auf sie zu spielen nachließ. Kein Kugelregen hätte die magern Trödler so aufgehalten, als es der Mannaregen von Einschiebessen tat; daher die Mannschaft, ob sie gleich dem Feinde schon drei falsche Zöpfe abgenommen hatte, doch so spät am Galgenberge anlangte, daß sie ihn von den Großlausauern schon in solchen Stellungen besetzt antrafen, bei welchen wohl mehr als einem Kauzen der Mut sank, weil mit dem Galgen gerade die Hauptfestung verloren ging. Noch dazu hatten die Großlausauer – wahrscheinlich durch Bestechung – sich den Stadtschlüssel des Pförtchens zum Galgen, nämlich zur Ringmauer, die dessen Beine ziemlich hoch umgab, zu verschaffen gewußt, so daß sie im Notfall den Rückzug in die Festungskasematten offen behielten; denn standen sie einmal alle unter dem Galgen und mitten von diesem runden Mauerverhack hoch umschlossen, so war ihnen nichts anzuhaben, und alle Schneider konnten durch das Galgenpförtchen, wie in einem engen Thermopyläs-Passe, spartisch herausfechten.

Der Operationsplan war, wie es scheint, mit Verstand entworfen. Inzwischen drangen dennoch die Trödler unter Anführung des toll seienden Premierlieutnants gegen den furchtbaren Berg vor und daran auf – Beide Generalissimi der Heere fochten von weitem auf dem rechten Flügel; – mit Erdklößen wurde ein böses Erdfeuer gemacht, und es wurde sogar ein Frauenschneider in der Hitze des Gefechtes an den Beinen wie ein Schlitten herabgezogen. Zuletzt mußten die Großlausauer der Übermacht weichen, da der wahrhaft grimmige Premierlieutnant mit gefälltem Bajonett, nämlich mit gefälltem Flintenkopf auf jeden eindrang; denn die Kauzner Übermacht bestand nicht in Menschen – obwohl nach dem alten Kriegglauben der Belagerer zehnmal mehr sein müssen als die Belagerten –, sondern in Kräften und Mut.

Wirklich erstürmten die Kauzen den Berg; aber hier erwartete sie jener marianische Kriegverstand, welcher schon lange vorher den Galgenschlüssel zur Januspforte sich in die Hände zu spielen gewußt; der ganze rechte Schneider-Flügel zog sich durch das Pförtchen hinter feste Mauern zurück, entschlossen, aus demselben, Schneider für Schneider, auszufallen.
Dennoch trat wieder der Tolle als ihr Unglückvogel auf. Gegen ein fürchterliches Knallfeuer und eine aufgepflanzte Batterie von Flintenkolben drang er allein vor das Galgenpförtchen, faßte den Drücker an, schlug dasselbe zu und zog den Schlüssel ab. Der Kern der halben Armee war nun eingeschlossen vom Galgen; denn die Ringmauer dieses Notstalls war viel zu hoch, als daß, sogar Meister auf Gesellen gestellt, sie hätten auf den Wall heraussteigen können, um etwa von da aus etwas hinabzutun. Anfangs schrie der ganze halbe Flügel: »Aufgemacht unsere Festung! Ist das Krieggebrauch und Revuengebrauch? Den Schlüssel hinein, ihr Galgendiebe!« –
Dieser Name war den Trödlern nicht gleichgültig; mehre warfen – um vielleicht Artigkeit und Liebe mit Krieg zu vereinen – unbehauene Steine, womit das erste Griechenland gerade die Liebe und die Grazien (nach Winckelmann) darstellte, in das Parterre noble hinein, welches, so dicht gedrängt, am Kopfe viel litt. Aus Mut feuerten wieder die Konklavisten ihre Ladstöcke in die Luft und schossen ihren Gehenkten beinahe wie einen Fahnen- und Schützen-Adler ab, ohne den Feind draußen anders zu verwunden als an Ehre durch Schimpfen. Jetzo aber flogen nicht nur Verbalinjurien und Spitznamen, sondern auch die eingeflogenen Steine aus dem Bergkessel, und diese wieder gegenseitig in diesen Festungsgraben zurück; ja es ist erwiesen, daß einige Großlausauer aus Mangel an Gelassenheit und an Ladstöcken zuletzt selber Flinten hinauswarfen, um damit, statt zu erschießen, doch zu erwerfen.

Es ist in der Tat ein trauriges Amt, Kriege beschreiben zu müssen, worin Feindseligkeiten vorfallen, welche für Gesundheit ja Leben der Krieger so leicht von ernsten Folgen sind. Eine einzige Galgenleiter hätte das Großlausauer Heer gerettet und gehoben; dasselbe wäre daran auf die Mauer gestiegen und hätte sich von da unter die Feinde hinabgestürzt. Jetzo aber ließen die Kauzen gar vollends die ganze Gewerkschaft und Besatzung in dieser la grande force des Galgens verhaftet zurück und zogen davon, um zum Flügel des Fürsten Tiberius als Verstärkung zu stoßen.

Hier, wo die Fürsten selber kommandierten, hatte in der Tat der Sieg geschwankt, ja Maria Puer hatte durch Mehrzahl die Zunge der Waage auf seine Seite gezogen, als der Kauzenflügel gerade vom Galgen kam und die Waagzunge ziemlich in die Mitte richtete, bis wieder das Tiberische Affenkontingent, das nach nachgemachten Gefechten dürstete, den Fürsten Maria so mit Pfoten und Prügeln umringte, daß er in Gefahr kam, von ihnen, da sie schlugen und sprangen und kratzten und nichts nach Fürsten und Heerschauen fragten, gefangen genommen zu werden, – wär' ihm nicht zum größten Glücke gegen das Auxiliar-Vieh seine Schneiders-Scheren-Flotte vom Galgenberge her zu Hülfe geflogen. Diese machten ihn frei und die Mächte wieder gleich gewichtig und führten leicht den Waffenstillstand, der zum Essen nötig war, herbei, so daß beide Fürsten in *einem* königlichen Zelte ganz friedlich speiseten.


*Viertes Kapitel,*
*worin der Krieg eine ernsthaftere Wendung annimmt*

Wie der Schneider-Flügel aus dem Galgen-Gewahrsam und Gehorsam gekommen, ist bald erzählt; nämlich der wackere Flügel, dem es am Ende lästig wurde, über

sich als Flügelmann oder Adlerflügel nur den Gehenkten zu sehen, und welchen nach Ehre dürstete, und nach Essen hungerte, sprengte zuletzt das Pförtchen auf und machte sich von dieser Untiefe flott, mit Lorbeern bedeckt, nämlich mit Wunden, nicht von *hinten*, sondern von *oben*.
Aber diese zeigte er leider seinem Fürsten Maria und fragte an, ob dies Völkerrecht und Heerschau sei, solche Kopfbeulen. Da wurde Maria fuchswild. »Ihro Hoheit«, – fing er an mit furchtbarem Anstand und etwas sieg- und weintrunken und rückte den großen französischen Krieghut so recht mit der Spitze gegen Tiberius, mit welcher so viele den Franzosen jetzo eine bieten, gleichsam der geschwollne doppelte schwarze Hahnenkamm – »ich darf dafür, glaub' ich, Genugtuung erwarten.« – »Das glaub' ich gar nicht, Herr Vetter und Bruder!« versetzte Tiberius, der sich von dessen Trunkenheit etwas versprach, nämlich ein Stückchen Krieg; daher nannt' er ihn mit Vergnügen Bruder; denn die Fürsten glauben durch gegenseitiges Geben von Verwandtschaftnamen anzudeuten, daß sie wirklich Verwandten ähnlichen, weil diese immer am meisten hadern und prozessieren. »Nein! Nicht die mindeste« (fuhr er fort) – »Warum hat sich Ihr Volk nicht gutwillig unter dem Galgen ergeben? Und wären allen Schneidermeistern die Nähfinger oben an der Fingerkoppe durchstoßen: so wär' es bloß der Fehler, daß sie ohne Fingerhüte ins Feld gerückt.« – Maria antwortete, vielleicht auf die Trödler anspielend: »Aber ich schärfte nach dem Kriegrechte einer Heerschau meinen Leuten ein, nicht einem *Lumpen* einen Lumpen zu rauben.« – Tiberius versetzte: »Ich braucht' es bei meinen Leuten weniger; Stehlen auch des kleinsten Lappens kennen sie nicht; aber desto mehr warnt' ich vor Totschlagen. Und doch, Herr Vetter, wollt' ichs verschmerzt haben, hätten sie sogar durch Zufall einen oder ein paar Ihrer Offiziere eingefädelt am Galgen als Stricke.«

»Narren und Affen waren Ihre Reserven, gehören aber in keinen Krieg«, rief Maria trunken. – »Aber in Ihren Frieden?« fragte Tiberius gelassen, als ob ers bejahe. Solche kalte Tropfen in eine warme Trunkenheit sind bloß Wassertropfen in einen Kessel voll geschmolzenen Kupfer; Maria fuhr wie dieses auf und sagte: »So forder' ich denn Genugtuung!« – »Herr Vetter wissen«, versetzte Tiberius, »daß ich Genugtuungen immer vorrätig halte; nur bitte ich Ihro Hoheit, mich sogleich zu belehren, ob Sie sich mit mir schießen oder hauen, oder ob wir mit allen unsern Kriegvölkern gegeneinander fechten wollen.«

Eine ganz verfluchte Wendung der Sache! dachte Maria; da ihr aber nicht auszubeugen war, so wählte er aus Glanzsucht statt des Zweikampfs – dieser schon von Junkern und Studenten abgenutzten Genugtuung – den Allkampf, den Krieg, und wollte sich, um mehr Ehre zu haben, lieber mit zweihundert Armen als mit zweien wehren.

»Krieg, Krieg!« – rief er und stand von der Tafel auf. Ein größerer Glückfall konnte allerdings Tiberius nicht begegnen; denn im süßesten Frieden war ihm so erbärmlich zumute als einem Seefisch in süßem Wasser, welcher gewöhnlich darin absteht, aus Durst nach salzigem. Er schloß gern Frieden, wie katholische Priester Ehen, nur mußte er selber nicht daran teilnehmen sollen.

Vor Freude über Krieg wurde Tiberius fast friedlich und faßte Mariens Hand und sagte: »Ich denke, in einigen Stunden sehen wir uns wieder, Herr Vetter!«

Darauf ritt er davon und befahl seinem Heere, das noch den Bissen im Munde hatte, ihm nachzurücken. – Jetzo wäre der »verbesserte und der neue Kriegs-, Mord- und Tod-, Jammer- und Notkalender auf 1734 von Adelsheim« ein wahres Schatz- und Farbenkästchen auf dem Tische des Verfassers, um Farbenkörner für einen wahren Krieg daraus zu holen, dessen Heerschau schon vorher so sehr ins Tapfere spielte. Aber leider darf ich wenig hoffen, diese Feldzüge mehr als erträglich darzustellen, so gern ichs für mich selber wünschte, da eine solche Darstellung allerdings einigen Ansatz in mir zu einem kommandierenden General oder doch Division-General hoffen ließe; denn wie nach den Gesetzen nur Personen Zeugen eines Testaments sein können, die selber eines zu machen imstande sind: so braucht man es wohl den vielen Offizieren, die jetzo Kriege so gut beschreiben und bezeugen, nicht erst zu beweisen, daß sie solche eben darum ebensogut zu machen verstehen, sondern man kann sich auf ihr Bewußtsein berufen.

Maria schickte eilig den Generaladjutanten an die Marianer und ließ ihnen den Krieg ankündigen, den sie sowohl zu leiden als zu führen hätten; darauf wurde am Nachtisch, während man Zucker-Devisen erbrach, ein kurzer Kriegrat gehalten, um zu wissen, was man zu tun habe. Einer der besten Generale im Conseil gab sogleich den Rat, man müsse, ehe man auf einen andern falle, erst wissen, was der Feind zu tun gedenke. Sofort wurde ein *geheimer* Spion abgefertigt, um den Bewegungen des Feindes von weitem nachzugehen und nachzusehen. Was allerdings am allermeisten fehlt' zum Schießen, waren Kugeln, welche man alle in der Hauptstadt gelassen, gleichsam wie Augen im Haupte; daher wurde beschlossen, vor der Ankunft des Bleies mit allem Möglichen, mit allem Nahen zu laden, also – in Ermanglung der Perlen, womit einmal die Moskowiter aus Kugel-Mangel [1] geschossen – notfalls Sand abzufeuern, doch aber nur selten die Ladstöcke, weil das ebensoviel hieße, sagte der Kriegrat, als das Gewehr strecken, nämlich dem Feinde die Flinte an den Kopf zu werfen; höchstens möge man mit den Stöcken bei Gelegenheit prügeln und stoßen.

---

[1] Singul. Geograph. von Berkenmeyer 1705.

Die Bestürzung der marianischen Armee über die Urias- und Hiobspost eines wahren Kriegs war so allgemein und stark, als wären sie geschlagen worden, ja noch stärker; denn im letzten Falle wären sie doch auf der Flucht oder gar in Gefangenschaft gewesen, mithin schußfest. »Kartätschen«, sagte ein Altmeister, »lass' ich mir gern gefallen, aber nur sollen sie Schafwolle bestreichen, nicht mich.« Was die Leute noch aufrecht erhielt, war, daß zwischen ihnen und den Tiberianern der Unterschied obwaltete, welchen Kunstkenner zwischen den Bildsäulen der beiden Freunde Kastor und Pollux mit Vergnügen wahrnehmen, nämlich den des *Läufers* und des *Kämpfers*. Das Heer wünschte feurig, nur recht bald vor den Feind geführt zu werden, um früher davonzulaufen, und die eigne Rolle wie Orchester-Geiger besser zu spielen, so daß dasselbe, wie diese, dem ganzen Kriegtheater nur den Rücken zeigte und nur die Instrumente handhabte.

Es gab im ganzen Heere nicht drei, welche nicht christlich und philosophisch dachten und nicht die so oft und so vergeblich gepredigten Todes-Betrachtungen anstellten, unaufhörlich erwägend, daß sie jede Stunde sterben könnten. So denkt der Christ und der Philosoph ohne stolze Sicherheit des Sünders! – So der Geistliche, der, durch seine Leichenpredigt unaufhörlich an den Tod erinnert und erinnernd, nicht keck vor ein ansteckendes Bett voll Typhus tritt, sondern lieber in seinem eignen zu Hause bleibt.

*Fünftes Kapitel,*
*worin die Kriegflammen lodern*
*und Eroberungen um sich greifen*

Nach anderthalb Stunden passierte der heimliche Spion Marias durch die schneiderische Armee zurück und hinterbrachte unterwegs den Truppen, wie er oben auf der

Ruine ganz deutlich gesehen, daß die Kauzen sich der großlausauischen Hauptstadt ohne Schwertschlag bloß durch Trommelschlag bemächtigt hätten. Wer in der Welt weiß, was Jammer ist, dem brauch' ich den Großlausauer gar nicht zu schildern. Von den *vier* Kardinallastern des Kriegs, nämlich *Töten, Schwelgen, Plündern* und *Fliehen,* hatte der Feind durch den Vortrab die drei ersten voraus und ließ höchstens das vierte noch übrig. Da der Mensch überhaupt, als Gegenspiel des Bären, der im Kampfe sich menschlich auf *zwei* Füße stellt, darin gern tierisch auf *vier* niederfällt, und da an den menschlichen Soldaten wie an bleiernen sich durch langen Gebrauch leicht die Röte abfärbt (die Schamröte), so daß ihnen desto weniger Blut in die Wangen steigt, je mehres sie aus fremden ausgelassen: so konnten (sah jeder Meister voraus) vollends die Tiberianer in der Hauptstadt nichts anders sein als des Teufels lebendig. Sie konnten – mußten angeseßne Marianer befahren – die besten Schuldscheine und Instrumente durch Blutschulden und Krieg-Instrumente und die Laus deos durch Te deums tilgen und ihre Schulden absitzen durch bloße Einquartierung. Indes ist doch meiner Meinung nach der Gebrauch, jemand zu bezahlen, indem man ihn vor den Kopf schlägt, von dem Gebrauch auf der Insel Sumatra nicht verschieden, wo man ehemals keine andere Münzsorte hatte als feindliche Schädel [1]; und natürlich greift man am liebsten zum nächsten. Was das Plündern anlangt, so sei man doch gerecht und mehr Christ als Heide; denn ist Krieg ein Ausdreschen der Völker, so ist es nicht billig, wenn man dem Soldaten, der tritt und drischt, wie die Griechen dem dreschenden Tiere mit einem besonderen Zaume (im Griechischen soll er Καυστίχαπη geschrieben werden, denn ich versteh' keines) das Maul verbindet; denn Gott hatte den Juden

---

[1] Dorvilles Reisebeschreibungen. B. 2. S. 329.

befohlen, so lange die Tiere von der Ernte fressen zu lassen, als sie daran draschen, daher gerade diese Drescher sich durch saure Arbeit mästeten.

Jetzo wurde Generalmarsch geschlagen und Marschschritt kommandiert; unter dem unaufhörlichen zwar nicht Kanonen-, aber Trommeldonner ging man auf die eigne Residenzstadt los, um sie loszumachen und zu befreien. Es war kein einziger Held im ganzen Zuge, der nicht gewünscht hätte, gleich einem Taschenspieler Kunstfeuer zu speien, um so damit dem verächtlichen Feinde recht ins Gesicht zu speien und zu feuern; und jeder schwur, ihn zu verfolgen, wenn er liefe. O überhaupt wurde selten der Mut fehlen, wenn man mehr wüßte, wie viel dem Feinde davon abgehe! Wenn in Loango das Heer einem Hasen aufstößt, so wird es auf der Stelle heroisch, weil es den Hasen (ein recht nützlicher und wünschenwerter Aberglaube) für einen Geist ansieht, der ihm die Feigheit des Feindes ansagen soll; und in der Tat sollten mir die feigsten Regimenter als ebenso viele Wagehälse über Feinde herfallen, sobald sich diese als Hasen zeigten; der Ehrenpunkt griff' ein, und kein Soldat will gern vor einem Vorläufer laufen.

Gleichwohl wurde der kriegerische Mut später verstimmt von zwei Unfällen. Nämlich ein Rittmeister, welcher (und ich habe nie widersprechen hören) für den Achilles und Heros von Großlausau galt, setzte vor 50 rechten und 50 linken Augen kühn über einen Graben, und an sich glücklich genug; aber durch den Flug fuhr dem Gaule der Schwanz ab, der zu schwach an den Schwanzriemen befestigt war – (o welche Täuscher sind die Roßtäuscher samt und sonders!) und zwar mehre Schwanzlängen vom Tiere hinweg, und das Roß schnalzte nur bloß einen kurzen Schweif-Abhub empor, einen elenden Pfeifenstummel; jedoch keinem tapfern Mann tat dieser ominöse Verlust, gleichsam einer Fahne, eines Bassaschweifes, sonderlich wohl.

Für den zweiten Unfall steh' ich weniger, da er Spuren scherzhafter Übertreibung trägt. Es soll nämlich ein Bettelmann an der Militärstraße gesessen haben, mit Wunden bedeckt anstatt mit Pflastern, und zwar im Gesicht. Ein angehender Badergeselle hatte dem Manne, um ihm ein Almosen zu geben, gratis den Bart abgenommen, um sich ungescholten an einem Menschen im Scheren zu üben, welcher schon etwas vertragen konnte; und in der Tat blutete der Mann wie ein erobertes Land. Bettelvögte zwar wollen weiter sehen und wagen die Vermutung, daß der Kerl nur so fließend dagesessen, um auf seinen Blutströmen wie auf Kanälen sich Güter zuzuführen, aber im ganzen steckt' er doch dadurch das tapfere Heer mit einer Blutscheu an; und dasselbe Menschenblut, das Löwen zum Angriffe der Freunde berauscht, machte die Marianer zu einem Angriffe der Feinde zu nüchtern. Fürst Maria ließ nicht nur sofort englisches Pflaster (the genuine court-plaister) für die Kinnwunden zerschneiden, damit wenigstens die Nachhut kein Blut sähe; sondern er verteilte auch eine ganze Feldapotheke von diesem Pflaster an die wichtigsten Personen des General- und des Regimentstabes. Dem Generalfeldzeugmeister, dem bedeutendsten bei der Artillerie, gab er am meisten vom court-plaister; einem braven Manne von ausdauerndem Mute, da er ihn im ganzen langen Frieden gezeigt; nur in Kriegzeiten, die aber desto kürzer dauerten, sank er ihm etwas; daher Leute, die seine Mut-Vakanz im kriegerischen Zwischenraume kannten, denken mußten, mit seinen militärischen Ordenbändern und Ritterketten behäng' er sich an Brust und Herz gerade aus der Ursache, warum die französischen Kavalleristen ein Kettchen über den Pferdekopf hängen, nämlich an der schwächsten Stelle der Verwundung.

Das Heer erschien endlich von weitem vor seinen eigenen Toren, aber ohne die Freude, mit welcher es ihnen sich sonst genähert: der Feind war Türsteher der Stadttore. Die Tiberianer standen hinter einer Batterie von lauter aus dem Großlausauer Zeughause geholten vernagelten Kanonen, zwischen jeder Kanone stand eine Feuerspritze aus der Stadt, welche der tolle Premierlieutenant aufgeführt, und auf ihr stand ein Oberster und hinter ihr sieben Kanonierbediente. Ein harter Anblick, wie zum Fürchten geschaffen! Und in der Tat wird alles desto härter, wenn man bedenkt, daß ein armer unschuldiger Soldat im Kriege ganz wie ein verurteilter in Friedenzeiten, welchen man durch die Kompagniengasse voll Spießruten recht langsam führt, damit er nicht *laufe* und sich Hiebe erspare, behandelt wird, indem man den treuen Menschen, der ja nicht *zu*, sondern *vor* dem Feinde laufen will, ordentlich an Bewegung hindert, damit er nur desto mehr Schwertschläge empfange. Sehr hart für einen unschuldigen Soldaten, der lieber liefe!

Als endlich die Marianer ziemlich nahe an die Kanonen, worüber Lunten brannten, gekommen waren, machten die Tiberianer eine der besten Evolutionen; nun fing das Feuern aus mehr als zwanzig offnen Feuerspritzen an, um das Feuer des Mutes zu löschen. Ein solcher unversehner Kugelregen (aus Millionen Wasserkügelchen bestehend) wütete entsetzlich unter dem Handwerk – das Gewehrwasser fuhr gerade ins Gesicht und Auge, wie Cäsar die Gesichter der Ritter des Pompejus anfallen ließ – Sehen blieb so wenig möglich als Sand-Abfeuern, weil die Wasserstrahlen alle Pulverpfannen vernagelten – sogar die Reiterei wurde zurückgeworfen, weil die Pferde von Augen- und Naseneinspritzungen scheu wurden, und die Reiter ohnehin vorher – auf die empfindlichsten Stellen, Magen und Nabel, spielten unaufhörlich zwanzig offne Wasserschlünde, ein wahres weniger Blut- als Wasserbad. – Wie auch erst die Nachwelt entscheide, ob diese unerwartete Umwandlung eines Landkriegs in einen Seekrieg, einer Feuertaufe in eine Wassertaufe Kriegrecht für sich habe: darf man doch beklagen, daß so viele Brave durch ein solches Wasserschießen, eine wahre Löschanstalt des Lebenlichts, in einen Zustand gebracht worden, wo sie mehr Schweiß als Blut vergossen. Was hätten nicht die Marianer tun können ohne die neue Kriegwaffe, nicht viel verschieden von dem Kriegbrander vor Kopenhagen, dessen Erfinder sie mehr verdiente[1] als die Marianer.

Einige ergaben sich schon, um sich abzutrocknen; vielen wäre der Galgenstrick des Gehenkten lieb gewesen, als Trockenseil; jeder wünschte sich einen altdeutschen Schild, als einen Regenschirm gegen den waagrechten Platzregen.

Jetzo aber gab der Rittmeister ohne Roßschweif dem Fürsten einen kecken Rat, wofür er ein Pascha von drei Roßschweifen zu werden verdient hätte, den nämlich, dem Feinde verächtlich den Rücken zu kehren und im Trabe davonzurennen und geradezu in dessen nur eine halbe Meile ferne Hauptstadt Kauzen einzubrechen, wenn sie offen wäre; »wir wollen doch beim Teufel sehen«, fügt' er übermütig hinzu – »ob er uns mit seinem Geschütze nachschießen oder nachkommen kann, zumal da ihm unterwegs die Wassermunition ausgeht.«

Maria Puer war ein Mann, – Verwegenheiten flattierten ihn; auf der Stelle genehmigte er den Operationsplan, und das Fortlaufen wurde kommandiert, und zwar im Doppelschritte, womit man in einer Minute 90 Schritte machte, und nicht 75 wie im Marschschritte.

Diese Krieglist tat ihre Wirkung; die Tiberianer schossen unbedachtsam so lange mit harten Wassern nach, bis sie sich verschossen hatten und der Feind sich ver-

[1] Er ersoff. (Neuerlich wurde das Gegenteil versichert.)

laufen. Jetzo war an ihnen das Laufen; aber die Großlausauer Sonnen im Wassermann, griechische Statuen in nassen Gewändern, waren schon zu weit voraus, und sie marschierten um so schneller, da sie aus medizinischen Gründen sich aus dem kalten Bade ein Schwitzbad bereiten wollten. Auch schwitzte das ganze Heer; nur aber bedeutete dieser Schweiß nicht, wie nach Cicero das Schwitzen der Victoria in Cuma, die Niederlage, sondern den Namen der Göttin, die Besiegung.
Denn die Kauzen in der Residenz, welche ihre Landsleute so hart hinter den rennenden Großlausauern erblickten, konnten in der Eile nichts anders machen, als den Schluß, daß die Schneider in die Stadt eingetrieben würden wie Vieh, und taten demnach das Tor auf. Aber kaum waren diese Kamele durch das Nadelöhr der Stadt: so schlugen sie die Tür hinter sich zu – und draußen standen die Nachsetzer verdutzt.
Am Ende machten die Feinde sich nicht viel daraus, sondern zogen, da die Marianer sich als starke Riegel gegen das Tor anschoben, lieber in die marianische Stadt voll Einquartierungen zurück.


*Sechstes Kapitel,*
*worin der blutige Krieg in einen andern übergeht, Zeitungschreiber glänzen und ein Anfang zum Ende der ganzen Sache gemacht wird*

Die ersten, welche beide Feldherren in den eroberten Residenzen vor sich kommen ließen, waren die Zeitungschreiber derselben; Tiberius machte dem großlausauischen, dem Herausgeber des *patriotischen Archivs für Großlausau* – einem bösen Possenreißer und Mokierspieler –, bekannt, es komme jetzt nur auf ihn selber an, wie viele Prügel er sich wöchentlich erschreiben wolle, indem man ihm kein Haar *krümmen* würde – wobei der Schreiber, ein *Krauskopf*, halb lächelte, nämlich mit der linken Mundecke –, wenn er ihn und den Feldzug gehörig würdige, nämlich hoch genug, und der Welt das Beste davon sage, wiewohl man ihm übrigens gern gestatte, seine satirische Kollerader gegen seine Landsleute schwellen zu lassen. Der patriotische Archivarius versetzte: »Mit Freuden, denn mir kanns einerlei sein, *wen* ich auslache, sobald ich mich künftig gedeckt sehe. Ein *Pritschen*meister und ein *Knittel*versmacher wäre ja ein *Stock*narr im eigentlichsten Sinne, wenn er Knittel und Stock selber fühlen wollte.« Tiberius versprach ihm das Fiskalat oder auch ein Polizeikommissariat in seinem Lande. – Und *Schnabel* (so hieß der Redner) hielt auch Farbe und Wort; und mit Vergnügen bekennt der Verfasser dieser Groteske, daß er Schnabeln manche dunkle Mitteltinte verdankt, welche zur höhnischen Darstellung, z. B. der Großlausauer *Galgen*arrestanten, nur aus dessen patriotischem Archive zu holen war.

Fürst Maria hingegen, welcher den Zeitungschreiber des *Kriegboten von und für Kauzen*, namens *Maus*, zu sich berief, ließ den engen bangen Mann gar nicht ohne Höflichkeit an, vielmehr bezeigte er ihm Hoffnung, Maus selber werde den kauzischen Kriegboten wohl nicht mißbrauchen, fremde Verdienste, wenn auch feindliche, zu verkleinern; so wie auch er den Verfasser des Kriegboten so sehr achte, daß er ihm den Charakter eines Großlausauer Kriegrats auf der Stelle erteile. Das war zuviel für Maus; so gelobt und gelabt, fiel er ihm zwar nicht zu Füßen, aber auf die eignen vier innern und versprach alles, was in seinen Kräften stand.

Freilich stand in diesen nicht viel, und diese sehr unter den Schnabelschen. Indes hob doch Maus noch abends im Druck an dem seltenen Fürsten Maria den milden Eroberer, den mildernden Stadtgouverneur und einsichtigen Feldherrn heraus, ohne sehr gegen den Zeitungschreiber Schnabel oder seine Landmannschaft zu schreiben, teils aus Angst vor beiden, teils aus Achtung. Ein guter Mann! wenn auch kein seltner! Im ganzen auch ein verständiger. Der erste Artikel des Kriegboten unter dem Titel »Kurzes Résumé des Kriegs« (er liegt mir vor) bekränzt am meisten den Fürsten Maria, als Ur- und Bewindheber des Ausgangs, und läßt die Verdienste der Schneider dahingestellt. Sein Gleichnis dabei gefällt denn doch: wie nämlich große Maler, z. B. Rubens, Raffael, sagt er, Schlachtenstücke mit Kraft entwerfen, und dann ihren Schülern das andere zur Ausführung übergeben, ohne daß darum die Stücke den Namen ihres hohen Urhebers zu entbehren hatten, so macht der Fürst den Entwurf zu einem Kriege, und lässet dann seine Schüler, die Krieger, an der Ausführung mitarbeiten, gleichsam ein zweiter Claude-Lorrain, der den Kriegschauplatz, wie der erste die Landschaften, selber bestimmt, und die Menschen, wie dieser, von andern bestimmen läßt.

Ich will einen Augenblick über Zeitungschreiber nachsinnen und dann erwägen, ob ihre nicht gemeine Fertigkeit, durch einen Sieg des Feindes plötzlich, wie oft der Magnet durch einen Blitzstrahl, die Pole umzutauschen – der abstieß, zieht jetzo an –, mehr zu wünschen, oder mehr zu verwünschen sei. Allerdings hat auf der einen Seite die Anlage ihr Gutes, die zum Wechsel mit Tadel; ja sie ist vielleicht ein so reiches Geschenk der Natur als das, welches sie jenem mißgebornen Knaben mit zwei Steißen gemacht[1], unter welchen der Junge – da beide echter waren als sonst bei einer Dame mit einem Pariser Cul – denjenigen nach Belieben auslesen konnte, womit er zu Stuhle gehen wollte; wie gesagt, ein Zeitungschreiber, der zwei solche Hinterteile für entgegengesetzte Parteien bereit hat, um eines davon

---

[1] Briefe über Indien, im Freimütigen von 1805.

jeder geschlagnen zu zeigen, gewinnt stets Ruhm und Schirm von der siegenden.

Auf der andern Seite ist leider nicht zu bergen, daß ein solcher Schreiber mir ähnlich ist, als ich noch Philosoph war, oder andern, die es noch sind. Ich erinnere mich deutlich, daß ich als Stubengelehrter in meiner Studierstube saß und das Kantische Lehrgebäude für mich wie eine gute Loge zum hohen Licht im Kopfe trug, als ein Teufel von Buchhändler mir einen Bücherballen von Änesidemus und Fichte und andern ins Haus schickte, wovon ich schon vorher durch andere erfahren, daß der Ballen das Lehrgebäude erschüttere. »Jetzo um 1 Uhr bist du noch«, sagt' ich auf- und abgehend, »glücklich und kantisch und sitzest fest und froh auf deinem kritischen Dreifuß; nun kommts auf dich an, wann du das noch eingepackte System annimmst, das dem Dreifuß die Beine abbricht.« Ich entschloß mich aus Vorliebe, noch die ganze Nacht zu den Kantianern zu gehören und erst am Morgen den Ballen aufzuschnüren, um später zu renegieren. Es würde Schmerzen geben, wenn ich meine Empfindung vom Lebewohl der Kritik, und wie ich diese ordentlich noch einmal glaubend überlief unter dem Aufschnüren, malen wollte. Was half mirs aber, daß ich wieder ein gutes Lehrgebäude am Fichtischen Universitätsgebäude und Sakramenthäuschen bekam und darin mich als Mietmann *setzte,* als gar zu bald ein Schellingscher Ballen einlief! – Ich sagte aber trotzig: »Dieses neue System will ich noch annehmen, und zum Überflusse hernach das, welches wieder jenes umwirft; aber dann soll mich der Henker holen, wenn ich – bei meinem Ordinariat philosophischer Fakultäten – es nicht anders mache.« Aber ich mach' es auch jetzo anders: ich lasse gewöhnlich sechs oder acht Systeme zusammenkommen und lese das widerlegende früher als das widerlegte und weiß mich also durch dieses Rückwärts-Lesen – wie die Hexen mit dem Rückwärts-Beten des Vaterunsers bezaubern – so glücklich zu entzaubern, daß ich jetzo, wenn ich mir nicht zuviel zutraue, vielleicht der Mann bin, der gar kein System hat. Heimliches Mitleid heg' ich daher, wenn ich nach der Ostermesse neben einem systematischen Kopfe in einem Buchladen stehe und ihn überall von neuen Lehrgebäuden umstellt finde, welche jede Minute, sobald er eines aufschlägt, ihn ummünzen können und zum Selber-Wechselbalge umtauschen. »O Sie Unschuldiger!« sag' ich dann.

Wir kehren zu Krieg und Zeitung zurück. – Die Truppen beider Mächte blieben in den feindlichen Städten fest; ohnehin war wechselseitiges Erobern der Städte, bei diesem Mangel an allem groben Geschütz, sogar an vernageltem, unmöglich; und Herauswagen aus der Feindes-Stadt unratsam, weil die feindlichen Bürger das Tor zuwerfen konnten, und der Landesherr, von seiner Hauptstadt abgeschnitten, draußen im nackten Freien stand. Beide Feldherren schienen Windmühlen in Tälern zu sein, denen nur zwei Winde zu Gebote stehen. Man brachte also, mochte man noch so großen Kriegrat halten, keinen andern Rat heraus als den zu täglichen kleinen Streifcorps oder Streiflichtern, damit doch die Dörfer und die feindlichen Streifcorps auch etwas empfinden. Aber diese Scharmützel-Partien waren eben die Engel der Zeitungschreiber, nämlich ihre Zeitungkorrespondenten, so wie die Marodeurs ihre Colporteurs, damit jeder Gazettier sich am andern chagrinierte – O mein Campe und Kolbe!

Einige Artikel seien mir aus Schnabels patriotischem Archiv einzurücken erlaubt; ich würde mehre ausziehen, wäre nicht seine Geschicht-Muse eine prima donna buffa. Der Artikel im Sonntagblatt sagt, sie hätten vor der Schlacht am Galgenberg die schöne altdeutsche Sitte zurücknachgeahmt, sich Leichentext und Sarg bei Lebzeiten zu bestellen. Darauf erhebt er mehre vom Regimentstabe Mariens und sagt, sie wären in ihrer Kühnheit ganz so ins feindliche Lager gegangen, wie sonst Trompeter in eines geführt werden, nämlich mit verbundenen Augen, wiewohl diese Blindheit den Operationen mehr geschadet als genützt. Hämisch fällt er gegen einen der besten Offiziere aus, von welchem er sagt, er sei weit mehr von der Liebe als vom Hasse beschädigt worden – und führt versteckt die verletzte Stelle an, die Nase, von welcher er behauptet, er habe sie als tapferer Mann verloren, weil er dem feindlichen Geschlechte stets die Stirne geboten. Er will ihn zwar nachher damit entschuldigen, daß nach einer bekannten Bemerkung an alten Bildsäulen gerade die Nasen am meisten beschädigt sind, bringt auch die scheinheilige Fiktion bei, daß, so wie jener Mann Sitzen mied, weil er sich für gläsern hielt, ein anderer das Stehen im Feuer fürchten kann, weil er seiner Nase, nach der rhetorischen Figur pars pro toto, folgt und sich selber für wächsern hält; aber im ganzen will er ihn doch lächerlich machen.

Weniger zweideutig ist das Montagblatt desselben Schnabels. Es lautet wörtlich so:

»Unser Tiberius hat wieder gesiegt, nicht über den Fürst Maria Puer, sondern über dessen Truppen, so weit sie vorkriechen, und zwar in einem Kruge. Nur sage man nicht vorher, ehe ich weiter beschreibe, daß solches Wirtshäuser-Plänkern nichts entscheide und beweise; freilich kanns anfangs bloß beweisen, und nur später entscheiden; denn ein Plänkler macht ein Streifcorps, Streifcorps ein Regiment, Regimenter das Heer.

Ein Tambour vom Regiment Tiberius' traf in einer Kneipe auf zwei feindliche Flügel, wovon jeder *einen* Mann stark war. Aber der Trommler postierte sich dem Heere kühn entgegen an einem Tische und forderte sein Glas. Er sah scharf beide Flügel an, und Grattenauers Bemerkung konnt' ihm bekannt sein, daß zwar in sonstigen Kriegen die Gesundbrunnen für neutral gehalten wurden, aber nicht in jetzigen; und in der Tat sind Kneipen, Krüge und Wirtshäuser – diese Gesundbrunnen gesunder Trinkgäste – die gewöhnlichen Kriegschauplätze, wo die Krieger gerade das, wie sie am meisten gebrauchen und am nächsten besitzen, Stuhlbeine und Krüge, zu Waffen umarbeiten, gleichsam Glocken zu Kanonen, und so trunken Trauerspiele miteinander spielen; daher die Griechen mit so feinem Sinne den Bacchus, nicht den Apollo zum Patrone der Tragödie erlesen. Wenn übrigens Isenflamm[1] recht hat, daß nichts so schnell nüchtern macht als eine Verwundung: so sind Wunden wohl nirgends heilsamer angebracht als in Häusern, wo Trunkenheit an der Tag- und Nachtordnung ist, und ein leerer Krug stellt, gut geworfen, an Köpfen alles wieder her, was der volle in ihnen eingerissen. – Kurz der Trommelschläger nahm nach kurzem Rekognoszieren der Gesichter beider Flügel seine Trommelschlegel und schlug mit dem rechten Schlegel den rechten Flügel, mit dem linken den linken dermaßen aufs Haupt, daß aus letztem einiges Blut floß. Seine wahren Absichten dabei sind, wenn nicht unbekannt, doch streitig; denn auf der einen Seite nimmt der Feind an, der Tambour habe beiden Flügeln nur zur Ader gelassen, weil sie zu unerschrocken gegen ihn gewesen, womit der Feind auf die Römer anspielen kann, welche den Sklaven, die zu kühn auftraten, zur Ader ließen; auf der andern nimmt der Freund mit mir an, der Pauker habe durch einige Kopfwunden nur das Gedächtnis der Marianer, ihre Niederlage betreffend, stärken und auffrischen wollen, da bekanntlich Kopfwunden oft so stärkend auf das Gedächtnis wirkten wie Kräutermützen.«[2]

[1] Über die Nerven.
[2] Nikolai in seiner Fortsetzung der Pathologie führt aus Petrarch an, daß Papst Clemens VI. sein ungeheueres Gedächtnis bloß einer Kopfwunde verdankte.

Wahrhaft verwegen wars noch, daß der Zeitungschreiber mitten in der Hauptstadt seines vorigen Fürsten sich erkeckte, dem Blatte eine Extrablatt anzuhängen, worin er den Marianern vorwarf, daß sie eine der erbärmlichsten Aussprachen hätten, da sie nicht einmal v von f zu unterscheiden wüßten, so daß er, wenn sie sonst vor dem Schloßhofe ihres Fürsten Vivat gerufen hätten, leider mit seinem geübteren Ohre immer gehöret habe: Fi! Fat! – was aber gänzlich den Sinn entstelle.

Es wäre zu weitläufig, noch aus dem Dienstag-, Mittwoch-, Donnerstag-, Freitag-, Sonnabendblatte auszuziehen; genug er ärgerte damit ihren Mausen halb tot, wie mit Giftblättern.

Der Zeitungschreiber Maus schränkte sich mehr auf das Loben des Fürsten Maria ein und berührte die Trödler oder Tiberianer nur seitwärts, um nicht von ihnen anders und vorwärts berührt zu werden. Bloß beiher malt er ihre Eß- und Verkauflust aus, welche sie verspürt haben sollen, als sie neben einer offenen Kirchweih in einem ausländischen Grenzdorfe – nur zwei Schritte von ihnen – sich bloß mit Feinden herumzuschlagen hatten, anstatt Essen und Geld einzunehmen. Indes erinnern ihre Begierden und ihr Schicksal in der Beschreibung zu sehr an jene Hunde, welche als (aufrecht) *stehende* Truppe in menschlicher Draperie ein Lustspiel geben müssen – jämmerlich sehen die stummen Figuranten einander auf die halb sichtbaren Schwänze – die Peitsche ist ihre dea ex machina in ihren Forcerollen – und die Statisten sehnen sich umsonst von ihren Kothurnen, d. h. von ihren zwei Füßen auf ihre vier niederzufallen und ganz andere Erkennungen als theatralische darzustellen. Unlust für ein Lustspiel!

Zuletzt aber zankten sich die Zeitungsschreiber immer wilder – Schnabel setzte den gelassenen Maus ganz außer sich – Wortspiele über die Namen, z. B. sich *mau-*

*sig* machen, oder schreiben, wie der *Schnabel* gewachsen, waren posttägliche Sachen – Maus ließ, so wie jener Schlachtenmaler zur Begeisterung des Pinsels Krieginstrumente um sich zu spielen befahl, gewöhnlich eine Trompete neben sich blasen, damit er besser in die weitere der Fama stieße – Kurz der Krieg war nun vom Festland aufs Papier gespielt, und beide Schreiber verwandelten sich zuletzt ernstlich in die Parteigänger, welche sie anfangs nur aus Schein auf fürstliches Drohen hatten spielen wollen.

Ganz anders fiels mit beiden Kriegvölkern aus. Der Krieg hatte nun schon so lange gedauert, so viele Tage als der siebenjährige Jahre, eine Woche lang, mithin nur einen Tag kürzer als ein sinesisches Trauerspiel von acht Tagen, indes Corneille die Trauerzeit gleichsam wie ein voriger Magdeburger Festungskommandant nur auf 30 Stunden einschränkte. In beiden Residenzstädten fraßen die Truppen mit Wetteifer, doch die Tiberianer das meiste; denn sie, welche nicht vergaßen, daß die Schneider, ihnen an Anzahl überlegen, mit den zahlreichen Mägen die Stadt ausschöpfen würden, arbeiteten auf ein Gleichgewicht dadurch hin, daß sie in Großlausau doppelte Portionen und Rationen für *einen* Magen beordeten. Schwaches Plündern, Requirieren der Schuldscheine und dergleichen war gar nicht gegen die Grundsätze der Tiberianer, welche vielmehr schlossen, wenn schon Freunden alles gemein ist, wie viel mehr Feinden. Ja es gab Köpfe unter ihnen, welche fragten: sollten denn die Kriege, es werde nun darin eignes oder fremdes Blut vergossen, nicht so viel Recht haben wie die elenden fünf jährlichen Aderlaßtage (dies minutionum) der Kartäuser, an welchen man diesen fettere Kost, Freiheit vom Kloster und Freiheit zu Spaziergängen und sogar weibliche Gesellschaft verstattet? – Freilich *Handel* und *Wandel*, also *Trödler* und *Schneider* stockten; nichts war loszuwerden, nichts anzumessen. Beide Heere fühlten, daß die Astronomen ein treffendes Zeichen für den Erdenkreis im Kalender gewählt, nämlich einen Kreis mit einem Kreuze (☿), so wie sie die Venus beinahe wie Thümmel mit einem umgekehrten angezeichnet (♀); – aber an dieses arme Kreuz sind wir zwei Mächte genagelt? Himmel, wir? Wir, die wir umgewandt gern nach dem Evangelium die *andern Backen hinhalten,* wenn wir etwas auf die *vordern* bekommen haben; und die wir die Bitte der tapfern Sparter an die Götter, daß sie Beleidigungen möchten ertragen lernen, gar nicht zu tun brauchen, da dies schon Naturgabe bei uns ist?

Diese Überlegungen wurden leider in beiden Residenzen so häufig, daß sie eine Verschwörung unter den Truppen beider Heere gegen die Fürsten einleiteten, welcher nichts fehlten als Anführer, die sich unter Heerführern leicht finden. Denn ein wichtiger Umstand – auf welchen alle künftigen Geschichtschreiber dieser Umwälzung aufmerksam zu machen sind – entschied gewaltig dabei, der nämlich, daß sowohl die Tiberianer ihres Tiberius so satt waren, als die Marianer ihres Maria, beide hingegen nach einem Umtausch der Fürsten hungerten. Bei den Landeskindern bedeutete ihr Landesvater etwas nicht viel Besseres, als was die Studenten sonst einen nannten, ein Loch im Hute: »Ich habe mehr Landesväter in meinem Hute als du«, sagt der Musensohn, weil bei jedem Gesang, der »Landesvater« genannt, der Hut durchstochen wird. Freilich verstanden Kauzen und Großlausauer unter Löchern ganz andere als in Hüten und Röcken. Es konnte z. B. den Trödlern wenig gefallen, ewig in Monturen gesteckt zu werden, die sie vielmehr selber absetzen wollten; denn Tiberius ließ nur das halbe Land, nämlich die weibliche Hälfte, kantonfrei. Ob es aber nicht besser sei, wenn ein Land kein Winter ist, in welchem man bekanntlich von Amseln nur die Männchen sieht, sondern lieber ein Frühling voll Weibchen, können wohl Trödler nicht ausmachen, sondern Gelehrte.

Auf der andern Seite waren die Schneider ebensowenig mit ihrem Fürsten zufrieden, welcher nicht sowohl Menschen als Gelder, weniger Köpfe als Kopfsteuern eintrieb, um ein großes (Fürsten-) Haus zu machen. Daher sagten die Trödler: »Ein Maria, der nur brillieren, nicht exerzieren will, gefällt uns besser, und Trödel dazu haben wir genug vorrätig.« Die Schneider aber fuhren fort: »Ein Tiberius ist wieder uns lieber; Landmeister, Gesellen und Pfuscher haben wir leider genug zum Land-Matrosen-Pressen, aber einen Fürsten wie Tiberius nicht, der nicht verschwendet, keinen Glanz und Zeremonienmeister fordert und jeden als seinesgleichen an die Tafel zieht.«

Kurz dieser gegenseitige Wunsch eines Fürsten-, nicht Länder-Tausches trug unglaublich viel zu der Verschwörung der beiden Divisions-Generale bei, nach deren Plane sie die Fürsten in den feindlichen Residenzen sitzen lassen und bloß mit den Völkern wieder heimkehren wollten.

Der Erfolg war, wie Männer von Verstand vorausgesagt. Gerade ein solcher Krieg hatte beide Länder einander näher gebracht – was eben *nahe* am meisten nötig haben – und sie halb ausgesöhnt; jeder wollte jetzo, statt zu bluten und bluten zu lassen, lieber leben und leben lassen. Oft kam es mir vor, wenn ich die friedlichen Folgen dieser Heerschau und Kriegzeit überdachte, als sei alles die Nachahmung eines bekannten hannöverischen Dekrets an die göttingischen Professoren. Die Regierung schickte nämlich allen Professoren, vom Doktor der Theologie an bis zum Professor der Rechte und der Moralien, die Verordnung zu, daß sie – da bisher unter ihnen weniger gegenseitiges Befreunden als Befeinden obgewaltet – an jedem Sonntag um 4 Uhr eine Stunde lang auf der Esplana miteinander spazieren gehen sollten[1], um doch einigermaßen zusammen zu kommen und sich zusammen zu gewöhnen und dadurch einander weniger zu verabscheuen. Nun sah gewiß die weise Regierung so gut wie wir alle voraus, daß die Professoren selten physisch miteinander gehen konnten, ohne systematisch auseinander zu gehen, und daß hundert Disputierübungen stets die gymnastischen um 4 Uhr begleiten würden; aber da sie gleichwohl das Zusammenwandern (sogar für den bloßen Satiriker ein schöner Anblick) dekretierte: so hat sie vorausgesetzt, daß die Professoren eben durch nahes Streiten sich so nahe zusammenknüpfen würden – als unsere Schneider und Trödler.

Kurz Kauzen und Großlausauer waren sämtlich nach kurzen stillen Erforschungen, welche die höhern Krieggewalten, die Divisions-Generale und Unterhändler, angestellt, sogleich bereit, nach Hause zu gehen und sich regieren zu lassen vom ersten besten Feind-Fürsten, der eben zu haben stände, sobald nur alles ginge wie sonst oder noch besser; die Fürsten beider eroberten Länder (dies wurde feierlich ausgemacht und untersiegelt) möchten dann in diesen als Geiseln (aber nicht als aktive wie Atttila, sondern als passive) so lange bleiben und herrschen, als sie dürften.

Alles gelang. Jedes Heer zog nach Haus; nur jeder Fürst blieb in jeder Stadt gleichsam wie in seinem Bienenweisel-Gefängnis zurück und regierte zur Erholung hie und da. Wahrscheinlich hat darin Maria geweint, und Tiberius geflucht. Übrigens wars ein Glück, daß jedes dieser Länder, wie viele jetzige, nicht ein durch Vaterland- und Fürstenliebe fest verknüpfter Staat war, sondern nur aus lose aneinander gestellten Untertanen bestand; ein schweres, aber nötiges Meisterstück der jetzigen Politik, gleich dem Meisterstück der Böt-

---

[1] Konstantinopel etc. Jahr II. Heft 9. S. 360.

tiger, das aus lauter Faßdauben ohne *Reifen* bestehen muß.

Jetzo war aber vor allen Dingen zu eilen, um dem Gewaltstreiche die nötige Rechtmäßigkeit und Stütze zu geben. Es wurden deshalb Deputierte von beiden Ländern nach Paris geschickt, mit allen glaubwürdigen Landkarten und Zeugnissen versorgt, welche vonnöten waren, um Napoleon zu überzeugen, daß die Länder existierten.

Auch brachten sie die Bitte mit, daß sie recht fest regiert würden.

Aber im Gedränge der wichtigsten Angelegenheiten konnte, wie sich denken läßt, bis diese Stunde nicht über diese kleine entschieden werden; und beide Fürsten regieren die eroberten Interims-Länder noch vor der Hand fort.

### *Nachschrift im Heumond 1816*

– Und noch am heutigen Heumonate sitzen die beiden Fürsten auf ihren Tauschthronen still. Denn damals – im Jahr 1810 – hatte Napoleon so viele weit größere Dinge zu nehmen, Hannover – Holland – die zweite Kaiserin – die Hanse-Städte und Küsten, daß er keine Minute erübrigte, über zwei so kleine Fürstentümchen irgendeinen Spruch Rechtens oder ein *rechtliches Erkenntnis* ergehen, nämlich sie nehmen zu lassen. Noch länger haben die beiden Fürsten jetzo zu sitzen, da sie auf deutsche Entscheider warten; denn der deutsche Zeiger hat, wie ein richtiger Monatzeiger an einer Uhr, stets Monate von 31 Tagen und keine von 30. Deutschland ist, wie nach Cuvier das größte Tiergerippe der Vorzeit unter das Faultiergeschlecht gehört, vielleicht gleich groß und gleich faul; sozusagen ein Riese, welcher, wie sonst in Spanien Kammerherrn tanzenden Prinzessinnen, mit gelassenen Schritten einer springenden Zwergin die Schleppe trägt. – – Jedoch bei einer dritten Auflage dieses Berichts hoff' ich dem Leser gewiß die Zeit genauer angeben zu können, wo von höhern Händen die Dauer fortgesetzt, die das Interim haben soll.

JOHANN ANDREAS WENDEL

## Aufenthalt in Zipfelstadt

Keine Stadt machte mir auf meiner ganzen Reise mehr zu schaffen, als das elende Nest Zipfelstadt. Als ich an das erste Zollhaus auf dem Weichbilde dieses zweiten Schilda anlangte, war das erste, was der Mautner untersuchte, nicht etwa mein Paß und meine Habseligkeiten, sondern – mein Kopf und meine Perücke. Er habe strengen Befehl, sagte er, gegen den Weichselzopf und das Einschwärzen (heimliche Einbringen) fremder Perücken zu wachen. Voriges Jahr habe ein polnischer Jude die ganze Stadt mit dem Weichselzopf angesteckt, sogar die Perücken des wohlweisen Stadtrats hätten von dieser Krankheit gelitten, und daher werde jetzt mit außerordentlicher Strenge gegen Köpfe und Perücken der Fremden verfahren, um nicht zum zweiten Male die Stadt an dem Unglücke des Weichselzopfes leiden zu lassen. Der Weichselzopf besteht bekanntlich in einer Krankheit der Haare, die außerordentlich stark hervorwachsen und sich dann ineinander verfilzen und verwirren, und ist ansteckend: auch erzeugt sich bei dieser Gelegenheit lästiges Ungeziefer in Mengen, und der Geruch ist daher nicht der beste. So wie ich daher gar nichts einzuwenden habe, daß eine Stadt sich gegen die Ansteckung dieser Krankheit verwahrt, so war mir es doch etwas Unerhörtes, daß auch die Perücken eines wohlweisen Stadtrats sich zu verfilzen und zu verwirren angefangen hätten, und ich fordere hiermit die berühmten Akademien der Wissenschaften in Deutschland auf, die physiologische Möglichkeit dieses Faktums genauer zu erörtern.

Da der Mautner meinen Kopf unverdächtig fand, so stellte er mir darüber einen Passierzettel aus, nahm aber meine Perücke in Arrest, und sagte, an der anderen Grenzmaut würde ich sie beim Auspassieren wieder vorfinden, indem sie erst die Quarantäne aushalten müsse, denn man könne nicht wissen, ob nicht bereits die Perücke den Keim zum Ausbruch des Weichselzopfs enthalte. Ich fügte mich zwar ungern, aber doch mit allem Respekt gegen diese höchstpreislichen Polizeiverfügungen in die Quarantäne meiner Perücke, und kam dann ohne weitere Anfechtung bis an das Stadttor. Nachdem man den Passierzettel wegen des Weichselzopfes gelesen, mir meinen Paß abgenommen und mich sonst allerhand ausgefragt hatte, ward ich von einem Soldaten der Torwache wie ein Kalb mit einem tüchtigen Bullenbeißer (wahrscheinlich wegen des Ausreißens) durch einige Gassen hindurch auf das Polizeiamt gehetzt.

Ich sah mich auf meinem Klepper fleißig um und bemerkte unter anderem, daß zwei Kerle mit einer Art Klingelbeutelchen an langen Stecken hinter mir herliefen. Ich fragte meinen Begleiter, was dieses bedeute, und er sagte mir, es sei der Reinlichkeit wegen, denn sobald meinen Schimmel die Not ankomme, auf der Straße seine Stuhlgänge zu machen, so würden jene Kerle ihre Kotbeutel unter den Schwanz postieren, und so den Unrat auffangen. In der Tat wurde auch, wie ich bald bemerkte, die Reinlichkeit dieser Stadt von der Polizei auf das Äußerste betrieben, und das ganze Polizeipersonal hatte zu diesem Zweck Thermometerskalen außen an seinen Stiefeln angenäht, um, wenn ja irgendwo die Straßen kotig waren, die Tiefe des Drecks genau nach Graden, Minuten und Sekunden messen zu können.

Auf dem Polizeiamte wurde mein Paß richtig befunden. Aber ehe ich die Ehre vollkommen genießen dürfte, hieß es, den Aufenthalt in dieser weltberühmten Stadt zu nehmen, so müsse ich mich noch einer Visitation

des Schädelkommissars unterziehen. Himmel, wie erschrak ich über diesen Schädelkommissar! Ich dachte, bei Gott, man wolle mir den Schädel auch noch einschlagen, oder zum wenigsten, wie die Wilden, die Haut samt den Haaren davon abziehen, damit ja der verdammte Weichselzopf nicht wieder in dieser geistreichen Stadt ausbreche. (N. B. Man hat nämlich neuerlich bemerkt, daß geistreiche Leute nicht viele Haare haben, und daß also der Weichselzopf eine Satire auf eine geistreiche Stadt ist!)
Indessen war dieser Herr Schädelkommissar, genauer beim Lichte besehen, nichts mehr und nichts weniger als ein Polizeioffiziant, den die Stadt beim Herrn Doktor Gall in die Schädellehre geschickt hatte, um verdächtige Fremde sogleich durch das bloße Betasten des Schädels auszuwittern und aufzuspüren. Er erklärte mir dieses selbst, als ich bei ihm angelangt war, und machte mich darauf aufmerksam, daß die Obrigkeiten meistenteils diejenigen Leute und Untertanen, welchen sie die Pässe ausstellen, nicht genau kennen, und daß daher viele Verbrechen verhütet werden könnten, wenn man diesen Leuten genauer auf den Zahn, oder, wie hier in Zipfelstadt, auf den Schädel fühle, denn dann müßte sich der Bösewicht, Mörder, Räuber, etcetera, etcetera gleich auffinden lassen.
Ich hatte in meinem Leben niemanden bestohlen, als meiner Mutter Speisekammer als Knabe, niemanden gemordet, als Fliegen, wenn sie mich im Sommer stachen, und nichts mit Gewalt geraubt, als Küsse. Ich konnte mich also wohl der Visitation des Herrn Schädelkommissars unterwerfen, ohne als ein der Stadt gefährlicher Dieb, Mörder, Räuber etc. erfunden zu werden. Meine Eigenliebe zauberte mir sogar die angenehme Hoffnung vor, der Herr Kommissär werde an mir die Organe eines großen Gelehrten und Dichters finden, mich für einen inkognito reisenden Kant, Kästner oder

Schiller anerkennen, und mich dadurch auf immer in den Annalen des weltberühmten Zipfelstadt verherrlichen.

Aber ach! das Mädchen kam/ Und nicht in Acht das Veilchen nahm,/ Zertrat das arme Veilchen! hieß es bei mir. Der Schädelkommissar fand von dem allen nichts an mir, sondern, wie sich der feine Mann ausdrückte, das Organ eines lustigen Rats.

Ich erbebte und erblaßte über diesen turmhohen Fall vom Gipfel der schönsten Hoffnungen auf (nehmen Sie's nicht ungütig) die Posteriora, und fand sehr wenig Trost in dem Zusatze des Kommissärs, daß ich nach der soeben entdeckten Qualität ein ganz unschädlicher Fremder sei, und mich daher so lange hier aufhalten könne, als es mir beliebe. Un homme qui rit, ne sera jamais dangereux, habe schon vor langer Zeit ein französischer Polizeiminister gesagt, als er dem empfindsamen Engländer Yorik zur Zeit eines Krieges mit Großbritannien einen Reisepaß durch ganz Frankreich erteilt habe, und so wie Herr Yorik als königlich Großbritannischer Hofspaßmacher bei allen französischen Gouverneurleutnants, Gouverneurs, Kommandanten, Generalen, Richtern und Beamten frei und ungehindert habe pass- und repassieren können, so wolle er auch mir eine Polizeikarte geben, daß mich alle Büttel, Häscher, Bettelvögte, Rumorknechte, Schaar- und Nachtwächter, Polizeimeister und Diener, Profossen, Tor- und Geleitschreiber etc. von Zipfelstadt als lustigen Rat von Schnackenburg frei und ungehindert pass- und repassieren lassen, und mir bei meinen Späßen allen Vorschub leisten sollten.

Himmel, dachte ich bei mir selbst, wie weit bringen es die Adamskinder noch mit der Polizei. Am Ende muß ja jeder Polizeidirektor in allen Romanen belesen sein, um auch das, was witzige Romandichter über Polizei gelegentlich mit anbrachten, zu kennen und nötigenfalls anzuwenden! Indessen konnte ich nicht umhin, mich bei dem Herrn Schädelkommissär für den gütigen Zusatz seines Geleitbriefes zu bedanken, daß mir sein ganzes Personale bei meinen Späßen allen Vorschub leisten sollte, und nahm mir vor, mich bei der ersten besten Gelegenheit dadurch für alle Plackereien, denen ich in Zipfelstadt ausgesetzt gewesen war, schadlos zu halten.

Mit meinem Geleitsbrief als lustiger Rat in der Hand, ritt ich nunmehr dem Hotel zum goldnen Apfelschimmel zu, das man mir als den ersten Gasthof der Stadt empfohlen hatte. Der Wirt empfing mich auch sehr untertänig und wies mir ein gutes Zimmer an. Er legte mir sogleich einen Zettel mit acht oder neun Rubriken vor, worauf ich Namen, Stand, Alter, Vaterstadt, Zweck der Reise, Dauer des Aufenthalts und andere Dinge der Art mehr angeben sollte. »Wozu das?« fragte ich. »Auf der Polizei muß dieser Zettel eingegeben werden«, antwortete der Wirt. Ich machte hierauf dem Wirte begreiflich, daß ich schon alle Probier- und Fegfeuer der Polizei durchwandert habe, und daher dieses Zettels nicht bedürfe; er ließ sich aber von seiner Forderung nicht abbringen, sagte, er würde für jeden Unterlassungsfall hart bestraft, und so mußte ich nolens volens die Rubriken ausfüllen. Die letzte Rubrik war: Sonstige Bemerkungen. In dieser Rubrik ließ ich daher meinem Ärger freien Lauf und schrieb hin: Die Polizei von Zipfelstadt hat auch genau darauf zu vigilieren, daß ihr keine Eselsohren anwachsen.

Nachdem ich meine Habseligkeiten in mein Zimmer hatte transportieren lassen und es mir ein wenig bequem gemacht hatte, sah ich zum Fenster in die Straße hinaus. Fast der fünfte Mensch, der vorüberging, war in die Uniform der Polizei, Merde d'oie mit Puce-farbigen Aufschlägen und Rabatten gekleidet. Verhielt sich also das Polizeipersonale wie 1 zu 5 zur Bevölkerung, so

hatte es fast das umgekehrte Verhältnis der Länge eines Kuhschwanzes zum Zipfel einer Narrenkappe.
Indessen waren die Polizeidiener bei der großen Polizeitätigkeit in Zipfelstadt nicht zu viel. Denn kaum hatte ich eine halbe Viertelstunde zum Fenster hinausgesehen, so waren schon fünf Katzen, welche respective Würste, Fleisch und Tauben gestohlen hatten, und sechs Hunde wegen mangelnden Maulkorbs eingefangen worden, und nicht lange darauf klingelten einige andere Polizeidiener eine Anweisung aus, wie die Einwohner von Zipfelstadt sich die beste, glänzendste und wohlfeinste Schuhwichse verfertigen sollten. Diese Anweisung fing mit folgenden Worten an: »Die Polizeiverwaltung, immer darauf bedacht, für die Verschönerung der Stadt und den Nutzen und die Bequemlichkeit der Einwohner zu sorgen, beeilt sich, dem Publikum eine Stiefelwichse anzugeben, deren Zuträglichkeit für das Leder noch mehr durch den Glanz erhöht wird, mit dem sie wie ein Karfunkel schimmert, usw.«
Wir leben doch in glücklichen Zeiten! dachte ich bei mir selbst. Freilich bezahlen wir mehr Steuern als unsere Voreltern, aber dafür erspart uns doch die neumodische Regierungskunst und die Polizeiverwaltung manchen Schritt im Dreck und Kot, und mit nächstem werden uns die Polizeimeister auch noch das Geheimnis lehren, wie die Lichter länger statt kürzer brennen. Die Kultur fing immer mit Kleinlichkeiten von unten an und kam dann auf die Höhe und ins Große, und so ist der neuere Polizeibefehl, kein Kalb vor seinem Tode mit den Hunden zu hetzen, gewiß die Vorbedeutung, daß in Zukunft auch der Soldat, welcher zu jeder Stunde auf den Tod gefaßt sein muß, nicht mehr durch die Spießrutengassen seiner Kameraden hindurch gehetzt werden wird! Ja gewiß kommt einst die schöne Periode, wo wir durch Vorsorge der Polizei schon von den Windeln an vor Unglück bewahrt werden, und wo jede Familie

unter der wohltätigen Aufsicht der Polizei ihre kleinen Kinder ohne Begleitung der Kindsmagd auf die Straßen hinausschicken kann!
Indessen möchte jetzt die Polizei noch nur jenem Schäferhunde zu vergleichen sein, der nur seine eigenen Schafe necken, aber nicht gegen den Angriff des Wolfs verteidigen konnte. Sie verbietet das Duell und läßt doch ganze Scharen von Menschen der Grille eines Königs, oft nur eines kommandierenden Offiziers aufopfern; sie sorgt allenfalls dafür, daß der auf den Markt gebrachte Salat keine Raupen und Schnecken auf sich sitzen hat, sie schreibt genau auf, wieviel Eier und Käse zum Verkauf kommen, aber daß überhaupt etwas zu Markte gebracht wird, überläßt sie dem lieben Herrgott; sie ist mit den Justizkollegien im größten Widerspruch, statt mit ihnen Hand in Hand zu arbeiten, denn während diese erst hundert triftige Beweise für die Wahrheit eines Faktums fordern, ist sie meistens schon mit einem halben, oft nur mit dem bloßen Verdacht zufrieden; sie schickt die Menschen um elf Uhr aus den Wirtshäusern nach Hause, damit sie für die Arbeit des folgenden Tages ausschlafen können, ob sie aber überhaupt etwas zu arbeiten haben, ist ihre mindeste Sorge; sie gebietet die Inokulation der Kuhpocken und bringt uns dadurch in Blutsverwandtschaft mit dem Rindvieh, ohne erst eine gewissenhafte Gewährleistung für die Zweckmäßigkeit dieser Pathologischen Blitzableiter zu haben; sie ...
Hier unterbrach mich ein Getöse vor meinem Zimmer, und sechs Polizeidiener mit einem Polizeimeister an der Spitze traten herein und kündigten mir an, daß ich wegen der gröblichen Beleidigung, die ich mir gegen das wohllöbliche Polizeiamt habe zuschulden kommen lassen, auf der Stelle die Stadt und deren Gebiet räumen solle. Ich berief mich auf meine Qualitäten eines lustigen Rats und deren Anerkennung von der Polizei, und

daß ich derselben bei weitem noch nicht so viel Bitterkeiten gesagt habe, als mancher lustige Rat seinem allerhöchsten Herrn. Indessen halfen die Reklamationen nichts, und so verfügte ich mich wieder auf meinen Schimmel und trabte zum Tor hinaus. Auf diesem Ausritt bemerkte ich auf einem freien Platze der Stadt mitten unter einem ganzen Schwarm Weiber ein großes Feuer und über demselben einen ungeheuren blechernen Zylinder, der im Kreise herumgedreht wurde. Auf Befragen, was hier vorgehe, hieß es, die Polizei habe zur Ersparung des Holzes hier einen Stadtkaffeebrenner errichten lassen, und soeben brennten jene Weiber ihren Kaffee: ein Chemiker habe besonders dazu Veranlassung gegeben, indem er der Polizei die Entdeckung mitgeteilt habe, daß der Kaffee um so besser werde, in je größeren Quantitäten man ihn brenne! Meine Perücke bekam ich an der Grenze wieder.

LUDWIG BÖRNE
(1786–1837)

## Der Eßkünstler

Ein artistischer Versuch

Nur acht Tage wurde ich in Wien verkannt; daher ich mich glücklicher schätzen darf als viele andere. Nämlich der heiligen Allianz meiner Tischgenossenschaft, welche ihren Zweck, gemeinschaftlich zu verschlingen, gar nicht zu beschönigen suchte, drohte Zwietracht: denn sie konnte nicht einig darüber werden, ob ich verliebt sei oder ein tiefsinniger Gelehrter oder ein Narr oder taubstumm oder ein langweiliger und trockener Mensch. Allerdings hatte jede dieser Meinungen Gründe für sich. Ich aß wenig, sprach nichts, hörte auf keine Anrede... bald war ich düster, bald lachte ich laut auf... ich schnitt mehrere Gesichter, mein Blick war starr auf diesen oder jenen Punkt gerichtet und nicht selten fuhr ich mit der Hand über die Stirne, gleich unsern artigen jungen Herren, die, wenn plötzlich Frauenzimmer in die Stube treten, sich aus dem Stegreife frisieren und ihre Locken in eine liebliche Verwirrung bringen. Aber nach einer Woche klärte sich alles auf, und meine gewöhnliche Liebenswürdigkeit, das heißt meine sehr gewöhnliche, kehrte zurück. Die Sache verhält sich wie folgt.
Mir gegenüber saß ein Mann, an dessen Rocke von unaussprechlicher Farbe eine seltene Seltenheit der Knöpfe meine Aufmerksamkeit anzog. Auf drei Quadratschuh' Tuch kam nicht mehr als ein einziger Knopf – eine Bevölkerung, die zwar, wenn von den Menschen die Rede wäre, zu den großen gehörte, denn sie überträfe selbst die von Malta, die aber, da es sich von Knöpfen

handelt, von einer Sparsamkeit ohne Beispiel ist. Ich schloß aus Gründen der Anthropologie, daß ein Mann von so eigentümlicher Physiognomie ein ausgezeichneter Mensch sein müsse, und ich irrte mich nicht. Ich entdeckte bald in ihm einen höchst vortrefflichen Eßkünstler, der mit seinen herrlichen Gaben auch die Tugend der Uneigennützigkeit verband, indem er acht Tage hintereinander in seiner Kunst unentgeltlich öffentliche Vorstellungen gab.

Man wird mir beistimmen, wenn ich behaupte, daß die meisten Menschen wie das Vieh essen, ohne klares Bewußtsein, ohne Überlegung, ohne Regel und ohne jene Anmut, welche nur die verschönernde Kunst über die Natur haucht. Was ich nur immer dunkel geahnet hatte, daß das Essen etwas viel Erhabeneres bezwecke als die Befriedigung eines bloß tierischen Triebes, wurde mir klar durch die Anschauung der Meisterschaft, welche der würdige Künstler, von dem ich reden will, vor meinen Augen entfaltete.

Andere Konzertgeber warten gewöhnlich, bis sich das Orchester versammelt hat und das Stimmen zu Ende ist; dann erst treten sie hervor. Unser Künstler aber verschmähte den kleinlichen Kunstgriff, durch Überraschung zu wirken. Im Gegenteile, er war eine halbe Stunde früher als die übrigen Gäste im Speisesaal, so daß die Kellner oft irre wurden und ihn fragten, was er befehle; denn sie glaubten, er suche ein Gabelfrühstück. Diese Einsamkeit benutzte er als ein Mann, dem seine Kunst heilig ist, und der sie nicht bloß zum schnöden Zeitvertreib der Menge übt. Er unterwarf sein Gedeck einer höchst genauen Musterung; die Teller und das Glas wurden nachgesäubert; er untersuchte das Messer, ob es keine Scharten habe, in welchem Falle er es mit einem andern austauschte. Am meisten aber war er auf die Elastizität des Stuhles bedacht, wohl erwägend, wie viel auf diesen Resonanzboden des Eßinstruments ankäme. Darauf maß er sich mit seinen Ellenbogen einen freien Umkreis ab, indem er die Stühle auf beiden Seiten zusammenrückte, so daß man sich später wunderte, wie ein Mann, der für sechs essen mochte, doch nur für zwei Personen saß. War dies alles geschehen, und es blieb ihm noch Zeit übrig, so präludierte er, indem er sich ein Glas Wein aus den gemeinschaftlichen Beiträgen der benachbarten Flaschen sammelte und dazu ein Milchbrot mit etwas Gurkensalat genoß. So konnte er von seinem sichern Hafen aus mit Ruhe auf den Sturm der heranwogenden Gäste schauen und durfte sich, während die andern verwirrt ihre Plätze suchten und hungrig der Suppe entgegenseufzten, der Früchte seiner weisen Vorsicht erfreuen.

Man kann sich nicht genug darüber wundern, wie es so viel tausend Menschen, die seit undenklichen Zeiten täglich in Gasthöfen speisen, entgehen konnte, daß der Gebrauch der Gabel einer der Gebräuche sei, welche die Wirte aus Spitzbüberei eingeführt haben. Bei nur einiger Aufmerksamkeit hätte man entdeckt, daß jenes Werkzeug weniger geeignet ist, die Speisen zu halten, als herab- und durchfallen zu lassen. Einen so hellsehenden Eßkünstler wie den unsrigen konnte die heuchlerische Hilfsleistung der Gabel nicht betören, und er bediente sich ihrer nie, sondern gebrauchte bei allen Speisen den sichern und weitumfassenden Löffel, den er vor den räuberischen Händen der Kellner, die nach der Suppe alle Löffel wegräumten, dadurch sicherte, daß er Exerzitien und gymnastische Übungen mit ihm anstellte, so daß er nicht zu erhaschen war.

Die Völker germanischen Ursprungs leben alle in dem Wahne, als wären die verschiedenen Beiessen, von welchen das Rindfleisch begleitet zu werden pflegt, rote Rüben, Gurkensalat usw., nur zur Auswahl da; aber unser großer Künstler ging von dem Standpunkte aus, daß jene Beiessen Simultanspeisen wären, und die glückliche Anwendung seines Grundsatzes zeugte von dessen Richtigkeit. Meerettich, geröstete Kartoffeln, die gewöhnliche braune Brühe, eingemachte Bohnen, Gurkensalat, Radieschen, rote Rüben, Rettichscheiben, Senf und Salz brachte er sämtlich auf seinen Teller und wußte sie durch eine weise Benutzung des Raumes dergestalt im Kreise zu ordnen, daß keines das andere berührte. Nur ein einziger Platz blieb leer, wie an Arthurs Tafelrunde, und war für das Beiessen bestimmt, welches er etwa übersehen haben und das noch kommen könnte.

Das Vorurteil, daß die Künste in monarchischen Staaten größere Aufmunterung fänden als in republikanischen, hat jenes andere Vorurteil veranlaßt, daß die meisten Künstler aristokratisch gesinnt wären. Bedarf es noch des Beweises, daß ihre Ansicht falsch sei, so hat ihn unser Eßkünstler gegeben. Seine Neigung für Freiheit und Gleichheit war so heftig, daß ihn der Vorzug, welchen er Frauenzimmer genießen sah, bei Tische mit Übergehen der Herren zuerst bedient zu werden, in die größte Wut versetzte, und er schwatzte nicht bloß für die Freiheit gleich den deutschen Liberalen, sondern er kämpfte auch für sie, indem er jeden Kellner, der ihn überspringen wollte, um die Schüssel einer Dame zu reichen, gewaltsam am Ärmel zurückhielt und ihn Achtung der Menschenrechte lehrte. Den Kellnern selbst kam diese Freiheitsliebe unseres Künstlers am meisten zustatten; denn da der Wirt die geringste Nachlässigkeit, welche jene sich gegen die Gäste zuschulden kommen ließen, streng bestrafte, so arbeitete der Eßkünstler solcher Tyrannei dadurch entgegen, daß er den Kellnern unaufhörlich zurief und zuwinkte, sie sollten ihn nicht vernachlässigen und an ihn denken.

Gemüse sind die Freuden des Eßpöbels und der Wirte: Sie befriedigen das rohe Bedürfnis auf eine wohlfeile Art. Unser Künstler offenbarte seine Geringschätzung gegen dieselben hinlänglich, indem er bei keinem Gemüse lange verweilte, sondern, von einem zum andern eilend, sich unter das Gefolge, die sogenannten Beilagen mischte, wo er, wie dieses oft der Fall ist, größere Bildung fand als bei der Herrschaft. Einen neuen Hering, der noch sehr schüchtern war und dem man die Verlegenheit, vor so vielen Gästen zu erscheinen, ansah, munterte er auf und unterhielt sich so zutraulich mit ihm, daß dieser ein Leib und eine Seele mit ihm ward. Freilich murrten die Tischgenossen über diese Vernachlässigung des sogenannten Anstandes, aber unser Künstler lachte dazu und fragte einen österreichischen Grafen, ob nicht der älteste Hering auch einmal neu gewesen wäre? »Vorzüge adeln, nicht Jahre« – setzte er hinzu.

Tutti aß zwar unser Künstler auch mit, sich von andern Künstlern unterscheidend, die hierin eine lächerlich-vornehme Zurückhaltung zu beobachten pflegen; doch wie natürlich versparte er seine meiste Kraft auf die Solos. Wenn er nach einem Halte in Kadenzen, die gewöhnlich eine große Schüssel Apfelkompott als langatmiger Triller schloß, sich ganz seiner freien Phantasie überlassen durfte, dann wurde auch der kälteste Mensch hingerissen. Wie aber die Zeit, die während des Tellerwechselns und Auf- und Abtragens der Gerichte verloren geht, benutzt werden könnte, zeigte unser Eßkünstler zur Beschämung aller Tischgenossen.

Ich weiß nicht, ob es ein passendes Gleichnis ist, wenn ich sage: Mehlspeisen sind die Adagios der Tischsymphonien; aber passend oder nicht, unser Künstler war hierin unerreichbar. Sobald die süße Schüssel auf der Schwelle der Saaltüre erschien, machte er ganz kleine Augen, um seine Sehkraft zu verstärken. Er hatte dieses optische Verfahren nicht aus Hallers Physiologie gelernt, sondern an mehreren europäischen Höfen, wo die Fürsten ihre Augen und Ohren bis auf eine kleine Öffnung verschließen, oder, was in der Berechnung auf eines herauskommt, wo sie nur wenige Höflinge sehen und anhören, um deutlicher zu vernehmen, was das Volk braucht und wünscht. Er machte also solche Hofaugen. Bis die Schüssel an seine Person kam, sprach er laut und viel, um gleich Frauenzimmern während eines Donnerwetters seine Angst zu betäuben. Er lachte mit sichtlicher Anstrengung. Endlich kam sie, und seine Brust war frei. Er schnitt sich ein Stück von mittlerer Größe ab, das er, ehe er es aus der Schüssel nahm, einige Male darin umdrehte, angeblich, es von allen Seiten zu beschauen, im Grunde aber, um es recht innig mit Sauce zu durchtränken. Dann überschüttete er es völlig, und wenn beim Schöpfen der Sauce noch etwas Solides im Löffel blieb, so war das schwer zu vermeiden.

Freilich fiel ihm dann immer bei, die anwesenden Engländer möchten seine Anhänglichkeit an das Kontinentalsystem übelnehmen, und um diese zu täuschen, goß er so lange Sauce in den Teller, bis kein Land mehr zu sehen war. Doch gelang ihm dieses nicht immer, und mehrere Male ragte ein Berg Ararat von Mandeln und Rosinen über der Flut empor. Während des Essens der Mehlspeise war er nachdenkend und in sich gekehrt, und man sah ihn nicht selten schmerzhaft lächeln. War das erste Drittel der Puddingportion verzehrt (denn er teilte seine Speiseportionen von allen Gerichten in drei Teile ab, weil die Teller zu klein waren, die ganze Portion auf einmal zu fassen), dann ließ er sich zum zweitenmal die Schüssel reichen, was gerade nichts Besonderes war. Beim drittenmal aber gebrauchte er List und rief dem Kellner zu, er wolle nur noch ein bißchen Sauce. Hatte er ihn aber herbeigelockt, dann lachte er ihn aus und griff auch zum übrigen.

Nur deutsche Philister sind imstande, einen großen Mann zu bewundern, ohne ihn zu lieben. Daß große Männer auch immer gut sind, offenbarte unser Künstler

in mehreren schönen Zügen. Nie schlug er eine Bitte unbedingt ab; konnte er sie nicht gewähren, so gab er wenigstens Hoffnung. Trug ihm der Kellner eine Schüssel vor, die er zurückweisen mußte, weil er zu beschäftigt war, sagte er: »Jetzt nicht, aber später, mein Freund!« Ein rührender Zug seines sanften Herzens war folgender: Eines Mittags wurde ihm zwischen dem Braten und dem Dessert noch einmal Suppe vorgesetzt, weil ihn der Kellner von hinten mit einem Gaste verwechselte, der eben erst in den Saal getreten und sich an den Tisch gesetzt hatte. Unser edler Künstler, um dem Kellner die Beschämung und die Vorwürfe des Wirts zu ersparen, hatte die Großmut, die Suppe zu essen, als wäre sie für ihn bestimmt gewesen. In allen Dingen war er ausgezeichnet. So teilte er die Unart der meisten Gäste nicht, welche die großen Krebse auswählten und die kleinen in der Schüssel liegen ließen – er nahm die kleinen auch ... Der eingeführten lächerlichen Sitte, in eine Pastete von oben einzudringen und so gleichsam in ein Haus durch das Dach zu steigen, trotzte er mutig. Er machte zweckmäßiger zwei Seitenöffnungen gegeneinander über. Durch die Vordertüre steckte er den Löffel und trieb das Wild und Geflügel nach der Hintertüre, wo er es mit Leichtigkeit auffing... Die Geschicklichkeit, mit welcher er einen Rebhuhnkopf trepanierte, hatte ihresgleichen nicht... Einen Prachthecht von seltener Größe nahm er ungeteilt vor sich, so daß der Fisch nur mit dem Leibe seinen eigenen Teller bedeckte, mit dem Kopf aber über den Teller seines rechten, und mit dem Schwanze über den seines linken Nachbarn hinausreichte, welches ein imposanter Anblick war.
Man wird sich wundern zu hören, daß unser Künstler von den verschiedenen Bratensorten nur gewöhnlich viel aß, da allgemein bekannt ist, daß gerade diese Art Speisen bei wahren Kennern in großem Ansehen stehen. Aber der Meister betrat überall eine neue Bahn,

und wie er selbst unnachahmlich war, so ahmte er auch niemals andere nach. Wie gesagt, er aß die Braten als Dilettant und benutzte die Muße, die er dadurch gewann, um sich auf das Dessert würdig vorzubereiten. Von diesem stellte er eine ganz neue Theorie auf, wodurch das bisherige System ganz über den Haufen geworfen wird. Ich werde mich bemühen, diese neue Theorie unseres Künstlers in das klarste Licht zu setzen, und man wird erstaunen, daß die falsche Ansicht vom Dessert sich so viele Jahrhunderte hat behaupten können.
Joseph in Ägypten, den meine Leser, wenn auch nicht aus der Bibel, doch gewiß aus Méhuls Oper kennen, war in den Jahren der Fruchtbarkeit auf die künftigen Jahre der Hungersnot bedacht und ließ, als guter Staatsverwalter, Vorratskammern anlegen. Ich weiß nicht, ob sich unser Künstler gegen eine Frau Potiphar so streng benommen hätte als der keusche Joseph, aber in der Nationalökonomie blieb er hinter dem Sohne der Rahel nicht zurück. Auch ihn machte der Überfluß bei Tische nicht sorglos, er gedachte der sieben magern Nachmittagsstunden und traf seine Maßregeln. Ein glücklicher Umstand, der Brand von Moskau, trug viel dazu bei, ihn auf den Weg der Weisheit zu führen. Der Künstler hatte in den ewig denkwürdigen Jahren 1814 und 1815 für die gute Sache gefochten und aus dem glorreichen Freiheitskampfe die wahre Ansicht vom Dom zu Köln, das Hep Hep und die Sprachreinigkeit als Beute des Sieges mit in die Heimat gebracht. Er war es, der den Vorschlag machte, der Bundestag solle sich nicht eher versammeln, als bis der Dom zu Köln ausgebaut wäre, um dann darin Platz zu nehmen, und jeder wahre Freund des deutschen Vaterlandes muß bedauern, daß dieser Vorschlag nicht zur Ausführung kam und daß sich der Bundestag früher versammelte. Er war es, der die Judenverfolgungen in den Gang brachte, um Freiheit und Gleichheit einzuführen, und ihm hat man zu

verdanken, daß die Sekte der Puristen sich so allgemein verbreitet hat. Er jagte alle französischen Wörter über den Rhein zurück, und selbst das sanfte Dessert konnte seinem Hasse nicht entgehen; er sagte dafür Nachtisch. Nachtisch! Möchte man doch immer der ursprünglichen Bedeutung der Worte nachforschen, dann wäre es leicht, sich über die wahre Beschaffenheit aller Dinge zu verständigen! Was heißt Nachtisch! Nachtisch heißt dasjenige Essen, welches nicht bei Tische, sondern nach Tische verzehrt wird. Unser Künstler war nun nach dem zweiten Pariser Frieden gar nicht mehr zweifelhaft über das, was ihm als deutschem Manne zu tun oblag, er aß den Nachtisch nach Tische. Um aber die neue Institution so fester zu begründen, gab er ihr eine historische Basis. Er aß daher, gleich den übrigen Gästen, sein Dessert noch bei Tische; war dieses aber geschehen, so häufte er seinen Teller zum zweiten Male mit Kuchen und Früchten an und ließ dieses durch den Kellner auf sein Zimmer tragen, um es in den Nachmittagsstunden zu verspeisen.

Fehler wie Vorzüge, Laster wie Tugenden, Wahrheiten wie Irrtümer hangen unter sich zusammen und ziehen sich nach. Unser Künstler gab einen neuen Beweis hievon. Kaum war ihm über die wahre Bestimmung des Nachtisches ein Licht aufgegangen, so schritt er auf der Bahn der neuen Entdeckung weiter, bildete das System aus und wandte es noch auf andere Verhältnisse des Lebens an. Daß er, sich unterscheidend von den übrigen Gästen, seine Serviette unter das Kinn fest band, konnte mich nicht überraschen; denn von einem solchen Mann ließ sich nicht anders erwarten, als daß er die alte Sitte, Weste und Beinkleider zu schonen, beibehalten werde. Daß er aber die genannte Serviette, die während dem Gedränge des Essens herabfiel, zur Zeit, wenn das Dessert kam und andere Gäste ihre Serviette zulegten, von neuem unter dem Kinn befestigte, mußte mir auffallen.

Ich dachte gleich: dahinter steckt was – und es stak wirklich etwas dahinter, wie sich zeigen wird. Er spielte nämlich während der ganzen Mahlzeit, sooft es ihm seine Geschäfte erlaubten, mit der rechten Hand hinter der Serviette, zog sie aber häufig hervor und zeigte, daß sie hohl war. Hierdurch gewöhnte er die Zuschauer an diesen Anblick, so daß sie zuletzt gar nicht mehr darauf sahen. Kam nun das Dessert, dann nahm er ein großes Stück Brot vor sich, wovon er aber nur wenige Brosamen zu der Torte aß. Er ließ das Brotstück auf dem Tischtuche artige Purzelbäume machen, dann zog er das Schnupftuch aus der Tasche und bediente sich dessen mit vielem Geräusche. Er ahmte hierin glücklich den Taschenspielern nach, die, wenn sie einen großen Streich vorhaben, die Ohren der Zuschauer zu beschäftigen suchen. Ich paßte auf. Husch, hatte er die rechte Hand mit dem Brote hinter der Serviette, und von da brachte er es unbemerkt in die Tasche, worauf er dann das Schnupftuch wieder einsteckte. Auf dieselbe Art praktizierte er einige Birnen in die Tasche; jedoch hat man dieses letztere Stück schon von Pinetti gesehen. So wendete unser Künstler die Theorie des Nachtischs auch auf andere Lebensmittel an.

Ach, die menschliche Natur ist nie vollkommen! Die größten Männer haben ihre Schwächen, und auch unser Künstler war nicht frei davon. Ich hatte gestern in einem Anfalle von übler Laune in mein Tagebuch geschrieben: »Und sei eine Frau noch so kluge Wirtschafterin, sie versteht nur die Küche; der Keller ist – um mich artig und architektonisch auszudrücken – unter ihrem Verstande.« Diese Bemerkung galt der Frau von Staël; aber treffender hätte ich sie auf unsern Eßkünstler anwenden können. Vom Weine hatte er gar keine Kenntnisse, und er trank nur wenige Gläser. Doch hielt er für diese Schwäche durch seine Herzensgüte wieder schadlos, indem er, um zu verbergen, daß ihm der Wein

nicht schmecke, was den Wirt hätte kränken können, den übriggelassenen zugleich mit dem Dessert auf sein Zimmer tragen ließ, wo er ihn wahrscheinlich heimlich ausschüttete.
Napoleon sagte nach seinem Rückzuge aus Rußland: »Vom Erhabenen zum Lächerlichen ist nur ein Schritt.« Die Kellner, welche unsern Eßkünstler bedienten, machten diesen Schritt und fanden dessen Kunstansichten lächerlich. Sie waren nicht allein wegen dieser ihrer Unwissenheit zu bedauern, sondern noch mehr darum, daß sie etwas lächerlich fanden und doch nicht lachen durften. Ich konnte ohne das innigste Mitleid nicht sehen, wie diese armen Menschen sich quälen mußten, um die Konvulsionen ihres Gesichtes zu verbergen und denjenigen Anstand zu beobachten, den jeder Gast von einem loyalen Kellner fordern kann.

HEINRICH HEINE
(1797–1856)

# Ein neues Athen

Daß man aber die ganze Stadt ein neues Athen nennt, ist, unter uns gesagt, etwas ridikül, und es kostet mich viele Mühe, wenn ich sie in solcher Qualität vertreten soll. Dieses empfand ich aufs tiefste in dem Zweigespräch mit dem Berliner Philister, der, obgleich er schon eine Weile mit mir gesprochen hatte, unhöflich genug war, alles attische Salz im neuen Athen zu vermissen.
»Des«, rief er ziemlich laut, »gibt es nur in Berlin. Da nur ist Witz und Ironie. Hier gibt es gutes Weißbier, aber wahrhaftig keine Ironie.«
»Ironie haben wir nicht« – rief Nannerl, die schlanke Kellnerin, die in diesem Augenblick vorbeisprang – »aber jedes andre Bier können Sie doch haben.«
Daß Nannerl die Ironie für eine Sorte Bier gehalten, vielleicht für das beste Stettiner, war mir sehr leid, und damit sie sich in der Folge wenigstens keine solche Blöße mehr gebe, begann ich folgendermaßen zu dozieren: »Schönes Nannerl, die Ironie is ka Bier, sondern eine Erfindung der Berliner, der klügsten Leute von der Welt, die sich sehr ärgerten, daß sie zu spät auf die Welt gekommen sind, um das Pulver erfinden zu können, und die deshalb eine Erfindung zu machen suchten, die ebenso wichtig und eben denjenigen, die das Pulver nicht erfunden haben, sehr nützlich ist. Ehemals, liebes Kind, wenn jemand eine Dummheit beging, was war da zu tun? das Geschehene konnte nicht ungeschehen gemacht werden, und die Leute sagten: der Kerl war ein Rindvieh. Das war unangenehm. In Berlin, wo man am klügsten ist und die meisten Dummheiten begeht, fühlte man am tiefsten diese Unannehmlichkeit. Das

Ministerium suchte dagegen ernsthafte Maßregeln zu ergreifen: bloß die größeren Dummheiten durften noch gedruckt werden, die kleineren erlaubte man nur in Gesprächen, solche Erlaubnis erstreckte sich nur auf Professoren und hohe Staatsbeamte, geringere Leute durften ihre Dummheiten bloß im verborgenen laut werden lassen; – aber alle diese Vorkehrungen halfen nichts, die unterdrückten Dummheiten traten bei außerordentlichen Anlässen desto gewaltiger hervor, sie wurden sogar heimlich von oben herab protegiert, sie stiegen öffentlich von unten hinauf, die Not war groß, bis endlich ein rückwirkendes Mittel erfunden ward, wodurch man jede Dummheit gleichsam ungeschehen machen und sogar in Weisheit umgestalten kann. Dieses Mittel ist ganz einfach und besteht darin, daß man erklärt, man habe jene Dummheit bloß aus Ironie begangen oder gesprochen. So, liebes Kind, avanciert alles in dieser Welt, die Dummheit oder Ironie, verfehlte Speichelleckerei wird Satire, natürliche Plumpheit wird kunstreiche Persiflage, wirklicher Wahnsinn wird Humor, Unwissenheit wird brillanter Witz, und du wirst am Ende noch die Aspia des neuen Athens.«

Ich hätte noch mehr gesagt, aber das schöne Nannerl, das ich unterdessen am Schürzenzipfel festhielt, riß sich gewaltsam los, als man von allen Seiten »A Bier! A Bier!« gar zu stürmisch forderte. Der Berliner aber sah aus wie die Ironie selbst, als er bemerkte, mit welchem Enthusiasmus die hohen schäumenden Gläser in Empfang genommen wurden; und indem er auf eine Gruppe Biertrinker hindeutete, die sich den Hopfennektar von Herzen schmecken ließen und über dessen Vortrefflichkeit disputierten, sprach er lächelnd: »Das wollen Athenienser sein?«

Die Bemerkungen, die der Mann bei dieser Gelegenheit nachschob, taten mir ordentlich weh, da ich für unser neues Athen keine geringe Vorliebe hege, und ich bestrebte mich daher, dem raschen Tadler zu bedeuten: daß wir erst seit kurzem auf den Gedanken gekommen sind, uns als ein neues Athen aufzutun, daß wir erst junge Anfänger sind, und unsere großen Geister, ja unser ganzes gebildetes Publikum noch nicht danach eingerichtet ist, sich in der Nähe sehen zu lassen. »Es ist alles noch im Entstehen, und wir sind noch nicht komplett. Nur die untersten Fächer, lieber Freund«, fügte ich hinzu, »sind erst besetzt, und es wird Ihnen nicht entgangen sein, daß wir z. B. an Eulen, Sykophanten und Phrynen keinen Mangel haben. Es fehlt uns nur an dem höhern Personal, und mancher muß mehrere Rollen zu gleicher Zeit spielen. Z. B. unser Dichter, der die zarte griechische Knabenliebe besingt, hat auch die aristophanische Grobheit übernehmen müssen; aber er kann alles machen, er hat alles, was zu einem großen Dichter gehört, außer etwa Phantasie und Witz, und wenn er viel Geld hätte, wäre er ein reicher Mann. Was uns aber an Quantität fehlt, das ersetzen wir durch Qualität. Wir haben nur einen großen Bildhauer, – aber es ist ein ›Löwe‹! Wir haben nur einen großen Redner, aber ich bin überzeugt, daß Demosthenes über den Malzaufschlag in Attika nicht so gut donnern konnte. Wenn wir noch keinen Sokrates vergiftet haben, so war es wahrhaftig nicht das Gift, welches uns dazu fehlte. Und wenn wir noch keinen eigentlichen Demos, ein ganzes Demagogenvolk besitzen, so können wir doch mit einem Prachtexemplare dieser Gattung, mit einem Demagogen von Handwerk aufwarten, der ganz allein einen ganzen Demos, einen ganzen Haufen Großschwätzer, Maulaufsperrer, Poltrons und sonstigen Lumpengesindels, aufwiegt – und hier sehen Sie ihn selbst.«

Ich kann der Versuchung nicht widerstehen, die Figur, die sich uns jetzt präsentierte, etwas genauer zu bezeichnen. Ob diese Figur mit Recht behauptet, daß ihr Kopf etwas Menschliches habe und sie daher juristisch befugt sei, sich für einen Menschen auszugeben, das lasse ich dahingestellt sein. Ich würde diesen Kopf vielmehr für den eines Affen halten; nur aus Courtoisie will ich ihn für menschlich passieren lassen. Seine Bedeckung bestand aus einer Tuchmütze, in der Form ähnlich dem Helm des Mambrin, und steifschwarze Haare hingen lang herab und waren vorn à l'enfant gescheitelt. Auf diese Vorderseite des Kopfes, die sich für ein Gesicht ausgab, hatte die Göttin der Gemeinheit ihren Stempel gedrückt, und zwar so stark, daß die dort befindliche Nase fast zerquetscht worden; die niedergeschlagenen Augen schienen diese Nase vergebens zu suchen und deshalb betrübt zu sein; ein übelriechendes Lächeln spielte um den Mund, der überaus liebreizend war und durch eine gewisse frappante Ähnlichkeit unseren griechischen After-Dichter zu den zartesten Ghaselen begeistern konnte. Die Bekleidung war ein altdeutscher Rock, zwar schon etwas modifiziert nach den dringendsten Anforderungen der neueuropäischen Zivilisation, aber im Schnitt noch immer erinnernd an den, welchen Arminius im Teutoburger Walde getragen, und dessen Urform sich unter einer patriotischen Schneidergesellschaft ebenso geheimnisvoll traditionell erhalten hat wie einst die gotische Baukunst unter einer mystischen Maurergilde. Ein weißgewaschener Lappen, der mit dem bloßen, altdeutschen Halse tiefbedeutsam kontrastierte, bedeckte den Kragen dieses famosen Rokkes, aus seinen langen Ärmeln hingen lange schmutzige Hände, zwischen diesen zeigte sich ein langweiliger Leib, woran wieder zwei kurzweilige Beine schlotterten – die ganze Gestalt war eine katzenjämmerliche Parodie des Apoll von Belvedere.

»Und des ist der Demagog des neuen Athens?« frug spottlächelnd der Berliner. »Du juter Jott, des is ja ein

Landsmann von mich! Ich traue kaum meinen leiblichen Augen – des ist ja derjenige, welcher – Nee, des ist die Möglichkeit!«

»Ja, ihr verblendeten Berliner«, sprach ich, nicht ohne Feuer, »ihr verkennt eure heimischen Genies, und steinigt eure Propheten. Wir aber können alles gebrauchen!«

»Und wozu braucht ihr denn diese unglückliche Fliege?«
»Er ist zu allem zu gebrauchen, wozu Springen, Kriechen, Gemüt, Fressen, Frömmigkeit, viel Altdeutsch, wenig Latein und gar kein Griechisch nötig ist. Er springt wirklich sehr gut übern Stock; macht auch Tabellen von allen möglichen Sprüngen und Verzeichnisse von allen möglichen Lesarten altdeutscher Gedichte. Dazu repräsentiert er die Vaterlandsliebe, ohne im mindesten gefährlich zu sein. Denn man weiß sehr gut, daß er sich von den altdeutschen Demagogen, unter welchen er sich mal zufällig befunden, zu rechter Zeit zurückgezogen, als ihre Sache etwas gefährlich wurde und daher mit den christlichen Gefühlen seines weichen Herzens nicht mehr übereinstimmte. Seitdem aber die Gefahr verschwunden, die Märtyrer für ihre Gesinnung gelitten, fast alle sie von selbst aufgegeben und sogar unsere feurigsten Barbiere ihre deutschen Röcke ausgezogen haben, seitdem hat die Blütezeit unseres vorsichtigen Vaterlandsretters erst recht begonnen; er allein hat noch das Demagogenkostüm und die dazu gehörigen Redensarten beibehalten; er preist noch immer Arminius den Cherusker und Frau Thusnelda, als sei er ihr blonder Enkel; er bewahrt noch immer seinen germanisch-patriotischen Haß gegen welsches Babeltum, gegen die Erfindung der Seife, gegen Tierschs heidnisch-griechische Grammatik, gegen Quinctilius Varus, gegen Handschuh' und gegen alle Menschen, die eine anständige Nase haben; – und so steht er da als wandelndes Denkmal einer untergegangenen Zeit, und

wie der letzte Mohikan ist auch er allein übrig geblieben von einer ganzen tatkräftigen Horde, er, der letzte Demagoge. Sie sehen also, daß wir im neuen Athen, wo es noch ganz an Demagogen fehlt, diesen Mann brauchen können, wir haben in ihm einen sehr guten Demagogen, der zugleich so zahm ist, daß er jeden Speichelnapf beleckt und aus der Hand frißt, Haselnüsse, Kastanien, Käse, Würstchen, kurz, alles frißt, was man ihm gibt; und da er jetzt einzig in seiner Art, so haben wir noch den besonderen Vorteil, daß wir späterhin, wenn er krepiert ist, ihn ausstopfen lassen und als den letzten Demagogen mit Haut und Haar für die Nachwelt aufbewahren können. Ich bitte Sie jedoch, sagen Sie das nicht dem Professor Lichtenstein in Berlin, der ließe ihn sonst für das zoologische Museum reklamieren, welches Anlaß zu einem Kriege zwischen Preußen und Bayern geben könnte, da wir ihn auf keinen Fall ausliefern werden. Schon haben die Engländer ihn aufs Korn genommen und zweitausendsiebenhundertsiebenundsiebzig Guineen für ihn geboten, schon haben die Österreicher ihn gegen die Giraffe eintauschen wollen; aber unser Ministerium soll geäußert haben: der letzte Demagog ist uns für keinen Preis feil, er wird einst der Stolz unseres Naturalienkabinetts und die Zierde unserer Stadt.«

Der Berliner schien etwas zerstreut zuzuhören, schönere Gegenstände hatten seine Aufmerksamkeit in Anspruch genommen, und er fiel mir endlich in die Rede mit den Worten: »Erlauben Sie gehorsamst, daß ich Sie unterbreche, aber sagen Sie mir doch, was ist denn das für ein Hund, der dort läuft?«

»Das ist ein anderer Hund.«

»Ach, Sie verstehen mich nicht, ich meine jenen großen, weißzottigen Hund ohne Schwanz!«

»Mein lieber Herr, das ist der Hund des neuen Alcibiades.«

»Aber«, bemerkte der Berliner, »sagen Sie mir doch, wo ist denn der neue Alcibiades selbst?«
»Aufrichtig gestanden«, antwortete ich, »diese Stelle ist noch nicht besetzt, und wir haben erst den Hund.«

WILHELM HAUFF
(1802–1827)

# Die Bücher und die Leserwelt

*Die Leihbibliothek*

Als ich noch in –n lebte, gehörte es zu meinen Vormittagsvergnügungen, in eine Leihbibliothek zu gehen; nicht um Bücher auszuwählen, – denn die Sammlung bestand aus vier- bis fünftausend Bänden, die ich größtenteils zwei Jahre zuvor in einer langen Krankheit durchblättert hatte – sondern um zu sehen, wie die Bücher ausgewählt werden. Ich trug mich damals mit dem sonderbaren Gedanken, ein Buch zu schreiben; ich hatte noch keinen bestimmten Gegenstand oder Zweck und war noch sehr unentschieden, nach welchem großen Meister ich mein erstes Stück verfertigen sollte. An den innern Wert des künftigen Buches dachte ich zwar mit unbehaglichem Gefühl; denn unter allen meinen Gedanken war ich bis jetzt auf keinen gestoßen, der sich, selbst mit Schwabacher Lettern gedruckt, schön ausgenommen hätte; doch schien mir das Größte und Notwendigste für einen, der ein Buch machen will, daß er die Menschen studiere, nicht um Menschenkenntnis zu sammeln, – die lernt man jetzt in Büchern – sondern um den Leuten abzusehen, was etwa am meisten Beifall finde, oft und gern gelesen werde. Vox populi, vox Dei, dachte ich, gilt auch hier. So aß ich denn manchen Vormittag in der Bibliothek, um die Leser und ihre Neigungen zu studieren. Der Bibliothekar war ein alter, kleiner Mann, der in den zehn Jahren, die ich in seiner Nähe lebte, beständig einen apfelgrünen Frack, eine gelbe Weste und blaue Beinkleider trug. Ich suchte ihm zu beweisen, daß er seinen Anzug nicht greller und abgeschmackter hätte wählen können; er brach aber, nachdem ich einiges Schlagende aus der Farbenlehre vorgebracht hatte, in Tränen aus und versicherte mir, er trage sich so und werde sich bis an sein Ende so tragen, denn von diesen Farben sei sein Hochzeitskleid gewesen, das er sich sechs Wochen vor der Hochzeit und leider zu früh habe verfertigen lassen, denn die Braut sei schnell am Nervenfieber gestorben. Der Bibliothekar hatte in seinem Fach eine vieljährige Erfahrung, und interessant war, was er zuweilen darüber äußerte. »Morgens«, sagte er mir zum Beispiel, »morgens werden am meisten Bücher ausgetauscht; das ist die Zeit der zweiten und dritten Teile. Es kommt nicht daher, wie ich anfänglich glaubte, daß zu dieser Zeit die Bedienten und Kammermädchen ihre Ausgänge in die Stadt machen –, denn dann müßte sich dieses Verhältnis auch auf erste Teile erstrecken – nein, es kommt vom Nachtlesen her.«

»Vom Nachtlesen?« fragte ich verwundert.

»Davon, meine ich, daß die Leute interessante Bücher bei Nacht lesen. Ein großer Teil der Menschen, die jungen und ganz gesunden ausgenommen, kann nicht in derselben Minute einschlafen, wo sie zu Bette gehen. Zum Opium mag man nicht greifen, weil man damit, einmal angefangen, fortfahren muß; da gibt es nun kein besseres Mittel, als zu lesen.«

»Gut, ich verstehe«, erwiderte ich; »aber Sie sagten ja selbst von interessanten Büchern: Sind denn diese zum Einschläfern eingerichtet?«

»Nicht alle und nicht für alle; natürlich muß man unterscheiden, für wen dies oder jenes interessant sein kann. Sie kennen die Gräfin Winklitz? Nun, die kann am längsten nicht einschlafen; mich dauert nur das Kammermädchen, das ihr jede Nacht oft bis zwei Uhr vorlesen muß. Nun gebe ich einmal aus Irrtum dem Mädchen Görres' ›Deutschland und die Revolution‹ mit – Sie wissen, für den Kenner gibt es nichts Interessanteres – acht Nächte haben sie daran gelesen, und doch hat es nur 190 Seiten, und jedesmal ist die Gräfin um elf Uhr eingeschlafen. Das Mädchen wußte mir Dank für das ›schläfrige Buch‹. Kommt, um Ihnen nur noch ein Beispiel zu geben, kommt zu meinem großen Erstaunen der alte Professor Wanzer, der über Mathematik liest, in meinen Laden. Er habe seit zwanzig Jahren nichts Belletristisches mehr gelesen als zuweilen die Traueranzeigen im Merkur, und nun wünsche er doch wieder eine Übersicht über das zu bekommen, was einstweilen Gutes geschrieben worden. Ich fragte ihn, ob er von Walter Scott etwas gelesen. Er erinnert sich, von dem berühmten Mann gehört zu haben, und nimmt ›Ivanhoe‹ mit, Ivanhoe, diese herrliche Geschichte! Den andern Tag kommt er ganz verdrießlich, wirft mir ein paar Groschen und den Scott auf den Tisch und sagt, die Rittergeschichten, die er in seiner Jugend gelesen, seien bei weitem schöner gewesen; er sei schon über dem ersten Teil eingeschlafen, bitte Sie ums Himmels willen, über ›Ivanhoe‹ eingeschlafen!«

»Aber wie hängt dies mit Ihren Beobachtungen über die zweiten und dritten Teile zusammen?« unterbrach ich ihn.

»Nun, wir sprachen gerade von interessanten Büchern, und da kam ich auf die Gräfin und den Professor. Kommt aber ein interessantes Buch an den rechten Mann, so geht es, wie wenn ein Pferd flüchtig wird. Abends war man im Theater oder in Gesellschaft, man hat nachher gut zu Nacht gespeist und rüstet sich nun, zu Bette zu gehen. Die Lampe auf dem Tische am Bette ist angezündet, das Mädchen oder der Bediente hat einen ersten Teil zurecht gelegt; alles ist in Ordnung, nur der Schlaf will noch nicht kommen. Man rückt die Lampe näher, man nimmt das Buch in die Rechte, stützt den linken Ellbogen in die Kissen und schlägt das Titelblatt auf. Sagt der Titel dem Leser zu, hat er sich über das erste oder, wie ich's nenne, Geburtsschmerzenkapitel hinüber gewunden, so geht es rasch vorwärts, die Augen jagen über die Zeilen hin, die Blätter fliegen, und solch ein rechter Nachtleser reitet einen Teil ohne Mühe in zwei Stunden hinaus. Gewöhnlich ist der Schluß der ersten Teile eingerichtet wie die Schlußszenen der ersten Akte in einem Drama. Der Zuschauer muß in peinlicher Spannung auf den nächsten Akt lauern. Unzufrieden, daß man nicht auch den zweiten Teil gleich zur Hand hat, und dennoch angenehm unterhalten, schläft man ein; den nächsten Morgen aber fällt der erste Blick auf das gelesene Buch, man ist begierig, wie es dem Helden, der am Schluß des ersten Teils entweder gerade ertrunken ist oder ein sonderbares Pochen an der Türe hörte und soeben ›herein!‹ rief, weiter ergehen werde, und wenn ich um acht Uhr meinen Laden öffne, stehen die Johanns, Friedrichs, Katharinen, Babetten schon in Scharen vor der Türe, weil gnädiges Fräulein, ehe sie eine englische Stunde hat, der Herr Rittmeister, ehe die Schwadron spazieren reitet, die Frau Geheimrätin, ehe sie Toilette macht, noch einige Kapitel im folgenden Teil des höchst interessanten Buches lesen möchten.«

### Geschmack des Publikums

»O, daß ich auch einer der Glücklichen wäre«, dachte ich, als jetzt die Leihbibliothek sich öffnete und ein Gemisch von bordierten Bedientenhüten und hübschen Mädchengesichtern sich zeigte, »einer jener Glücklichen, deren zweiter Teil mit zu großer Sehnsucht erwartet wird!« Nicht ohne Neid blickte ich auf die Bände, die der kleine Bibliothekar mit der wichtigen Miene eines Bäckers zur Zeit einer Hungersnot verteilte. – Er hatte die dringendsten Kunden befriedigt, das Geld oder die Leseschulden eingeschrieben, und ich konnte jetzt eine wichtige Frage an ihn richten, die mir schon lange auf den Lippen schwebte, die Frage über den Geschmack des Publikums.

»Er ist so verschieden«, antwortete er, »und ist oft so sonderbar als der Geschmack an Speisen. Der eine will süße, der andere gesalzene, der eine Seefische, Austern und italienische Früchte, der andere nahrhafte Hausmannskost; in einem Punkte stimmen sie aber alle überein: sie wollen gut speisen.«

»Das heißt?«

»Sie wollen unterhalten sein; natürlich, jeder auf seine Weise.« »Aber wer ist der Koch«, rief ich aus, »der für diese verschiedenen und verwöhnten Gaumen das Schmackhafte zubereitet? Wie kann man es allen oder nur vielen recht machen? Denn darin liegt doch der Ruhm des Autors?«

»Sie sind nicht so verwöhnt, als man glaubt«, entgegnete er; »die Mode tut viel, und wenn nur die Schriftsteller fleißiger die Leihbibliotheken besuchten, mancher würde finden, was ihm noch abgeht oder was er zuviel hat. Kann doch keiner ein guter Theaterdichter werden, der nicht mit der ganzen Stadt vor seinem eigenen Stücke sitzt, aufmerksam zuschaut und lauscht, was am meisten Effekt macht.«

Der Mann sprach mir aus der Seele; er hatte ausgesprochen, was auch ich schon lange mir zugeflüstert hatte. »Die Leihbibliotheken studiere, wer den Geist des Volkes kennen lernen will«, fuhr er mit Pathos fort. »Sehen Sie einmal, Bester, jene lange Reihe von Bänden an; die weißen Pergamentrücken sind so rein, als hätte man sie nie oder nur mit Handschuhen angefaßt. Wer ist wohl der Autor, der so vergessen und gleichsam in Ruhestand versetzt dort steht?«

Ich riet auf eine Reisebeschreibung oder auf ein naturhistorisches Werk.

»Letzteren Artikel führen wir gar nicht«, antwortete er wegwerfend; »nein – es ist Jean Paul.«

»Wie!« rief ich mit Schrecken, »ein Mann, der für die Unsterblichkeit geschrieben, sollte schon jetzt vergessen sein? Hat er denn nicht alles in sich vereinigt, was anzieht und unterhält, tiefen Ernst und Humor, Wehmut und Satire, Empfindsamkeit und leichten Scherz?«

»Wer leugnet dies?« erwiderte der kleine Mann. »Alles hat er in sich vereint, um auch die verschiedensten Gaumen zu befriedigen; aber er hat jene Ingredienzien klein gehackt, wunderlich zusammengemischt und mit einer Sauce piquante gekocht; als es fertig war und das Publikum kostete, fand man es wohlschmeckend, delikat; aber es widerstand dem Magen, weil niemand seine Kraftbrühen, den sonderbaren, dunkeln Stil, ertragen konnte. Dort stehen alle seine Gerichte unberührt, und nur einige Gourmands im Lesen nehmen hie und da ein ›Kampanertal‹ oder einen ›Titan‹ nach Hause und schmecken allerlei Feines heraus, das ich und mein Publikum nicht verstehen. Sehen Sie in jener Ecke die lange Reihe mit den neuen grünen Schildchen? Das ist Herder; auch dieser – doch hier kommt ein lebendiges Beispiel die Straße herauf; kennen Sie Fräulein Rosa von Milben?«

»Gewiß; ich sah sie zuweilen und fand in ihr eine Dame von feinstem Geschmack und sehr belesen; zwar etwas empfindsam und idealisch, aber dabei von einer liebenswürdigen Unbefangenheit.«

»Des Fräuleins Kammermädchen wird sogleich eintreten, und da haben Sie die beste Gelegenheit, den feinen, empfindsamen Geschmack jener Dame kennen zu lernen.«

»Ich wollte erraten, von welcher Art ihre Lektüre ist«, erwiderte ich, »etwa ›Rosaliens Nachlaß‹ oder ›Jakobs Frauenspiegel‹, ›Tiedges Urania‹ oder ›Agathokles von Karoline Pichler‹.«

»Stellen Sie sich nur ruhig an jene Seite, wir werden sogleich sehen.«
Ich tat, wie er mir sagte; ich nahm ein Buch aus dem Schrank und stellte mich, scheinbar mit Lesen beschäftigt, in eine Ecke. Das Mädchen trat in das Gewölbe, richtete eine freundliche Empfehlung vom gnädigen Fräulein aus, und sie lasse fragen, ob man denn Nr. 1629 noch immer nicht haben könne.«
»Nicht zu Hause«, antwortete er nach einem flüchtigen Blick auf die Bücherschränke; »hier ist eine andere Nummer für Ihr Fräulein. Sie soll sich gut unterhalten.« Das Mädchen ging. »Schnell einen Katalog«, rief ich, als sich die Türe hinter ihr geschlossen hatte, »lassen Sie mich sehen, was 1629 ist!« Mit ironischem Lächeln reichte mir der Alte den Katalog; ich blätterte eilig, fand, und mein Herz starrte vor Verwunderung; denn Nr. 1629 war – »Leben und Meinungen Erasmus Schleichers von Cramer!« »Wie! Dieses, um wenig zu sagen, gemeine Buch darf Fräulein Rosa, die liebenswürdige Einfalt, lesen?« sprach ich unmutig. »Und wenn keine Gouvernante, keine Mutter ihre Lektüre ordnet, darf sie sich selbst etwas solches erlauben? Doch es ist ein Irrtum, die Zahlen sind falsch aufgeschrieben!« »Wertester Herr«, erwiderte der Bibliothekar, »Sie trauen den Menschen zu viel Gutes zu. Hier ist ein Zettelchen, das ich heimlich aus dem Körbchen des Kammermädchens nahm, Erasmus Schleicher ist es und kein anderer; noscitur ex socio – an deinem Kameraden kennt man dich; hier stehen die übrigen Nummern, nach welchen das Herz des Fräuleins verlangt, vergleichen Sie!«
Zürnend nahm ich das Blättchen, auf welchem zierlich die Worte: »Für Fräulein von Milben«, und eine lange Reihe von Zahlen geschrieben waren. Ich fing mit der ersten Nummer an und fand Leute, welchen freilich die Nachbarschaft des alten Erasmus keine Schande brachte: 1585 »der deutsche Alcibiades«, 2139 »der Geist Erichs

von Sickingen und seine Erlösung«, 2995 »Historien ohne Titel«, 1544 »der Blutschatz« von H. Clauren, 1531–1540 »Scherz und Ernst« von H. Clauren. Nein, weiter mochte ich diese Herzensgeheimnisse nicht entziffern. »Welche Heuchlerin ist dieses Mädchen!« rief ich. »Das ist ihre Lektüre, und ich glaube, sie werde nur die ›Stunden der Andacht‹ lesen!«

»Da müßten Sie wahrhaftig einen guten Teil unserer jungen Damen Heuchlerinnen nennen; denn Clauren und Cramer und dergleichen sind ihre angenehmste Lektüre, und daß sie nicht darüber sprechen, ist noch keine Heuchelei.«

»Aber, mein Gott, warum lesen denn wohlgezogene Leute so schlechte Bücher, von welchen sie ohne Erröten nicht sprechen dürfen? Wahrhaftig, der Umgang mit schlechten Büchern ist oft gefährlicher als der Umgang mit schlechten Menschen.«

»Warum?« entgegnete der Büchermann lachend. »Warum? Das ist einmal der Geschmack der Zeit.«


*Der große Unbekannte*


Ein Bedienter unterbrach uns. »Die Gräfin von Langsdorf läßt sich ein Buch ausbitten«, sprach er.

»Was für eine Nummer?«

»Das hat sie nicht gesagt. Aber ich glaube, sie will eine Geistergeschichte.«

»Geistergeschichte?« fragte der kleine Bibliothekar umhersuchend, »darf es auch eine Rittergeschichte sein? Die Geister sind alle ausgeliehen.«

»Ja, nur etwas recht Schauerliches, das hat sie gerne«, erwiderte der Diener, »so wie letzthin, ›die schwarzen Ruinen‹ oder ›das unterirdische Gefängnis‹; das hat uns sehr gut gefallen.«

»Liest Er denn auch mit?« fragte der kleine Mann mit

Staunen. »Nachher, wenn die Frau Gräfin einen Band durch hat, lesen wir ihn auch im Bedientenzimmer.«
»Gut, will Er lieber ›das Geisterschloß‹, ›die Auferstehung im Totengewölbe‹ oder ›das feurige Racheschwert von Hildebrandt‹?«
»Da tut mir die Wahl weh«, erwiderte er; »was müssen das für schöne Bücher sein! Nu – ich will diesmal ›das feurige Racheschwert‹ nehmen; behalten Sie mir ›das Geisterschloß‹ für das nächste Mal auf.«
Kaum hatte sich der Diener der Gräfin, die gern Schauergeschichten las, entfernt, so trat gemessenen Schrittes ein Soldat ein.
»Für den Herrn Lieutenant Flunker beim fünfzehnten Regiment den blinden Torwart, vom alten Schott.«
»Freund, hat Er auch recht gehört?« fragte der Leihbibliothekar. »Den blinden Torwart, vom alten Schott? Ich kenne keinen Autor dieses Namens.«
»Es soll auch kein Auditor sein«, entgegnete der Soldat vom fünfzehnten, »sondern ein Buch; der Herr Lieutenant sind auf der Wache und wollen lesen.«
»Wohl! Aber vom alten Schott? Es steht weder ein alter, noch ein junger im Katalog.«
»Es ist, glaub ich, derselbe, der so viel gedruckt hat und den sich alle Korporals und Wachtmeister um zwei gute Groschen gekauft haben.«
»Walter Scott!« rief der Kleine mit Lachen. »Und das Buch wird ›Quentin Durward‹ heißen?«
»Ach ja, so wird es heißen!« sprach der Soldat. »Aber ich darf den Herrn Lieutenant nichts zweimal fragen, sonst hätte ich wohl den Namen gemerkt, und er hat sich das undeutliche Sprechen vom Kommandieren angewöhnt.« Er empfing seinen blinden Torwart und ging. Aber der Himmel hatte ihn in diesem Augenblicke in die Leihbibliothek gesandt, und seine Worte hatten einen Lichtstrahl in meine Seele geworfen. »So ist es denn wahr«, sprach ich, »daß die Werke dieses Briten

beinahe so verbreitet sind als die Bibel, daß alt und jung und selbst die niedrigsten Stände von ihm bezaubert sind?«

»Gewiß; man kann rechnen, daß allein in Deutschland sechzigtausend Exemplare verbreitet sind, und er wird täglich noch berühmter. In Scheerau hat man jetzt eine eigene Übersetzungsfabrik angelegt, wo täglich fünfzehn Bogen übersetzt und sogleich gedruckt werden.«

»Wie ist das möglich?«

»Es scheint beinahe so unmöglich, als daß Walter Scott diese Reihe von Bänden in so kurzer Zeit sollte geschrieben haben, aber es ist so; denn erst vor kurzer Zeit hat er sich öffentlich als Autor bekannt; die Fabrik habe ich aber selbst gesehen.« »Wird vielleicht durch Verteilung der Arbeit Zeit gewonnen?« fragte ich.

»Einmal dies«, entgegnete er, »und sodann wird alles mechanisch betrieben; der Professor Lux ist sogar gegenwärtig beschäftigt, eine Dampfmaschine zu erfinden, die Französisch, Englisch und Deutsch versteht; dann braucht man gar keine Menschen mehr. Die Fabrik ist aber folgendermaßen beschaffen: Hinten im Hof ist die Papiermühle, welche unendliches Papier macht, das, schon getrocknet, wie ein Lavastrom in das Erdgeschoß des Hauptgebäudes hinüberrollt; dort wird es durch einen Mechanismus in Bogen zerschnitten und in die Druckerei bis unter die Pressen geschoben. Fünfzehn Pressen sind im Gang, wovon jede täglich zwanzigtausend Abdrücke macht. Nebenan ist der Trockenplatz und die Buchbinderwerkstätte. Man hat berechnet, daß der Papierbrei, welcher morgens fünf Uhr noch flüssig ist, den andern Morgen um elf Uhr, also innerhalb dreißig Stunden, ein elegantes Büchlein wird. Im ersten Stock ist die Übersetzungsanstalt. Man kommt zuerst in zwei Säle; in jedem derselben arbeiten fünfzehn Menschen. Jedem wird morgens acht Uhr ein halber Bogen von Walter Scott vorgelegt, welchen er bis Mittag

drei Uhr übersetzt haben muß. Das nennt man dort ›aus dem Groben arbeiten‹. Fünfzehn Bogen werden auf diese Art jeden Morgen übersetzt. Um drei Uhr bekommen diese Leute ein gutes Mittagsbrot. Um vier Uhr wird jedem wieder ein halber Bogen gedruckte Übersetzung vorgelegt, die durchgesehen und korrigiert werden muß.«
»Aber was geschieht denn mit den übersetzten Bogen vom Vormittag?«
»Wir werden es sogleich sehen. An die zwei Säle stoßen vier kleine Zimmer. In jedem sitzt ein Stilist und sein Sekretär; Stilisten nennt man dort nämlich diejenigen, welche die Übersetzungen der dreißig durchgehen und aus dem Groben ins Feine arbeiten; sie haben das Amt, den Stil zu verbessern. Ein solcher Stilist verdient täglich zwei Taler, muß aber seinen Sekretär davon bezahlen. Je sieben bis acht Grobarbeiter sind einem Stilisten zugeteilt; sobald sie eine Seite geschrieben haben, wird sie dem Stilisten geschickt. Er hat das englische Exemplar in der Hand, läßt sich vom Sekretär das Übersetzte vorlesen und verbessert hier oder dort die Perioden. In einem fünften Zimmer sind zwei poetische Arbeiter, welche die Mottos über den Kapiteln und die im Texte vorkommenden Gedichte in deutsche Verse übersetzen.«
Ich staunte über diesen wunderbaren Mechanismus und bedauerte nur, daß die dreißig Arbeiter und vier Stilisten notwendig ihr Brot verlieren müssen, wenn der Professor Lux die Übersetzungsmaschine erfindet.
»Gott weiß, wie es dann gehen wird«, antwortete der kleine Mann; »schon jetzt kostet das Bändchen in der Scheerauer Fabrik nur einen Groschen; in Zukunft wird man zwei Bändchen um einen Silbergroschen geben, und alle vier Tage wird eines erscheinen.«

## Besuch im Buchladen

Mein Entschluß stand fest. Einen historischen Roman à la Walter Scott mußt du schreiben, sagte ich zu mir, denn nach allem, was man gegenwärtig vom Geschmack des Publikums hört, kann nur diese und keine andere Form Glück machen. Freilich kamen mir bei diesem Gedanken noch allerlei Zweifel; ich mußte die Werke dieses großen Mannes nicht nur lesen, sondern auch studieren, um sie zu meinem Zweck zu benützen. Ein dritter und der mächtigste Zweifel war, ob ich einen Verleger bekommen würde. Ich beschloß daher, ehe ich mich an das Werk selbst machte, die Wege kennen zu lernen, die man bei solchen Geschäften zu gehen hat. Den Buchhändler Salzer und Sohn kannte ich von der Harmonie her; ich steckte zwei Taler zu mir, um ein Buch bei ihm zu kaufen und so seine nähere Bekanntschaft zu machen.

»Ein schönes Buch für zwei Taler?« fragte er. »Was soll es sein? Gedichte?«

»Erzählungen oder ein Roman, Herr Salzer.«

»Um diesen Preis werden Sie nichts Schönes finden«, erwiderte er lachend; »doch hier ist der Katalog.«

»Wie? Nichts Schönes um zwei Taler? Und doch kostet ein Roman von Walter Scott nur zwanzig Groschen!«

»Wenn Sie Übersetzungen haben wollen«, sagte er; »ich dachte, Sie wollten Originale.«

»Aber, mein Gott«, entgegnete ich, »wenn ein guter Roman aus einer andern Sprache nur zwanzig Groschen kostet, warum hält man denn die deutschen Bücher so teuer?«

»Meinen Sie«, erwiderte er unmutig, »wir werden auch noch die Originale um einen Spottpreis wegwerfen? Diese Übersetzungen, diese wohlfeilen Preise werden uns ohnedies bald genug ruinieren. Was ist denn jetzt schon unser schöner Buchhandel geworden? Nichts als ein Verkaufen im Abstreich. Alles soll wohlfeil sein, und so wird alles schlecht und in den Staub gezogen. In jeder Ecke des Landes sitzt einer, der mit wohlfeiler Schnittware handelt, und wir andern, die uns noch dem Verderben entgegenstemmen, gehen darüber zugrunde.«

»Aber wie kann denn diese Veränderung des Handels so großen Einfluß auf Originale oder auf die Buchhandlung üben?«

»Wie?« fuhr er eifrig fort. »Wie? Es ist so klar wie die Sonne; das Publikum wird dadurch verdorben und verwöhnt! Ich streite Scott und den beiden Amerikanern ihr Verdienst nicht ab; sie sind im Gegenteil leider zu gut. Aber jedes Näthermädchen kann sich für ein paar Taler eine Bibliothek klassischer Romane anschaffen. Unnatürlich schnell hat sich die Sucht nach dieser Art von Dichtungen verbreitet, und hunderttausend Menschen haben jetzt durch die Groschenbibliotheken einen Maßstab erhalten, nach welchem sie eigensinnig unsere deutschen Produkte messen.«

»Um so besser für die Welt; wird denn nicht dadurch die Intelligenz und der gute Geschmack verbreitet und das Schlechte verdrängt?«

»Intelligenz und Geschmack, das Bändchen um neun Kreuzer rheinisch!« rief er aus. »O, ich kenne diese schönen Worte! Guter Geschmack! Als ob nur die Leute über dem Kanal guten Geschmack hätten! Intelligenz! Meinen Sie denn, die Menschen denken dadurch vernünftiger, daß sie jetzt alle selbst rezensieren und sagen: Es ist doch nicht so schön als Walter Scott und Cooper und nicht so tief und witzig als Washington Irving? Und welcher Segen für unsere Literatur und den Buchhandel wird aus diesem Samen hervorgehen, den man so reichlich ausstreut? Verkehrtheit der Begriffe und einige schlechte Nachahmungen (wie ich mich schämte bei diesen Worten!) und überdies unser Ruin. Die

Schriftsteller verlangen immer stärkere Honorare; wofür man sonst einen Louisdor zahlte, will man jetzt fünf, und im umgekehrten Verhältnis werden die Bücher weniger gesucht als jemals. Überdies hat auch diese Herren Walter Scotts Fruchtbarkeit angesteckt. Sie sind jetzt sparsam mit Gedanken und verschwenderisch mit Worten. Gedanken, Szenen, Gemälde, die man sonst in den engen Rahmen eines Bändchens fügte, werden auseinandergezogen in zehn, zwölf Bände, damit man mehr Geld verdiene, und was früher vier, fünf hübsche Verse gegeben hätte, wächst jetzt in holperiger Prosa zu ebenso vielen Seiten an.«
»Also geht die gereimte Poesie nicht mehr?«
»Wer will sie kaufen? Privatleute? die sehen vornehm herab und nennen alles Verselei; Gelehrte? die bekommen es vom Autor, damit sie ihn desto gnädiger rezensieren möchten; Leihbibliotheken? die führen nur Romane, weil sie ihr Publikum kennen. Und diese Leihbibliotheken sind noch unser Unglück. Jedes Städtchen hat ein paar solche Anstalten. Das Publikum denkt: Warum sollen wir für ein Buch so viel Geld wegwerfen, wenn wir es in der Leihbibliothek lesen können? Man kauft sich Groschenübersetzungen oder wohlfeile Taschenausgaben, um doch eine Bibliothek zu haben, und der Buchhändler, der ein Buch verlegen will, kann also höchstens noch auf fünfhundert Leihbibliotheken rechnen. Und wenn heute wieder ein Goethe oder ein Schiller geboren würde, man könnte keine fünfhundert Exemplare absetzen; das Publikum hat Glauben, Vertrauen und Lust an unserer Literatur verloren.«
»Und von alledem sollten Scott und die Taschenausgaben die Schuld tragen?«
»Ja! Und diese unselige Zersplitterung durch alle Zweige ist auch mit schuld! Die Schriftsteller zersplittern ihr Talent in Almanachs und Zeitschriften, weil sie dort gut bezahlt werden; das Publikum zersplittert sein Geld

für diese Luxuswaren, weil sie Mode geworden sind; wir selbst überbieten uns; jeder will einen Almanach, eine Zeitschrift haben; und diese Taschenkrebse sind es, die unsere Krebse erzeugen.«
»Aber, Herr Salzer«, sagte ich zu dem Unmutigen, »warum schwimmen Sie gegen den Strom? Warum veranstalten Sie nicht selbst Taschenausgaben? Warum unternehmen Sie keine Zeitschrift? Oder schämen Sie sich vielleicht, selbst mitzumachen?«
»Schämen würde ich mich eigentlich nicht«, erwiderte er nach einigem Nachdenken. »Was ein anderer tut, kann Salzer und Sohn auch tun. Aber ehrlich gestanden, ich fürchte, mit einer Zeitschrift zu spät zu kommen; und wer soll sie schreiben? Etwas Neues muß heutzutage neu, auffallend, pikant sein, wenn es Glück machen soll; so habe ich mich schon lange umsonst auf einen ausgezeichneten Titel besonnen; denn der Titel muß jetzt alles tun. Hätte ich nur hier einige tüchtige Männer vom Fache, eine kritische oder belletristische Zeitschrift sollte bald dastehen; denn ich bin ein unternehmender Geist so gut als einer.«


## Der unternehmende Geist

»Man hat jetzt Morgen-, Mittag-, Abend- und Mitternachtblätter, man hat alle Götter- und Musentitel erschöpft, man sieht sich genötigt, zu den sonderbarsten Namen Zuflucht zu nehmen, will man Aufsehen machen, denn nur der neue Klang ist es, der das Alte, längst Gewöhnte übertönt, und jeder Vernünftige sieht ein, daß eine neue Zeitschrift nicht an und für sich besser ist als die alten. Erzählungen, Gedichte, Kritiken finden sich hier wie dort, und gute Mitarbeiter werden nicht zugleich mit dem Namen des Blattes erfunden.«
»Aber, Herr Salzer«, erwiderte ich, »warum verlassen

denn die Menschen oft die längst bekannten Zeitschriften, um auf ein paar Probeblätter hin eine neue anzuschaffen?«

»Das liegt ganz in unserer Zeit; Veränderung macht Vergnügen, und neue Besen kehren gut«, antwortete er; »so ist einmal das Publikum, wetterwendisch und weiß nicht warum. Kleider machen Leute, und eine hübsche Vignette, ein auffallender Titel tut in der Lesewelt so viel als eine neue Mode in einer Assemblee. Wer diesen Charakter der Menschen recht zu nützen versteht, kann in jetziger Zeit noch etwas machen; hätte ich nur einen Titel!«

»Da unsere Zeitschriften gegenwärtig so vielseitig sein müssen«, sprach ich, »was denken Sie zu dem Titel: Literarisches Hühnerfutter?«

»Wäre nicht so übel; man könnte in der Vignette das Publikum als ein Hühnervolk darstellen, welchem von der Muse kleingeschnittenes Futter vorgestreut wird; aber es geht doch nicht! In dem Futter könnte eine Beleidigung liegen, weil es schiene, als wollte man das Publikum mit dem Abfall von dem großen Mittagstisch der Literatur füttern; geht nicht!«

»Oder etwa – die Abendglocke.«

»Abendglocke? Wahrhaftig! Ei, das ließe sich hören! Es liegt so etwas Sanftes, Beruhigendes in dem Wort. Will mir doch den Gedanken bemerken; aber ein kritisches Beiblatt müßte dazu; ich habe schon gedacht, ob man es nicht ›der Destillateur‹ nennen könnte.«

»Es liegt etwas Wahres in Ihrer Idee«, entgegnete ich; »die Bücher werden allerdings neuerer Zeit durch einen chemischen Prozeß rezensiert oder abgezogen; man destilliert so lange, bis sich das X Geist, das man suchte, verflüchtigt oder bis der gelehrte Chemiker der Welt anzeigen kann, aus welchen verschiedenen Bestandteilen das Gebräue bestand, das er zersetzte; aber das Blatt röche doch zu sehr nach einer Materialhandlung

oder nach gebrannten Wassern; was aber halten Sie von einem ›kritischen Schornsteinfeger‹?«
Der Buchhändler sah mich eine Zeitlang schweigend an und umarmte mich dann voll Rührung. »Ein Fund, ein trefflicher Fund!« rief er. »Was liegt nicht alles in diesem einzigen Wort! Die deutsche Literatur stellt das Kamin vor, unsere Rezensenten die Schornsteinfeger; sie kratzen den literarischen Ruß ab, damit das Haus nicht in Brand gerate. Ein Oppositionsblatt soll es werden. Aufsehen muß es machen, das ist jetzt die Hauptsache; der kritische Schornsteinfeger! Und die Kunstkritiken geben wir unter dem vielversprechenden Titel: ›Der artistische Nachtwächter!‹« Hastig schrieb er sich den Namen auf und fuhr dann fort: »Herr! Sie hat mein Schutzengel in meinen Laden geführt; wenn ich so hinter meinem Arbeitstische sitze, bin ich wie vernagelt; aber schon oft habe ich bemerkt, wenn ich mich ausspreche, kommen mir die Gedanken wie ein Strom. So, als Sie vorhin von Walter Scott und seinem Einfluß sprachen, ging mir mit einemmal eine herrliche Idee in der Seele auf. Ich will einen deutschen Walter Scott machen.«
»Wie? Wollten Sie etwa auch einen Roman schreiben?«
»Ich? O nein, ich habe Besseres zu tun; und einen? Nein, zwanzig! Wenn ich nur meine Gedanken schon geordnet hätte. Ich will mir nämlich einen großen Unbekannten verschaffen, dieser soll aber niemand anders sein als eine Gesellschaft von Romanschreibern; verstehen Sie mich?«
»Noch ist mir nicht ganz klar, wie Sie –«
»Mit Geld kann man alles machen; ich nehme mir etwa sechs oder acht tüchtige Männer, die im Roman schon etwas geleistet haben, lade sie hieher ein und schlage ihnen vor, sie sollen zusammen den Walter Scott vorstellen. Sie wählen die historischen Stoffe und Charaktere aus, beraten sich, welche Nebenfiguren anzubringen wären, und dann –«

»O, jetzt verstehe ich Ihren herrlichen Plan; dann errichten Sie eine Fabrik, etwa wie jene in Scheerau. Sie lassen sich Kupferstiche von allen romantischen Gegenden Deutschlands kommen; die Kostüme alter Zeiten kann man von Berlin verschreiben; Sagen und Lieder finden sich in des Knaben Wunderhorn und andern Sammlungen. Sie setzen ein paar Dutzend junger Leute in Ihr Haus; die Sechseinigkeit, der neue Unbekannte, gibt die Umrisse der Romane, hie und da zeichnet und korrigiert er an einem großartigen Charakter; die vierundzwanzig oder dreißig anderen aber schreiben Gespräche, zeichnen Städte, Gegenden, Gebäude nach der Natur –«

»Und«, fiel er mir freudig ins Wort, »weil der eine mehr Talent für Gegendmalerei, der andere mehr für Kostüms, der dritte für Gespräche, ein vierter, fünfter fürs Komische, andere wieder mehr für das Tragische –«

»Richtig! so werden die jungen Künstler in Gegendmaler, Kostümschneider, Gesprächführer, Komiker und Tragiker eingeteilt, und jeder Roman läuft durch aller Hände wie die Bilder bei Campe in Nürnberg, wo der eine den Himmel, der andere die Erde, jener Dächer, dieser Soldaten zeichnet, wo der erste das Grün, der zweite das Blau, der dritte rot, der vierte gelb malen muß nach der Reihe.«

»Und Einheit, Gleichförmigkeit wird dadurch erreicht, gerade wie in Walter Scott, wo alle Figuren offenbare Familienähnlichkeit haben und eine Taschenausgabe veranstalten wir davon, so wohl als nur möglich; auf vierzigtausend können wir rechnen.«

»Und der Titel soll heißen: ›Die Geschichte Deutschlands von Hermann, dem Cherusker, bis 1830, in hundert historischen Romanen‹!«

Herr Salzer vergoß einige Tränen der Rührung. Nachdem er sich wieder erholt hatte, drückte er mir die Hand. »Nun, bin ich nicht ein so unternehmender Geist als irgend einer?« sprach er. »Was wird dies Aufsehen machen! Aber Sie, Wertgeschätzter, waren mir behilflich, diesen Riesengedanken zu gebären; suchen Sie sich das schönste Buch in meinem Laden aus, und zum Dank sollen Sie – einer der Vierundzwanzig sein!«

## Schluß

So war ich denn durch mein günstiges Geschick in kurzem dahin gelangt, wohin ich mich so lange gesehnt hatte. Jetzt hatte ich nicht mehr nötig, die Leute und ihren Geschmack in einer Leihbibliothek zu studieren, hatte nicht mehr nötig, ängstlich nach Plan und Anordnung eines Werkes oder gar nach vortrefflichen Gedanken umherzusuchen; ich war ein Glied, ein Finger des neuen Unbekannten geworden, durfte schreiben nach Lust und mein Geschriebenes gedruckt lesen. Es ist bekannt, welch großen Erfolg das Unternehmen des Herrn Salzer hatte, und schon längst ist es kein Geheimnis mehr für die Welt, aus welchen Bestandteilen eigentlich der große Unbekannte bestand. Es konnte uns nur schmeicheln, daß man anfänglich auf berühmte und vorzügliche Schriftsteller riet, wie z. B. auf den Professor Lux, der indessen seine Übersetzungsmaschine erfand, den Dichter F. Kempler und andere Treffliche, ja, daß man einen Augenblick sogar Wilibald Alexis trotz seiner bekannten Abneigung gegen die deutsche Geschichte im Verdacht hatte. Längst haben sich jene sehr verdienstvollen Herren genannt, die das Direktorium gebildet haben, und mir bleibt nur noch übrig, einiges von dem Anteil zu erzählen, welchen ich selbst an dem Unternehmen hatte.
Weil ich einige Teile Deutschlands genau kannte, erhielt ich zuerst eine Stelle unter den Gegendmalern. Leider schrieb ich aber in dem Roman »das Konzilium

in Konstanz«: »Leicht und schwebend trug sie der Kahn an den rebenbepflanzten Hügeln hin von Basel nach Konstanz –« Diese Stelle wurde von den sechs Direktoren übersehen, gedruckt, und die Rezensenten und das ganze Publikum wunderten sich höchlich, daß man damals den Rheinfall hinauf gefahren sei, und zur Strafe wurde ich in die Klasse der Gesprächführer versetzt. Gespräche in Wirtshäusern, auf Straßen und Märkten, Händel und Wortstreit wurden mir zugeteilt. In dieser Eigenschaft blieb ich, bis einer der sentimental und heroisch Sprechenden einen großen Fehler machte. Er sagte nämlich: »Die Wolken zogen bald vor, bald hinter dem Mond«; vergebens berief er sich auf die Autorität eines Herrn S..., aus dessen historischem Roman er diese herrliche Stelle entlehnt habe; man erklärte die Worte für widersinnig, weil die Wolken nicht hinter dem Mond vorbeiziehen, und setzte ihn ab; seine Stelle fiel mir zu. In diesem Fache leistete ich mehr als in den beiden andern. So ist z. B. der größte Teil des Romans »der Dom zu Aachen oder die Paladine Karls des Großen« von meiner Hand. Auch in »Barbarossa oder die Hohenstaufen« habe ich etwa zehn Kapitel geschrieben. Meine letzte Arbeit vor Auflösung des Unternehmens war das achte, neunte und fünfzehnte Kapitel in der »Schlacht von Kunersdorf«.
Man hat viel über und gegen dieses großartige Unternehmen, das ich, wiewohl zufällig, ins Leben rief, geschrieben und gesprochen. Wenn man bedenkt, daß in der kurzen Zeit von zwei Jahren fünfundsiebenzig Bände oder fünfundzwanzig Romane aus der Fabrik des deutschen Unbekannten hervorgingen, so muß man zum mindesten den Fleiß und die Ausdauer der Teilnehmer bewundern. Man hat vorgeworfen, daß einige geschichtliche Charaktere gänzlich verzeichnet seien, daß sogar bedeutende Anachronismen vorkommen; aber wie kraftlos erscheint ein solcher Vorwurf gegen

die übrigen Vorzüge des Unternehmens! Sind nicht alle Gegenden so treu geschildert, daß man sieht, man habe nicht die Natur, sondern wirkliche Gemälde abgezeichnet? Haben wir nicht bei den Kleidungen unserer Helden und Damen die Kostüms des pünktlichsten und genauesten Theaters von Europa als Vorlegeblätter vor uns gehabt? Hat nicht Herr Salzer mit schwerem Gelde allerlei altertümliches Hausgerät aus Burgen und Rüstkammern gekauft, damit wir desto richtiger zeichneten?

Das ist historische Wahrheit und Treue, und das ist es auch, was das Publikum verlangt; das übrige, genaue Beachtung der geschichtlichen Charaktere oder Zeiten, ist nur Nebensache; Kleider, Schuhe, Stühle, Häuser usw. wird man in allen fünfundsiebenzig Bänden niemals unwahr finden. Daß nach zwei Jahren schon diese Art von Darstellungen aus der Mode kam, war nicht unsere Schuld; aber leider scheiterte das schöne Unternehmen an der Veränderlichkeit des Publikums. Aus der Mode entstand das Ganze, und mit dem günstigen Wind dieser Mode segelten wir auf dem Strom der Geschichte, und unser Wahlspruch war: »Verletzet eher die Wahrheit der Geschichte, verzeichnet lieber einen historischen Charakter, nur sündiget nie gegen die Mode der Zeit und den herrschenden Geschmack des Publikums!«

JOHANN HERMANN DETMOLD
(1807–1856)

## Die schwierige Aufgabe

Flachsenfingen ist die Haupt- und Residenzstadt eines deutschen Fürstentums, zwar wie das Fürstentum selbst von nur geringem Umfange, aber von desto größerer Bildung. In dieser Beziehung darf Flachsenfingen mit den größten Städten wetteifern. Alle Institute, welche irgend als Symptome von Kultur und Bildung gelten können, sind daselbst vorhanden: Theater, Konzerte, Lese-Zirkel, Leihbibliotheken, Klubs, Vereine und Gesellschaften aller Art. Keines dieser Institute aber hatte mehr Ruf in Flachsenfingen und war gesuchter als der vor einigen Jahren gestiftete *Kunst-Klub*. Derselbe war, wie schon sein Name andeutete, vorzugsweise der Kunst gewidmet, aber nicht einer Kunst allein, sondern allen Künsten, der bildenden Kunst, der Musik, der Poesie usw. Wer sich für irgendeine von diesen Künsten interessierte oder gar eine derselben ausübte und sonst durch seine Stellung, seine Verhältnisse und Ansichten sich dazu paßte, war zur Mitgliedschaft dieses Klubs – versteht sich nach vorhergegangenem Ballottement – geeignet. Auf solche Weise vereinigte dieser Klub alle Notabilitäten der Stadt und bildete – wie sich ein Zeitungsartikel über diesen Klub ausdrückte – »den wahren geistigen Mittelpunkt von Flachsenfingen«. Die Aussprüche des Klubs über künstlerische Leistungen irgendwelcher Art waren für das Urteil des gesamten Publikums entscheidend, doch mißbrauchte die Gesellschaft diese ihre kritische Autorität niemals zum Schlimmen, d. h. zum Tadel, denn da sämtliche einheimischen Künstler Mitglieder des Klubs waren, alle fremden aber sich in denselben einführen ließen, so konnte diesen wie jenen der unbedingte Beifall des Klubs, mithin auch der des Publikums nicht fehlen.

Von Zeit zu Zeit fanden besondere Diners der Klubgesellschaft statt, und zwar in der Regel an dem Geburtstage irgendeines berühmten und in den Künsten ausgezeichneten Mannes, wie Goethe, Mozart, Raphael usw. Über solche Feierlichkeiten wurde dann von einem Klubmitgliede (dessen Name eigentlich ein Geheimnis war, das aber jedermann kannte) in einer auswärtigen Zeitung berichtet, die dabei ausgebrachten Toaste, die gehaltenen Vorlesungen beschrieben u. dgl. m. Es wurden nämlich von Zeit zu Zeit, und zwar vorzugsweise bei dergleichen festlichen Gelegenheiten, von einzelnen Mitgliedern Vorträge über Gegenstände der Kunst u. dgl. gehalten. Obgleich der Klub allen Künsten gewidmet war, so hatten sich doch die bildenden Künste, man wußte selbst nicht recht wie und weshalb, eine Art vorherrschender Geltung verschafft, so daß jene Vorträge, ja selbst die gewöhnlichen Gespräche, kurz, die ganze Richtung des Klubs, vorzugsweise sich diesen zuwandte, vielleicht weil die in dem Klub den Ton angebenden Mitglieder sich vorzugsweise für die bildende Kunst interessierten.

Das Lokal des Klubs (wo sich derselbe wöchentlich dreimal versammelte) befand sich in einem Wirtshause und bestand in einem großen Zimmer, an dessen Wänden die Porträts mehrerer berühmter Schriftsteller und Künstler hingen, namentlich solcher, deren Geburtstag die Gesellschaft festlich zu begehen pflegte. Bei dergleichen Gelegenheiten wurde dann das betreffende Porträt mit einem der Gesellschaft gehörenden (sub. No. 25. des Klub-Inventars verzeichneten) künstlichen Lorbeerkranze geschmückt und außerdem der Anfangsbuchstabe des gefeierten Künstlers in einem zu diesem Zwecke an der Wand besonders angebrachten Kasten transparent erleuchtet. In einem dazu bestimmten

Schranke befanden sich das Archiv der Gesellschaft, die zur demnächstigen Herausgabe bestimmen Manuskripte mehrerer Vorträge, welche von Mitgliedern gehalten worden waren, die Statuten, Protokolle usw., endlich auch das kostbarste Besitztum des Klubs, sein »Album«, ein eleganter Band weißen Papiers in Folio, worin sich Zeichnungen und Denksprüche, sowohl von einheimischen Mitgliedern als namentlich auch von durchreisenden und in den Klub eingeführten Fremden, Schauspielern, Malern, Schriftstellern usw. befanden. Auf dem Schranke, der diese Kostbarkeiten in sich schloß, war die Bibliothek des Klubs aufgestellt, mehrere Bücher über Kunst u. dgl., die von einzelnen großmütigen Mitgliedern hergeschenkt waren.
Gleich vorn am Eingange des Klubzimmers war ein anderes Geschenk eines Mitgliedes aufgestellt: ein Gipsabguß der Venus von Medici in der Größe des Originals. Eine solche Aufstellung der Schönheitsgöttin gleich am Eingange des Klublokals sollte ohne Zweifel symbolisch ausdrücken, daß diese Räume dem Schönen geweiht seien. Der ursprünglich gipsweiße Teint dieser Venus hatte, nachdem dieselbe einige Jahre aufgestellt gewesen war, ein gar übles Ansehen erhalten: Fliegen, Tabakqualm und andere Dünste hatten die Göttin schlimm zugerichtet. Indessen hatte der Gips doch eine ziemlich gleichförmige Farbe angenommen. Aber *ein* Teil der Venus war unverhältnismäßig gefärbt, das war der ziemlich hervorragende Hinterteil derselben. – Am Eingange, wo die Statue stand, pflegten die eintretenden Mitglieder Hut, Mantel etc., abzulegen und sodann der Göttin den Hinterteil zu streicheln, wie Kunstkenner dies zu tun pflegen, um ihren Sinn für plastische Schönheit zu bestätigen; auch die Aufwärter etc. mochten beim Reinigen des Zimmers ihren Formensinn auf ähnliche Weise geübt haben – und so war es denn gekommen, daß jener Teil der armen Venus eine sehr

schmutzig-dunkle Farbe angenommen hatte, die mit dem Weiß des übrigen Körpers, so wenig rein dieses Weiß auch eigentlich noch war, auffallend kontrastierte. Indes hatten die Mitglieder des Klubs das Schwarzwerden des göttlichen Hinterteils nicht bemerkt, eben weil dasselbe allmählich geschehen war, und so nahm niemand Anstoß daran, bis einem neuaufgenommenen Mitgliede bei seinem ersten Besuche des Klubs die ungebührlich dunkle Färbung jenes Teils der Statue auffiel. Mit einigem Erstaunen hatte sich dieses Mitglied darüber geäußert, und nun waren sämtliche Mitglieder des Klubs ebenfalls erstaunt und verwundert über das so augenfällig und bisher doch stets übersehene Faktum, wie es immer mit solchen Dingen, die niemand sieht, eben weil sie am Wege liegen, zu gehen pflegt, wenn sie einmal entdeckt sind. Es wurden sofort Stimmen laut, welche auf Abhilfe dieses Übelstandes drangen. Als aber die Art und Weise dieser Abhilfe zur Sprache gebracht wurde, waren die Ansichten darüber so geteilt, daß eine Vereinigung nicht zustande kommen wollte. Man beschloß daher, diese Angelegenheit in der nächsten Versammlung des Klubs einer förmlichen Beratung zu unterziehen, und ging mit um so größerem Ernst daran, als diese Sache, wie alles, was im Kunst-Klub vorfiel, sehr bald in ganz Flachsenfingen bekannt und Gegenstand lebhafter Besprechung wurde.
An einem der nächsten Versammlungstage des Klubs fand diese Beratung statt.
Präsident des Klubs war der Hofrat *Ameyer*. Hofrat Ameyer war ein eifriger Kunstfreund; er hatte wohl ein halbes Dutzend großer Mappen voll Kupferstiche und Lithographien, diejenigen ungerechnet, welche eingerahmt an den Wänden seiner Zimmer hingen. Er war nebenher ein angesehener Mann, einer der tüchtigsten Redner in der flachsenfingenschen Ständeversammlung und sein Haus eines der angenehmsten. Die-

sem seltenen Vereine ausgezeichneter Eigenschaften verdankte er seine Wahl zum Präsidenten des Kunst-Klubs, welche Stelle er vortrefflich versah.

Hofrat Ameyer eröffnete die Sitzung, indem er der zahlreich versammelten Gesellschaft in einer höchst lichtvollen Darstellung auseinandersetzte, um was es sich eigentlich handle. Nachdem er auf die Größe des Übels aufmerksam gemacht und die Notwendigkeit einer baldigen Abhilfe nachgewiesen hatte, schloß er seinen Vortrag rekapitulierend also:

»So, meine Herren, ist das Übel entstanden, unbemerkt, weil allmählich, allmählich, also unbemerkt, so hat es sich, wenn ich mich des Ausdrucks bedienen darf, eingeschlichen, eingenistet, und nun steht es vor unseren plötzlich geöffneten Augen, entsetzlich, riesengroß! Ich war Zeuge, meine Herren, Ihrer Verwunderung, Ihres Schmerzes, als jene Entdeckung gemacht ward; als Präsident dieser Gesellschaft darf ich es mit gerechtem Stolze sagen: Ich *freuete* mich Ihres Schmerzes. Daß etwas geschehen müsse, dem Übel abzuhelfen, darüber war nur *eine* Stimme. Aber zugleich wurde Ihnen allen klar, daß in einer so wichtigen Sache kein übereilter Beschluß gefaßt werden dürfe. Die Angelegenheit verlangt und verdient die reiflichste Überlegung; sie soll ihr werden. Lassen Sie uns, meine Herren, nach biederer deutscher Weise reiflich und bedächtig prüfen, was geschehen müsse, um gründlich, ich sage mit Absicht *gründlich*, zu helfen; lassen Sie uns prüfen, was zu tun sei, sowohl um das Übel für die Gegenwart zu beseitigen als ihm vorzubeugen für die Zukunft. Denn – das wird Ihnen allen klar sein – wir dürfen uns nicht darauf beschränken, dem Übel lediglich für den Augenblick abzuhelfen. Das hieße eine Wunde künstlich verdecken, so daß fort und fort die Zukunft daran krank läge. Nein, meine Herren, wir müssen Maßregeln treffen, daß das Übel auch in Zukunft nicht wiederkehre. Also Abhilfe

für jetzt und Sicherheit für die Zukunft: das, meine Herren, sind die beiden wichtigen Fragen, deren Lösung uns heute beschäftigen soll. – Sie alle werden sich seit der neulichen Sitzung mit der Sache beschäftigt haben; ich sehe daher Ihren wohldurchdachten Vorschlägen entgegen.«
Ein Gemurmel des Beifalls folgte der Rede des Präsidenten.
»Vortrefflich gesprochen! Wundervoll geredet!« rief der Kommerzienrat *Bemeyer*. »Finden Sie nicht, meine Herren?«
Die Gesellschaft gab Zeichen der Zustimmung, und der Präsident verneigte sich dankend.
»Ich bewundere«, begann darauf der Steuerrat *Cemeyer*, »wie Sie alle, meine Herren, den vortrefflichen Vortrag unseres würdigen Herrn Präsidenten. Aber eins ist mir darin nicht klar geworden. Daß wir über ein Mittel beraten und ein solches finden, um die Statue zu reinigen, das sehe ich ein, das verstehe ich. Aber wie wir dieselbe für die Zukunft schützen wollen, daß sie nicht wieder schmutzig werde, das vermag ich nicht einzusehen.«
»Sehr wahr, sehr wahr!« rief der Kommerzienrat Bemeyer.
»Nichts einfacher als das!« sprach der Assessor *Demeyer*. »Wir nehmen eine Bestimmung in das Statut auf, welche das Berühren der Statue untersagt. Ich schlage sofort vor, in dem Paragraphen hundertundzwei des Statuts, wo es heißt: ›An dem Inventar des Klubs steht sämtlichen Mitgliedern das ausgedehnteste Recht des Gebrauchs zu‹, den Zusatz aufzunehmen: ›jedoch ist es nicht erlaubt, die der Gesellschaft zugehörige, im Klublokal aufgestellte und unter Numero vierzehn des Inventars verzeichnete Statue der Venus mit den Händen zu berühren, unter welchem Vorwande oder an welchem Teile der Statue es sei‹. Eine solche Bestimmung des Statuts wird das Wiedereintreten eines ähnlichen

Übelstandes, wie der ist, den wir jetzt beklagen, für alle Zukunft verhüten. Einen solchen Beschluß hat auch ohne Zweifel unser würdiger Herr Präsident vor Augen gehabt.«

Ehe der Präsident noch auf diese an ihn gerichteten Worte etwas erwidern konnte, nahm der Advokat Dr. *Emeyer* das Wort und sprach:

»Ich habe einen solchen Antrag kommen sehen, aber ich will mich ihm entgegenstemmen mit all den schwachen Kräften, die mir verliehen sind. Es ist ein verderblicher Antrag, eine verderbliche Richtung, woraus derselbe hervorgegangen. Will man immer nur *Verbote* und nichts als *Verbote?* Will man stets ein Verbot auf das andere pfropfen, immer nur die schon so vielfach beschränkte Freiheit noch mehr beschränken? Soll denn am Ende nichts mehr erlaubt, alles verboten sein? Soll man überall in allen und jeden Beziehungen den Strick am Beine, die Kette am Halse fühlen, die uns eben nur so weit gehen läßt, als sie reicht? Soll denn der Mensch ganz und gar in einen Kreis von Verboten gebannt werden? Lasse man doch der menschlichen Freiheit auch ein wenig Spielraum, habe man vor dem menschlichen Willen doch auch ein wenig Achtung, lasse man doch irgend etwas unverboten und damit dem Menschen die Möglichkeit, auch einmal etwas nicht tun zu wollen, was er tun dürfte.

Der Hinterteil der Venus ist so oft berührt worden, daß derselbe endlich schmutzig, ja, ich darf ohne Übertreibung behaupten, sehr schmutzig geworden ist. Diesem Übelstande soll abgeholfen werden. Das ist recht, das billige ich. Schaffe man diesen Schmutz weg, auf welche Weise man will, mir ist jede recht. Ich wünsche auch von Herzen, daß die Venus nie wieder schmutzig werde. Aber nur kein Verbot! Eher lasse man die Venus noch zehnmal schmutziger werden. Ich für meine Person habe nicht dazu beigetragen, sie ganz oder teilweise zu be-

schmutzen, meine Hände haben niemals jene Teile berührt, sooft dies auch zu meinem Schmerze von anderen Mitgliedern geschehen ist, aber feierlichst protestiere ich gegen jedes Verbot, ich ...« Diese letzten Äußerungen des Gegners riefen sehr stürmischen Widerspruch hervor. Viele Mitglieder versicherten, daß auch sie niemals die Venus berührt hätten, andere widersprachen der Versicherung Emeyers, daß er die Statue niemals berührt habe, noch andere verlangten mit Ungestüm, Emeyer solle erklären, ob seine Schlußäußerung wohl gar auf sie gehe – kurz, es erhoben sich vielfache Reklamationen und großer Lärm gegen Emeyer.
»Ich fordere«, rief mit Heftigkeit der Assessor Demeyer, »daß der geehrte Herr erkläre, welche Mitglieder er mit jener Andeutung gemeint habe. Ich für mein Teil, ich weise diese Insinuation mit Entrüstung zurück: ich habe nie die Venus berührt!«
»Ich auch nicht! Ich auch nicht! Wir alle nicht!« riefen viele Mitglieder. »Wir alle weisen die Insinuation zurück! Wir haben nie die Venus berührt!«
»Ich aber«, rief der Kriegsrat *Efmeyer*, »ich habe sie berührt, ich habe sie oft berührt, ich gestehe das nicht allein, nein, ich rühme mich dessen. Ich wollte das Bewußtsein dieser göttlichen Formen nicht bloß mit dem Auge empfangen, auch das Gefühl sollte mir dieselben verdeutlichen. Ja, ich habe mehr als einmal diesen göttlichen Linien nachzufühlen, das Geheimnis dieser wundervollen Formen zu erfassen gesucht! Ja, ich besitze – und ich rühme mich dessen – so viel Kunstsinn, daß ich nicht wie andere gleichgültig an diesem herrlichsten aller Kunstwerke vorübergehen kann. Ja, ich habe jenen Teil der Göttin oft berührt, ich rühme mich dessen!«
»Und ich«, rief der Finanzrat *Gemeyer*, »ich habe sie auch oft berührt, sehr oft!«
»Ich auch! Ich auch! Wir alle!« riefen viele Mitglieder.

»Wir alle haben sie berührt. Wir alle haben so viel Kunstsinn!«

»Sehr wohl, meine Herren!« nahm der Advokat Dr. Emeyer wieder das Wort. »Wie ich einerseits diese Erklärungen akzeptiere, so erkläre ich zugleich andererseits, daß ich niemand mit meinem Ausspruche habe zu nahe treten wollen. Ich betrachte diesen Punkt also als erledigt und will nur noch wenige Worte hinzufügen. Ich habe, so sagte ich, niemals die Venus berührt, mag man dieserhalb von meinem Kunstsinn auch immerhin gering denken...«

»Das habe ich mit meiner Bemerkung durchaus nicht sagen wollen«, erklärte der Kriegsrat Efmeyer.

»Sehr wohl!« fuhr Emeyer fort. »Ich habe die Venus nicht berührt, ich habe sie nie berührt, obgleich sie von allen berührt wurde.«

»Lassen wir diese verdrießlichen Persönlichkeiten!« bemerkte der Präsident.

»Ich habe die Venus nicht berührt«, wiederholte Emeyer mit Nachdruck, »ich habe sie nie berührt. Wollte man aber jetzt verbieten, sie zu berühren, dann, meine Herren, würde ich, wenn es mir nicht gelingen sollte, einen solchen Beschluß zu hintertreiben, dann würde ich bei jeder Gelegenheit, wo und wie ich nur könnte, das Verbot übertreten, dann würde auch ich an dieser Stelle der Statue meinen Kunstsinn üben.«

»Dagegen«, bemerkte Assessor Demeyer, »würde man durch Strafbestimmungen die Venus zu sichern wissen.«

»Gut«, erwiderte Emeyer, »Verbote und Strafen, das ist all eure Weisheit! Zeigt doch Vertrauen, und man wird dies Vertrauen mehr als alle Verbote respektieren. Der Hinterteil der Statue ist durch öfteres Berühren schmutzig geworden. Reinigt denselben und sprecht die vertrauensvolle Erwartung aus, daß niemand ihn wieder berühren werde. Aber gebt kein Verbot; ich stehe dafür ein, daß das Aussprechen einer solchen Erwartung die

Statue besser schützen werde als alle Verbote und Strafen.«

»Der Meinung bin ich auch«, sagte der Senator *Hameyer*. Ich schlage vor, daß an der betreffenden Stelle eine Tafel angebracht werde mit der Inschrift, daß man von dem gebildeten Publikum erwarte, dasselbe werde sich keinen Mißbrauch damit erlauben, gerade wie dies in dem Garten des Herrn Ministers geschehen ist, seit dieser dem Publikum geöffnet worden. So was hilft, das ist gewiß. Dann will jeder zu dem gebildeten Publikum gehören und benimmt sich anständig.«

»Ja«, nahm der Advokat Emeyer noch einmal das Wort, »diese ewigen Verbote sind eine unglückliche Richtung der Zeit, welche . . .«

»Keine Politik! Keine politischen Anspielungen!« unterbrach mit ernster Stimme der Präsident Hofrat Ameyer den Redner. »Keine Politik! Das geehrte Mitglied weiß, daß politische Verhandlungen statutenmäßig untersagt sind. Übrigens muß ich zu meinem Bedauern bemerken, daß die Diskussion von der eigentlichen Hauptfrage sich entfernt oder vielmehr, daß sie dieselbe noch gar nicht berührt hat. Wir haben zunächst und vorab die Pflicht, zu untersuchen, wie dem *gegenwärtigen* Übel abzuhelfen sei. Wie dem Übel für die Zukunft vorzubeugen, ist eine zweite Frage. Lassen Sie uns, meine Herren, daher zuerst die Hauptfrage erledigen; jene zweite Frage wird sich dann weit leichter lösen lassen.«

Einige Minuten lang waren sie still, dann begann Justizrat *Imeyer*:

»Es will mich fast bedünken, daß man die Sache für schwieriger ansieht, als sie es in der Tat ist. Die Venus ist hinten schwarz geworden; ich meine, da wäre das nächste und einfachste, daß man sie wieder weiß macht, das heißt, daß man die schwarz und schmutzig gewordenen Teile mit weißer Farbe überstreicht.«

»Diesem Vorschlag kann ich nicht beipflichten«, erwiderte der Steuerrat Cemeyer. »Wenn wir bloß die jetzt besonders geschwärzten Teile überweißen, so haben wir denselben Übelstand in Weiß, den wir jetzt in Schwarz haben. Die ganze Statue hat nicht mehr die ursprüngliche Weiße, sondern ist vielmehr über und über bedeutend nachgedunkelt, um mich eines technischen Ausdrucks zu bedienen, aber die fraglichen Teile sind unverhältnismäßig schwarz geworden. Streichen wir diese *allein* weiß an, so werden dieselben gegen den übrigen Körper unverhältnismäßig weiß erscheinen. Das hieße also aus der Szylla in die Charybdis geraten. Ich bin daher der Ansicht, daß es zweckmäßiger sei, die *ganze* Statue weiß zu überstreichen.«

»Ich bin doch nur für Überstreichung der betreffenden Partien«, entgegnete Imeyer. »Ich habe dabei namentlich den Umstand im Sinn, daß wir uns über kurz oder lang wieder in demselben Falle befinden werden wie jetzt. Es wird nicht lange dauern, so wird der Kunstsinn den Hinterteil der Satue wieder beschmutzt haben; sollen wir dann jedesmal die ganze Statue übermalen lassen, so würden am Ende die *Kosten* in Betracht kommen. Ein anderes ist es, wenn wir jedesmal nur die beschmutzte Partie überstreichen lassen. Ich nehme an, daß höchstens etwa der zwölfte Teil der ganzen Körperfläche schmutzig ist und des Anstreichens bedarf. Wenn wir die ganze Statue nur einmal überstreichen lassen, so können wir daher für dasselbe Geld die schmutzig gewordenen Partien, um die es sich hier allein handelt, zwölfmal übermalen lassen, wenn sie ebensooft wieder schmutzig werden.«

»Gerade um diesem Wiederschmutzigwerden vorzubeugen«, sagte Assessor Demeyer, »habe ich ja den Zusatz zum Statut beantragt, daß es verboten sei, die Statue ferner zu berühren.«

Steuerrat Cemeyer wollte seinen Vorschlag (die ganze

Statue zu überweißen) verteidigen, und Advokat Emeyer schickte sich zu gleicher Zeit an, den Antrag des Assessors Demeyer (Verbot des Berührens der Statue) aufs neue zu bekämpfen, als der Hofbaumeister *Jodmeyer* mit einem anderen Vorschlag auftrat:

»Ich erlaube mir«, sagte er, »den Vorschlag, die Statue zu überweißen, etwas zu modifizieren, und zwar so, daß darin zugleich einige Garantie gegen eine Erneuerung des Übels läge. Ich schlage nämlich vor, die ganze Statue mit *grauer Steinfarbe* zu überstreichen, wohlverstanden die ganze Statue, nicht bloß den Hinterteil. Eine solche graue Steinfarbe würde sehr gut aussehen, und daneben ist auch das Grau nicht so empfindlich als das Weiß und würde daher in der Folge den Schmutz nicht so leicht annehmen.«

»Eine gute Idee!« sagte Kommerzienrat Bemeyer.

»Und ich«, sagte der Hoftheaterdirektor *Kameyer*, »will wiederum den Vorschlag des farbigen Anstriches modifizieren, sowenig ich sonst die Zweckmäßigkeit der grauen Steinfarbe verkenne. Da die Statue einmal gestrichen werden muß, um den Schmutz zu entfernen, so schlage ich vor, daß wir sie *fleischfarben* anstreichen lassen.«

»Eine sehr gute Idee!« sagte Kommerzienrat Bemeyer.

»Diesem Vorschlage«, erklärte der Hofbaumeister Jodmeyer, »will ich mich anschließen und meine graue Steinfarbe gern der Fleischfarbe aufopfern. Ich finde diese Idee des fleischfarbenen Anstrichs vortrefflich; auf diese Weise würde doch auch einmal etwas zur Weckung des Farbensinnes geschehen, nicht immer nur für die Hebung des Formensinnes.«

»Auch ich«, erklärte Justizrat Imeyer, »habe gegen einen solchen fleischfarbenen Anstrich der Statue nichts einzuwenden.«

»Ich bin sehr dafür!« sagte der Hofbankier von *Elmeyer*.

»Ich bin auch dafür!« sagte der Senator Hameyer.

Auch der Hofmusikus *Emmeyer* unterstützte diesen Vorschlag, weil er die Fleischfarbe sehr liebe.

»Ja, meine Herren!« rief der Steuerrat Cemeyer. »Kein anderer Anstrich als fleischfarben. Diese Idee wird von allen gebilligt. Ich schlage vor, dieselbe durch Akklamation zu genehmigen!«

Schon erhoben sich fast sämtliche Mitglieder, um dieser Aufforderung gemäß den fleischfarbenen Anstrich durch Akklamation zu genehmigen, als der Hofmaler *Enmeyer* mit fast leidenschaftlich bewegter Stimme ausrief:

»Nein, meine Herren, nein! Um alles in der Welt keinen fleischfarbenen Anstrich! Beschließen Sie nicht einen solchen Vandalismus! Ein fleischfarbener Anstrich einer Statue wäre ein Frevel am guten Geschmack, eine Sünde wider die heilige Kunst, eine Schande für unseren Klub. Ich bitte Sie, was sollen die Fremden, die hier eingeführt werden, von unserer Kunstbildung denken, wenn sie eine fleischfarb angestrichene Venus von Medici sehen! Ich wenigstens, ich protestiere gegen eine solche Entweihung, und wenn Sie die Venus trotz meiner Warnung fleischfarb anstreichen lassen, so hänge ich einen Zettel daran, auf welchem steht, daß der Hofmaler Enmeyer gegen die Geschmacklosigkeit protestiert hat, daß er unschuldig daran ist!«

»Aber«, bemerkte ziemlich schüchtern der Hoftheaterdirektor Kameyer, »der Herr von Bethmann hat die berühmte Ariadne doch auch gewissermaßen fleischfarben gefärbt, indem er eine Vorrichtung dabei angebracht hat, um sie rosafarben zu beleuchten!«

»Schlimm genug!« rief Hofmaler Enmeyer. »Schlimm genug für die Ariadne! Aber was weiß so ein Frankfurter Bankier von Kunst und Geschmack!«

»Gottbehüte!« rief der Hofbankier von Elmeyer. »Gottbehüte! Herr Hofmaler, versündigen Sie sich nicht!«

»Ja«, rief der Maler heftig, »ich wiederhole es: Es ist

eine Geschmacklosigkeit, ein Vandalismus! Ich bin Künstler und muß es verstehen!«

»Ganz gewiß!« erwiderte der Bankier. »Dagegen sag ich auch nichts! Gottbewahre, daß ich dagegen was sage! Aber der Herr von Bethmann ist doch ein sehr reicher Mann gewesen und hat sich also doch gewiß gut auf den Geschmack verstanden. Er hat doch alle Künstler bezahlen können und fragen: ›Tu ich gut, wenn ich die Statue fleischfärbigt beleuchte?‹ Und dann sehe ich nicht ein, wenn ich eine Statue habe, die mein ist, die ich bezahlt habe mit meinem Gelde, warum ich die nicht soll anmalen lassen dürfen wie ich will, ganz allein wie ich will. Und wenn ich sie gelb und grün gestreift oder – gottbehüte! – kariert wollte anmalen lassen, sollte mir kein Mensch was dagegen sagen dürfen. Hab ich nicht recht?«

Mit dieser Frage wandte sich Herr von Elmeyer an die übrigen Mitglieder. Aber niemand wagte in dieser Angelegenheit dem Hofmaler als einem »Manne von Fach« zu widersprechen. Nur der Dr. *Omeyer*, Redakteur eines belletristischen Journals, das in der Stadt erschien, hielt es für seine Pflicht oder hatte Gründe, den Hofbankier nicht steckenzulassen und einige Worte zu dessen Verteidigung zu sagen.

»Sowenig ich es mir herausnehmen will«, sprach er, »einem so kompetenten Urteile wie dem unseres berühmten Enmeyer widersprechen zu wollen, so glaube ich dennoch, daß die Ansicht des verehrten Herrn von Elmeyer keine ganz unrichtige ist. Wenn ich als unzweifelhaft feststehend annehmen darf, daß der höchste Zweck der Kunst vollkommene Nachahmung der Natur ist, so läßt sich doch nicht leugnen, daß der fleischfarbige Anstrich einer nackten weiblichen Statue der Natur unendlich näher kommt als die weiße oder gar graue Farbe derselben. Daneben dürfte der von unserem Hofbaumeister Jodmeyer für den fleischfarbenen

Anstrich angeführte Grund, daß man durch denselben nicht bloß den Sinn für Formen, sondern auch für Farbe wecken und heben könne, doch auch einigermaßen schwer in der Waagschale wiegen.«

»Schnickschnack das alles!« erwiderte Enmeyer ziemlich grob. »Wenn das wahr wäre, so müßte man nicht bloß die ganze Venus fleischfarb anstreichen, sondern müßte ihr die Haare schwarz oder blond, die Augen blau malen und so weiter. Am Ende ließen die Herren ihr auch noch weiße Strümpfe malen, damit sie noch natürlicher aussähe! Nein, meine Herren! Lassen Sie die Statue meinethalben weiß anmalen oder grau oder grün oder wie Sie wollen! Nur nicht fleischfarb! Dagegen protestiere ich!«

»Und ich«, erhob sich der Hofbildhauer Professor *Pemeyer*, »muß gegen allen und jeden Anstrich protestieren. Im höchsten und heiligsten Interesse der Kunst muß ich mich jedem An- und Überstrich der Statue widersetzen. Meine Herren! Die Linie des Wahren, des Schönen ist unendlich schmal, sie zu treffen, unendlich schwer in allen Künsten, in keiner Kunst aber schwerer als gerade in der Skulptur. Niemand hat diese schmale, so schwer zu treffende Linie sicherer getroffen als die Griechen in ihren bewundernswürdigen Werken. Aber, meine Herren, diese Linie der Schönheit, der Wahrheit ist nur *eine*, sie ist nicht auch daneben, weder diesseits noch jenseits; die Schönheit besteht nur in dieser Linie, nicht außerhalb derselben. Jede Abweichung von ihr, jede Veränderung, und betrüge sie nur die Breite eines Haares, ja nur den hundertsten Teil einer Haarbreite, jede Abweichung von dieser Linie ist eine Abweichung von der Schönheit und der Wahrheit. Der griechische Künstler, der die Venus von Medici geschaffen ...«

»Kleomenes!« bemerkte der Konrektor *Kuhmeyer*.

»Der griechische Künstler«, fuhr Pemeyer fort, »hat genau gewußt, was er wollte, als er diese Form so, jene so bildete, als er jener Linie diese, dieser Linie jene Biegung gab, kurz, als er die Statue so schuf, wie sie ist. So wie sie ist, so ist sie einzig recht, einzig schön. Ändern Sie, meine Herren, das leiseste, das unbedeutendste daran, so ist sie nicht mehr schön, so ist sie nicht mehr die Venus von Medici. Zwar mag eine solche Änderung, wenn sie unbedeutend ist, dem ungeübten Auge gänzlich unbemerkbar bleiben; aber, meine Herren, nicht dem ungeübten Auge, sondern dem geübten steht in solchen Sachen allein ein Urteil, eine Entscheidung zu. Vergrößern oder verkleinern Sie die Statue einmal um einen halben Fuß: ein Bauer wird die Änderung schwerlich bemerken, Ihnen allen wird sie auffallen. Vergrößern oder verkleinern Sie die Statue um die Breite eines Haares, *Sie* werden wahrscheinlich kein Arg daraus haben, dem geübten Auge eines Künstlers aber, eines Mannes von Fach, wird es ein Greuel sein. Es ist, und wäre die Änderung auch noch so unbedeutend, nicht mehr die Venus von Medici, wie sie der griechische Künstler geschaffen. Nun aber, meine Herren, ist ein Anstrich der Statue eine *Änderung* derselben. Lassen Sie die Farbe auch noch so dünn auftragen, dennoch verändert, verrückt die Farblage *die* Linie, welche der Meister der Statue als die einzig richtige und wahre erkannt hat. Und wäre die Lage der Farbe auch nur so dünn als die Hälfte einer Haarbreite, die Statue wird dadurch geändert, sie bleibt nicht mehr dieselbe. Ist Ihnen, meine Herren, also die Kunst, die Schönheit heilig, so beschließen Sie keinen Anstrich der Statue, weder der ganzen Statue noch des Hinterteils allein. Ein Anstrich des Hinterteils allein würde noch obendrein alle und jede Proportion verderben. Wie gesagt, meine Herren, ein weniger geübtes Auge würde die Änderung, die Verschlechterung, ja ich darf sagen die Vernichtung der ursprünglichen Statue nicht bemerken, aber dem geübten Auge – und es gibt doch solche in dieser Gesell-

schaft – würde sie ein Dorn sein. Ich hoffe, meine Herren, es ist mir gelungen, Sie von der Richtigkeit meiner Ansicht zu überzeugen. Wem der wahre Sinn für Schönheit und Kunst innewohnt, der wird, der muß mir beipflichten!«
Als Professor Pemeyer seine Rede geendet, befand sich die Gesellschaft in großer Aufregung. Gegen die von ihm vorgebrachten Gründe ließ sich, wie es schien, nichts sagen, zumal es ein Künstler, ein »Mann vom Fach«, ein Bildhauer war, der sie vorgebracht; es ließ sich um so weniger etwas dagegen sagen, als er am Schlusse durch die Äußerung, daß jeder, der Sinn für Kunst habe, ihm beipflichten müsse, allen Widerspruch mit einer Art von Anathem belegt hatte. Einem solchen gegenüber war Widerspruch, selbst wenn man ihn sonst gewagt hätte, völlig unmöglich.
Der Hofmaler Enmeyer ergriff zuerst das Wort und sagte:
»Ich brauche wohl kaum ausdrücklich zu erklären, daß ich als Künstler allem, was mein Freund Pemeyer gegen den Anstrich der Statue gesagt hat, vollkommen beipflichte.«
In demselben Sinne, nur noch ausführlicher, namentlich unter Bezugnahme auf die Schriftsteller des klassischen Altertums, sprach sich der Konrektor Kuhmeyer aus. Ebenso der Finanzrat Gemeyer. Nun erfolgte eine Beitrittserklärung nach der andern. Kommerzienrat Bemeyer, Steuerrat Cemeyer, Assessor Demeyer, Bankier von Elmeyer, Dr. Omeyer usw. erklärten, daß sie niemals eine Übermalung der Statue zugeben würden und daß sie niemals anderer Ansicht gewesen seien. Eine Übermalung einer Statue, sagte Dr. Omeyer, sei ein Greuel, eine Sünde an der Kunst, die man dem Kunst-Klub nicht nachsagen solle.
Als sich die durch diese einzelnen Beitrittserklärungen verursachte Aufregung wieder etwas gelegt hatte, nahm

der Präsident Hofrat Ameyer die Debatte wieder auf und sprach:
»Bis jetzt, meine Herren, sind wir nur über das einig geworden, was *nicht* geschehen soll. Die bisher gemachten Vorschläge laufen im wesentlichen darauf hinaus, das vorhandene Übel durch *Anstrich*, Anstreichung, Anmalung, Übermalung zu beseitigen, und zwar sind in dieser Beziehung zwei Hauptvorschläge gemacht worden, von denen der erste, der des *partiellen* Anstrichs, nur die betreffenden Teile, die in Frage stehende Partie der Statue, die beschmutzte Kehrseite derselben, angestrichen, überweißt, mit *weißer* Farbe übermalt wissen will. Ich habe, wenn von diesem partiellen Anstriche, von Übermalung nur dieser Partien die Rede war, darunter immer lediglich die Übermalung mit weißer Farbe verstanden. Ein zweiter Vorschlag will nicht einen partiellen, sondern einen *generellen* Anstrich, Übermalung der ganzen Figur. Dieser Vorschlag eines generellen Anstrichs zerfällt in mehrere Modifikationen, das heißt verschiedene Farben, die hinsichtlich des Anstrichs proponiert worden. Es ist nämlich der Vorschlag gemacht worden, die ganze Statue entweder a) *weiß* oder b) *grau* oder endlich c) *fleischfarben* zu übermalen. – Aber, meine Herren, alle diese Vorschläge, sowohl der des partiellen als der des generellen Anstrichs, und letzterer mit allen seinen verschiedenfarbigen Modifikationen, sind mit überzeugenden Gründen widerlegt, auf entschiedene Weise zurückgewiesen worden, und wir stehen jetzt wiederum an demselben Punkte, von welchem wir ausgegangen sind, mit dem wichtigen Unterschiede freilich, daß wir über das meiste, was *nicht* geschehen darf, über die hauptsächlichsten Mittel, welche *nicht* angewendet werden können, uns klargeworden sind. Und damit, meine Herren, ist auch schon ein Großes erreicht!«
Dieses lichtvolle Resümee des Präsidenten erregte, wie

man bei allen Reden desselben gewohnt war, die Bewunderung der ganzen Gesellschaft. Ein Gemurmel des Beifalls folgte. Hofrat Ameyer verneigte sich dankend und fuhr dann fort: »Aber, meine Herren, die Resultate unserer bisherigen Beratung dürfen uns nicht irremachen, uns nicht ablenken von unserem Zwecke. Wenn etwas geschehen muß, so ist es schon ein Großes, wenn man weiß, was *nicht* geschehen kann.«

Diese mit besonderer Feierlichkeit gesprochene inhaltsschwere Sentenz erregte aufs neue die Bewunderung der Gesellschaft, und als Hofrat Ameyer bemerkte, daß Dr. Omeyer (der Redakteur des belletristischen Journals) sein Notizbuch hervorzog, wiederholte er seinen Ausspruch in salbungsvoll-langsamem Tone. Dann schloß er seinen Vortrag folgendermaßen:

»Wenn wir uns also *darüber* klargeworden sind, meine Herren, so lassen Sie uns jetzt prüfen, was geschehen kann, was geschehen darf, was geschehen muß. Ich ersuche die Herren, die Vorschläge zur Abhilfe des Übels zu machen haben, damit hervorzutreten.«

Der Aufforderung des Präsidenten folgte eine kurze Stille.

Der Hofintendant *Ermeyer* nahm zuerst das Wort.

»Ich möchte mir erlauben«, sagte er, »zur Beseitigung des Schmutzes die Anwendung von *Fleckwasser* vorzuschlagen. Ich kann dieses Mittel aus eigener Erfahrung empfehlen. Vor drei Jahren ist mir durch hochfürstliche Gnade die Aufsicht über das Tafelzeug übertragen worden, indem die bis dahin demselben vorgesetzte Behörde aufgelöst wurde. Um Wein- und sonstige böse Flecke aus dem hochfürstlichen Tafelleinen zu entfernen, bediene ich mich des Fleckwassers aus einer Pariser Fabrik, welches dem Zwecke, die Flecken zu entfernen, vollständig entspricht, aber leider nur den einen Übelstand hat, daß an die Stelle der Flecken häufig Löcher kommen, so daß mehrere der schönsten Gedecke unbrauchbar geworden sind und die fürstliche Regierung genötigt sein wird, von der nächsten Ständeversammlung eine Bewilligung wegen Komplettierung der solchergestalt defekt gewordenen Tafelgedecke zu fordern. Indessen fragt es sich noch, ob diese Löcher, welche auf eine korrosive Wirkung des angewandten Fleckwassers schließen lassen, von diesem Wasser und nicht vielleicht von anderen Einflüssen herrühren. Wenigstens behauptete der Fabrikant des Fleckwassers, bei dem ich mich über die zerstörenden Wirkungen seines Mittels beklagt habe, daß die Löcher durch die Flecken, nicht aber durch das Fleckwasser verursacht worden. Dies ist nicht ganz unmöglich, da die Flecken in den betreffenden Gedecken, welche ausschließlich an der Kavaliertafel gebraucht worden, meist von Wein herrührten. Dem sei aber wie ihm wolle, die Flecken werden durch das Wasser sicher entfernt, die nachteiligen Wirkungen aber – selbst wenn sie von dem Wasser herrührten – sind in unserem Falle um so weniger zu besorgen, als wir es weder mit Servietten noch mit Weinflecken zu tun haben.«

Der Vorschlag des Hofintendanten Ermeyer fand jedoch Widerspruch. Kommerzienrat Bemeyer meinte, man müsse doch wohl erst anderweitige Versuche mit dem Fleckwasser anstellen, ehe man es auf die Venus anwendete und dabei Gefahr liefe, daß zwar der Schmutz entfernt, aber zugleich der beschmutzte Teil der Venus von der ätzenden Kraft des Wassers zerfressen würde. Professor Pemeyer aber erklärte, daß das Fleckwasser, ganz abgesehen von den möglichen korrosiven Wirkungen desselben, auf den porösen Gips unanwendbar sei, daß dasselbe den Schmutz daselbst nur noch vermehren und fixieren würde.

Darauf trat der Lieutenant *Eßmeyer* mit einem anderen Vorschlage auf. Er fragte, ob es nicht zum Zwecke führen würde, wenn man das schmutzig gewordene Gesäß der Venus *kollerte*? Das Lederzeug des Militärs wenigstens erhielte, und wenn es auch noch so schmutzig wäre, durch Kollern jedesmal wieder die bundespflichtmäßige Weiße. Er meinte, es lasse sich doch auch mit der Venus wohl ein solcher Versuch machen.

Professor Pemeyer erklärte auch diesen Vorschlag wegen der Natur des Gipses für durchaus unausführbar, worauf der Kammersekretär *Temeyer* – kürzlich zum ersten Male Vater geworden – fragte, ob es nicht vielleicht zum Ziele führen werde, wenn man die beschmutzten Teile einfach mit einem nassen Schwamme abwüsche und mit einem Handtuch trocknete. Dergleichen einfache Mittel führten, wie er sagte, erfahrungsgemäß in der Regel zum Ziele.

Aber auch dieser schüchtern vorgebrachte Vorschlag fand Widerspruch, weil Gips, eben seiner porösen Natur wegen, nicht abgewaschen werden könne.

»Um doch auch einen Vorschlag zu machen«, sagte Kommerzienrat Bemeyer, »will ich mir die Frage erlauben, ob man den Schmutz nicht auf galvanoplastischem Wege entfernen könnte, wovon ich jetzt immer so viel lese?«

Allein ehe diese Frage irgend Beantwortung finden konnte, nahm der Medizinalrat *Umeyer* das Wort und sprach:

»Quod medicamenta non sanant, *ferrum* sanat! Diesen Spruch des Hippokrates, meine Herren, wende ich, ein treuer Schüler desselben, auf den vorliegenden Krankheitsfall an. Ich betrachte die Flecken, welche die Glutäen unserer Göttin verunstalten, als eine Art Exanthem, als eine Art Gewächs. Innere Mittel sind nicht anwendbar, Waschungen helfen nichts: medicamenta non sanant. Greifen wir also zum ferrum, exstirpieren wir dieses Gewächs. Nur die Epidermis ist schadhaft, lösen wir die ab, so ist der Patient gerettet. Mit einem Worte: Ich schlage Ihnen vor, die schmutzigen Partien mit einem feinen Messer sauber abzukratzen, abzuschaben. Das kann, wenn es sorgfältig und vorsichtig geschieht, die Statue nicht beschädigen und führt sicher zum Ziele.«

Aber der unerbittliche Professor Pemeyer widersetzte sich auch diesem Vorschlage, obgleich bereits mehrere Mitglieder demselben als höchst vortrefflich und geistreich ihre Zustimmung gegeben hatten; Pemeyer erklärte den Vorschlag für unausführbar aus denselben Gründen wie das Übermalen der Statue. Dieselbe werde durch das Abschaben der beschmutzten Oberfläche, wenn auch noch so unbedeutend, geändert, folglich vernichtet.

Es herrschte einige Minuten lang eine tiefe Stille; es schien, als ob die Gesellschaft mit ihrer Weisheit zu Ende sei. Eine Menge von Mitteln war vorgeschlagen worden, hatte aber gegründeten Widerspruch gefunden, und nun konnte oder wollte niemand neue Vorschläge machen. Man sah sich einander mit verlegenen Gesichtern an.

In dieser peinlichen Situation war man sehr erfreut, als der Finanzrat Gemeyer, zu dessen Scharf- und Kunstsinn man großes Zutrauen hatte, folgendermaßen das Wort ergriff: »Ich glaube bemerkt zu haben, meine Herren, daß ein jeder aus dieser verehrten Gesellschaft, der ein Mittel vorgeschlagen hat, um dem Übel abzuhelfen, das uns heute beschäftigt, bei der Auffindung und Wahl dieses Mittels vorzugsweise durch die Ideen und Beschäftigung seines Standes, seines Geschäftes geleitet worden ist. Ich erinnere nur an den letzten von unserem würdigen Medizinalrat Umeyer gemachten Vorschlag, der offenbar den Arzt, den Chirurgen, den kühnen Operateur verrät. So ist der Vorschlag, die beschmutzten Teile der Statue zu kollern, vom Herrn Lieutenant Eßmeyer ausgegangen, und so kann man selbst in dem von Herrn Hoftheaterdirektor Kameyer

gemachten Vorschlage, die Venus fleischfarben anzustreichen, den geschmackvollen Anordner unseres Balletts erkennen. So trägt fast jeder der gemachten Vorschläge eine Art Ursprungs-Zertifikat an sich. Erlauben Sie mir, meine Herren, dieses Privileg auch für den Vorschlag in Anspruch zu nehmen, den ich Ihnen machen will. – Wenn der Arzt in dem Schmutze der Venus eine Art Hautkrankheit erblickt, so betrachte ich als Finanzmann das Übel als ein *Defizit* und suche es daher zunächst zu decken. Allein die Deckung des Defizits ist oft eine so schwierige Sache, daß darum die Weisheit der geübtesten Finanzmänner scheitert; dann, meine Herren, bleibt nichts anderes übrig, als es zu *verstecken*. Zu diesem Auskunftsmittel müssen wir, da Deckung, wie wir gesehen, nicht möglich ist, in vorliegendem Falle uns entschließen, und dasselbe erfüllt unseren Zweck vollkommen. Denn wenn es uns gelingt, das Defizit, den Schmutz der Venus, zu verstecken, so werden die Fremden, die in unseren Klub eingeführt werden und die wir doch hauptsächlich im Auge haben, den Schmutz nicht sehen; folglich ist er für sie so gut wie gar nicht vorhanden. Mein Vorschlag ist, die Statue von ihrem jetzigen Platze, wo man sie von allen Seiten betrachten kann, wegzunehmen und sie auf einem erhöhten Postamente in eine Ecke zu placieren, und zwar dergestalt mit dem Rücken in die Ecke und so hoch, daß man die beschmutzte Kehrseite nicht sehen kann. Unser hauptsächlichster Zweck, die Schmutzflecken dem Auge zu entziehen, ist dadurch so gut erreicht, als wenn wir die Statue überstreichen ließen.«
»Der Vorschlag des geehrten Herrn Finanzrats«, nahm der Kriegsrat Efmeyer das Wort, als Gemeyer geendet, »ist ebenso einfach als die Motivierung desselben geistreich. Aber dennoch muß ich mich demselben im Interesse der Kunst widersetzen. Die Statue der Venus steht in unserem Lokale nicht als bloße Dekoration oder als

müßiges Symbol. Nein! Sie steht hier, damit wir uns an dem täglichen Anblicke dieser göttlichen Formen bilden, damit unser Kunstsinn daran sich hebe und stärke. Werden die Schmutzflecken auf die von dem geehrten Herrn vorgeschlagene Weise versteckt, so wird auch zugleich ein Teil der Statue dem Auge entzogen, damit aber auch ein wesentliches Mittel zur Bildung des Kunstsinns.«
Auch der Kanzleirat *Vaumeyer* widersprach dem vom Finanzrat Gemeyer gemachten Vorschlage. Er sagte:
»Wenn sich Herr Kriegsrat Efmeyer dem Vorschlage, das Übel lediglich zu verstecken, aus künstlerischen Gründen widersetzt, so muß ich denselben, sozusagen, aus moralischen Gründen bekämpfen. Nach des Herrn Finanzrats Ansicht wollen wir die Schmutzflecken der Venus lediglich deshalb beseitigen, weil wir fürchten müssen, den Fremden, die unseren Klub besuchen, damit Anstoß zu geben. Zu diesem Zwecke sollen wir die Statue so mit dem Rücken in die Ecke stellen, daß man den Schmutz nicht sieht. Nun wird aber jeder in den Klub eingeführte Fremde aus wirklichem oder affektiertem Interesse an der Kunst der Statue große Aufmerksamkeit widmen, namentlich wenn er vielleicht aus der Provinz kommt, wo er eben keine Gelegenheit hatte, Kunstwerke zu sehen. Die Statue steht nach des Herrn Finanzrats Vorschlage so in der Ecke, daß die hintere Ansicht verborgen ist. Ich müßte mich wenig auf Menschen verstehen, wenn nicht der Fremde, je mehr der Hinterteil versteckt ist, desto mehr sich Mühe geben wird, denselben zu sehen. Und dies wird nicht unbedingt verhindert werden können. Nun bitte ich Sie, meine Herren, vergegenwärtigen Sie sich unsere peinliche Situation, wenn ein hier eingeführter Fremder die Statue zu betrachten anfängt. Müssen wir alle nicht – ich möchte sagen – zittern, daß der Fremde bei genauer Betrachtung nun doch die unglücklichen Schmutzflek-

ken gewahrt? Denken Sie sich in diese Situation hinein, meine Herren, und Sie werden mir beipflichten, daß jener Vorschlag unausführbar ist.«

Justizrat Imeyer unterstützte diese Ansicht des Kanzleirats Vaumeyer, indem er sagte:

»Der Ansicht des Herrn Kanzleirats stimme ich bei. Wir würden nach dem Vorschlage des Herrn Finanzrats das Übel verheimlichen, aber heimlich würde es uns desto schwerer drücken. Es würde uns die Unbefangenheit, das ruhige Bewußtsein rauben, und ein gutes Gewissen ist doch in jeder Hinsicht ein so unschätzbares Gut, daß selbst . . .«

Mit ernster Miene unterbrach der Präsident, Hofrat Ameyer, den Redner, indem er sagte:

»Ich muß den geehrten Herrn allen Ernstes bitten, sich aller politischen Anspielungen zu enthalten. Die Gesellschaft hat mich mit dem Auftrage beehrt, über die Aufrechterhaltung des Statuts zu wachen; ich werde, ich muß dieses Vertrauen ehren, indem ich keinen Verstoß gegen die Bestimmungen des Statuts dulde. Es ist mir das in diesem Falle um so schmerzlicher, als es heute bereits das zweite Mal ist, daß ich eine Verletzung gerade dieser Vorschrift zu rügen habe.«

Sich entschuldigend, erwiderte Imeyer:

»Ich redete doch nur von einem guten Gewissen . . .«

»Noch einmal«, unterbrach ihn der Präsident, »noch einmal muß ich Sie auffordern, keine Politik einzumischen; ich sehe mich sonst genötigt, die Sitzung aufzuheben!«

»Jawohl«, sagte Lieutenant Eßmeyer, »darum muß ich sehr bitten, daß nicht von solchen politischen Sachen geredet wird, wenn ich dabei bin.«

»Sein Sie ohne Sorge, Herr Lieutenant«, sagte mit Würde der Präsident, »ich werde den Vorschriften des Statuts Achtung zu verschaffen wissen.«

Justizrat Imeyer aber wollte sich nicht darüber beruhi-

gen, daß er auf solche Weise zur Ordnung gerufen worden. Er sagte: »Herr Doktor Emeyer sprach vorhin von ›unglücklicher Richtung‹, ich jetzt von einem ›guten Gewissen‹. Wenn man darin politische Anspielungen finden will, so ...«
»Gewiß«, rief Kommerzienrat Bemeyer, »ist das Politik!«
»Ohne Zweifel«, rief Finanzrat Gemeyer, »ist ein gutes Gewissen eine politische Anspielung!«
»Eine sehr boshafte Anspielung!« rief Doktor Omeyer.
»Nichts Boshafteres als ein gutes Gewissen!« rief Senator Hameyer.
»Nichts von Politik! Keine politische Anspielungen!« riefen alle, so daß Imeyer mit seinen Entschuldigungen gar nicht zu Worte kommen konnte.
Als es wieder einigermaßen still geworden war, sprach der Präsident:
»Ich freue mich, daß ich in meinem Streben, das Statut aufrechtzuerhalten, von der ganzen Gesellschaft so kräftig unterstützt werde. Ich sage der Gesellschaft meinen Dank dafür. Ich darf, so hoffe ich, diesen unangenehmen Zwischenpunkt als erledigt ansehen und bitte sehr darum, daß keiner der Herren darauf zurückkomme. Lassen Sie uns vielmehr zur Tagesordnung zurückkehren.«
Finanzrat Gemeyer nahm die Diskussion wieder auf:
»Mein Vorschlag, den Schmutz zu verstecken, ist mit zweierlei Gründen bekämpft worden. Diese Gründe widersprechen sich aber. Auf der einen Seite soll die Gesellschaft dadurch, daß die Statue mit dem Rücken in die Ecke gestellt wird, diese nicht sehen und dadurch ein Mittel zur Kunstbildung verlieren. Auf der anderen Seite sollen Fremde, die eingeführt werden, die schmutzige Kehrseite sehen und Ärgernis daran nehmen. Diese beiden Argumente heben sich einander auf. Sieht die Gesellschaft die Hinterseite nicht, so können

auch Fremde sie nicht sehen; können aber Fremde sie sehen und sich daran ärgern, so kann auch die Gesellschaft sie sehen und daran lernen. Aber nicht nur heben solchergestalt sich diese Sätze in ihrer Gleichzeitigkeit einer den andern auf, sondern ein jeder derselben ist auch für sich unhaltbar. Die Gesellschaft hat an der übrigen Statue genug zu sehen und zu lernen und wird deshalb den Hinterteil nicht vermissen. Wenn nun aber wirklich ein Fremder so scharfsichtig wäre, daß er den Hinterteil zu sehen bekäme, den die Gesellschaft nicht sehen kann, so sehe ich noch gar nicht ein, daß daraus eine so schrecklich peinliche Situation für die Gesellschaft entstehen müßte. Im Gegenteil muß der Fremde sich darüber freuen und die Gesellschaft noch höher darum achten; er wird ja dadurch belehrt, weshalb die Statue mit dem Rücken in die Ecke gestellt worden.«
Als Finanzrat Gemeyer geendet, wollten Kanzleirat Vaumeyer und Kriegsrat Efmeyer ihm entgegnen. Allein ehe sie noch dazu kommen konnten, ergriff der Konrektor Kuhmeyer das Wort und sagte:
»Ich gehe einen ganzen Schritt weiter als die sämtlichen Herren, welche Vorschläge gemacht haben. Ich ziehe den Vordersatz in Zweifel und frage: Wozu überall eine Änderung? – Und meine Antwort ist: Eine Änderung ist unnötig – und mein Vorschlag der: Nichts zu ändern! – Lassen wir die Statue so wie sie ist, unverändert, unangefärbt, unabgewaschen, unabgeschabt, lassen wir sie auf derselben Stelle, wo sie steht, lassen wir auch fernerhin jeden, der die Hand daran legen will, dies ungehindert tun, lassen wir die Statue und den Schmutz ganz wie er ist; bewahren wir diesen Schmutz. Wir wollen ihn nicht verstecken, diesen Schmutz, sondern im Gegenteil ihn offen zeigen, als eine aerugo nobilis, als ein Denkmal des wahren Kunstsinns unserer Gesellschaft. Ist er das nicht in der Tat?

Ist dieser Schmutz nicht ein Zeugnis unseres Studiums der Kunst, unseres Sinnes für schöne Formen? Jeder Fremde oder Nichtfremde mag wissen, soll wissen, daß jene Schmutzflecken unser Werk sind, daß wir stolz darauf sind, daß ein solches Zeugnis besteht unseres Sinnes für göttliche Schönheit. Ja, meine Herren, wenn diese Schmutzflecken von selbst verschwänden, so würde ich vorschlagen, sie wieder aufzufrischen.«

Diese Ansicht des Konrektors Kuhmeyer fand entschiedenen Widerspruch. Der Schmutz müsse fort, ward entgegnet, ein so beschmutzter Teil sei doch eben nichts, was man prahlend vorweise; wenn der Konrektor für Beibehaltung des Schmutzes sich hätte aussprechen wollen, so hätte er dieses gleich zu Anfang der Beratung tun sollen, bevor die Gesellschaft einen solchen Aufwand von Ideen und Einfällen gemacht hätte; entschließe man sich am Ende, den Schmutz beizubehalten, so sei ja die ganze bisherige Beratung unnütz gewesen.

Aber die Ansicht des Konrektors erhielt Unterstützung. Der Landrat *Wemeyer* sprach sich nämlich für Beibehaltung des Schmutzes aus. »Wir haben uns überzeugt«, sagte er, »daß wir trotz gründlicher Prüfung kein Mittel haben, den Schmutz zu entfernen ohne wesentlichen Schaden, daß wir also den jetzigen Zustand der Dinge nicht ändern können. Aber wir dürfen auch nicht ändern. Das was Sie Schmutz nennen, meine Herren, ist hervorgegangen aus der natürlichen Entwicklung der Dinge und Verhältnisse, es ist nichts gewaltsam Eingedrungenes, Aufgedrungenes, es ist etwas historisch Gewordenes. Dieser Schmutz, meine Herren, besteht, folglich hat er ein Recht, zu bestehen. Denn das Bestehende allein ist Recht, das Bestehende ist die Ordnung der Dinge. Haben Sie Achtung, meine Herren, vor dem historischen Recht, hüten Sie sich vor destruktiven Tendenzen, die an allem Bestehenden rütteln!«

»Ganz gewiß!« rief Kommerzienrat Bemeyer. »Nichts

richtiger als das: Der Schmutz besteht, und es ist gefährlich, an dem Bestehenden zu rütteln! Sehr gefährlich!«

»Ich bin auch für das Bestehende«, sagte der Hofbankier von Elmeyer, »aber ich sehe nicht ein, warum der Schmutz bestehen bleiben soll, weil er historisch geworden ist. Wenn ich, gottbehüte, schmutzig bin, bin ich doch auch nur schmutzig *geworden*. Warum soll ich mich da nicht waschen dürfen? Wo sollte das hinaus?«

»Sehr wahr! Sehr wahr!« rief Kommerzienrat Bemeyer. »Eine sehr richtige Bemerkung.«

Aber viel entschiedener als durch den unschuldigen Einwurf des Bankiers ward Wemeyers Ansicht von dem historischen Rechte des Schmutzes durch den Advokaten Emeyer bekämpft.

»Historisches Recht!« rief er mit der Begeisterung eines Volkstribunen. »Historisches Recht! Achtung vor dem Bestehenden! Destruktive Tendenzen! Ja, das sind die Stichworte der lichtscheuen Partei, die nichts gelernt hat und nichts vergessen, die immer und immer wieder ihr Schlangenhaupt erhebt, sooft auch der Gott der jungen Zeit siegend über ihren Nacken dahingeschritten! Historisches Recht! Als ob es nicht ewige, unveräußerliche, unverjährbare Menschenrechte gäbe, gegen welche keine verschimmelten Privilegien gelten! Also der Schmutz soll bestehen bleiben, *weil* er besteht! Als wenn nur das Recht bestände und nicht auch das Unrecht! Als wenn das Unrecht zum Recht wird, *weil* es besteht! Wir sollen die Kehrseite der Statue nicht reinigen dürfen, *weil* sie beschmutzt ist! O über diesen verschimmelten, schmutzigen After-Konservatismus!«

»Sehr gut gesagt: After-Konservatismus!« rief Bankier von Elmeyer.

»After-Konservatismus ist sehr treffend!« rief Kommerzienrat Bemeyer.

»Ich danke Ihnen, meine Herren«, fuhr Emeyer fort,

»daß Sie mir beipflichten, daß Sie meinen Haß teilen gegen die lichtscheue Partei des Rückschritts. Wir müssen alles daransetzen, daß solche Ansichten nicht den Sieg behalten! Jetzt erst fühle ich ganz die ungeheure, unaufschiebbare Notwendigkeit, den Hinterteil sofort zu reinigen. Es handelt sich dabei um die heiligsten Interessen der Menschheit! Fort mit dem Schmutz, der die Göttin schändet, der den Klub verunehrt!«
Aber an dem Zorne des Advokaten Emeyer entzündete sich der Eifer des Landrats Wemeyer, und mit nicht geringerer Heftigkeit erwiderte er:
»Und ich behaupte, der Schmutz soll bleiben, der Schmutz muß bleiben! Der Schmutz ist eine Zierde der Statue, eine Notwendigkeit! Die ganze Statue ist nur des Schmutzes wegen da! Fort mit allen diesen leeren und hohlen Abstraktionen von Menschenrechten und dergleichen! Der Schmutz besteht, darum soll der Schmutz bleiben; auch der Schmutz hat sein heiliges Recht!« »Nein!« rief Emeyer. »Der Schmutz soll und muß fort! Er muß fort, und wär's nur um des Prinzips willen! Es handelt sich hier nicht mehr um untergeordnete Kunsttendenzen, nicht mehr um die Kehrseite der Venus, es handelt sich hier um Prinzipienfragen von unsäglicher Wichtigkeit!«
»Nur keine Prinzipienfragen!« rief Assessor Demeyer. »Alles in der Welt, nur keine Prinzipienfragen!«
»Gewiß! Gewiß! Nur keine Prinzipienfragen!« stimmten Kommerzienrat Bemeyer, Bankier von Elmeyer und viele andere bei. Jedoch Advokat Emeyer ließ sich nicht irremachen.
»Nichts soll mich hindern«, rief er, »bis zu meinem letzten Atemzuge die Reaktion zu bekämpfen, unter welcher Maske sie auch auftritt. Historisches Recht! Wen glaubt man noch mit dieser hohlen Phrase täuschen zu können? Fort mit diesem Schmutz, weil er denn historisch ist!«

Ebenso heftig entgegnete Landrat Wemeyer:
»Nein! Der Schmutz soll bleiben! Ich fordere Achtung vor dem Bestehenden, Respekt vor wohlerworbenen Rechten! Es sind verabscheuungswürdige, subversive Tendenzen, die da gepredigt werden, Tendenzen, die dem christlich-germanischen Prinzip widerstreben, Tendenzen, gegen welche die Polizei einschreiten sollte.«
Aber Advokat Emeyer erhielt in dem immer schärfer entbrennenden Streite Unterstützung durch den Dr. Omeyer (den Redakteur des belletristischen Journals), der ebenfalls ein außerordentlicher Liberaler war und der Sache der Freiheit bereits die enormsten Dienste geleistet hatte.
»Der Schmutz muß fort!« rief er. »Fort muß der Schmutz! Wenn wir nur freie Presse hätten, daß man ausführlich gegen den Schmutz schreiben könnte, daß man alles sagen dürfte, den Schmutz in seiner ganzen Abscheulichkeit schildern! Weg mit dem Schmutz! Alle Liberalen müssen so stimmen! Herr von Elmeyer! Sie sind auch ein Liberaler, Sie müssen auch gegen den Schmutz sein!«
»Ganz gewiß!« rief Elmeyer. »Ich bin sehr dagegen!«
»Ich auch! Ich auch!« stimmte Kommerzienrat Bemeyer bei.
»Recht so!« rief Advokat Emeyer. »Fort mit dem Schmutz! Das ganze deutsche Volk stimmt ein in diesen Ruf! Lieber die ganze Statue zertrümmern als länger den Schmutz dulden!«
»Ja!« rief Omeyer. »Zertrümmern wir die Statue, um den Schmutz wegzuschaffen!«
»Das ist mir recht!« erwiderte Landrat Wemeyer. »Meinetwegen mag man die Statue zertrümmern, wenn nur der Schmutz bleibt! Den Schmutz ohne die Statue akzeptiere ich, wenn's nicht anders sein kann, aber nimmermehr die Statue ohne den Schmutz. Die Statue gebe ich preis!«

»Gegen die Zertrümmerung der Statue muß ich protestieren!« rief Steuerrat Cemeyer. »Ich auch!« rief Kommerzienrat Bemeyer. »Wir alle!« rief Baumeister Jodmeyer.
»Nun gut!« sprach Landrat Wemeyer. »Wer die Statue will, der wolle auch den Schmutz. Wer die Statue will, der bekämpfe mit mir die subversiven, destruktiven Tendenzen eines tollen Radikalismus, der an allem Bestehenden rüttelt, der nichts von Geschichte, von Recht und Ordnung wissen will!«
»Umgekehrt!« rief Advokat Emeyer. »Wir sind die Freunde der Ordnung, des Rechts! Denn was der verfaulte Konservatismus historisches Recht nennt ...«
Der Präsident, Hofrat Ameyer, hatte schon mehrmals versucht, die Debatte, die sich von dem eigentlichen Gegenstande und Zwecke sichtlich entfernt hatte, wieder auf denselben zurückzulenken, was ihm aber bei der steigenden Heftigkeit, mit welcher die beiden einander entgegenstehenden Ansichten verfochten wurden, nicht hatte gelingen wollen. Er unterbrach jetzt den Advokaten Emeyer:
»Aber, meine Herren, diese Abschweifungen führen uns immer weiter von unserem eigentlichen Zwecke ab; ich muß daher bitten ...«
»Nein!« rief Advokat Emeyer »Ich kann nicht zugeben, daß die Ideen des Fortschritts unterdrückt werden! Das historische Recht, sage ich ...«
Der Präsident hatte sich schon resigniert, dieser Abschweifung freien Lauf zu lassen, als der Regierungsrat *Ixmeyer*, der bisher an der Debatte gar keinen Teil genommen hatte, sich erhob und, den Advokaten Emeyer unterbrechend, in fast feierlichem Tone sagte:
»Meine Herren! Ich ersuche Sie um Ihrer selbst willen, alle und jede Diskussion über diese Gegenstände zu unterlassen!«
Advokat Emeyer aber entgegnete:

»Ich werde mir in dieser Sache, welche die heiligsten Rechte und Interessen der Menschheit berührt, das Wort nicht nehmen lassen, mich nicht hindern lassen, meine Überzeugung bis zu meinem letzten Atemzuge zu verfechten, sie mit meinem Blute zu besiegeln! Das historische Recht...«

»Und dennoch«, rief Regierungsrat Ixmeyer, »muß ich dem Herrn erklären, daß eine Besprechung dieser Gegenstände durchaus unzulässig ist!«

»Aber«, rief Advokat Emeyer heftig, »das ist ja eine wahre Tyrannei! Obendrein ist es nicht einmal das Präsidium, das mir das Wort nimmt! Meine Herren! Das kann nicht geduldet werden! Das ist Usurpation! Das ist Tyrannei!«

»Das ist Tyrannei!« rief Doktor Omeyer.

»Eine entsetzliche Tyrannei!« rief Kommerzienrat Bemeyer; »Das dulden wir nicht!« der Hoftheaterdirektor Kameyer.

»Nein, nein! Keine Tyrannei!« rief man von vielen Seiten.

So schrie und tobte der größte Teil der Mitglieder gegen den Regierungsrat Ixmeyer an; der Präsident suchte vergebens zu besänftigen.

Als wieder einige Ruhe eingetreten war, sprach Advokat Emeyer:

»Meine Herren, ich danke Ihnen. Ich werde meine Ansicht entwickeln. Ich...«

Da erhob sich von neuem Regierungsrat Ixmeyer und sprach mit starker Betonung:

»Und *ich* erkläre, daß ich ein Besprechen dieser Gegenstände nicht zugeben werde, wenngleich ich nicht Präsident der Versammlung bin. Die Herren zwingen mich, ihnen zu sagen, was ich lieber verschwiege.«

Eine allgemeine Stille trat ein.

Mit noch schärferer, schneidender Betonung fuhr Ixmeyer fort:

»Mögen denn die Herren, die über Tyrannei klagen, sich merken, was ich ihnen erklären will. – Als bei der Regierung um die Erlaubnis zur Konstituierung dieses Kunst-Klubs nachgesucht wurde, erteilte man die nachgesuchte Erlaubnis nicht ohne Besorgnisse, welche durch die in dieser Beziehung in und außerhalb Deutschlands gemachten Erfahrungen nur zu sehr gerechtfertigt erschienen. Die angegebene Tendenz des Klubs war eine anscheinend unschuldige, unverdächtige. Aber es ist bekannt, wie oft die Demagogen, diese ›im Dunkeln schleichenden Feinde des Rechts und der Ordnung‹ – um mich eines klassischen Ausdrucks zu bedienen –, wie oft sie unter anscheinend unschuldigen und harmlosen Aushängeschildern von den getäuschten Regierungen die Erlaubnis erschlichen haben, Vereine zu stiften, in denen sie ihre verbrecherischen Pläne schmiedeten zum Umsturz von Thron und Altar. Wie oft ist solchergestalt die Erlaubnis erteilt worden, Lese-Vereine, Sing-Vereine oder dergleichen unschuldig scheinende Gesellschaften zu errichten, während sich unter der unschuldigen Maske nichts anderes versteckte als verbrecherisches, revolutionäres Treiben! Diese Erfahrungen schwebten unserer Regierung vor. Als die Erlaubnis zur Konstituierung dieses Kunst-Klubs nachgesucht wurde, mußte die Regierung riskieren, daß sich unter der anscheinend harmlosen Tendenz hoch- und staatsverräterische Umtriebe verstecken könnten.«
Bei diesen Worten des Regierungsrates durchbebte ein Schaudern die ganze Gesellschaft.
Der Regierungsrat fuhr fort:
»Einerseits hätte nun zwar die Regierung die Gefahr vermeiden können, wenn sie die nachgesuchte Erlaubnis verweigerte, aber andererseits wollte unsere milde, landesväterliche, alles Gute mit größter Aufopferung fördernde Regierung nicht durch Verweigerung dieser Erlaubnis der Hebung der Kunst in den Weg treten. In

dieser äußerst schwierigen Lage verfuhr sie mit ihrer gewohnten Weisheit, Milde und Vorsicht. Sie bewilligte die nachgesuchte Erlaubnis; zugleich aber wird sie gewiß nicht versäumt haben, Maßregeln anzuordnen, die es ihr möglich machen, eine fortlaufende Kenntnis von sämtlichen Verhandlungen der Gesellschaft zu erhalten.«
Der Regierungsrat sprach diese Worte mit einer eigentümlichen Betonung, welche die Zuhörer bis ins innerste Mark erbeben machte. Er fuhr fort:
»Die Regierungen müssen auf ihrer Hut sein, denn sie wissen, ihre Feinde ruhen und rasten nicht, sondern unterwühlen fort und fort den Boden, um sowohl Thron als auch Altar zu stürzen. Die Regierungen sind aber auch auf ihrer Hut: sie kennen ihre Feinde.«
Bei diesen Worten warf der Regierungsrat einen scharfen, stechenden Blick auf den Advokaten Emeyer. Als Advokat mußte derselbe natürlich ein Feind der Regierung sein. Mit Entsetzen bemerkten die übrigen Mitglieder diesen Blick; eiligst rückten Emeyers Nachbarn von ihm weg. Emeyer hatte den Blick gleichfalls bemerkt und saß in trostloser Vernichtung; gern wäre er von sich selber weggerückt. Der Regierungsrat fuhr fort:
»Die Regierungen, sage ich, sind auf ihrer Hut; sie überwachen sorgfältig alles, was irgend staatsgefährlich werden könnte. Sowenig daher eine Berührung politischer Gegenstände im engeren und eigentlichen Sinne zugegeben werden kann, ebensowenig wird die Regierung dulden, daß Prinzipienfragen und überhaupt Fragen von irgendwelchen tendenziösem Charakter zur Verhandlung kommen. Welche Gegenstände und Fragen zu vermeiden sind, habe ich wohl nicht nötig, hier speziell aufzuzählen: die Regierung hat das Recht, hierin dem Takte ihrer Untertanen vertrauen zu dürfen und folglich jede etwaige Taktlosigkeit nachdrück-

lich zu bestrafen. Daß diejenige Debatte, welche zu unterbrechen ich für notwendig hielt, vorzugsweise unpassend, taktlos, ja, ich darf geradezu sagen, in ihren letzten Konsequenzen staatsgefährlich sei, wird Ihnen allen klar sein. Ich muß es nach diesen Andeutungen der Gesellschaft in ihrem eigenen Interesse anheimgeben, ob sie den Widerspruch, den ich der Verhandlung jener tiefgreifenden Prinzipienfragen entgegensetzte, aus dem richtigen Gesichtspunkte auffassen und demnach die Rücksichten nehmen will, von denen das Fortbestehen unseres Kunst-Klubs abhängen, ja, welche möglicherweise noch weitergreifende Maßregeln zur Folge haben könnten. Denn sähe sich unsere Regierung genötigt, diesen Klub, weil sich derselbe mit irgend staatsgefährlichen Verhandlungen befaßt hat, zu schließen, so würde man ohne Zweifel diplomatischerseits davon Notiz nehmen, und höchstwahrscheinlich würde dann gegen alle Institute dieser Art in ganz Deutschland eingeschritten werden.«

Die letzten Worte sprach der Regierungsrat noch mit besonders nachdrücklicher Betonung. Dieselben machten wie seine ganze Rede den allertiefsten Eindruck auf die ganze Gesellschaft. Lautlose Stille folgte; es war, als ob ein Polizeidiener durchs Zimmer flöge.

Besonders schien der Senator Hameyer durch die Rede des Regierungsrats ergriffen zu sein. Er erhob sich, als wolle er etwas sagen. Aller Blicke kehrten sich ihm zu. Da stöhnte er mit schwacher Stimme: »Ich glaube ... ich ... ich werde unwohl ...« und fiel in Ohnmacht.

Es war ein ergreifender Anblick, wie der alte Mann dalag; das sonst heiter gefärbte Gesicht deckte Todesblässe. Niemand wagte anfangs, ihm Hilfe zu leisten, weil die meisten glaubten, Hameyers Schrecken sei Folge eines bösen Gewissens und des Bewußtseins von staatsverräterischen Umtrieben oder einer ähnlichen Schuld, was gewissen Verhältnissen und Hameyers

Stellung nach nicht ganz unmöglich schien. Einem solchen Manne zu helfen, schien somit nicht ganz unbedenklich. Erst als Regierungsrat Ixmeyer selbst hinzusprang, dem Ohnmächtigen Hilfe zu leisten, eilten auch die anderen Mitglieder herbei.
Dieser Vorfall brachte wieder einiges Leben und Bewegung in die Mitglieder, von denen jedoch mehrere große Lust zu haben schienen, sich zu entfernen, angeblich um den inzwischen wieder zu sich gekommenen Senator Hameyer nach Hause zu bringen. Der Präsident, Hofrat Ameyer, versuchte vergebens, die Fortgehenden zu halten, bis Regierungsrat Ixmeyer, dem jetzt die Macht des Präsidenten de facto anheimgefallen zu sein schien, gleichfalls zum Dableiben ermahnte. Endlich kam die Gesellschaft einigermaßen wieder in Ruhe und Ordnung. Advokat Emeyer aber war verschwunden.
Hameyers Unfall hatte das Gute gehabt, daß man die Andeutungen und Warnungen des Regierungsrats, deren ganze Bedeutung man wohl verstanden hatte, mit guter Manier und ohne weitere Debatte auf sich beruhen lassen konnte.
Auch nahm der Präsident, sobald nur einigermaßen die Ordnung wiederhergestellt war, das Wort und hielt einen ausführlichen Vortrag über das, was bis jetzt hinsichtlich des eigentlichen Zweckes der Beratung, die Entfernung der Flecken an der Venus, vorgekommen war. Den in seinem früheren Resümee besprochenen Vorschlägen waren jetzt nur noch zwei der Berücksichtigung würdige Vorschläge hinzugekommen, nämlich der, die Statue mit dem Rücken in eine Ecke zu stellen, um den Schmutz zu verstecken, und der, die Sache ganz so zu lassen wie sie sei. Als Ameyer dieses Resümee beendigt hatte, fragte er, ob noch jemand Vorschläge zu machen habe.
Fast sämtliche Mitglieder der Gesellschaft hatten schon

das Ihrige an Vorschlägen zur Abhilfe des Übels getan, nur der Legationsrat *Zetmeyer* hatte an der ganzen Verhandlung noch keinen anderen Anteil genommen, als daß er einige Male diplomatisch fein gelächelt, auch hin und wieder seinen Nachbarn ein Wort zuzuflüstern geschienen hatte.

Als Präsident Ameyer suchend im Kreise umherblickte und fragte, ob noch jemand Vorschläge zu machen habe, ward er Zetmeyers gewahr und fragte denselben, ob *er* nicht ein Mittel vorzuschlagen habe, wie dem Übelstande abgeholfen werden könne.

Legationsrat Zetmeyer tat anfangs, als höre er nicht, daß die Frage an ihn gerichtet werde, und wollte dann, als Ameyer seine Frage wiederholte, sich inkompetent erklären zur Lösung einer so schwierigen Frage. Ameyer aber, dem das peinliche Schweigen der Gesellschaft drückend war, insistierte, worauf denn Zetmeyer erklärte, wie er als Diplomat notwendig immer für Aufrechterhaltung des status quo sein müsse, welches ja Summa aller diplomatischen Weisheit; »auch könne man nicht leugnen, daß ein schmutziger Hintere ein fait accompli sei«.

Diese Ansicht enthielt nichts Neues, sie fiel unter den Vorschlag des Konrektors. Ameyer fragte daher, ob noch jemand neue Vorschläge zu machen habe, indem er sonst über die bereits gemachten Vorschläge abstimmen lassen werde.

Die Gesellschaft hatte sich zwar von dem tiefen Eindrucke, den die Ixmeyerschen Revelationen gemacht hatten, bereits einigermaßen wieder erholt. Dennoch wagte trotz Ameyers Aufforderung niemand mit Äußerungen hervorzutreten, aus Furcht, unwillkürlich einen der Regierung irgend mißfälligen Gegenstand zu berühren.

Einige Minuten herrschte solchergestalt eine peinliche Stille.

Da erhob sich der Regierungsrat Ixmeyer aufs neue und sagte:
»Ich glaube voraussetzen zu dürfen, meine Herren, daß das, was ich vorhin angedeutet, auf die heutige Beratung und deren völlig unverfänglichen, ja, ich darf sagen, der Regierung wohlgefälligen Zweck durchaus keinen Einfluß äußern wird. Ich hoffe ferner, daß jene Angelegenheit als vollständig abgetan und erledigt durchaus nicht weiter berührt werden wird. Was aber unsere heutige Beratung und deren Zweck betrifft, so würde ich, wenn keiner der geehrten Herren desfallsige Vorschläge zu machen hat, mir erlauben, meinerseits einen solchen vorzubringen.«
Er sah sich fragend um. Alle schwiegen.
Endlich begann der Kammersekretär Temeyer:
»Wir warten ungeduldig Ihres Vorschlages, verehrtester Herr Regierungsrat. Gewiß wird derselbe unser aller Beifall haben.«
Die ganze Gesellschaft gab ihre Zustimmung zu erkennen, worauf denn der Regierungsrat mit besonders freundlichem und leutseligem Ausdrucke, als wollte er die Gesellschaft vollkommen beruhigen, also sprach:
»Wenn denn keiner der Herren noch Vorschläge zu machen hat, so will ich mir erlauben, meinerseits auf ein Mittel zur Abhilfe jenes Übelstandes aufmerksam zu machen. Mein Vorschlag dürfte um deswillen einigen Anspruch auf Beachtung haben, weil er von den hauptsächlichsten bisher gemachten Vorschlägen etwas in sich vereinigt. Ehe ich denselben der Gesellschaft vorlege, will ich hinsichtlich derjenigen Ansicht, welche den status quo bewahren will, folgendes bemerken: Auch ich bin – ich sage es mit gerechtem Stolze – ein Anhänger des Bestehenden. Aber leugnen läßt es sich nicht, daß Momente eintreten können, wo es – um nicht zu sagen: notwendig – klüger ist, der sogenannten Zeit einige sogenannte Konzessionen zu machen,

als durch rücksichtsloses Festhalten an dem Bestehenden sich ganz und gar der Zukunft zu überlassen. Dergleichen Konzessionen sind eben, was man wohl den ›gemäßigten Fortschritt‹ nennt. Ich bin daher mit dem größeren Teile der Gesellschaft darin einverstanden, daß der Schmutz entfernt werden müsse, und der Vorschlag, den ich zur Entfernung desselben zu machen habe, ist denn auch durchaus im Sinne des gemäßigten Fortschritts.

In den Vorschlägen nun, welche zur Entfernung des Schmutzes gemacht worden sind, sind vorzüglich zwei verschiedene Systeme vorherrschend; das eine will den Schmutz übermalt, das andere den Schmutz abgekratzt haben. Was das erste dieser beiden Systeme betrifft, so ist der Vorschlag gemacht worden, die Statue ganz oder wenigstens die leidenden Teile zu übermalen, den Schmutz zu übertünchen; unser Pemeyer, der das verstehen muß, hat erklärt, daß jede Veränderung des Volumens der Statue, sei diese Veränderung auch noch so unbedeutend, den Kunstwert wesentlich alteriere; durch Übertünchen würde aber das Volumen, wenngleich nur unbedeutend, vermehrt, also verändert werden.

Das andere System will den Schmutz abkratzen, abschaben. Herr Professor Pemeyer hat sich auch diesem Vorschlage aus demselben Grunde widersetzt: wie durch das Übermalen das Volumen der Statue vermehrt, so werde es durch Abschaben vermindert, also immer verändert.

Der Vorschlag, den ich zu machen habe, meine Herren, ist ein mezzo termine, der beide Systeme vereinigt. Ich schlage vor, daß zuvörderst die beschmutzten Teile sauber und vorsichtig abgeschabt und, wenn dieses geschehen ist, ebenso vorsichtig weiß übertüncht werden. Was durch die erste Operation, das Abschaben, dem Volumen der Statue genommen, an dem Kunstwerte

alteriert worden, wird durch die zweite Operation, das Übermalen, ersetzt, der Kunstwert also in integrum restituiert. So wird das wahre primitive Volumen, die ursprüngliche Linie und Form, vollständig konserviert und der Schmutz dennoch beseitigt. Dann können wir die Statue auch stehen lassen, wo sie steht; wird sie wieder schmutzig, so wiederholt man die beiden Operationen. Indessen ist dergleichen kaum zu besorgen, da unsere Gesellschaft erfahren hat, wie schwer es ist, dergleichen Übelstände zu beseitigen. – Dies, meine Herren, ist der Vorschlag, den ich zu machen habe, ein juste milieu, das vielleicht Ihren Beifall hat.«
»Ganz und gar!« rief der Kriegsrat Efmeyer.
»Vortrefflich!« rief Finanzrat Gemeyer, »Süblim!« der Theaterdirektor Kameyer, »Einzig!« der Doktor Omeyer.
»Eine ganz vortreffliche Idee!« rief der Kommerzienrat Bemeyer, »Ganz vortrefflich, ganz vortrefflich! Mir aus der Seele genommen! Dasselbe Mittel habe ich vorhin schon im Sinne gehabt! Erst übermalen und dann abkratzen! Ganz vortrefflich!«
Die ganze Gesellschaft überströmte den Regierungsrat mit Lobsprüchen; alle waren extasiiert und freueten sich der geistreichen glücklichen Lösung der so schwierigen Aufgabe.
»Keine Abstimmung!« rief der Assessor Demeyer. »Keine Abstimmung! Der Vorschlag wird durch Akklamation genehmigt!«
»Jawohl! Jawohl!« riefen alle.
»Der trägt kein deutsches Herz im Busen«, rief Kommerzienrat Bemeyer, »der diesem Vorschlag nicht beistimmt!«
Hofrat Ameyer aber, in unerschütterlicher Würde, wie sie dem Präsidenten auch in den schwierigsten Verhältnissen geziemt, nahm von diesem Beifallsjubel keine offizielle Notiz, sondern sprach ruhig:

»Meine Herren! Der Herr Regierungsrat Ixmeyer hat zur Beseitigung des Schmutzes einen Vorschlag gemacht, den Sie eben vernommen haben. Dieser Vorschlag hat, wie es beinahe scheint, Ihren Beifall gefunden. Widerspruch hat sich gegen denselben bislang nicht erhoben. Ich fordere diejenigen Mitglieder, welche etwas dagegen vorzubringen haben, auf, damit hervorzutreten.«
Alles schwieg.
Ameyer fuhr fort:
»So bringe ich denn diesen Vorschlag des Herrn Regierungsrats Ixmeyer zur Abstimmung und fordere die Herren, welche für denselben stimmen, auf, sich zu erheben.«
Die ganze Gesellschaft rauschte in die Höhe, Ixmeyers Vorschlag war *einstimmig* angenommen. Freude erfüllte alle Gemüter; die schwierige Aufgabe war gelöst, gelöst zur Zufriedenheit aller, gelöst in einem Augenblick, als man schon an der Möglichkeit der Lösung verzweifelte. Die Mitglieder drückten einander freudig die Hände, jeder wußte neue Vorzüge an dem Vorschlage, der nun Beschluß der Gesellschaft war, hervorzuheben. Des Lobens und Preisens war kein Ende. Ixmeyer war ein großes, denkendes, administratives Talent, vielleicht der bedeutendste Staatsmann seines Jahrhunderts, würdig, ein großes Land, z. B. England oder Frankreich, zu regieren.
»Wenn das kein Bürgerlicher wäre«, sagte Kommerzienrat Bemeyer, »der Mann wäre längst Minister.«
»Geheimer Regierungsrat wird er gewiß sehr bald«, sagte Steuerrat Cemeyer.
»Das muß er schon dieses Vorschlages halber werden, von dem doch die Regierung durch ihn auch Kenntnis erhalten wird«, sagte der Hofbaumeister Jodmeyer.
»Welch ein Mann! Welch ein Mann!« wimmerte voll Entzückung der Kammersekretär Temeyer.

»Ich bewundere schweigend!« rief Assessor Demeyer.
Mit der Bescheidenheit eines großen Mannes schien Ixmeyer von diesen Lobeserhebungen wenig Notiz zu nehmen. Mit wahrhaft bezaubernder Freundlichkeit wandte er sich an den Senator Hameyer, der von seiner Ohnmacht noch immer etwas angegriffen zu sein schien, und fragte ihn, wie es ihm ginge.
»Ich hoffe«, sagte Ixmeyer, »Sie befinden sich wieder ganz wohl, lieber Herr Senator!«
Der Bewunderung der Gesellschaft entging auch dieser schöne Zug in Ixmeyers Benehmen nicht, und wie man eben seinen Geist gepriesen hatte, so lobte man nun sein Gemüt. Der alte Senator Hameyer aber dankte voll freudiger Rührung auf Ixmeyers Frage, und als dieser nun gar um die Erlaubnis bat, den noch Angegriffenen nach Hause zu geleiten, traten Tränen in Hameyers Augen, und die Bewunderung der Gesellschaft erreichte ihren Gipfel. –
So endigte diese Beratung nach Überwindung der größten Schwierigkeiten mit einer wahrhaft glücklichen Lösung der Frage zur reinsten, schönsten Freude aller. Der Venus geschah, wie Ixmeyer vorgeschlagen und die Gesellschaft beschlossen hatte. Nachdem die Operation glücklich vollendet worden, ward zur Feier der glücklichen Wiederherstellung der Venus ein solennes Diner des Kunst-Klubs beschlossen. Als der Präsident die Subskriptionsliste zu demselben unter den Mitgliedern des Klubs zirkulieren ließ, war er anfangs wegen des Advokaten Emeyer in einiger Verlegenheit; indessen schickte er nach reiflicher Überlegung auch diesem die Liste zu, hoffend jedoch, derselbe werde an dem Diner nicht teilnehmen. Diese Hoffnung wurde aber getäuscht: Emeyer unterschrieb und fand sich zur bestimmten Zeit ein.
Die Gesellschaft war sehr zahlreich in dem festlich geschmückten Klublokale versammelt. Man freute sich

der Venus, deren Hinterseite wieder in der Weiße der Unschuld glänzte; ein Lorbeerkranz (No. 25 des Inventars) schmückte dieselbe, kunstreich an einem Bande befestigt, das um den Leib der Statue geschlungen war. Die Gesellschaft hatte sich vollständiger als je eingefunden, nur Regierungsrat Ixmeyer, den jeder der Eintretenden zuerst gesucht hatte, fehlte noch; Advokat Emeyer dagegen war erschienen, stand aber einsam und verlassen in einer Fensternische; mehrere Mitglieder, mit denen er ein Gespräch anzuknüpfen versucht hatte, hatten sich scheu zurückgezogen.
Endlich erschien Regierungsrat Ixmeyer: alle drängten sich begrüßend ihm entgegen. Ixmeyer warf seine Augen suchend im Kreise der Versammelten umher, als fehle ihm jemand. Endlich erblickte er Emeyern und schien nun gefunden zu haben, was er suchte. Die Gesellschaft war in der peinlichsten Verlegenheit; sie mußte glauben, Emeyers Anblick sei dem hochverehrten Ixmeyer widerwärtig, und nun schien es doch kaum möglich, jenen mit guter Manier zu entfernen. Wie aber war die ganze Gesellschaft überrascht und verwundert, als Regierungsrat Ixmeyer statt durch Emeyers Anblick verletzt zu sein, auf ihn zuging, ihm freundschaftlich die Hand drückte und einige Minuten lang sich eifrig mit ihm unterhielt! Wer vermochte dieses Rätsel zu lösen, über welches die Gesellschaft sich den Kopf zerbrach?
Erst mehrere Tage nachher erfuhr Doktor Omeyer von dem Bedienten des Regierungsrats, mit dem er wegen Mitteilung von Neuigkeiten in Verbindung stand, daß Advokat Emeyer gleich am Tage nach jener Beratung über die Venus dem Regierungsrate einen Besuch gemacht und ihn von der Unsträflichkeit seiner politischen und sonstigen Gesinnungen überzeugt habe. Auch meinte der Bediente, daß Advokat Emeyer dem Regierungsrat ein Kapital verschafft habe, dessen dieser

gerade benötigt gewesen; indessen hatte über diesen letzten Punkt der Bediente nichts Genaueres gewußt. Wenngleich nun diese Nachrichten das Benehmen des Regierungsrates gegen den Advokaten einigermaßen zu erklären vermocht hätten, so erfuhr die Gesellschaft dieselben doch erst später, und die Sache machte daher an jenem Tage und während des Diners den Mitgliedern des Klubs viel zu schaffen. Nachdem Regierungsrat Ixmeyer sich so freundschaftlich mit Advokat Emeyer unterhalten hatte, nahten sich auch die anderen Mitglieder diesem wieder, ein jeder ging zu ihm heran und drückte ihm freundlich die Hand. Advokat Emeyer war über dieses freundliche Empressement, mit welchem seine Freunde, die sich noch eben scheu von ihm entfernt hatten, ihm jetzt sich nahten, auf das freudigste gerührt und ergriffen.

Das Diner selbst war sehr heiter und durch nichts gestört. Der zweite, vom Präsidenten Hofrat Ameyer ausgebrachte Toast galt dem Wiederhersteller der Venus, dem allverehrten Regierungsrat Ixmeyer. Ameyer sagte, er glaube nur dem Gefühle, welches alle beseele, Worte zu geben, wenn er diese Gesundheit ausbringe. Allgemeiner Jubel begleitete diesen Toast. Aber der Jubel steigerte sich noch, als Ixmeyer dankte und dann »das Wohlergehen und die fernere Blüte des Kunst-Klubs« ausbrachte.

Als nach Tisch die Stimmung der Gesellschaft einen vaterländischen Charakter angenommen hatte, nahm Senator Hameyer den Lorbeerkranz, der die Venus schmückte, von seinem Platze und setzte ihn auf Ixmeyers Haupt, was allgemeinen Beifall fand. Nach einer Weile nahm Regierungsrat Ixmeyer den Kranz von seinem Kopfe und setzte ihn dem Hofrat Ameyer, dem würdigen Präsidenten des Klubs, auf, was wiederum allgemeinen Beifall fand. Hofrat Ameyer setzte den Kranz darauf dem Kommerzienrat Bemeyer, dieser dem Steuerrat Cemeyer, dieser dem Assessor Demeyer auf usw. usw., unter immer erneuertem Beifall der Gesellschaft, bis der Kranz ein jedes Haupt geschmückt hatte.

Die Kunde von der Art und Weise, wie jene schwierige Aufgabe gelöst worden, und von den Verhandlungen und Beratungen, die dieserhalb im Kunst-Klub stattgefunden hatten, verbreitete sich bald in ganz Flachsenfingen und mußte natürlich dazu beitragen, das hohe Ansehen, dessen der Kunst-Klub bereits genoß, noch bedeutend zu vermehren.

Und so entfaltete sich dieser Klub zu immer schönerer Blüte, zu immer weiterer Anerkennung.

GEORG WEERTH
(1822–1856)

## Fünf Skizzen aus dem deutschen Handelsleben

*Der Korrespondent*

Der Herr August ist ein schöner junger Mann von fünfundzwanzig Jahren. Was kann ein Mensch mehr verlangen!
Sein Haar ist blond, seine Augen sind blau, seine Wangen sind frisch, sein Kinn ist spitz. August hat weiße Hände, er ist schlank gewachsen und hübsch gekleidet. Die Mutter Natur und der Schneider haben sich angestrengt, ein angenehmes, gesellschaftliches Wesen aus ihm zu machen.
Zierlich und anständig schreitet August durch die Gassen. Den Hut trägt er etwas vorn auf der Stirn; er wedelt mit den Handschuhen und liebäugelt mit den freundlichen Kindern, die etwa am Fenster sitzen, zwischen Myrten und Geranien, das Herz voll knospender Sehnsucht und in den Lilienfingern den Strickstrumpf.
August verfügt sich auf das Comptoir, denn er ist Korrespondent in dem Hause Preiss. Sechs Wochentage lang muß er dort Briefe schreiben an alle geehrten Geschäftsfreunde gen Osten und gen Westen, und nur am siebenten ruht er, da bleibt er daheim, und selig ist ihm die Morgenstunde des Sonntags, wo der Tabak dampft und der Mokka duftet und wo er deine Romane liest, o göttlicher Clauren!
Beobachten wir unsern Freund, wie er sich eben an das große Schreibpult setzt, um sein Tagewerk zu beginnen. Vergessen ist jetzt die süße Außenwelt, vergessen

das Lockenköpfchen, das ihn eben gegrüßt, vergessen die ergreifendste Stelle aus Claurens Schriften, vergessen die Karoline des Billards, die er noch am Abend vorher so trefflich geschnitten, und vergessen der Dukaten, den er verloren im Landsknecht! Finsterer Geschäftsernst starrt ihm entgegen aus dem Comptoir des Herrn Preiss.

»Was hat die Post gebracht?« fragt der würdige Prinzipal.

»Es sind viele Briefe gekommen; schreiten wir zur Beantwortung!«

Da langt August nach den Geschäftsepisteln des Tages und beginnt: »Die Herren Rand & Lieblich übermachen uns 700 Gulden auf Frankfurt und bestellen 100 Ballen Kaffee von der zuletzt erhaltenen Sorte. Die Ware soll gleich versandt werden, und sie verlassen sich in betreff des Preises auf unsere vielerprobte Rechtlichkeit.«

»Antworten Sie den Leuten«, erwiderte Herr Preiss, »daß ich sie achte und liebe. Für die 700 Gulden wollen wir sie nach unbezweifeltem Eingang mit dem wärmsten Danke erkennen. Die 100 Ballen Kaffee erfolgen mit dem nächsten Schiffe, und zwar aus besondern freundschaftlichen Rücksichten einen halben Taler billiger. Versichern Sie die Menschen meiner unwandelbaren Ergebenheit, und empfehlen Sie mich ihnen mit ausgezeichneter Hochachtung.«

»Die Herren Fuchtel & Peitsche«, fuhr August fort, »schreiben uns einen bösen Brief; sie sagen, sie hätten unsere letzte Sendung Kaffee erhalten, aber die Qualität sei nicht nach Probe; sie wünschen daher eine namhafte Vergütung, oder sonst soll die ganze Geschichte zu unsrer Verfügung bleiben.«

»Antworten Sie diesen Leuten, daß ich ein Ehrenmann sei und daß solche Dinge nie bei mir vorfallen könnten. Sie sollen sich eine Brille anschaffen und die Sache noch einmal untersuchen. Sagen Sie, daß die Preise des

Artikels einen merklichen Aufschwung zu nehmen schienen, und machen Sie den beiden Herren sehr bange, dann werden sie sich wohl beruhigen. Ich weiß sehr gut, daß die Sendung nicht ganz nach Probe ist, aber wir sind alle schwache und sterbliche Menschen, und jeder hilft sich, so gut er kann. Grüßen Sie Herren Fuchtel & Peitsche achtungsvoll. Weiter im Text!«
»Der Herr Parzival junior drückt uns sein Bedauern aus, daß er unsre letzte Rechnung noch nicht habe bezahlen können. Die Zeiten seien schlecht, er sei aber ein ehrlicher Mann. Außerdem wünscht er noch ein Faß Öl zu erhalten.«
»Dieser Mensch gefällt mir gar nicht. Schreiben Sie ihm, daß ich seinen Rimessen nichtsdestoweniger mit großer Ungeduld entgegensähe, und was das Faß Öl betreffe, so würde ich dasselbe lieber bis auf den Grund austrinken, ehe ich es ohne vorher erfolgte Bezahlung absendete; und dann grüßen Sie Herrn Parzival bloß höflich.«
»Die Geschwister Fischer schreiben, daß die zuletzt erhaltene und schon bezahlte blaue Farbe gar nicht zu verkaufen, da sie unecht sei. Wir möchten die Sendung doch durch eine andre ersetzen.«
»O Zeus! Schon bezahlt und nun noch Reklamationen! Verfertigen Sie diesen unschuldigen Geschwistern Fischer doch einen recht lustigen Brief. Schreiben Sie, daß es seine volle Richtigkeit mit der schlechten Qualität der Ware habe, aber zu den billigen Preisen, die ich den Geschwistern ansetze, könne man auch nichts Gutes liefern. Sie sollen die Geschichte in Gottes Namen behalten; schreiben Sie das recht versöhnlich, denn die Geschwister sind brave Leute, und bieten Sie ihnen eine neue Quantität recht niedrig an. Grüßen Sie die Geschwister auch recht freundschaftlich, dann werden sie sich schon zufriedengeben. Und nun?«
»François père et fils in Avignon bitten um Abrechnung über die seinerzeit konsignierten 7 Fässer Krapp.

Wenn die Ware noch nicht verkauft ist, so sollen wir zum bestmöglichen Preise losschlagen.«
»Diese Franzosen wollen wir schneiden. Nichts ist vorteilhafter als ein Konsignationsgeschäft. Es ist eigens vom Schicksal dazu gemacht, daß ein ehrlicher Mann etwas daran verdiene. Die Fässer Krapp sind längst verkauft. Schreiben Sie daher den Leuten, daß ich sie bis zur Stunde auf dem Lager gehabt hätte. Es sei unmöglich gewesen, so schlechtes Zeug loszuwerden. Nach ihrem Wunsch hätte ich sie aber jetzt mit Gewalt fortgeschafft, leider sei deswegen aber auch der Preis ziemlich niedrig. Machen Sie dann eine Verkaufsrechnung 30 bis 50 Prozent zu unsern Gunsten; ermuntern Sie die Herren zu fernern Konsignationen, und versichern Sie dieselben meiner ganzen Sorgfalt für ihr Interesse und Wohlergehen. Sie können auch noch bemerken, daß ich ihnen aus reiner Gutmütigkeit keine Lagerspesen berechnen wolle, denn ich bedaure selbst, daß dieser erste Versuch nicht besser ausgefallen sei. Führen Sie den Brief recht hübsch aus, und schreiben Sie französisch, damit uns die Leute besser verstehen. Was gibt es sonst?«
»Ein Brief des Herrn Julius Lavendel. Er gibt einen Auftrag auf 10 Kisten Indigo, will aber auf die frühere Sendung etwas vergütet haben.«
»Das ist gar nicht dumm von ihm. Antworten Sie diesem Manne, daß er die 10 Kisten Indigo haben soll, mit Vergnügen; die Vergütung brauchen Sie aber gar nicht zu berühren; wir müssen tun, als hätten wir das gar nicht gelesen, und wenn er noch einmal darauf zurückkommt, so wollen wir sie bewilligen und ihn auf eine andere Weise dafür zu packen suchen. – Sela!«
»Jetzt kommt ein Schreiben der Herren Ehrlich & Wunderlich. Sie wollen Offerte in Zucker haben und können eine bedeutende Partie gebrauchen.«
»Nun, das ist mir ja bedeutend lieb. Schreiben Sie die-

sen Biedermännern einen höchst poetischen Liebesbrief, notieren Sie ihnen die jetzigen Preise und grüßen Sie dieselben freundschaftlichst und mit achtungsvoller Ergebenheit. Wenn Sie damit fertig sind, so erkundigen Sie sich aber noch einmal bei unserm Bankier, ob die Kerle auch solide sind; es gibt in dieser insolventen Jahreszeit so viel schlechtes Volk, daß man wahrhaftig etwas vorsichtig sein muß.«

»Der Advokat in Offenbach erwidert auf unsere neuliche Anfrage, daß unser Prozeß gegen den Juden Lilienstern noch immer nicht zu Ende sei. Bei der großen Sorgfalt, mit der er unser Interesse vertrete, hoffe er indes, über Jahr und Tag damit fertig zu werden. Leider seien die dasigen Gerichtsverhältnisse äußerst verwickelt.«

»Sehen Sie, so geht es einem ehrlichen Kaufmann, wenn er unter die Wölfe gerät! Die Advokaten sind die prächtigsten Leute von der Welt beim Kartenspiel oder bei einer vorzüglichen Flasche Wein – aber wehe, wenn sie, losgelassen, das Interesse ihrer Freunde vor Gericht vertreten! Die Haare fangen eher auf einem alten Koffer an zu wachsen, die Mücken verwandeln sich eher in Dromedare, als daß man durch einen Advokaten zu seinem rechtlichen Eigentume kommt. Legen Sie den Brief dieses Offenbachers beiseite, damit ich ihn nie wieder zu Gesicht bekomme, damit ich nicht an dem Adel der menschlichen Seele zu zweifeln beginne, damit sich die Sanftmut meiner Brust nicht in Wut, damit sich die Milch meines Herzens nicht in Wermut verkehrt. Das Advokatenhandwerk muß ein einträgliches Geschäft sein; ich will doch einen meiner Söhne Advokat werden lassen.«

»Ein Herr Tarantel teilt uns mit, daß er eine Erfindung gemacht habe, um das Farböl vorteilhafter tournant zu machen, und ladet uns ein, einige Fonds vorzuschießen, damit diese Erfindung exploitiert werden könne.«

»Erwidern Sie diesem Exploiteur, daß Erfindungen nicht in meine Branche schlagen. Es sei sehr gut möglich, daß er ein zweiter James Watt, ein Arkwright oder ein Liebig sei; ich befasse mich indes nur mit Zucker, Kaffee und Heringen; weiter reiche mein Horizont nicht. Im übrigen wünsche ich ihm des Himmels reichen Segen; ich sei ein armer Mann und grüße ihn ergebenst.«
»Der Herr Pfarrer von Flachsenfingen bittet um einige Beiträge zu einer milden Stiftung.«
»Melden Sie ihm in blumenreichen Ausdrücken, daß dergleichen gegen meine Geschäftsprinzipien sei – aber halten Sie! Der Bruder dieses Pfarrers ist ja einer unserer besten Kunden; nein, schicken Sie ihm 10 Taler, sagen Sie, ich sei ein großer Philanthrop, und mit ganzem Herzen überreiche ich ihm diese Kleinigkeit. Sie müssen recht viele Worte machen, damit der Glanz der Phrasen die Geringfügigkeit meiner Gabe in etwa verdeckt; und empfehlen Sie mich Sr. Hochwürden dann mit christlicher Liebe und Ergebenheit. Aber es ist doch entsetzlich, daß man nur Briefe von Advokaten, Erfindern und Geistlichen erhält, gerade von den Leuten, die mich am wenigstens interessieren. Gibt es denn gar nichts Erfreuliches mehr?«
»Der Herr Salamander in der Pfalz bestellt 20 Tönnchen Heringe umgehend.«
»Dieser Mann ist mein Freund. Aber das ist viel; 20 Tönnchen auf einmal; es muß wenig Durst mehr, ja es muß viel Katzenjammer in der Welt geben. Ist unser Salamander auch wohl solide? Schreiben Sie ihm, die Heringe sollten baldigst den Rhein hinaufschwimmen; Rimessen auf Köln wären aber angenehm, denn das Geld sei rar. Empfehlen Sie mich dem Salamander mit bewußter und bekannter Freundschaft.«
»Zum Schlusse haben wir noch zwei Briefe von Bankiers aus Paris und Amsterdam.«

»Und was wollen die von mir?«
»Die Herren Brummfliege, Eidam & Co. beklagen sich bitter darüber, daß wir schon seit mehreren Jahren einen großen Posten in unserm Kredit stehen hätten, von dem sie uns die höchsten Zinsen vergüten müßten, und daß wir so gut wie gar keine Geschäfte mit ihnen machten. Dies könne nicht länger so fortgehen, wir müßten so gefällig sein und ihre Dienste etwas in Anspruch nehmen, sie verdienten ja gar nichts an uns usw. Dies schreiben die Amsterdamer. Zur selben Zeit ersuchen uns die Herren Scorpion frères in Paris, über jeden Betrag bei ihnen zu verfügen; ihre Dienste wären uns unter allen Verhältnissen gewidmet, und sie würden sich glücklich schätzen, wenn wir ihre Kapitalien bald und bedeutend in Anspruch nähmen.«
»Schreiben Sie den Leuten, daß ich ihnen für ihr schmeichelhaftes Anerbieten sehr verbunden wäre; leider hätte ich aber schon selbst so viel Geld und litte gerade in diesem Augenblick so entsetzlich an überflüssigen Fonds, daß ich bei bestem Willen von fremden Kapitalien keinen Gebrauch machen könne und es einstweilen der Zukunft überlassen müsse, ob ich einmal zu einem Geschäfte die Hand bieten dürfe. Sollte dieser Fall eintreten, so würde ich mich gern ihrer Offerte erinnern und bliebe indes achtungsvoll usw. der Ihrige.«
»Da sind wir fertig!« rief August und seufzte tief auf. Er hatte wirklich einige Mühe gehabt, mit dem Gedankengange des würdigen Prinzipals gleichen Schritt zu halten. Da er sich aber den Umriß sämtlicher Briefantworten auf einem Stückchen Papier bemerkte, so wurde es ihm dennoch möglich, die Ideen seines erfindungsreichen Meisters schnell in jenen zierlichen Wendungen wiederzugeben, welche schon längst die Wonne und die Bewunderung aller Geschäftsfreunde des Herrn Preiss waren. Ungesäumt gab er sich ans Werk; und

wiederum lag eine tiefe Sabbatstille über dem ganzen Comptoir; denn auch die jüngern Leute, welche den Reden ihres Herrn aufmerksam gelauscht und sich bei mancher Stelle bedeutungsvoll zugenickt oder voll süßen Einverständnisses angelächelt hatten, versanken jetzt wieder in ihre Arbeit, während der dürre Buchhalter den Namen mancher respektablen Firma auf die Seiten seines großen Hauptbuches malte.

Der Herr Preiss aber zog den Lyoner Foulard aus der Tasche des großen Rockes und trocknete den Schweiß von der hohen, olympischen Stirn, welche so kühn allen Gefahren trotzte und so reich an vorteilhaften Erfindungen war. Die Hände auf den Rücken legend, schritt er gesenkten Hauptes auf und ab durch den düstern Hintergrund des Comptoirs, tief in der Seele erwägend, ob er recht getan und richtig gehandelt, und es war ihm zumute wie dem Helden Homers, dem ränkevollen Odysseus, nachdem er betrogen Polyphem, den groben Cyklopen.

*Der Reisende, wie er sein soll*

Der Herr Preiss sah so bedenklich aus, als sollte er mit Drillingen niederkommen. Er sprach kein Wort.
Die Arme auf den Rücken legend, marschierte er mit gesenktem Haupte hin und her. Plötzlich blieb er steif vor seinem Pulte stehen.
Während die linke Hand an den großen Lederschirm der grünen Mütze faßte und den gewaltigen Schädel von seiner Bedeckung befreite, verlor sich die rechte Hand in der tiefen Brusttasche des Oberrockes und zog daraus hervor eine große Brille.
Die Brille, mit der der würdige Handelsherr in wichtigen Augenblicken seine Adlernase zu bewaffnen pflegte, war ein höchst antikes Kabinettstück der Fa-

milie Preiss, das sich aus den dunkelsten Zeiten, von Geschlecht zu Geschlecht, bis auf unsern Freund fortgeerbt hatte. Mit Gläsern groß wie Wagenräder, eingefaßt von schwerem, silbernem Rahmen und in einem dicken, mit Perlmutter ausgelegten Futterale, erinnerte diese Brille nur zu sehr an jene frommen Pfahlbürger, die weiland alles für die Ewigkeit bauen zu müssen glaubten: ihre muffigen Häuser, ihre plumpen Karossen, ihre plüschenen Hosen und ihre spitzen Nägelschuhe; ja, die nicht ruhig sterben konnten, wenn sie ihren Dienern und Enkeln nicht eine ganze Rumpelkammer voll alter Tabaksbeutel und Schnupftabaksdosen hinterließen, ein halbes Dutzend Meerschaumpfeifenköpfe und wenigstens drei bis vier doppeltumkapselte Uhren mit allem, was daran baumeln muß von Gold und von Silber, von Agat und von Tombak.

Die Brille des Herrn Preiss war der Rest eines derartigen Nachlasses. Wie er vom antiken Vater auf den modernen Sohn und von dem modernen Sohn auf den frivolen Enkel überging, hatte er sich durch leichtsinniges Verschenken und durch noch verwerflicheres Vertrödeln immer mehr verringert. Solange Herr Preiss selbst noch zu der frivolen Jugend gehörte, war ihm das allmähliche Verschwinden der teuern Hauskleinodien kaum aufgefallen. Als er aber nach und nach zu denselben Jahren kam, in denen seine Vorfahren einst mit ihrem Leben abschlossen und das testamentarische Verzeichnis ihrer Schätze, oder besser ihrer Tugenden und Sünden, d. h. ihrer Aktiva und ihrer Passiva, entworfen hatten: da wurden die Liebhabereien der Väter auch wieder bei ihm lebendig, und er konnte die große Familienbrille nicht aufsetzen, ohne mit Rührung daran zu denken, daß sein Großvater selig schon die Heilige Schrift durch sie gelesen und die Urgroßmutter ihre Waschzettel dadurch studiert hatte, vor fast einem runden Jahrhundert.

Zu bemerken ist noch, daß die Brille des Herrn Preiss eine sogenannte Knipp- oder Kneifbrille war, die nicht mit Silber- oder Stahlstäben hinter den Ohren befestigt wurde, sondern die frei auf dem Nasenbein ritt wie ein Reiter auf dem Sattel.
Ein leiser Puff begleitete das Öffnen des Futterals, aus dem ein eigentümlicher Duft emporstieg, ein sonderbares Gemisch verrotteter Familiengerüche.
Als aber das alte Instrument seinem Gehäuse glücklich entschlüpft war, hauchte Herr Preiss auf die trüben Gläser und nahm dann einen Zipfel des saubern Sacktuches und rieb und reinigte sie von aller Unsauberkeit. Vorsichtig hob er sie dann empor und hielt sie gegen das Licht, und als er sah, daß die gewaltigen Gläser noch geradeso hell funkelten wie zur Zeit des bibellesenden Großvaters und der waschzettelstudierenden Urgroßmutter, setzte er das teure Kleinod behutsam auf die Spitze der werten Nase, den Kopf in den Nakken legend, damit die Augen nicht hinübersähen über den silbernen Rand der soliden Fassung.
Jetzt drückte er auch den Steiß in den knarrenden Comptoirstuhl, und weit hinauslangend, griff er mit der linken Hand nach einem Bogen Postpapier, während die rechte den Kiel einer Schwanenfeder faßte, um ihn tief hinabzutauchen in den mystischen Schlund eines riesigen Tintenfasses. –
Schüchtern von ihrer Arbeit aufsehend, waren die Comptoiristen allen Manövern ihres Herrn mit den Blicken gefolgt. Es existierte kein Zweifel mehr: der würdige Prinzipal ging mit dem Gedanken um, eigenhändig einen Brief zu schreiben. Es war dies zwar kein unerhörtes Ereignis, nichtsdestoweniger aber ein Akt von einiger Bedeutung, denn nur zu seiner Unterschrift pflegte sonst der alte Handelsherr die Feder anzusetzen, und es mußten wichtige Dinge im Spiel sein, daß er sich zu eigenhändiger Abfassung einer Epistel herabließ.

Tiefe Stille herrschte in dem weiten Comptoir. Da fuhr die Feder des Herrn Preiss kratzend über das weiße Papier, und hurtig entfloß ihr der folgende Brief:

»Verehrtester Freund!
Erlauben Sie, daß ich Ihre teure Aufmerksamkeit für einige wohlfeile Minuten in Anspruch nehme.
Ich habe einen zweiten Weinreisenden zu engagieren. – Sie werden meine ganze Unruhe begreifen!
Ein Handlungsreisender überhaupt soll schon ein Mensch sein, der alle wünschenswerten Eigenschaften in sich vereint. Unter einem Weinreisenden, namentlich unter einem Rheinweinreisenden, verstehe ich aber vollends ein Individuum, das einem Engel an Anmut und Liebenswürdigkeit und, mit Respekt zu melden, dem Teufel selbst gleich sein soll an Ränken und an Kniffen.
Ein Weinreisender soll ein Mensch sein in der Blüte des Lebens; nicht zu groß und nicht zu klein; nicht zu dick und nicht zu dünn; er soll gelebt haben, ohne abgelebt zu sein; er soll gerieben sein, ohne aufgerieben zu sein. Unbeugsam sei sein Wille, aber biegsam sein Rücken.
Flink müssen seine Augen sein; flink seine Zunge und Lippen; flink die Beine. Schöne, phantastisch gekräuselte Haare würden ihm nicht übel stehen; ein romantischer Schnurrbart dürfte ihn ausnehmend zieren. Seine Hände wird er reinzuhalten haben bis in die Fingerspitzen, und wenn er lächelt, da soll er zwei Reihen Zähne zeigen, schillernd wie zwei Schnüre von Perlen. Lebendig gestikuliere er mit beiden Armen, angenehm kokettiere er mit dem malerischen Kopfe. Mienen und Sprache verändere er nach den Umständen. Um Aufträge bitte er in weichen, wohltönenden Akkorden; um Zahlung trete er in frechen, impertinenten Dissonanzen auf. Höflich sei er gegen Leute, die grob sind; grob

gegen Menschen, die höflich sind, denn wo Grobheit ist, da ist Geld, aber wo Höflichkeit herrscht, da ist Heulen und Zähneklappen.

Geschmack besitze ein Weinreisender in der Wahl seiner Kleider. Er erlaube sich die grellsten Farben; nur versöhne er das eine mit dem andern, und nie trage er einen grünen Rock zu einer blauen Hose, nie zu einer dito Weste eine ähnliche Krawatte. Die Krawatte binde er in eine unaussprechliche Schleife, mit den Zipfeln gen Morgen und gen Abend starrend wie die Arme an einem Meilenzeiger, wie die Flügel an einer Windmühle.

Vor allen Dingen befleißige er sich stets der saubersten Wäsche. Sein Hemd sei weiß wie Lilien, rein wie die Unschuld – an seinem reinen Gewissen ist mir nichts gelegen.

Besondere Kenntnisse verlange ich von meinem Reisenden nicht; ich bin damit zufrieden, wenn er so tun kann, als ob er etwas wüßte. Ein oberflächliches Bekanntsein mit den vornehmsten Tagesfragen dürfte übrigens nicht schaden, damit er z. B. die Emanzipation der Juden nicht mit der der Neger oder der Nachtigallen verwechselt oder von der Pomare von Otaheiti so spricht wie von der Pomare des Jardin Mabille und etwa auf Ehre versichert, daß er mit Ihrer Königl. Hoheit eine der seligsten Nächte zugebracht habe, deren sich ein solcher Weinreisender bei seinen beschränkten Spesen schmeicheln könne.

Eine eigene politische Ansicht oder Meinung erlaube ich meinem Reisenden durchaus nicht. Er hänge den Mantel nach dem Winde. Da wird er am besten segeln.

Ohne gerade unhöflich zu werden, führe der Rheinweinreisende an der Table d'hôte immer das große Wort. Er warte mit Neuigkeiten auf, mit Neuigkeiten, die bei einigermaßen gutem Vortrag so alt sein dürfen wie Methusalem. Er mache lustige Späße, die sämtliche Gäste dergestalt zum Lachen bringen, daß ihnen die Brocken im Halse steckenbleiben und daß sie ein über das andere Mal die Gläser zu Munde führen müssen, um nicht sofort zu ersticken. Auch Anekdötchen krame er aus; nach den Anekdötchen auch – Zötchen. Hat er aber auch darin ein Erkleckliches geleistet und sind nach Tisch nur noch die auserlesensten Gäste versammelt und vereinigt eine gemeinsame gute Flasche die würdigsten Häupter: da schreitet er von den Anekdötchen allmählich fort zur Anekdote, von den Zötchen zur Zote.

Oh, Wunderdinge habe ich Reisende durch dergleichen kleine Mittel verrichten sehen; stundenlang saß man zusammen, ein Wort gab das andere, Bekanntschaften knüpften sich im Nu, und Geschäfte machten sich spielend.

Der Rheinweinreisende trinke – aber er trinke nie zuviel. Das letztere überlasse er seiner Umgebung, um sie desto besser in einem schwachen Augenblick zu überraschen. Neben sein Kuvert pflanze er stets eine vorzügliche Flasche, und wie aus Zufall fülle er daraus die Gläser seiner Nachbarn. Es ist fast immer der Fall, daß sich irgendein törichter Gast dadurch veranlaßt sieht, Gleiches mit Gleichem zu vergelten, und ehe eine Viertelstunde herum ist, wird eine große Schlemmerei an der Tagesordnung sein, die der Wirt natürlich willkommen heißt und mit trefflichen Bestellungen bei dem kundigen Reisenden belohnt.

Frechheit und Ausdauer seien übrigens die Hauptprobleme eines Reisenden. Er setze seinen Stolz darein, grade da Geschäfte zu machen, wo seine Konkurrenten dies am wenigsten für möglich halten. In seinen Unternehmungen lasse er sich durch nichts abschrecken. Wirft man ihn zur Tür hinaus, so springe er zum Fenster wieder hinein. Immer sei er höflich unter solchen

Umständen, immer verbindlich, immer wiederhole er, daß er die Ehre habe, seine Offerte in Rheinweinen zu machen, und wie im Himmel mehr Freude über einen einzigen Sünder ist, der Buße getan hat, als über neunhundertneunundneunzig, die der Buße nicht bedürfen, so wird der wahre Weinreisende über den Verkauf eines einzigen Ankers an eine bisher total unfruchtbare Bekanntschaft eine weit höhere Satisfaktion empfinden als über das Placement eines ganzen Stückfasses an einen langjährigen, treuen Kunden.
Doch was nutzt es, mein verehrter Freund, daß ich Ihnen alles so haarklein auseinandersetze? Sie verstehen mich längst, Sie begreifen, was ich wünsche. Sie wissen, daß die Zeiten schlecht sind und daß man nur durch die außerordentlichsten Mittel der steigenden Konkurrenz die Stirn bieten kann. Schauen Sie daher um sich in dem weiten Kreise Ihrer Bekanntschaften, und haben Sie jenes Individuum, jenes Menschenjuwel, jene Perle von einem Rheinweinreisenden, deren ich bedarf, gefunden: so erinnern Sie sich, verehrtester langjähriger Freund, Ihres ebenso aufrichtigen als hochachtungsvoll ergebenen

Preiss.«

Der würdige Handelsherr hatte seine Epistel beendigt. Das ganze Comptoirpersonal hörte dies an dem Geräusche, den das Schreiben des Namens »Preiss« verursachte. Der Herr Preiss kannte die Wichtigkeit einer Unterschrift. Ehe er sich dazu entschloß, seinen werten Namen dem Papiere einzugravieren, machte er gewöhnlich einen Augenblick halt, die geschwungene Feder in der Schwebe haltend, das Haupt sinnend hin und her wiegend. Es war, als ob er plötzlich mit dem Geschriebenen nicht mehr einverstanden sei, als unterschriebe er ein Todesurteil, ja, es war ihm, als ob es: *Geld kosten* könne – dies war das schlimmste, und er

zitterte, und die Augenbrauen zuckten zusammen, und die Brille bewegte sich auf der Nase.
Natürlich dauerte diese peinliche Unentschlossenheit nur eine Sekunde lang, denn während die Linke noch erschrocken emporfuhr, senkte schon die folgsame Rechte wieder die tintegefülle Feder auf das weiße Papier, jetzt fünf bis sechs mystische Kreise beschreibend, ohne das Papier zu treffen, und dann mit Geprassel hinabfahrend, um mit Blitzesschnelle die sechs Buchstaben des teuern Namens zu vollenden und einen Schwung hinzuzufügen, der einer Seeschlange gleich in grandiosen Windungen das Ganze fabelhaft umringte.
Mit einiger Selbstzufriedenheit blickte der alte Handelsherr auf seinen schönen Brief und auf seine treffliche Unterschrift – auf die Unterschrift, die schon so glorreich geprangt hatte auf manch großem Wechsel und die so vorteilhaft bekannt war auf allen vaterländischen Börsen. Eine gewisse Rührung wandelte den ehrenwerten Herrn an; er betrachtete sich in seiner Unterschrift wie in einem Spiegel, und er mußte gestehen, daß er ein solides Haus sei, über alle Zweifel gut – und feierlich erhob er sich von seinem Sitze.
Das Futteral der Brille hatte sich indes wieder geöffnet, mit leisem Puff, entsendend den Duft verrotteter Familiengerüche. Hinein schlüpfte die Brille, und Futteral und Brille schlüpften in die Seitentasche des großen Rockes. Herr Preiss bedeckte dann sein gewaltiges Haupt, die Arme über den Rücken kreuzend und wiederum auf und ab durch das Comptoir schreitend mit festem Schritt.

*Der Reisende, wie er ist*

Während der Herr Preiss seinem Freunde über den Reisenden schrieb, »wie er sein soll«, näherte sich bereits der Tür »der Reisende, wie er ist«. Es hatte dem Alten in der Tat beim Schreiben des Briefes nur das Bild dieses ausgezeichneten Mannes vorgeschwebt, in dem er längst jenes »Menschenjuwel« besaß, das er eben in einer zweiten Person so sehnlich herbeiwünschte. Ja, der Herr Fridolin Sommer, der erste Weinreisende im Hause Preiss, trat ins Zimmer, leuchtend und lustig wie frischgeschlagener Friedrichsdor. Ein Mann in der Blüte des Lebens; ein Mann, nicht zu dick und nicht zu dünn; ein Mann, nicht zu alt und nicht zu jung; ein Mann, der gelebt hatte, ohne abgelebt zu sein; ein Mann, der gerieben war, ohne aufgerieben zu sein; ein Mann, dem die phantastisch gekräuselten Haare nicht übel standen, den der romantische Schnurrbart ausnehmend zierte; ein Mann, dessen Zähne schillerten wie Perlen, dessen Hände weiß waren bis in die Fingerspitzen und dessen Hemd reiner war als die Unschuld, vor allen Dingen reiner als sein Gewissen; ein Mann, der Geschmack besaß in der Wahl seiner Kleider, dessen Frack, dessen Hose und dessen Weste vortrefflich harmonierten; ja, ein Mann, dessen Krawatte in einer unaussprechlichen Weise gebunden war, mit den Zipfeln gen Morgen und gen Abend starrend wie die Arme an einem Meilenzeiger, wie die Flügel an einer Windmühle.

Fast zu gleicher Zeit den Kutscher bezahlend, einige Befehle in betreff seines Gepäcks erteilend und das Comptoirpersonal flüchtig grüßend, war Herr Sommer bis in die Mitte des Zimmers vorgedrungen, wo der würdige Prinzipal plötzlich in seiner Wanderung innehielt und, das Haupt emporhebend, jetzt mit dargebotenen Händen dem vortrefflichen Diener bewillkommnend entgegeneilte.

Herr Sommer verneigte sich ehrfurchtsvoll. Den Hut vom Kopfe reißend und den Kopf verbindlich lächelnd auf die Brust senkend, riskierte er mit herabhängenden

Armen und mit anmutig verschränkten Beinen dasselbe Kompliment, welches schon so viele Leute entzückt hatte, wenn er ihnen in melodischem Tone die frohe Botschaft verkündigte, daß er der Herr Fridolin Sommer sei, der das Vergnügen habe, das Haus Preiss zu repräsentieren, und sich die Ehre gebe, ihnen seine Offerte in Rheinweinen zu machen, beste Qualität und ausnehmend billig.
Erst nach zweimaligem Wiederholen dieser wundersamen Verbeugung wagte er die Hände des Prinzipals mit den seinigen zu berühren und unter herzlichem Druck und Schütteln auf den Ruf: »Ach, da sind Sie ja!« die geistreiche Antwort: »Ja, da bin ich!« folgen zu lassen und: »Ich hoffe, daß Sie sich wohlbefinden, Herr Preiss, und daß Sie nicht an der Zukunft verzweifeln in diesen schlimmen Zeiten, wo die Konkurrenz immer größer wird – doch wie befindet sich Ihre werte Familie?«
Da war der erste Sturm des Begrüßens vorüber. Die Rückkehr des Herrn Sommer war ein Ereignis. Der Buchhalter Lenz hatte unwillkürlich drei große Prisen genommen; August, der Korrespondent, legte die Feder auf den Rand des Tintenfasses, und der Lehrling hörte auf im Kopieren der Briefe, andachtsvoll den großen Mann betrachtend, der so glücklich war, mit dem gestrengen Prinzipale händeschüttelnd die freundlichsten Grüße wechseln zu dürfen.
Weder dem Buchhalter noch dem Korrespondenten noch dem Lehrling war es indes erlaubt, schon jetzt ihren Gefühlen weiter Luft zu machen, denn der Prinzipal bugsierte seinen Reisenden sofort in das Geheimkabinett des Geschäftes, wo er ihn mit den Worten: »Nun, was haben Sie denn auf Ihrer Tour ausgerichtet?« in die eine Sofaecke drückte, während er selbst aufmerksam horchend in der andern Platz nahm.
»Die Zeiten sind schlecht geworden – –«, begann Herr

Sommer und sah plötzlich so trostlos aus wie ein protestierter Wechsel. –

Wir müssen bei dieser Gelegenheit ausdrücklich bemerken, daß es unter Kaufleuten Sitte ist, stets über schlechte Zeiten zu klagen. Und wären die Zeiten so brillant wie sich ein einigermaßen ehrlicher Mann nur denken kann, ja wälzte sich die halbe Kaufmannschaft im Golde herum: die ehrenwerten Ritter von der Bank und der Börse, wenn man sie nach ihrem Verdienste fragte, würden dennoch die Hände ringen und wie Nilpferde, die am Zahnweh leiden, jammernd erwidern, daß die Welt sich mit jedem Tag verschlechtere, daß man kaum das Salz verdiene, geschweige das liebe tägliche Brot, und daß sie alle gesonnen seien, nächstens den ganzen Kommerz an den Nagel zu hängen, um in der Stille und Zurückgezogenheit auf irgendeinem billigen Dorfe von jenem wenigen Fette fortzuexistieren, das ihnen des Schicksals Unerbittlichkeit aus frühern, bessern Zeiten übriggelassen.

Dies ewige Klagen über schlimme Tage, über schlechten Verdienst ist nicht nur jetzt an der Tagesordnung, nein, die hübschesten Anekdoten aus den neunziger Jahren beweisen uns, daß sich damals die Handelswelt nicht weniger darin gefiel, stets die Ohren hängen zu lassen, um hinter möglichst sauern Gesichtern die heimliche Freude zu verbergen, daß der schlaue Gott des Gewinstes ihre Unternehmungen so trefflich unterstützt hatte. So wird uns von einem alten märkischen Fabrikanten erzählt, daß er einem jüngern Verwandten auf die Frage, ob es wohl noch der Mühe wert sei, diese oder jene Fabrik anzulegen, mit schmerzlicher Stimme zur Antwort gegeben habe, er möge sich derlei tolle Pläne aus dem Kopfe schlagen, die Zeiten seien gar zu schlecht geworden, man verdiene kaum 90 Prozent mehr. Selbst auf die Schriftsteller der Handelswelt ist die Sitte des Lamentierens übergegangen, denn fast alle englischen Nationalökonomen schließen ihre Räsonnements mit jenem großen Stoßseufzer über den Verfall des Handels, decline of commerce, – die armen Engländer, die armen Kaufleute!

»Verehrter Herr Preiss, die Zeiten sind schlecht geworden –«, begann der Reisende Sommer, als er mit seinem Prinzipale allein war. »Die Konkurrenz erdrückt uns. Man arbeitet wie bei einer halb verlorenen Schlacht, wie in den Schrecken eines Schiffbruches – ja, wahrlich, das Geschäft bietet wenig Freude mehr.«

»Trösten Sie sich«, unterbrach hier der würdige Prinzipal, dessen feine Nase nur zu gut roch, daß der erfindungsreiche Sommer mit dem Gedanken umging, durch die einleitende Jeremiade das glückliche Resultat seiner Bemühungen doppelt belohnenswert erscheinen zu lassen, »trösten Sie sich, liebster Herr Sommer, wir sind hier unter uns, ersparen Sie sich alle überflüssigen Phrasen. Es ist zwar richtig, daß sich die Welt mit jedem Tage verschlechtert, aber wir Menschen werden auch mit jedem Tage gescheiter, und so korrigieren wir leicht das grause Verhängnis, so daß am Ende des Jahres, wenn wir Bilanz machen, stets das alte gute Gleichgewicht wiederhergestellt ist. Sagen Sie mir daher frei heraus, was Sie auf Ihrer Reise durchgesetzt haben. Geben Sie mir einen vollständigen Reisebericht.«

Da räusperte sich Herr Sommer und erwiderte mit Anmut: »Zuerst ging ich zu unsern Landsleuten und Nachbarn, die wie alle Rheinländer noch dieselben empfänglichen Gemüter haben. Sie interessieren sich für alles, schwatzen womöglich über noch mehr, und ihre Konversation kommt zugleich mit ihrem Durste erst dann plötzlich ins Stocken, wenn ihnen nachts im Wirtshause einfällt, daß sie den Hausschlüssel vergessen haben und daß die zärtliche Ehehälfte das schrecklichste Donnerwetter verhängen wird, wenn die Sitzung nicht sofort bis zum nächsten Abend verschoben wird. Oh, solange der Hausschlüssel des Rheinländers einzige Waffe ist, solange wird der Absatz der verwerflichsten Weinsorten nie eine Unterbrechung erleiden. Ich habe mich aufs neue hiervon überzeugt, indem ich sogar unsern sauern Moselwein bis auf den letzten Tropfen verkaufte.«

»Unsern sauern Moselwein? Ei, das ist mir ja *sehr* lieb!« Der besondere Nachdruck, den Herr Preiss auf das Wort *sehr* legte, bewies, daß der fragliche Moselwein *sehr, sehr* sauer sein mußte.

»Aber *wen* haben Sie mit dieser hoffnungsvollen Partie beglückt?«

»Unsern speziellen Freund, den Wirt ›Zu den Drei Lilien‹.«

»Arme Lilien! Offenherzig gestanden, Herr Sommer, ich bin der festen Meinung, daß dies das letzte Geschäft ist, was wir mit diesem Manne gemacht haben. Und glauben Sie nicht, daß wir die entsetzlichsten Schikanen bei diesem Verkauf erleben werden? Fürchten Sie nicht, daß der Mann die ganze Partie zu unserer Verfügung lassen wird, sobald er sie nur von ferne berochen hat?«

»Bei einem Wirte ist freilich alles möglich. Aber bis dahin mache ich ja in den ›Drei Lilien‹ wieder meine persönliche heitere Aufwartung. Persönlich macht sich alles besser. Mein ehrliches Gesicht, meine Überredungsgabe, mein liebenswürdiges Betragen, das Feuerwerk meiner schlechten Witze, die Sündflut meiner schönen Anekdoten – alles dies ist zu berücksichtigen, alles dies wird dazu beitragen, um das Rückgängigwerden des Geschäftes zu verhindern. Und sollte unser alter Freund dennoch in einiges Grübeln verfallen, da sinke ich gerührt an seine Brust, küsse seiner Frau die Hand und schwöre seiner häßlichen Tochter Julie –«

»Hören Sie auf, Herr Sommer! Ihre Herzensangelegenheiten sind mir gleichgültig; Ihre Verkäufe werden mir stets willkommen sein.«

»Aus den Rheinlanden pilgerte ich ins Wuppertal. Die Leute jener Gegend zerfallen in zwei Klassen: in sogenannte ›Wilde‹, das heißt vernünftige Menschen, die leben und leben lassen und ihre Weine da kaufen, wo sie am besten und am billigsten sind, und in sogenannte ›Feine‹, das heißt Pietisten oder hirntolle Kerle, mit denen man nur ins Geschäft kommt, wenn man sich wie sie auf den Kopf stellt und den Steiß mit Fäusten schlägt nach der Melodie: ›O weh mir armem Sündenbock‹.

Die Luft im Wuppertale ist frisch, und beide Parteien trinken bedeutend; da aber die erstere der ganzen Konkurrenz offensteht, so ist mit der zweiten bei weitem mehr anzufangen, falls man sich ihren Hokuspokus und ihren christlichen Jargon richtig anzueignen weiß. Dies zu übernehmen hielt ich für eine mir würdige Aufgabe. Ich zog daher meine rheinische Karnevalsjacke aus und erschien im schwarzen Frack, mit umgeklappten Vatermördern wie ein Seminarist, mit Haaren, die auf der Stirn gescheitelt wie bei einem Bonner Professor, mit stieren, blöden Augen wie eine alte Eule bei Sonnenaufgang, den Kopf auf der linken Schulter und in den Mundwinkeln ein wehmütiges Lächeln.

Ich will mich hängen lassen, wenn ich nicht wie der größte Jammerkerl aussah, den je ein vernünftiger Mensch vor die Tür geworfen hat. In dieser Maske ging ich sonntags in die Kirche, schlug die Hände über dem Kopf zusammen wie ein Telegraf, entfaltete mein großes Gesangsbuch und brüllte wie ein frommer Wüstenleu. Meine Nachbarn raunten sich sofort in die Ohren, daß ich ein fremder Kandidat sein müsse, der wahrscheinlich nächstens zur Probe predigen werde, der etwa auf die bevorstehende Synode pilgern oder sonst in kirchlichen Zwecken eine Reise an den heiligen

Strand der Wupper unternommen, und der Gesang war auch kaum vorüber, als schon ein Mensch, der wie ein Laubfrosch bei schlechtem Wetter aussah, sich verschämt zu mir herüberbog, mich ›Bruder‹ nannte und mir eine Prise offerierte.

Von dieser Prise datiere ich eine der besten Geschäftsreisen, die ich je gemacht habe; denn wenn man nach dem Schlusse der Predigt auch erfuhr, daß ich zwar kein Kandidat sei, so überzeugte man sich doch davon, daß ich große Lust verspürte, einst ins Himmelreich zu kommen, und die Folge davon war, daß ich mit meinem neuen Bekannten schon am selben Abend in einem christlichen Bruderkränzchen so treulich zusammensaß, als hätte ich seit zehn Jahren nichts wie Gebetbücher gefressen.«

»Sie müssen sich schön in dieser Gesellschaft ausgenommen haben –«, unterbrach Herr Preiss.

»Vortrefflich!«

»Aber die Geschäfte –?«

»Sie haben recht, ich will Sie nicht länger warten lassen. Die Sache machte sich vorzüglich. Nachdem nämlich ein frommer Wechselmakler das Einmaleins nach der Melodie ›Wer nur den lieben Gott läßt walten‹ gesungen, ferner ein frommer Bankier seinen Kurszettel in ein Gebet übersetzt und andächtig gesprochen, hierauf ein frommer Häuserspekulant seine uneigennützigen Absichten in betreff eines neu zu errichtenden Gotteshauses dargetan und schließlich ein frommer Rentner den Segen gesprochen und darauf hingewiesen hatte, wie es fürnehmlich des Christen Pflicht sei, sich Schätze zu erwerben, so da nicht Motten und Rost fressen: trat vor dem Auseinandergehen der frommen Bruderschaft noch ein Mann auf –«

»Welcher Mann?«

»Ein Mann, Herr Preiss –«

»Schießen Sie los!«

»Ich selbst trat auf!«
»Hören Sie mal, Herr Sommer, das war frech.«
»Sehr frech, aber ich fühlte mich vom Heiligen Geist inspiriert, und ich trat auf und machte den Vorschlag —«
»Welchen Vorschlag?«
»Daß sich alle Frommen des Wuppertales dazu vereinigen möchten —«
»Um bei Ihnen 10 Stückfaß Neununddreißiger zu bestellen?«
»Nein, um einen Mäßigkeitsverein zu stiften —«
»Sind Sie des Teufels?«
»Ja, um einen Mäßigkeitsverein zu stiften, der allen Wein, allen Schnaps und alles Bier ausschließe und die Bevölkerung des Wuppertales zu dem Genuß einer der größesten Gottesgaben, zu dem Genuß des kalten Wassers zurückführe.«
»Aber ich verstehe Sie nicht, Herr Sommer.«
»Dasselbe war der Fall mit der ganzen Versammlung, der Skandal wurde allgemein. Ich ließ mich aber nicht irre machen und berief mich auf das 23. Kapitel der Sprüche Salomonis, Vers 29 bis 32, wo der Trunk entsetzlich blamiert wird.«
»Ich hätte Ihnen diese Bibelkenntnis nicht zugetraut.«
»Dieser Spruch machte die frommen Brüder stutzen. Der Handschuh war hingeworfen. Die Debatte begann.«
»Verschonen Sie mich!«
»Alte und junge Leute, rote und blaue Nasen, runde und keine Bäuche suchten mich zu widerlegen. Man machte mich darauf aufmerksam, daß die angeführte Stelle mit andern Versen ganz im Widerspruch stehe. Salomo selbst spreche im Hohenliede in den blumenreichsten Ausdrücken von Trauben, Weinstöcken und Weinkellern. Außerdem habe Christus eigenhändig das Wasser in Wein verwandelt und endlich sei mein Zitat aus dem Alten Testamente, könne also im Wup-

pertale, wo man sich mehr an die vier Evangelien halte, von gar keiner Bedeutung sein – genug, ich fiel mit meinem Vorschlage glänzend durch.«
»Gott sei Dank!«
»Wehmütig gestand ich meine Niederlage ein, indem ich hinzusetzte, daß ich denn jetzt, wo eine so gelehrte Gesellschaft meine Skrupel überwunden habe, allerdings fortfahren werde, für das Haus Preiss in Rheinweinen zu arbeiten, obgleich mir diese Beschäftigung seit einiger Zeit so gottlos erschienen sei, daß ich eben im Begriffe gewesen wäre, mich von dieser vermeintlichen Sünde durch jenen Mäßigkeitsvorschlag auf immer loszusagen.«
»Herr Sommer, Sie sind ein großer Heuchler!«
»Und alles in Ihrem Interesse, Herr Preiss. Sie können sich gar nicht vorstellen, welchen Effekt dieser Schluß machte. Man umringte mich; man wünschte mich näher kennenzulernen; man lud mich für alle Tage der Woche zu Gaste; die so ganz gegen mein Interesse unverhohlen ausgesprochenen Regungen meiner schönen Seele machten die Runde von Mund zu Mund.«
»Und der Erfolg war?«
»Daß ich in den nächsten Tagen Aufträge von allen Ecken und Enden erhielt. Der fromme Wechselmakler, der das Einmaleins sang, bestellte einen Anker Laubenheimer zu 36.«
»Und der Bankier, der den Kurszettel betete?«
»Bestellte eine Ohm Scharlachberger zu 70.«
»Und der fromme Gotteshausspekulant?«
»Erbittet sich zwei Ohm Traminer zu 90.«
»Und der fromme Kapitalist, den nicht Motten und nicht Rost fressen?«
»Wünscht umgehend ein Stückfaß Steinberger Kabinett zu 120. Alles comptant. Doch erlauben Sie, dem Manne, der mich Bruder nannte und der mir eine Prise offerierte – –«

»Ja, diesem?«
»Ja, diesem gab ich einen Anker Piesporter gratis.«
Vater Preiss konnte nicht umhin, wohlgefällig zu lachen.
»Aus dem Wuppertal zog ich nach Westfalen, in unser geliebtes Münsterland, in das Land der preußischen Regierungsräte und der geistlichen Herren. Ich brauche Ihnen nicht zu versichern, daß sich unsre alten Freunde noch sehr wohl befinden. Nur der Kanonikus Schmits ist gestorben; er wollte grade unsern Probe-Anker Erbacher zu 70 einer gewissenhaften Prüfung unterwerfen, als er plötzlich in ein besseres Jenseits abberufen wurde.«
»Schade, der Mann zahlte bar.«
»Das Münsterland liebe ich vor allen deutschen Gauen. Ein solcher Durst und so hartnäckige Trinker sind mir noch nie vorgekommen. Und die Leute trinken etwas Gutes. So fand ich z. B. den alten Domherrn Valentin, der gerade in seinem Studierzimmer damit beschäftigt war, eine Abhandlung über die unbefleckte Jungfrau zu schreiben, hinter einer wahren Batterie von teils leeren, teils halb ausgetrunkenen Flaschen Rüdesheimer, Markobrunner usw. Als er mich hereintreten sah, jauchzte er, als ob ihm der Heiland in Person erschienen, fiel mir um den Hals und ruhte nicht eher, als bis ich seinen ganzen Keller durchgetrunken und – Ave Maria purissima! – solche Kreise im Zimmer beschrieb, daß das Manuskript über die unbefleckte Jungfrau samt Tintenfaß und Sandbüchse, samt Flaschen und Folianten dem allgemeinen Umsturze verfiel. Der alte Valentin hielt sich die Seiten vor Lachen, und gemeinschaftlich setzten wir uns dann auf die Trümmer seines Studierzimmers und sangen das Lied von der Ratt im Kellernest. Einige Stunden später sang er die erste Messe. Bestellt eine Ohm Steeger zu 60.«
»Und der alte Herr von Säuerig?«

»Ist noch immer derselbe Gimpel wie früher. Jetzt hat er wieder eine neue Marotte; er ist nämlich vor kurzem in Berlin gewesen und bildet sich nun ein, daß er bei Hofe gern gesehen sei. Außerdem hält er sich für einen großen Politiker. Der alberne Kerl teilte mir ›die höchsten Staatsgeheimnisse‹ mit, und erst am Abend, als wir in seinem Gemüsegarten durch die Brennesseln spazierten, blieb er plötzlich stehen und sagte mir, indem er auf eine alte hölzerne Statue zeigte: ›Herr Sommer, lassen wir den Staat einstweilen ruhen; es mögen viele Dinge im Staate vorgehen, welche uns gerechte Ursache zur Besorgnis geben, aber, Herr Sommer, ich versichere Ihnen hier an diesem schönen Orte, hier zu den Füßen dieses Olympiers, daß die zwei Ohm Assmannshäuser, die Sie mir im verflossenen Herbst gesandt haben, von der niederträchtigsten Qualität sind.‹ – ›Herr von Säuerig‹, erwiderte ich ihm, ›Sie sind ein zu großer Staatsmann, um eine solche Kleinigkeit erwähnen zu dürfen. Lassen Sie die zwei Ohm von Ihren Dienstboten austrinken, und ich will Ihnen zwei neue Fässer senden, die Ihrer würdig sind.‹ Natürlich war Herr von Säuerig ein viel zu großer Staatsmann, um so etwas refüsieren zu wollen.«
»Und was macht unser Freund Söffig?«
»Ja, der alte Söffig ist sehr aufgebracht. Er ist der Meinung, daß wir ihn stets herzlich schlecht bedient haben.«
»Kann wohl sein – –«
»Um den Mann zu besänftigen, bot ich ihm unsern Vorrat Brauneberger zu einem sehr billigen Preise an. Aber vergebens. Und ich würde vielleicht ohne Auftrag von dannen gegangen sein, wenn mir nicht noch zur rechten Zeit eingefallen wäre, daß der alte Söffig in der Liebe zu seiner Frau und zu seinen Kindern die schwächste Seite hat. Ich stellte mich daher in Position und sprach mit Pathos: ›Teuerster Herr Söffig, ich ge-

stehe, daß Sie ein hübsches Detailgeschäft haben und vor der Not des Lebens gesichert sind. Aber bedenken Sie, was Sie tun. Eine der billigsten Partien Brauneberger entgeht Ihnen. Denken Sie an Ihre Frau und an Ihre Kinder, und wenn Sie einen Rest von Liebe für sie im Herzen tragen, so vernachlässigen Sie nicht so rücksichtslos die Interessen Ihrer armen Familie. Ja, besinnen Sie sich, ehe es zu spät ist. Weisen Sie meine Offerte nicht von sich! Akzeptieren Sie diese Partie Brauneberger 5 Taler unter Kostpreis!«
»Und er tat es?«
»Das versteht sich von selbst. Sein gutes westfälisches Herz konnte nicht widerstehen.«
»Es ist mir lieb, daß wir den Brauneberger los sind!«
So fuhr der Reisende Sommer fort, seinem Prinzipale zu erzählen, wie er die Provinzen des Rheines mit guten und schlechten Gewächsen überschwemmt hatte, hier durch seine Überredungsgabe siegend, dort durch schlaue Verstellung, und der Gott der Kaufleute und der Diebe blickte lächelnd hinab auf die treusten seiner Jünger.
Der Buchhalter Lenz, der Korrespondent und der Lehrling saßen indes auf ihren Comptoirstühlen und ärgerten sich nicht wenig, daß ihnen der Reisebericht des gewandten Geschäftskollegen entging. »Sollte es nicht möglich sein, die Türe leise zu öffnen?« fragte endlich verschämt der Lehrling. »Das würde ein zu großes Vergehen sein!« erwiderte der Korrespondent. »Ein zu großes Verbrechen!« meinte der Buchhalter.
»Meinen Sie nicht, daß wir den Schlüssel leise aus dem Schloß ziehen könnten?« fuhr der Lehrling fort. »Vielleicht ließe sich wenigstens etwas hören.«
»Lauschen ist ein Vergehen!« erwiderte der Korrespondent.
»Ein Verbrechen!« meinte der Buchhalter.
»So lassen Sie uns die andern Türen und Fenster öff-

nen, vielleicht daß dann die Tür des Geheimzimmers von selbst aufspringt –«

Dieser Vorschlag schien selbst dem Buchhalter durchaus unschuldig zu sein, und im Nu flogen Fenster und Tür offen, und das Schloß des Geheimzimmers, durch den Luftzug erschüttert, knarrte in seinen Riegeln und sprang zurück.

Leider hatte der Reisende Sommer in diesem Augenblick seinen Bericht schon so gut wie beendigt. Oberflächlich erkundigte sich Herr Preiss nur noch nach einigen Kunden, die der Reisende nicht genannt hatte.

»Was macht der Herr Bengel?«

»Hat sich in Spekulationen aufgelöst.«

»Wie befindet sich Madame Meyer, die Wirtin in der Schenke?«

»Danke für gütige Nachfrage, will erst bestellen, wenn der Frühling kommt –«

»Und die Veilchen blühn – aber bestellte Ihnen Herr Freundlich nichts?«

»Nein, dieser Mann war sehr unfreundlich. Er drohte, mich wie ein falsches Stück Geld auf den Tisch nageln zu wollen, wenn ich mich je wieder bei ihm sehen ließe.«

»Da nehmen Sie sich doch lieber in acht. Aber was treibt unser alter Freund Sebastian Johannes?«

Herr Sommer, der alle Fragen seines Prinzipals bisher so rasch und lustig beantwortet hate, zog bei dem Namen Sebastian Johannes plötzlich sein Gesicht in die verhängnisvollsten Falten.

»Nun, wie steht es mit dem Johannes?« Der Alte blickte seinen Reisenden forschend an.

»Herr Preiss«, fuhr dieser endlich fort, und seine Stimme zitterte, »Herr Preiss, ich hatte es gut mit Ihnen vor; ich wollte Ihnen den heutigen Tag nicht verderben; Herr Preiss – ach, Herr Preiss, der Sebastian Johannes –«

»Nun, rücken Sie mit der Sprache heraus!«
»Der Sebastian Johannes – –«
»Nun, was ist mit ihm?«
»Der Johannes ist – –«
»Heiliger Gott, er ist doch wohl nicht –«
»Fassen Sie sich, Herr Preiss!«
»Ist er –?«
»Kaputt ist er – –«
»Kaputt!« seufzte der Alte.
»Vierzig Prozent in der Masse.«
Tiefe Stille entstand. Aus dem Comptoir herüber klang aber bald darauf vernehmlich die Stimme des Buchhalters: »Folio 213. Sebastian Johannes: 522 Taler, 10 Silbergroschen, 6 Pfennig im Debet.«

*Der Makler*

Jeder, der einmal in einer größern Handelsstadt war, in Liverpool, in Amsterdam, in Hamburg usw., wird bemerkt haben, daß es unter den Tausend und aber Tausend Menschen, die sich auf den Straßen aneinander vorübertreiben, immer einige Nasen, einige verzwickte Augen, einige krumme Rücken und schlenkernde Arme gibt, welche einem bei jeder Gelegenheit, zu jeder Tageszeit in den geräuschvollsten Stadtvierteln von neuem begegnen.
Man meint zuletzt, man habe die Leute schon früher gekannt, und da man sich davon überzeugt, daß sie alle Menschen kennen und fast alle grüßen und auch von den meisten wiedererkannt und wiedergegrüßt werden, so wechselt man eines Morgens vielleicht ebenfalls einen Gruß mit ihnen, aus Zerstreuung, aus Zufall, um nachher unwillkürlich zu lachen, wie man zu einer solchen Intimität mit einer total fremden Nase kommen konnte.

Diese ewigen Pflastertreter und Grüßer der Handelsstädte unterscheiden sich von den geputzten Flaneurs der Bäder und Residenzen durch ihr einfaches, ja sogar schäbiges Äußere. Abgelaufene Stiefel, staubige Hosen, fatale Röcke und antike Hüte bilden nur zu oft das Kostüm dieser Allbekannten und Allkennenden. Man sieht, es sind Leute, die nicht der Parade und des Pläsiers wegen umherlaufen. Ihr Gang ist zu rasch für die süße Beschäftigung des Nichtstuns. Die Bewegung ihrer Arme ist zu lebendig für ein Dasein der stillen Betrachtung, und ihre Nasen und Augen sind zu ausdrucksvoll, als daß man vermuten dürfe, sie würden je nach etwas anderm umspüren als nach sehr praktischen und einträglichen Dingen. Folgt man einem solchen Menschen mit den Blicken, so wird man ihn nach hundert Grüßen und Komplimenten endlich seitwärts springen und in den heiligen Hallen eines Geschäftslokales verschwinden sehen. Zwei Drittel dieser Leute, die überall und nirgends sind, die Gott und alle Welt kennen, gehören in den Handelsstädten zu der ehrsamen, wohlbekannten Gilde der Makler, zu jenen emsigen, höchst nützlichen Individuen, welche die Geschäfte zwischen Käufer und Verkäufer vermitteln und gewissermaßen im Handel die Rolle übernehmen, welche die Kuppler in der Liebe spielen.

Der Herr Emsig, der eben das Comptoir des Herrn Preiss betritt, ist einer der vollkommensten Leute seines Zeichens. Sparsam, tätig, ausdauernd, gefällig, immer auf dem Sprunge, immer in Transpiration, läuft er vom Morgen bis zum Abend von Haus zu Haus, von Tür zu Tür, hier Neuigkeiten hörend, dort Neuigkeiten erzählend, hier Aufträge empfangend, dort Aufträge verrichtend, hier dem Verkäufer auf Ehre und Seligkeit versichernd, daß er nur $^3/_8$ geben könne, wenn er streng genommen $^1/_2$ in der Tasche hat, und dort dem Käufer auseinandersetzend, daß er 99 geben müsse, wenn auch Aussicht vorhanden ist, daß man zu 98 kaufen kann. Und dabei immer die Ehrlichkeit und Offenherzigkeit selbst, ohne Geheimnis, voller Leutseligkeit und schlechter Witze. Ein Mann, zu allem zu gebrauchen; ein Mann, dem man nur das erste Wort zu sagen braucht, weil er das zweite von selbst weiß; ein Mann, der sich selten irrt, der in jedes Herz und in jede Tasche zu sehen versteht, der in den kältesten und unbeweglichsten Gesichtern so richtig buchstabiert wie in einem grobgedruckten Buche; ein wahrer Sohn Merkurs, des listigen Gottes, als dessen schalkhafter Geist er lügend hin- und herüberschwebt vom Käufer zum Verkäufer und vom Verkäufer zum Käufer.

Durch das ewige Rennen und Stürzen ist Herr Emsig fast den ganzen Tag außer Atem. Er spricht daher nur in kurzen Sätzen.

»Schönen guten Morgen, Herr Preiss. – Wie befindet sich Ihre werte Gesundheit? – Wünsche wohl geruht zu haben. – Was gibt es Neues?«

»Neuigkeiten erwarte ich von Ihnen«, erwiderte Herr Preiss, indem er, ohne den Makler anzusehen, in seiner Arbeit fortfuhr.

»Der Kaiser von China hat im Tode gelegen; die Königin von England hat schon wieder ein Kind gekriegt; in Polen ist ein Froschregen vorgekommen. Was sagen Sie *dazu*?«

»Ich glaube, daß es wahr ist.«

»Ich nicht; der Kaiser von Rußland ist nach Warschau abgereist; der König von Preußen hat einen Gichtanfall gehabt; in Wien herrschen die Blattern; Ruhe in Frankreich. Was sagen Sie *dazu*?«

»Sonst nichts Neues?«

»Sonst gar nichts Neues. In München sind Bierrevolten vorgefallen. König Ludwig soll sich sichtbar verjüngen; es verbreiten sich wunderliche Gerüchte – Lola Montez soll schwanger sein. Was sagen Sie *dazu*?«

»Daran sind *Sie* gewiß schuld!«
»Bedaure, daß ich nicht mehr die Ehre habe – die Dreiprozentigen sind gestiegen; sehr schönes Wetter heute; viel Animo im Geschäft; kann ein Pöstchen Frankfurter gebrauchen. Was sagen Sie *dazu*?«
»Kann damit nicht aufwarten.«
»Werde es sonstwo bekommen. Überall Spekulationslust. Geld ist billig. Leute haben recht. Wollen Sie nichts unternehmen? Können reich werden. Was sagen Sie *dazu*?«
»Bin schon reich.«
»Sollten sich an der neuen österreichischen Anleihe beteiligen; sollten Effekten kaufen. Gibt nichts Besseres als den Effektenhandel. Was meinen Sie *dazu*?«
»Der Effektenhandel ist ein unmoralisches Geschäft!«
»Unmoralisch! Was ist unmoralisch? Geld verlieren ist unmoralisch! Aber billige Preise – eine Steigerung vor der Tür – Aussicht auf Gewinn: das ist Humor, das ist Moral! Sie sind der moralischste Mensch, wenn Sie in den Effekten spekulieren. Unmoralisch! – Jetzt sage ich nichts mehr.«
»Um so besser!«
»Ach, Herr Preiss, ich kenne Sie gar nicht mehr. Sie haben sich sehr verändert. Sind die schönen Zeiten vorüber? Haben Sie aufgehört, sanguin zu sein? Wollen Sie schon jetzt auf Ihren Lorbeern ruhn? Wollen Sie schon jetzt mit Salomo sprechen, daß alles eitel ist? – Oh, Herr Preiss, ich bedaure Sie, ich weine. Ich bin betrübt, daß Sie nicht begreifen können diese hohe Politik des Effektenhandels, jenen erhabenen Gedanken, sich durch ein Geschäftchen in Staatspapieren an der Weltgeschichte unsres Jahrhunderts zu beteiligen, einzugreifen in den Gang der Begebenheiten und eine Rolle zu spielen unter den größten Männern, den Finanziers der Jetztzeit, in deren Händen die Geschicke liegen, des Orients und des Okzidents –« Herr Emsig

schnappte nach Luft; er konnte nicht mehr. – »Was sagen Sie *dazu?*«

»Gar nichts!«

»Gar nichts? Nichts sagen Sie dazu? Habe ich je so etwas gehört? Was sagen Sie denn zu den österreichischen Metalliques? Was denken Sie *davon?*«

»Ich denke an den Spielberg, an den Korporalstock. Ich meine, ich würde geprügelt.«

»Oder wollen Sie spanische? Was fällt Ihnen *dabei* ein?«

»Die Inquisition, Ketten und Schafott.«

»Oder bei russischen?«

»Sibirien und die Knute. Sind Sie bald fertig?«

»Ja, ich bin fertig, ganz fertig. Ich habe genug, genug bis an den Jüngsten Tag. Aber geben Sie mir Ihre Gründe für diese Abneigungsgründe, Herr Preiss! Ohne Gründe gehe ich nicht aus Ihrem Comptoir.«

»Sind Stockprügel keine Gründe?«

»Nein, es sind Stockprügel.«

»Sind Inquisitionen und Ketten keine Gründe?«

»Nein, es sind bloß die Komparative der Stockprügel.«

»Sind Sibirien und die Knute keine Gründe?«

»Nein, es sind bloß Superlative.«

»Hören Sie mal, Sie Superlativ von einem Fondsmakler, lassen Sie mich in Ruhe. *Ich* soll den Regierungen Geld leihen? *Ich* soll verrottete Staaten wegen ihrer schlechten Politik unterstützen? *Ich* soll korrumpierten Höfen Gelegenheit geben, sich in allen Greueln der Ausschweifung herumzuwälzen? Für stehende Heere beitragen, die uns Krieg und Pestilenz über den Hals bringen? Ich? Hören Sie mal, Herr Emsig –«

»Habe alles gehört, Herr Preiss, schaudre, ja ich schaudre und weine. Es ist wahr, es ist kein Zweifel mehr, der Herr Preiss sind Demokrat geworden; der Herr Preiss ein Demokrat! ›Verrottete Staaten – korrumpierte Höfe – Greuel der Ausschweifung –!‹ So spre-

chen die Demokraten; Leute unter Null; Menschen, 10 Prozent unter Pari; Kerle mit 40 Prozent Rabatt; arme Schlucker, bei denen der Schöpfer ausrief: Fort mit Schaden! Ja, so sprechen die Demokraten. Der Herr Preiss ein Demokrat! Seit Moses ist kein größeres Wunder geschehn. Schönen guten Morgen, Herr Preiss!«
Herr Emsig schritt der Türe zu. –
Nach diesen heitern Präliminarien, die sich in ein oder andrer Weise bei jedem Besuche des Herrn Emsig erneuerten, hielt es endlich Vater Preiss für geraten, von seiner Arbeit aufzuschauen und den Comptoirstuhl so herumzudrehen, daß der Rücken an das Pult lehnte und die volle Front dem Makler zugewandt war.
Herr Emsig kannte die Manöver seines Gegners aus langer Erfahrung. Er hatte nur auf diesen Moment gewartet. Während Herr Preiss den Umschwung seines Comptoirstuhles vollendete, sprang Herr Emsig schon wieder von der Tür zurück, und gleich zwei Kampfhähnen, die nach kurzer Pause nur um so wütender entbrennen, maßen sich jetzt die beiden Alten mit forschenden Blicken.
Herr Preiss war es, der diesmal die Konversation zuerst wieder aufnahm. Ein etwas spöttisches Lächeln zuckte um seine Lippen, und in langgezogenem Tone begann er:
»Sieh da, Herr Emsig! Wo kommen *Sie* her? Ich hatte Sie gar nicht bemerkt. Was haben Sie mir zu sagen?«
»Nehmen Sie mir das nicht übel, Herr Preiss, das ist stark, sehr stark. Seit vollen zehn Minuten schütte ich Ihnen mein Herz aus –«
»Seit wann haben Sie ein Herz?«
»Seit einer vollen Viertelstunde unterhalte ich Sie über die tiefsten Geheimnisse meiner Seele –«
»Haben Sie wirklich eine Seele?«
»Und Sie antworten mir auf alles, was ich vorbringe, und tun, als ob Sie ganz Ohr wären, und jetzt kennen

Sie mich kaum, wissen kaum, daß ich hier bin – Herr Preiss, das ist beleidigend, verletzend. Die Zeit ist kostbar.«
»Spottwohlfeil ist die Zeit, wenn es flau im Geschäfte ist. Also, was wollen Sie eigentlich von mir?«
»Ihnen nochmals wiederholen, daß es nichts Köstlicheres gibt als die Zeit, für einen Mensch wie mich, dessen Minuten nicht wie bei Ihnen nach Talern und Dukaten, sondern nach lumpigen Groschen gezählt werden – was sagen Sie *dazu?*«
»Wie stehen russische?«
»Niedrig, niedrig, Herr Preiss!«
»Und spanische?«
»Kosten fast gar nichts.«
»Und östreichische?«
»Kriegen Sie umsonst zu.«
»Hören Sie mal, Herr Emsig, ich bin nicht abgeneigt, etwas zu brauchen, wenn ich es umsonst habe. Für Rußland interessiere ich mich nicht, für Spanien noch weniger, aber für Östreich habe ich etwas übrig, wenn es nichts kostet. Was meinen *Sie,* Lenz?«
Der Buchhalter Lenz schrak wie gewöhnlich zusammen, als sein Name genannt wurde. Er steckte die Nase über die linke Schulter, fragte, was der Herr Preiss zu befehlen habe, und stolperte dann prisend zwischen Herr und Makler.
»Sehn Sie mal, der Herr Emsig will uns zu einer Spekulation in österreichischen Metalliques verleiten. Was ist Ihre Ansicht?«
»Das Haus Habsburg«, begann Herr Lenz, »ist ein ehrwürdiges, altes Haus, über dessen Solidität, wie bei allen alten Häusern, eigentlich nichts Positives bekannt ist, welches aber schon so viele Stürme glücklich überstanden hat, daß man fast erwarten sollte, es werde auch in Zukunft seine Akzepte zu honorieren imstande sein.«

Hier nahm Herr Lenz wieder eine Prise. »Außerdem ist das Geschäft der Habsburger, wenn ich mich so ausdrücken darf, nicht nur ein sehr bedeutendes, sondern auch bei einigermaßen richtiger Leitung ein möglicherweise sehr ersprießliches, denn das Kaiserreich, so prekär es auch in seiner Zusammensetzung aus den widerstrebendsten Branchen auf den ersten Anblick erscheinen mag, besteht nichtsdestoweniger aus sehr soliden Brocken, aus Provinzen, die immerhin einen guten Puff Taxen vertragen können. Es kommt daher eben nur auf die Leitung an, und ich muß gestehen, daß ich den alten Herrn von Metternich, wenn auch grade nicht für einen sehr ökonomischen Geschäftsmann, so doch für einen Chef von großer Courage halte, dem es auch nach allenfallsigen schlechten Spekulationen stets wieder gelingen dürfte, eine befriedigende Bilanz abzuschließen. Treten daher nicht ganz unvorhergesehene Ereignisse ein, fallen keine allgemeineuropäischen Konflikte vor, bricht, mit einem Worte, grade keine Revolution aus –«

Bei dem Worte »Revolution« mußte Herr Lenz unwillkürlich niesen. Der Makler Emsig bekreuzte sich; Herr Preiss trat drei Schritte rückwärts.

»Ich sage, bricht grade keine Revolution aus, so muß ich offen bekennen, daß ich nicht die geringste Gefahr dabei sehe, wenn man sich mit dem ehrenwerten Hause der Habsburger bis über Hals und Kragen in ein Geschäft eingelassen hätte.«

»Sie sind sanguin, Lenz!« nahm hier Vater Preiss das Wort, »sehr sanguin! Haben Sie schon je in des alten Metternich Tasche gesehen? Haben Sie je schon in die Herzen der habsburgischen Völker geblickt? Wer bürgt mir dafür, daß nicht einst ein sehr bedauerlicher Zank zwischen der Staatstasche und den Völkerherzen ausbricht?«

»Die Liebe!« versetzte Makler Emsig mit Rührung und

schnitt ein Gesicht, hold wie die Stockrose. »Die Liebe des Volkes zu seinem angestammten Herrscherhause bürgt Ihnen dafür, daß die Kaiserstaaten nie von jenen Ausbrüchen der Unzufriedenheit heimgesucht werden, wie wir sie erlebt haben in verschollenen Zeiten in jenem Lande, dessen Dreiprozentige unter dem Schutze eines großen Bürgerkönigs heute nicht minder unterworfen sind der allgemeinen Steigerung und grade den besten Beweis liefern, wie ruhig man sich einlassen darf —«
»Werden Sie nicht pathetisch, Herr Emsig!«
»Pathetisch! Habe ich nicht das Recht, pathetisch zu werden, wenn mich das Glück der Völker ergreift? Bin ich nicht gerührt des Morgens beim Kaffee, wenn ich die auswärtigen Kurse in der Zeitung finde und aus jedem Achtelchen, aus jedem Viertelchen, welche Konsols oder Dreiprozentige in die Höhe gegangen sind, die allgemeine Zufriedenheit, das allgemeine Weltvertrauen lese? Andere Leute lesen zuerst die Nachrichten; *ich* lese zuerst die Kurse, in denen die Weltgeschichte ausgedrückt wird in runden Zahlen und Brüchen, deutlich und verständlich für alle, die da Augen haben zu lesen und Gefühle zu begreifen! Was sagen Sie *dazu?*«
Da der Buchhalter Lenz an dem Bart der Feder kaute und nachdenkend zu Boden sah und Herr Preiss kopfrechnend gen Himmel blickte, so wartete der Makler nicht auf eine Antwort, sondern fuhr fort:
»Sie sagen, daß ich recht habe. Ja, ich habe recht. Noch gestern hat mich meine jüngste Tochter gefragt: ›Vater, weshalb siehst du zuerst immer nach den Kursen?‹ — ›Liebes Kind‹, habe ich geantwortet, ›das kommt von der schönen Einrichtung. Sieh mal hier: gestern standen die Konsols 84, und heute stehen sie auch 84; nun weiß ich, daß in England nichts passiert ist. Gestern kosteten die Dreiprozentigen ..., heute stehen sie ...

der Herr Guizot muß also einen großen Triumph in der Kammer gemacht haben. Gestern hielten sich österreichische auf..., heute stehen sie auf...; der Kaiser hat also gewiß gut geschlafen, und was ich mit meinem Verstande geraten hatte, das hatte sich in der Wirklichkeit zugetragen, das stand schwarz auf weiß gedruckt.‹ Und sehen Sie, Herr Preiss, so etwas kann einen rühren, wenn man dies allgemeine Vertrauen sieht, diese Liebe zur guten Sache, diese friedliche Weltentwicklung, und mit inniger Überzeugung ruft man aus: ›Ja, es gibt noch Gemüt in der Welt, alles ist Avance, alles Gewinn!‹«
»Na, dann kaufen Sie mir für 20000 Taler Metalliques!« rief Herr Preiss, indem er plötzlich aus seinem Rechenexempel wie aus einem Traume erwachte.
»Abgemacht!« erwiderte Herr Emsig und griff nach Hut und Stock, um sofort das Weite zu suchen.
»Aber kaufen Sie billig, nicht über...!«
Der Makler drehte sich in der Tür um, legte den Kopf auf die Schulter, kreuzte die Arme vor der Brust und verdrehte Augen und Mundwinkel zu einem wehmütigen Lächeln.
»Herr Preiss, sehen Sie mich an. Sehe ich aus, als ob ich teuer kaufen würde? Sehe ich unbillig aus? Ach, Sie wissen's, der Eduard Emsig weiß das Vertrauen seiner ehrenwerten Geschäftsfreunde zu schätzen! Ließe ich mir doch eher ein Stück von meinem Körper schneiden, ehe ich ein Viertel gäbe, wo ich mit einem Achtelchen siegen kann!«
Keuchend und transpirierend vor maßloser Geschäftslust purzelte Herr Eduard Emsig die Treppe hinab in die Straße, ein wahrer Sohn Merkurs, des listigen Gottes, als dessen schalkhafter Geist er hin- und herüberschwebte vom Käufer zum Verkäufer und vom Verkäufer zum Käufer.

*Der Herr Preiss in Nöten*

Wiederum stehen wir im Comptoire des Herrn Preiss. Rötlich strahlt der Morgen durch zwei große, halbverstaubte Fenster auf die Tintenkleckse des Schreibpultes. Sandbüchsen, Federmesser, Gänsekiele und ähnliche friedfertige Instrumente schlummern in holder Gemeinschaft neben Postpapier und Propatria. Hohe, ledergepolsterte Dreifüße umringen das Pult; und das Pult hat Schubladen mit Schlössern und Riegeln daran von echtem Eisen.
Totenstille.
»Das Jahrhundert ist sehr schlecht geworden«, seufzt endlich der Herr Preiss.
»Sehr schlecht«, erwidert der dürre Buchhalter mit außerordentlichem Nachdruck.
Armer Herr Preiss! – Er war ordentlich mager geworden, unheimlich mager, der sonst so stattlich runde, der handfeste Mann. Die flinken, unternehmenden Falkenaugen hatten allen Glanz verloren; schärfer als früher war die Biegung der Nase, und das sonst so keck nach vorn stehende Kinn, es hing hinab, ja verdächtig hinab auf die Spitzen des Halstuches. An den Kleidern des ehrenwerten Handelsherrn, die, nicht zu vergessen, noch vor dem 24. Februar aus der Bude des kunstfertigsten aller Schneider gingen, sah man indes erst recht, welche Veränderungen sich zugetragen. Die Hose war voller Falten... Wahrheitsliebende Nachbarn behaupteten, der Herr Preiss habe vier geographische Meilen verloren im Durchmesser.
»Aber mögen die Zeiten auch noch so schlecht sein, die Energie ist mir geblieben!« fuhr der Herr Preiss zu dem Buchhalter fort. Bitterkeit lag im Ton seiner Stimme.
»So Gott will!« seufzte dieser. »Aber die österreichischen Metalliques-Coupons fallen mit jedem Tage.«

Wie dem Hexameter der Pentameter folgt, so folgte die Antwort des Buchhalters dem Ausrufe des Prinzipals.
Der Buchhalter Lenz litt mit seinem Herrn; wenigstens scheinbar; denn trotz der schlechten Zeiten erhielt er nach wie vor seine 600 Taler jährlich, das Neujahrsgeschenk extra. Der Herr Lenz hatte noch immer eine rote Nase – das Morgenrot einer bessern Zukunft. Auch im Prisen war bei ihm keine Reaktion eingetreten – braun und duftig tropfte es hinab auf die verblichene Weste. Man sah ihm an der Nase an, daß er noch der alte Buchhalter war, aber dennoch litt er. Seit dem 24. Februar war er dreimal zur Kirche gewesen; stündlich seufzte er sechsmal; zwölf alte Federn fraß er per Tag.
»Ich kann Ihnen versichern«, sprach Herr Preiss weiter, »nichts auf der Welt konnte mir ungelegener kommen als diese Revolution.«
»Die verfl... Revolution!« hätte Herr Lenz beinah gesagt.
»Wahnsinn ist es, nichts als Wahnsinn! Froh und glücklich lebten wir dahin. Ein lauterer Bach war unser Leben, kaum getrübt von einer Fallite. Ruhig schlafend bei Nacht, gestärkt erwachend am Morgen, taten wir, was Gott gebot und unser eigenes Interesse. Taten wir Böses, so lag es in der Natur der Sache, denn schwache Menschen sind wir, schwach und vergänglich. Zur Arbeit erhoben wir die Hände; steckten wir sie in die Tasche, so geschah es aus Gründen – um zu halten, was wir hatten. Segen folgte unserm Beginnen wie das Ende dem Anfang. Manchmal waren's 20 Prozent; manchmal darüber. Kam uns die Post, da gab's was. Ein Brief von den Ufern der Lahn, von der Mosel, von den Höhen des Schwarzwaldes: 10 Fässer Heringe, eine Ordre auf Rosinen, und jedesmal war verdient. Ruhig gaben wir Kredit, wie uns selbst kreditiert wurde von Bankier zu Bankier. Gab es Gefahr, da mahnten wir stark, aber

immer mit Anstand. Vertrauen genossen wir, Vertrauen gaben wir. Wir zahlten stets so spät als möglich, aber immer in Zeiten. Wir waren immer gefällig, nur nicht zu unserm Nachteil. Sorgend für uns, schadeten wir niemand – uns am wenigsten. Wir ließen leben und lebten. Das letztere war die Hauptsache. Zufrieden waren wir mit Gott und aller Welt, weil wir zufrieden waren mit uns. Trotzend der Konkurrenz, überwanden wir vieles. Leuchtend lag die Zukunft vor uns – da schlägt die verfluchte Revolution hinein!«
»Und unsre Bons auf die Insel Sandwich fallen auf Null«, unterbrach der Buchhalter mit Schwermut.
»Ja, da schlägt die Revolution hinein, wie der Hagel in ein Kartoffelfeld, wie der Blitz in den Spinat! Verschwunden ist unser Hoffen, und unser Glück ist aus. In düstern Träumen wälzt man sich nachts auf seinem Lager, noch gestern träumte ich, eine Guillotine und ein Bettelsack tanzten einen schauerlichen Walzer. Schweißtriefend erwacht man am Morgen, und sieht man in den Spiegel, da glaubt man einen vom Galgen Gefallenen zu sehen. Ruhe suchend im Gebet, gelingt dieses doch selten, denn unheilschwanger steht einem der Tag bevor, und aus den frommsten Erhebungen zu Gott taumelt man unwillkürlich mit den Gedanken zurück in die entsetzliche Wirklichkeit. Voll Angst beginnt man seine Arbeit, und zitternd eröffnet man jeden Brief, denn es ist nur zu wahrscheinlich, daß irgendeiner ›Mit traurigem Herzen‹ oder ›Ich sehe mich in die traurige Notwendigkeit‹ oder ›Bei dem Drang der Verhältnisse bedaure ich‹ oder mit irgendeiner andern bankerotten Phrase beginnen wird. Falliten folgen Falliten, und der Kredit ist erschüttert bis in seine Urtiefen. Throne wackeln, und es wackelt der letzte Seifensieder. Bankiers fallen wie die Fliegen im Winter und die, welche auf den Beinen bleiben, sind so hartleibig, als hätten sie nur Wasser gesoffen und gekochte

Eier dazu gegessen seit sieben Monaten. Wegen jedes Lauseposten wird man gemahnt, als schuldete man eine Million zwei Jahre über Verfalltag. Die gleichgültigsten Freunde und weitläufigsten Anverwandten pumpen einen an wie der Student seinen Stiefelfuchs. Aufträge bleiben aus; die, welche eintreffen: Ziel 14 Monate. Keiner traut seinem Nachbarn; man betrachtet sich wie ein Robert Macaire den andern. Auf der Straße geht man einher wie ein Leichenbitter, verhöhnt von rohen Proletariern, gierig angegafft vom nimmersatten Volk. Auf der Börse ist es still wie mitten in einem Kornfelde. Man hört die Mäuse an den Wänden krabbeln, und Tränen rinnen um die angeschlagenen niedrigen Kurse. Oh, Herr Lenz, wir sind heimgesucht worden von einer schweren, sehr schweren Landplage. Wie ein trauernder Jude an den Wassern zu Babylon, also sitze ich klagend auf meinem Comptoirstuhl.«

Eine Pause entstand. Herr Preiss bedeckte die gewaltige Stirn mit beiden Händen, indes der Buchhalter Lenz eine Prise nahm, von den allergrößten.

»Wir müssen uns einschränken!« fuhr der Herr Preiss endlich fort. Der Buchhalter spitzte die langen Ohren und hielt unwillkürlich in der zweiten Prise inne.

»Wir müssen uns einschränken, Lenz. Die Ökonomie ist das einzige, was uns retten kann.«

Der Buchhalter wurde immer aufmerksamer.

»Man muß sich durchlavieren wie ein guter Seeräuber. Wir verdienen nichts mehr; die Geschichte kann nicht länger so fortgehen.«

Dem Buchhalter wurde es schwül zumute.

»Vor kurzem habe ich noch unsern alten Kommis Sassafraß verabschiedet.«

Dem Buchhalter ging ein Zittern durch beide Waden.

»Wir müssen in diesem System fortfahren.«

›Heiliger Gott!‹ dachte der Buchhalter.

»Mein Entschluß steht felsenfest! Ökonomie! Ökonomie! dies sei die Losung!«
Des Buchhalters rote Nase erblaßte.
»So merken Sie sich denn –«
Abermals hielt Herr Preiss inne, und eine Pause fürchterlicher Angst raubte dem Buchhalter schier die Besinnung.
»So merken Sie sich denn, Herr Lenz – merken Sie sich.« Hier schlug der erschütterte Prinzipal mit der Faust auf das Schreibpult, daß alle Tintenfässer und Federn und Bleistifte das lustigste Menuett begannen.
»Merken Sie sich, Herr Lenz, wir müssen unsre – Wagenpferde abschaffen.«
Tief seufzte der Buchhalter auf. »Der Wille Gottes geschehe!« murmelte er, und seine Augen blickten gerührt gen Himmel.
»Aber damit sind wir noch lange nicht fertig, Lenz. Dem alten Sassafraß und den beiden Wagenpferden muß ein weiteres folgen.«
›Es geht aufs neue los!‹ dachte der entsetzte Buchhalter.
»Daß ich den Wagen verkaufe, wenn ich keine Pferde mehr habe, das versteht sich von selbst.«
»Allerdings!« versetzte der Buchhalter, »das ist logisch.«
»Aber auch logisch ist es«, fuhr der Herr Preiss fort, »daß nicht nur in Stall und Remise Modifikationen eintreten –«
»Sondern auch in Küche und Keller«, warf der Buchhalter ein.
»Sowie namentlich im Getriebe meines Geschäftes«, vollendete der Prinzipal.
»Wir sind auf derselben Stelle«, seufzte der Buchhalter, und der Angstschweiß brach ihm aus allen Poren.
»Merken Sie sich deswegen ferner, Lenz –«
»Ich merke mir.«
»Und notieren Sie sich –«

»Ich notiere mir.«
»Die Produktionskosten und die Betriebsspesen müssen bis auf ein Minimum reduziert werden.«
»Bis auf ein wahres Minimum«, stotterte der Buchhalter.
»Zu diesen Reduktionen gehört erstens –«
»Erstens –«
»Daß in unserm Geschäftspersonal –«
»Verehrter Herr Preiss«, unterbrach der Buchhalter.
»Es geht nicht anders, Lenz! In unserm Geschäftspersonal –«
»Stoßen Sie nicht Ihre treuesten Diener von sich!«
»In unserm Geschäftspersonal –«
»Kann man mit den Arbeitern im Magazine anfangen.«
»Allerdings, Lenz! Und dann müssen wir ans Comptoir gehen –«
»Und den einen Lehrling abschaffen–«
»Und den jüngsten Kommis – Lenz!«
»Allerdings.«
»Sowie ferner – es tut mir leid – nein, der jüngste Kommis kann bleiben – es tut mir sehr leid – was *Sie* betrifft – Lenz.«
Hier hatte die Geduld des Buchhalters ein Ende. In großen Tropfen rann der Schweiß auf seine erbliche Nase. Die grüne Brille entglitt ihr, und wie eine Blume im Sturm brach er zusammen, der unglückselige Mann, und die Arme eines Comptoirstuhles nahmen ihn auf und hielten ihn fest umschlossen.
Der Herr Preiss hatte indes nicht vollendet. Der Schluß seiner Phrase war ihm auf der Zunge geblieben, denn eben trat der Postbote ins Zimmer und überbrachte die Zeitung. Seit den Februarereignissen in Paris und seit den eingetroffenen Wiener Nachrichten hätte sich der Herr Preiss nicht durch vierundzwanzig Pferde von sofortigem Lesen der Zeitung abziehen lassen. Die Unterredung mit dem Buchhalter wurde daher im Nu unter-

brochen, und die grüne Mütze tief ins Gesicht drükkend, die Beine fest ineinanderkneifend und das Zeitungsblatt mit beiden Händen ergreifend, schickte sich der würdige Herr auf der Stelle an, die Bühne der Welt rasch lesend zu durcheilen.
Armer Preiss! Du wußtest nicht, was du tatest. Seht ihn sitzen, den gewaltigen Mann. Er schaut in das verhängnisvolle Blatt, er liest nur einen Augenblick – da ergreift ein Zittern all seine Glieder, seine Knie schlottern, die Mütze fällt vom Haupte: »Revolution in Berlin!« ruft er mit erstickter Stimme, und wie der Buchhalter Lenz gegen Westen gefallen, so sinkt der würdige Prinzipal gen Osten in die Arme des Lehnstuhls. »Hallo! Jetzt ist der Teufel erst recht los –«, das sind die letzten Worte, die er zu sprechen vermag, die Zunge versagt ihm den Dienst, seine Augenlieder sinken, und wiederum herrscht auf dem weiten Comptoir Todesstille.
Rötlich aber strahlt der Morgen durch die zwei großen, halbverstaubten Fenster auf die Tintenkleckse des Schreibpults.

Nach jener welterschütternden Nachricht der Berliner Revolution hatte der Herr Preiss einen kläglichen Tag verlebt. Da kam die schwarze Nacht, und seine Angst stieg um 20 Prozent. ›Die Nacht ist keines Menschen Freund‹, dachte der Herr Preiss und suchte in seinem Pult nach zwei alten türkischen Pistolen, die ihm einst sein Großonkel, mütterlicher Seite, von einer Entdeckungsreise in den Orient mitgebracht hatte. Er schickte in die Apotheke und ließ sieben Lot Pulver fordern, prima Qualität. Kugeln fehlten ihm – er nahm zwei Agathkugeln aus seinem Petschaft.
Nach dem Abendessen, welches lautlos und in ängstlicher Erwartung der Dinge, die da kommen sollten, verzehrt wurde, verriegelte Herr Preiss eigenhändig alle

Türen des Hauses. Eine Dogge, halbe Rasse, wurde in der Küche hinter dem Fensterladen angebunden; ein Nachtlicht brannte auf dem Hausflur. Gegen 11 Uhr schlich der würdige Mann mit todesverächtlicher Miene die Treppe hinauf in sein Schlafgemach. Tiefe Stille. Es war sehr unheimlich. – ›Jedenfalls siehst du einmal unter dein Bett!‹ dachte Herr Preiss. – Die eine türkische Pistole in der Hand, bückte er sich mühsam, und voll schauerlicher Freude überzeugte er sich davon, daß alles in Ordnung, daß kein Schinderhannes zugegen und daß nur der weiße, unschuldige Nachttopf ruhig und gelassen dastand in der Fülle seiner harmonischen Formen. Wie es jeder Fromme zu tun pflegt, zog der Herr Preiss auch diesmal vor dem Nachtgebet seine Uhr auf, eine Genfer Repetieruhr, laufend in sechs falschen Diamanten. Dann eine baumwollene Mütze mit großem Quast aus der Kommode ziehend, krönte er sein müdes Haupt bis tief über die Ohren.

»Die Unterhose kannst du anbehalten«, murmelte er. »Man kann nicht wissen, wofür es gut ist; auch die Strümpfe werde ich nimmer ausziehen; man weiß nicht, was passiert...« Da setzte er den Fuß auf die Lehne des Bettes.

Also dastehend in weißer Unterhose, in baumwollener Nachtmütze und das eine Bein auf dem Rande des Lagers, empfahl Herr Preiss sich dem allmächtigen Schöpfer Himmels und der Erde, und noch einmal hinaushorchend, ob sich auch gar nichts rege da draußen in der revolutionären Außenwelt, taumelte er dann mit einem kühnen Salto mortale in die sanften vaterländischen Kissen. Auf dem Nachttisch aber lagen die zwei türkischen Pistolen, ein Federmesser und drei Dutzend Schwefelhölzer.

Mehrere Stunden mochte der Schlafende ruhig geschnarcht haben, da neigte sich der Träume lieblicher Gott über die baumwollene Nachtmütze des würdigen Handelsherrn und ließ ihn träumen folgenden Traum.

Der Herr Preiss träumte, alle Zahlen seines großen Hauptbuches hätten ein Komplott, eine Konspiration gegen sämtliche Nullen desselben gebildet.

Die Nullen, weil ihrer zwei hinter Eins: Hundert und weil ihrer fünf hinter Eins: Hunderttausend ausmachen, hatten nämlich seit undenklicher Zeit behauptet, daß sie allein Wert und Wichtigkeit in der Welt hätten und daß alle übrigen Zahlen nur existierten, um ihnen wohlgefällig zu sein. Bei öffentlichen Gelegenheiten in Adressen und Proklamationen vergaßen sie nie, diese Ansicht geltend zu machen, und wenn die guten, geduldigen Zahlen Einwendungen zu machen suchten, so wurden sie höchstens ausgelacht und mit einem Rüffel von wegen ihres beschränkten Untertanenverstandes wieder entlassen.

»Wir, von Gottes Gnaden, Null«, hatte manche dicke Null in dergleichen Fällen gesagt, »tun hiermit kund und geben zu wissen, daß ihr dummen, aber zudringlichen Zahlen euch jeglicher Einmischung in unsre Kraft und Herrlichkeit enthalten sollt, widrigenfalls wir euch laut einem funkelnagelneuen Strafgesetzentwurf mit Knütteln, Bajonetten, Kartätschen und Schrapnells allerhöchst vom Leben zum Tode befördern werden.«

In solchem Stile, umwunden von einigen bürokratischen Verblümungen, beliebten die Nullen ihre Weisheit den Zahlen gegenüber an den Tag zu legen; und wie ein ehrlicher Mann vieles glaubt, wenn es ihm nur mit dem gehörigen Nachdruck gesagt wird, so glaubten auch die Zahlen bald an das, was ihnen die Nullen vortrugen, und es konnte nicht fehlen, daß sich mit der Zeit zwischen beiden Parteien das allerschönste Untertanenverhältnis entwickelte und schnell eine ganze Hetze von königlichen, kaiserlichen, fürstlichen, landgräflichen und ähnlichen Nullen gleich einem Heuschreckenschwarme das Land bedeckte.

Die Zahlen, als schlichte, biedere Staatsbürger, die sich

lieber mit ihren Gewerben, mit Künsten und Wissenschaften als mit groben Nullen abgaben, hatten kaum gemerkt, daß die letztern sich mit jedem Tage fester und feister fraßen. Sie fuhren mit Vieren; sie schossen alle Hasen, sie fraßen Eis en vanille und rochen wohlriechend. Dazu liebten sie ihrer Untergebenen Schweiß und Blut; beides zapften sie ab und tranken es zum Wohle ihrer Staaten. Bei dieser guten Lebensart wurden sie je länger, je lieber, immer aufgeblasener und hochmütiger. Sie stifteten Zerwürfnisse durch ihre Strafentwürfnisse, sie preßten durch ihre Preßgesetze; sie verboten das Singen und das Reden, ja beinahe das Husten und das Pissen.

Da brach den Untertanen die Geduld; sie kamen zusammen in kleinen Waschzetteln und Wirtshausrechnungen; sie überlegten, was zu tun sei, und entwarfen folgende Adresse an die zunächst residierende Herrschaft:

»Allerdurchlauchtigste Majestät, allergnädigster König und Null! Ew. null und nichtigen Hoheit erlauben wir uns hierdurch die friedliche Bemerkung zu machen, daß wir zwar gern Dero Wichtigkeit insoweit anerkennen, als die Null überhaupt im Dezimal- und sonstigen Rechnungssystem Bedeutung hat, daß wir aber sehr bezweifeln, ob Ew. königl. Null noch dann irgendeinen Wert hätte, wenn ihr nicht stets eine bürgerliche Zahl vorherginge. Indem wir daher Ew. null und nichtigen Hoheit dringend anempfehlen, gütigst sofort die Souveränität der Zahlen eintreten lassen zu wollen, verharren und ersterben wir freundschaftlichst und ergebenst Ew. königl. Null betreffende Zahlen: Eins, Zwei, Drei, Vier, Fünf, Sechs, Sieben, Acht und Neun.«

Die zwar höfliche, aber nichtsdestoweniger höchst energische, im sogenannten jakobinischen Stile abgefaßte Adresse der Zahlen an Se. Majestät, die königliche Null, zeigte nur zu deutlich, daß sich die Unterzeichneten bemühten, das Verhältnis zwischen Fürst und Untertan von dem weltbekannten, historischen Rechtsboden auf die breiteste demokratische Grundlage hinunterzuziehen. Ihre null und nichtige Hoheit gerieten deswegen in die außerordentlichste Mißstimmung. Minister wurden entlassen, Gesandte wurden abberufen, Kammerjäger bekamen Fußtritte, und die Orden verringerten sich bedenklich. Am entsetzlichsten machte sich indes der Unwille Ihrer Majestät in dero allerhöchsten Handschreiben an sämtliche null und nichtigen Vettern und lieben Getreuen des weiten Landes Luft. Der freche, unehrerbietige Tadel altehrwürdigen Herkommens, den sich die Volksversammlung der Zahlen in den Augen Ihrer Majestät zuschulden kommen ließ, wurde in den schwärzesten Couleuren geschildert. Man sprach geradezu von einer weitverzweigten Konspiration, welche den Umsturz alles Bestehenden zum Zwecke habe und nach vielfachen anarchischen Volksbelustigungen mit einer blau-weiß-rötlichen Republik endigen solle.

Zahlreiche Spione mit blonden Schnurrbärten und tiefliegenden schmutzig-blauen Augen, Leute von Gesinnung und Charakter, die sich zu des respektiven Landesfürsten wohldressiertesten Dienern rechneten, waren aufs eifrigste bemüht, der um sich greifenden Verderbnis der niederen Volksklasse nachzuspüren, und es bedarf wohl nicht der Versicherung, daß diese gefälligen, achtungswerten Männer zu Nutz und Frommen ihrer null und nichtigen Herren aus der Mücke der Wahrheit jedesmal den Elefanten der Lüge zu bereiten wußten und so die unselige Kluft zwischen Null und Zahl nur noch immer weiter und tiefer machten. – Es würde zu weitläufig sein, diese zu einer unheilvollen Katastrophe sich entwickelnde Spaltung in allen ihren Details verfolgen zu wollen. Der Herr Preiss träumte sie auch nur abgerissen und fragmentarisch, und wir

sind zu gewissenhaft, um irgend etwas schildern zu wollen, was nicht wirklich faktisch und historisch in der unsterblichen Seele des Schlafenden zur Welt kam.
Jedenfalls wurden die Sachen sehr schlimm. Der berühmten Petition der Zahlen war von seiten der Nullen die tiefste offizielle Stille, von seiten der Zahlen die Qual der peinlichsten Erwartung gefolgt. Die guten untertänigen Zahlen wollten eine Antwort auf ihre Eingabe, ehe sie dem Throne wieder frohlockend nahten; die hochgeborenen Nullen wünschten dagegen nicht früher etwas zu erwidern, als bis die gehörige Anzahl Schrapnells angefertigt worden sei und die außerordentlich kurzen diplomatischen Verhandlungen unter den verschiedenen Höfen ein anständiges Ende erreicht hätten.
Endlich waren diese durchaus nötigen Präliminarien erledigt, und da sich gerade ein sonderbares volkstümliches Gemurmel in den Grundschichten des bürgerlichen Lebens kundtat, so beeilte sich die eine namentlich angegangene Null um so mehr, ihren königlichen Gesinnungen in folgender höchster Proklamation den so sehr gewünschten Ausdruck zm verleihen.
Diese durch den »Staats-Charivari« veröffentlichte Proklamation hieß folgendermaßen:
»Irregeleitete Zahlen, sehr freche Landeskinder! Wurzelnd in dem Rechtsboden meiner glorreichen Ahnen und gehüllt in den Fabelmantel meiner absoluten Herrlichkeit, fühle ich das größeste Bedürfnis, ein unsägliches Mitleid mit euch zu haben. Die Forderung, euch die Souveränität zu bewilligen, beweist wohl am besten, daß ihr hiezu noch nicht reif seid. Der Untertan ist nicht ein fortdauernd nehmendes, sondern ein duldend empfangendes Wesen. Wehe euch, daß ihr herausgetreten aus eurer naturwüchsigen Entwickelung. Solange eine Null noch Wert und Wichtigkeit hat, wird euch nimmer gewillfahrt werden; denn es ist meine

Pflicht, über euch zu wachen und zu herrschen, wie eine wahrhaft landesväterliche, königliche Null.«
Ähnliche, von fast allen kaiserlichen wie land- und reichsgräflichen Nullen erlassene Proklamationen waren die Signale zu einem thronerschütternden Volksunwillen.
Man raunte sich überall in die Backenbärte: entweder müsse man eine Revolution veranstalten oder man blamiere sich vor der ganzen Tierwelt. In einer massenhaft besuchten Volksversammlung drang diese Ansicht noch mehr durch. Die Eins, ein gerade gewachsener, tüchtiger Mann, setzte sie ohne viele Gestikulationen in einer trefflichen Rede sehr verständlich auseinander. Die Zwei, wie ein listiges Fragezeichen aussehend, machte sie zwar durch einige Einwürfe für den Augenblick wankend; als dann aber die Drei, ein recht knorriger Mann aus dem Volke, auftrat, da war die Sache schnell wieder im Zuge, und es bedurfte schließlich nur der kantigen Vier, um für die betreffende Angelegenheit den schallendsten Applaus zu erregen.
Mit dem glänzendsten Pathos entwickelte dann die bombastische Fünf die Segnungen, welche einem Umsturz des Bestehenden folgen würden. Die Sechs, ein entschiedenes, energisches Wesen, drang da auf Abstimmung; man gab aber noch der Sieben das Wort, die nach ihrem galgenähnlichen Äußern einen außerordentlichen Redeerguß verhieß.
Die Acht zeigte sich ebenfalls noch auf der Tribüne; da sie aber durch ihre aus zwei Nullen bestehende Gestalt nur zu sehr an eine außereheliche Abkunft höhern Orts erinnerte, so entstand ein wahrer Orkan von Völkergeschrei, und schnell mußte sie der keulenähnlichen Neun den Platz überlassen, die ohne weitere Umstände die Motion machte, daß man die Sitzung sofort auf die Straße verlege, um ihr einen desto praktischern Anstrich zu verleihen.

Soweit hatte Herr Preiss geträumt, da seufzte er tief auf, und der Quast der baumwollenen Nachtmütze bewegte sich über seinem Haupte. »Das Volk steht auf, der Sturm bricht los.« – Mit Schrecken gewahrte er, wie die Zahlen und die Nullen die weiße, ebene Fläche seines großen Hauptbuches dazu ausersahen, das Schlachtfeld ihres Souveränitätskampfes zu werden.
Deutlich sah er, wie die Nullen des Kapitalkontos in geordneten Linien von der einen Seite heranrückten und wie sich von der andern die Zahlen aus allen kleinen Rechnungsposten in zwar ungeregelten, aber desto wildern Massen in den Kampf drängten. Einige Kolonnen roter Zinszahlen, welche mit der republikanischen Infanterie des Auslandes die frappanteste Ähnlichkeit hatten, ließen ihre Fronten noch schauerlicher erscheinen und trugen nicht wenig dazu bei, das königliche Blut der Nullen vor Schreck erstarren zu machen. Nur der kommandierende Prinz, eine Null vom reinsten Wasser, der Abgott der legitimen Soldateska, hatte sein schreckliches Herz auf der rechten Stelle; er hatte zwei große historische Rittersporen an die Absätze seiner allerhöchsten Stiefel geschnallt; in der königlichen Faust trug er ein schartiges, sehr antikes Schwert aus der Blütezeit des Absolutismus. Manchmal reitend auf einem englischen konstitutionellen Renner, bestieg er doch heute einen vaterländischen urkräftigen Klepper. Den Schnurrbart streichend, kommandierte er in jenem berüchtigten fürstlichen Akzent das »Vorwärts«; die Garde blies auf ihren Schalmeien das entsetzliche Lied: »Liebe, Liebe ist mein Leben, Liebe ist mich nötig«, und unaufhaltsam wogte die Schar der Nullen ihren Feinden entgegen. Diese, mit bürgerlichen Mistgabeln, mit modernen Basaltblöcken und höchst beunruhigenden Eisenstangen, stellten sich ebenfalls in Reihe und Glied. Zarte Frauen schickten sich an, von den Dächern hinab die königlichen Nullen zum zweiten Male mit

zwar erhitztem, aber dennoch ambrosischem Rüböle zu salben, während die Kinder nicht etwa Rosen und Aurikeln, sondern Scherben echten Kristalls dem heranziehenden Feinde entgegenstreuten. Selbst des Volkes verachtetste Hunde und des Märzes verliebteste Katzen schienen heute ihre Bravour außer alle Frage stellen zu wollen und erhoben als Antwort auf die Janitscharenmusik der königlichen Garde jenes herzerhebende nationale Geheul und Gezisch, das Steine erweichen, Menschen rasend machen kann. Während die beiden Parteien, kaum noch getrennt durch die Entfernung eines unwillkürlichen, gegenseitigen Respektes und durch einige in rein gotischem Stile ausgeführte Barrikaden, einander auf den Leib zu rücken suchten, rollten von der Stirn des Träumenden heiße, schwere Tropfen in den Brustlatz seines unschuldreinen Hemdes.

Der Herr Preiss erkannte nämlich gar nicht die welthistorische Bedeutung seines Traumes. In der Empörung der Zahlen gegen die Nullen seines Kapitalkontos sah er einzig und allein eine Gefährdung seiner kommerziellen Interessen. Gern hätte er deswegen das verhängnisvolle Hauptbuch hintereinander zugeschlagen, um auf diese Weise beide Parteien in der Geburt ihres Streites zu ersticken. Je näher der Ausbruch der Feindseligkeiten bevorstand, desto reaktionärere Gelüste erfaßten ihn. ›Am Ende sollst du mit deinem guten Gelde die Kosten dieser zwar sehr interessanten, aber dennoch verwerflichen Umwälzung bezahlen‹, dachte er, und ich frage jeden Unparteiischen, ob der würdige Handelsherr nicht das größte Recht hatte, in einen sehr wohltätigen Schweiß auszubrechen.

Das Röcheln seiner träumerischen Angst sollte indes noch größer werden, als nun endlich die erste königliche Kartätsche mit einer unbegreiflichen Unverschämtheit den kühnen revolutionären Zahlen auf die

Köpfe fiel und sofort von einem solchen Meteorsteinregen erwidert wurde, daß zwei königliche Nullen klagend das Zeitliche segneten. Der Kampf war nun eröffnet, und mit Entsetzen bemerkte der Träumende, wie dem Angriff der Nullen nur eine immer wilder emporflammende Raserei der Zahlen folgte. Die Säbel der Insurgenten, die Kugeln ihrer Jagdgewehre und die von allen Dächern tropfenden Pflastersteine vernichteten ganze Kolonnen seines Kapitalkontos. Dazu klang das Läuten der Sturmglocken so schauerlich, wie das Klappern von falschen Dukaten; es war ihm nicht anders mehr zumute, als hätte er sieben unversicherte Schiffsladungen Kaffee auf der See, in einem Äquinoktialsturme; sein edles kaufmännisches Herz schlug wie der Wecker an einer Schwarzwälder Uhr, und mit jeder Null, die hinunter zum Styx fuhr, rollte ein neuer Angstschweißtropfen über seine olympische Stirn.
Alles dies ertrug indes noch die Seele des Gepeinigten; mit wahrem Heroismus sah der herrliche Dulder die Tausende durch das Fallen zwei oder dreier Nullen zu Zehnern oder zu Einern werden; als aber endlich den Kieselsteinen, den Büchsenkugeln, den Ölphiolen und den Bierglasscherben gar noch der Feuerbrand folgte, als man das ganze Hauptbuch mit sämtlichen kaiserlichen, königlichen, gräflichen und ähnlichen Nullen in Brand zu stecken suchte: da fuhr er empor mit dem Schrei der Verzweiflung, die baumwollene Nachtmütze entsank seinem Schädel, und die Decken zur Seite schiebend und mit beiden beunterhosten Beinen zu gleicher Zeit dem Bette entfahrend, griff er wie rasend nach einer der türkischen Pistolen des Nachttisches; rechts und links stürzten Leuchter und Schwefelhölzer, Pantoffeln und Nachttopf – losknallte das Pistol, und das Schlafgemach krachte bis in sein letztes Mauseloch.
Der Buchhalter Lenz, der eben seinen Herrn zu wecken gedachte und voll haarsträubender Angst, daß er sich

frevelnd ein Leid angetan, ins Zimmer stürzte, fand den würdigen Prinzipal selig lächelnd am Fenster stehen. Der Herr Preiss sah, daß er geträumt hatte, und neugierig blickte er hinüber nach dem nächsten Kirchturme, von dessen Spitze die schwarzrotgoldene Fahne lustig im Morgenwinde flatterte.

HEINRICH MANN
(1871–1950)

# Gretchen

I

Am Sonnabend mittag hatte Frau Heßling es immer noch nicht ihrem Manne beigebracht, daß Gretchen sich am Sonntag verloben sollte. Beim Essen war Diederich endlich guter Laune; von dem Aal, den er allein aß, warf er Gretchen ein Stück über den Tisch zu. Aber der Aal war groß und fett gewesen; im Mittagsschlaf ächzte Heßling, und nach dem Erwachen verlangte er, massiert zu werden. Seine Gattin wisperte Gretchen zu:
»Nun könn' mer 'n wieder dein' Hut und Gürtel nich abluchsen. Aber Geld muß her.« Und sie gab der Tochter einen nützlichen Wink.
Herr Heßling wartete schon in wollenem Hemd und Unterhosen zwischen den Sofakissen. Er überlieferte seinen blonden Bauch der Gattin zur Bearbeitung mit den Handrücken. Angstbeklemmt blinzelte er, indes sie hackte, den drei Figuren in zwei Drittel Lebensgröße und in Bronze zu, die von der Erkerstufe mit erhabener Heiterkeit auf ihn und seine Not herabsahen: Kaiser, Kaiserin und Trompeter von Säckingen. Und während Frau Heßling sich nach allen übrigen Seiten um ihren Mann verbreitete und ihn laut tröstete, kroch Gretchen zur Tür herein, auf den Knien in ihrem weißen Kleid, umsichtig den langen Hals vorgestreckt und mit Furcht und Hohn in ihren bleichsüchtigen Augen, kroch geräuschlos zum Stuhl mit Papas Hose und griff hinein. Es hatte ein bißchen geklimpert; ihre Mutter sagte um so kräftiger:

»Nu haste's gleich hinter dir, und morgen wollten mer nach Goschelroda machen, daß du's weißt. Der Herr Assessor Klotzsche geht auch mit, und dich kost es nischt, Alter. Ich hab noch so viel vom Haushaltungsgeld, daß es langt.«
Heßling brummte; aber die Massage hatte ihn erweicht.
Abends am Stammtisch stand er für Deutschlands Weltmacht so sehr in Flammen, daß er zahlte, ohne den Inhalt seines Geldsacks zu beachten; und was an Gretchen neu war, entging ihm am Sonntag, wie immer. Er bekundete nur den festen Willen, nicht durch den Wald zu gehen.
»Da kommt man zwei Stunden zu kei'm Wirtshaus.«
Assessor Klotzsche gab ihm recht, und man beschritt die Landstraße: Gretchen voran mit Klotzsche. Er sah beifällig den Himmel an; sein hinterer Scheitel rutschte dabei in den Kragen.
»T–hadelloser T–hach. Wenn auch mit Hitze verbunden.«
»Papa hat seinen Rock ausgezogen«, sagte Gretchen; und mit Senkblick:
»Wollen Sie es nicht auch?«
Aber Klotzsche lehnte ab. Er als Leutnant der Reserve kannte Schlimmeres; und er fing vom Manöver an. Er sprach sachlich und lange; das erste Haus von Gäbbelchen sah schon aus den Bäumen; Gretchen seufzte. Frau Heßling hatte alles überwacht; plötzlich gab sie einen Schrei von sich. Ein Tier! Ein Tier war in ihrer Bluse.
»Ä gräßliches Krabbeltier. Nu ist es schon hier ... Nee, Männe, aus 'm Halse kriegste's nich mehr raus, du drückst mir bloß die Luft ab ... Nicht anstellen, das sagst du wohl. Wenn es doch aber beißt! Wir haben nun mal andere Nerven als wie ihr. Für so was hat ein Mann aber auch gar kein Verständnis, nicht, Herr Assessor?

Klotzsche beeilte sich, das seine zu bekunden. Er wollte sogar einen Haken öffnen. Frau Heßling entzog sich ihm.

»Einer nützt nichts; es sitzt zu tief. Da hilft bloß: alles aufmachen. Gehen Sie nur ein Stückchen weiter mit Gretchen, Herr Assessor. Bei so was kann ich doch wohl bloß mein' Mann gebrauchen.«

Und sie blinzelte Diederich mit unzüchtiger Schalkhaftigkeit an. Der Assessor war errötet; Gretchen hielt den Kopf gesenkt. Sie gingen.

Klotzsche machte unsicher eine Bemerkung über fatale Lebewesen. Sonst aber sei er sehr für die frische freie Natur, besonders für Segelsport... Gretchen seufzte schon wieder. Er brach ab und fragte, ob auch sie die Natur liebe. Ja? Und was sie denn vorziehe: die Berge? die kleinen Lämmer?

»Grünen Salat«, sagte Gretchen, halb im Traum.

Sie sah selber grünlich aus und fiel vor Bleichsucht fast in Ohnmacht, wie es ihr immer geschah, wenn sie sich sehr langweilte; beim Strümpfestopfen oder in der Kirche.

»Grünen Salat?«

Ja. Denn Gretchen hatte am Morgen von ihrem Wochengeld sofort ein halbes Pfund Pralinés gekauft und sie alle aufgegessen; und jetzt träumte sie von Salat mit Pfeffer und Senf.

Klotzsche war von ihrer Antwort überrascht, aber nicht unbefriedigt. Er sah sie an und rückte an seinem Kragen. Gretchen aber, mit tief herabgelassenen Wimpern:

»Was ei'm die ekelhaften Kiesel die Schuhe ruinieren! So 'ne Sohle is auch heutzutage wie aus Papier.«

Sie klagte nicht über die Schmerzen, die ihr die Steine machten; nur über die Kosten! Da entschloß sich Klotzsche:

»Krätchen...«

»Sophus...«
Als das Brautpaar Hand in Hand vor ihn hintrat, wie erstaunte der Vater! Frau Heßling lächelte sieghaft; denn daß Männe einem Reserveleutnant Krach machen werde, war nicht zu befürchten; dafür ging Männe mit einem zu schlechten Gewissen durchs Leben, weil er nicht wenigstens Unteroffizier war.

II

Wie Klotzsche zur Verlobungsfeier kam, hörte Gretchen ihn vor seinen Freunden ächzen, wie elend ihm doch sei; und dann flüsterten sie: vermutlich Unpassendes. Gretchens Herz klopfte. Bei Tisch spürte sie Anspielungen in jedem Wort. Klotzsche blieb schweigsam. Nur in ein Gespräch des Pastors Zillich griff er ein und erklärte, er glaube an die Auferstehung des Fleisches: mit rauher Katerstimme und so stolz, als hätte er sich gerühmt, er verdaue zwanzig Portionen Wurst mit Sauerkohl. Alle nickten ihm beifällig zu. Gretchen biß sich auf die Lippe und versteckte ihre Augen.
Dann war sie sehr verwundert, als alles so anständig blieb.
Klotzsche saß jeden Tag, wenn es dämmerig ward, bei ihr im Zimmer mit dem Jugendstil und sagte von Zeit zu Zeit:
»Krätchen...«
Sie erwiderte jedesmal, in Lauten, die Gefühl in die Länge zog:
»Szaophis...«
Aber meistens dachte sie dabei an anderes. Er fragte sie, was sie in der Schule gelernt habe. Sie wagte sich mit ein paar Streichen hervor, die sie an Lehrerinnen verübt hatte; spürte aber in seinem betretenen Lachen, daß ihr Rütteln an den Autoritäten ihn für seine eigene be-

unruhigte, und hörte davon auf. Dann erzählte er, was sich am Morgen im Gericht begeben hatte. Und dann schwiegen sie, bis zum nächsten »Krätchen« und »Szaophis«.
Einmal begann er von der Gnade zu sprechen. Gretchen sei wohl innerlich nicht sehr fromm, das könne er sich schon denken. In ihrem Alter sei er auch nur ein lauer Christ gewesen. Gott sei Dank habe er noch den Anschluß erreicht, und zwar mit Hilfe des Herrn von Haffke, des pensionierten Generals. Man müsse heute wieder fromm sein; wenn man etwas auf sich halte, sei es auf die Dauer gar nicht zu vermeiden. Auch Gretchen werde noch die Gnade erleben: auf welche Art und Weise, könne er allerdings nicht wissen. Das sei auch gleich.
»Wenn wir erst vor Gottes Thron stehen, wird er sagen: Ja, mein Sohn, auf welchem Wege du zur Gnade gekommen bist, das ist mir ganz wurscht.«
Der Assessor ließ Gott besonders stramm und abgehackt reden. Klotzsches Augen wurden kriegerisch, und er schob den Schnurrbart höher. Draußen hustete Frau Heßling, bevor sie zum Essen rief. Gretchen seufzte für sich: ›Das Gehuste kannste dir sparen.‹
Sie überlegte:
›Klotzsche ist dreiunddreißig, und Säcke hat er auch untern Augen. Er muß doch was erlebt haben.‹
Auch erinnerte sie sich, daß eine Frau jetzt ihres Mannes Freundin sein müsse. Klotzsche durfte das keinesfalls alles für sich behalten. ›Warte nur, mei Luderchen‹, dachte Gretchen. Und dann fragte sie ihn, lieblich singend, ob er denn vor ihr noch keine geliebt habe. Klotzsche ward rot und verneinte.
»Das gloob ich dir nicht!« sagte Gretchen bestimmt.
»Denn läßte's blei'm.«
Er runzelte die Stirn, aber Gretchen war nicht zu beirren.

»Heere, Sophus, nu machste mer giedigst nischt vor! Wenn ich deine Frau soll werden, denn muß ich wissen, was is und was nich is.«
Aber es war nichts: Klotzsche wußte von nichts; alles war bei ihm gleich bar bezahlt worden, war erledigt, und es gab nichts darüber zu sagen. Gretchen verzog den Mund und rieb mit den Handflächen die Augen.
»Haste am Ende gar ä Kind?«
Er sah ihren Tränen zu, schnaufte, drehte die Daumen und dachte unbestimmt an die Möglichkeit, etwas zu erfinden, das sich beichten ließe. Aber er brachte sich nicht in Bewegung. Frau Heßling hustete schon; Gretchen murmelte:
»Na, nu kriegste deine Wurst und dei Bier.«
Obwohl sie selbst neun belegte Brote verschlang, nahm sie Klotzsche seine Eßlust übel.
Nachher saßen alle im altdeutschen Zimmer bei der Gaslampe; ihr Licht glitzerte auf dem Kaiser, der Kaiserin und dem Trompeter von Säckingen. Die Mutter nähte, der Vater teilte aus der Zeitung die Hofnachrichten mit, der Bräutigam und die Braut taten nichts. Gretchen durfte, solange Klotzsche da war, keine Handarbeit machen. Aber nur der Gedanke, daß sie's nicht mußte, war erhebend; sonst langweilte man sich eher noch mehr, als wenn man stopfte. Klotzsche saß da, verdaute und sah sie an; und Gretchen verglich unter keuschen Lidern, wieviel seinem Bauch noch fehle, damit er so dick werde wie Papas. Ob auch Papa vor der Ehe nichts erlebt hatte? Er sah nach nichts aus. Und Mama kannte es nicht besser; sie war nicht modern, erkannte Gretchen. Drum ließen sie und Papa, der selbst so war, sie ruhig mit Klotzsche allein. Na, auf Klotzsche konnten sie es ankommen lassen... Was hatte Mama eigentlich vom Leben gehabt? Bloß Papa: das war wenig. Mama hatte sich immer viel zuviel gefallen lassen, und nun saß sie da, beinahe alt, und flickte immer

noch Papas Hemden. Wenn sie Papa doch wenigstens einmal betrogen hätte! – Dabei maß Gretchen, voll dunkler Vorsätze, Klotzsches Bauch. Sie wunderte sich oft selbst, wie scharfsinnig und wie kühn sie jetzt war und daß ihr die Erkenntnisse so kamen, als sei sie gar nicht Gretchen Heßling aus der Meisestraße und allen von Kind auf bekannt, sondern ein Wesen ganz für sich, von ganz woanders. Übrigens entstand diese Empfindung und alles, was Gretchen sich dachte, immer nur wie ein schwimmender, ziemlich entfernter Stern in dem Zwielicht ihres blutleeren Gehirns. Unaufhörlich gähnte sie durch die Nase, fühlte sich kalt und überraschte sich manchmal, wie sie schon den drehenden Kreisen in der Luft zusah, die immer kamen, bevor es ihr schwarz vor den Augen ward und sie in Ohnmacht fiel. ›Nee, das nu doch nich‹, dachte sie und raffte sich zusammen.
Dann gingen Papa und Klotzsche glücklich zum Bier; nun wollte sie mit Mama alles bereden. Ja, was denn? Schließlich fand sie:
»Du, Mama, muß ich Klotzsche später auch die Strümpfe ausbessern, wenn er sie schon angehabt hat? Papa gibt mir seine immer; und wenn ich sage, ich mag sie nicht riechen, sagt er, ich bin gemütlos.«


III

Bei Elsa Baumann fiel ihr mehr ein. Sie verhieß, wenn sie Klotzsche heiraten müsse, werde sie jeden Tag dreimal in Ohnmacht fallen, so öde sei er. Elsa belehrte sie darüber, daß er wohl mit gewissen anderen Damen auch anregend sein könne; bei Gretchen aber wolle er sich zur Ruhe setzen. Das sei immer so.
Im Halbkreis der Logen, in denen sie auf den Veilchenfresser warteten, neigten lauter rosa, weiße, himmel-

blaue Blusen sich zueinander. Gymnasiasten spähten sehnsüchtig nach ihnen durch Operngläser; aber sie waren bei Wichtigerem.

»Wenn sie sich ausgelebt haben«, wußte Elsa, »dann kommen sie zu uns. Für uns bleiben egal die Reste. Wie sollen wir daran genug haben. Ich kann mir ganz gut denken, warum Frau Assessor Bautz verrückt geworden ist. Frau Doktor Harnisch sagt selbst, daß sie es auch noch wird. Denke bloß, in sechs Monaten ist Harnisch einmal zu ihr gekommen! Ist das nicht grauenhaft? Ihre Eltern haben ihr geraten, sie soll sich heimlich einen Geliebten nehmen.«

»Grauenhaft!« bestätigte Gretchen. Sie war völlig aufgewacht. Die beiden Mädchen sahen sich mit haßerfüllten Gesichtern an. Aber sie merkten, daß Rechtsanwalt Buck sie beobachtete, und bekamen, ohne sich darum zu bemühen, ihren blütenhaften Ausdruck wieder, den Ausdruck süßen Dahinblühens. Dann ging der Veilchenfresser an.

Nach dem Aktschluß ließ Gretchen sich kaum Zeit, die erst halb zergangenen Pralinés hinunterzuschlucken.

»Dann wollen wir auch unsere Rechte! Dann wollen wir vor der Ehe auch alles dürfen. Nachher, meinetwegen, dann kann das Mopsen losgehen.«

»Lieber gleich gar nicht heiraten«, sagte Elsa. Aber hier trennten sich die Anschauungen. Gretchen bemerkte für sich: ›Nee, meine Gudeste, das sagste bloß, weil du noch kein' hast.‹ Und laut:

»Sieh mal her, was mir Klotzsche für 'n erstklassigen Ring geschenkt hat. Ein Rubin und sieben Perlen. Rot ist die Liebe, hat er sogar gesagt.«

Elsa prüfte ihn flüchtig.

»Ja, wenn wir für so was unser Lebensglück wollen verkaufen –«

»Rede doch nicht«, meinte Gretchen, »du tust es auch noch.«

»Ich, ich gehe nach Berlin und fange ein Verhältnis an.«

Trotz Gretchens Lachen blieb sie dabei. Hatte sie nicht das Zeichnen für Modenblätter, das sie in der weiblichen Fortbildungsschule erlernt hatte, wieder aufgegeben, nur weil es gegen ihre Überzeugungen ging? Denn sie war für Reform. Gegen ihre Überzeugungen würde sie niemals handeln.

... »Nu äben«, sagte Gretchen endlich. Weil gezischt ward, hatte sie diese Antwort während des ganzen zweiten Aktes zurückhalten müssen.

»Aber wie wir die vorige Sessong an der Theatertür auf Herrn Stolzeneck gelauert haben und ich schmiß ihm ein Bukett nach, wo warste da? Da hattste nischt wie Angst.«

»Wir waren noch Gören. Seitdem bin ich in Berlin gewesen, und du bist verlobt.«

Sie seufzten; und sie riefen die Zeit zurück, als sie gemeinsam Herrn Leon Stolzeneck liebten, ihm aufpaßten, ihm nachschlichen, ihm anonyme Briefe schrieben, worin sie sich über seinen Kritiker entrüsteten. Auch seine Namensunterschrift hatte Gretchen, auf seiner Photographie, die sie kaufte, ihm schickte und postlagernd unter »Sphinx« zurückerbat. Voriges Jahr erst war das gewesen? »Ach Gott, es war doch schön!« Die Photographie hatte sie vor ihrer Verlobung versteckt, sobald ihr etwas ahnte.

»Ich muß sie mal wieder raussuchen. Wenn ich sie nu Klotzsche zeige, was er wohl für 'n Gesicht macht.«

Sie pruschte aus; eine alte Dame sah sich um, und Gretchen wisperte sittsam:

»Soll ich ihm erzählen, ich hätte mit Herrn Stolzeneck ein Verhältnis gehabt?... Er ist reizend. O mein Leon!« – halb entrückt und mit verschlossenen Augen. »Sieht er heute nicht wieder entzückend aus? Der Veilchenfresser ist doch das Ideal. Und so feine Manieren

hat er. Denke dir jetzt mal Klotzsche! Nee, wir müßten von Rechts wegen auch alles dürfen.«
»Wir dürfen auch«, behauptete Elsa. »Wenn du dem Manne, den du liebst, dich hingegeben hast, dann mußt du nachher einfach vor deinen Verlobten hintreten und zu ihm sprechen: So bin ich nun mal, da ist nischt zu machen, ich habe mich ausgelebt und bin mir treu geblieben. Nun müssen Sie tun, mein Herr, was Sie nicht lassen können.«
Gretchens Herz klopfte vor dieser wilden Aussicht.
»Glaubste denn wirklich?« fragte sie, und sie lachte, wie über ein Märchen, worin alles gar zu glatt ging. Aber schließlich, mit Klotzsche? Schlimm war er nicht.
Sie traten auf den Gang hinaus. Lauter Jugend segelte reihenweise darin umher, kicherte, tat höhnisch und schämte sich voreinander. Gretchen blieb versonnen.
»Neulich hab ich Mama zu Papa sagen hören, daß Frau Staatsanwalt Fritzsche ein Verhältnis mit Herrn Stolzeneck hat. Glaubst du es?«
»Warum nicht, wenn er doch mit Frau Wendegast was gehabt hat.«
»Ich glaube eher, daß Mama es bloß gesagt hat, weil die Fritzsche einen neuen Hut gekriegt hat und Mama nicht.«
Beim Büfett mußten sie sich durchschlängeln und flüstern. Sie tranken Himbeerlimonade und aßen Baisers.
»Und beim Theater«, sagte Elsa, »soll es keine geben, die er nicht schon – du verstehst.«
»Die gemeenen Luder«, zischte Gretchen, erbittert von Eifersucht. Sollten denn alle durch Herrn Stolzeneck glücklich werden, nur sie nicht? Sie tat entschiedenere Schritte. Da bog Klotzsche in den Gang – und blütenhaft träumte Gretchen ihm entgegen.

## IV

Am Morgen mußte Gretchen von Frau Heßling aus dem Bett geholt werden. Noch im Hemd lief sie an den Briefkasten.
»Was haste denn? Was soll denn drinne sein?«
Gretchen wußte es selbst nicht. Sie rekelte sich lange beim Kaffee und dem verstohlenen Roman. Vom Lampenputzen weg flatterte sie mit Petroleumhänden in die Küche und wollte wissen, was es zu essen gäbe. Bloß deutsches Beefsteak und Blumenkohl? Gretchen hatte etwas ganz Merkwürdiges erwartet.
Wie sie endlich ausgehen durfte, fühlte sie plötzlich ihr Herz im Hals schlagen; sie mußte Luft schöpfen, bevor sie sich durch die Haustür wagte. Was konnte heute alles passieren.
In den Läden vergaß sie die Hälfte, machte alle Wege doppelt – und da war die Uhr eins, und Gretchen fand sich wahrhaftig beim Theater, wo soeben die Probe aus war.
Herr Stolzeneck kam die Treppe herunter; er hatte schon seinen Pelzkragen um; und er lachte laut mit der Roché und der Poppy. Die Roché klopfte ihn auf den Arm. Gretchen aber ging gerade auf ihn zu, lächelte und nickte ein wenig. Wie sie vorüber war, fühlte sie ihr Gesicht noch immer schmerzhaft verrenkt von dem Lächeln und war nicht erstaunt, daß die beiden Damen lachten. Sie lachten, bis sie keuchten. Gretchen dachte, auch das sei nun gleich, und schlich weiter. Da hörte sie hinter sich seinen Schritt. Ihre wurden auf einmal doppelt so lang. Sie flüchtete in die Anlagen, erstürmte den Stadtwall, hatte den Mund offen und entsetzte Leere in den Augen. Herr Wilmar Bautz, Koksbautz, spazierte daher; und anstatt seinen schwunghaften Gruß zu erwidern, starrte sie ihm hilfeflehend ins Gesicht.

Der Schritt des Schauspielers hörte sich näher an, noch näher. Da zuckte sie mit beiden Schultern, denn er hatte gerufen, halblaut hatte er »Fräulein« gerufen. Es war gerade wie früher, wenn Gretchen aus haltloser Albernheit und aus Sensationsbedürfnis einem Lehrer eine lange Nase gedreht hatte, und plötzlich sah sie sich vor der schaurigen Tatsache, daß er's ernst nahm und daß die Folgen kamen.
Wohin nun? Nur der kleine abschüssige Pfad konnte Gretchen noch retten, und an seinem Ende, über dem Stadtgraben mit den Schwänen, das Bedürfnishäuschen. Ließ sich's ungesehen um die Ecke wischen? . . . Nein: auch auf den Pfad ohne Ausweg folgte er ihr. Sie war verloren. Nichts mehr als das Häuschen und die Schwäne dort unten, die es kühl und gut hatten. Zu den Schwänen oder in das Häuschen. Gretchen tat den letzten Schritt zum Häuschen. Aber Herr Stolzeneck sagte:
»Mein Fräulein, das ist doch nicht für Damen.«
Gretchen fuhr herum, machte »Huch«, und vor Verzweiflung lachte sie. Solche grausame Überlegenheit hatte sie noch auf keinem Gesicht gesehen. Seine Lippen arbeiteten, nun er doch gar nicht mehr sprach, mit einer Gelenkigkeit über seinen ruhigen weißen Zähnen, daß ihr schwindlig ward. Er hob ein wenig den Zylinder und kehrte einfach mit ihr um. »Wahrscheinlich« – und er wartete verheißungsvoll, beugte sich seitwärts über sie und machte so viele Gesten, daß sie die Augen schließen mußte –, »wahrscheinlich fühlten Fräulein sich dorthin gezogen, weil ihr Herr Vater es angelegt hat? Hab ich recht, Fräulein Heßling?«
Gretchen öffnete die Augen. Daß er sie kannte, machte die Lage etwas gesetzlicher, eine Spur weniger fragwürdig.
»Ja«, sagte sie, nicht ohne Stolz, »Papa hat sie alle angelegt. Er hat es im Magistrat durchgesetzt, wissen Sie, und dann hat er auch gleich selbst den Auftrag ge-

kriegt. Papa versteht es« – und Gretchen nickte wichtig.

»Und obendrein hat er solch eine reizende Tochter, das ist fast zu viel für einen Menschen.«

»Das sagen Sie wohl sicher nur so«, meinte Gretchen, nahezu übermütig. Sie ward auf einmal fortbewegt wie von Flügeln. Was noch kommen wollte: nichts konnte sie mehr verblüffen.

»Mein heiliger Ernst, da können Sie ruhig Gift drauf nehmen«, sagte Herr Stolzeneck; und Gretchen, den Kopf auf der Schulter, mit Augenaufschlag:

»Wer's glaubt.«

»Sie sind mir doch schon längst aufgefallen. Sie sind doch das kleine Fräulein, das mir neulich in der Gäbbelchenstraße aus dem Fenster zunickte und das Wischtuch fallen ließ.«

Gretchen biß sich auf die Lippen.

»Ach nein, ich wohne in der Meisestraße.«

Aber er sagte unbefangen und bestrickend:

»Nun Gäbbelchen- oder Meisestraße, auf jeden Fall meine ich Sie, da können Zweifel überhaupt nicht Platz greifen.«

Und Gretchen lachte ihn, eine Träne in den Wimpern, dankbewegt an. Er wich bald aus. Sein Blick war jede Sekunde woanders, seine Hand nun am Rand seines Zylinders, nun gespreizt in der Luft; und er wendete sich in der engen Taille seines Überziehers umher, der sehr lange Schöße hatte, und er lachte und machte dennoch einen bitteren Mund. Sein Gesicht hatte Gretchen sich nicht ganz so schmal gedacht, die Nase weniger eingedrückt. Aber die Locke, die der Zylinder zerquetschte, kannte sie. Der Mund blieb unheimlich, er turnte zwischen den engen Längsfäden des Gesichtes wie ein Seiltänzer. Aber was für Augen hatte Herr Stolzeneck! Ihre schwarzen Ränder und schwarzen Brauen traten ohne Übergang, wie mit einem Ruck, aus der

bleichen, etwas fettigen Haut. Das war so schön, daß es weh tat. Wenn er auf Gretchen herniedersah und über seine nachtblauen Augen die schwarzen Wimpern senkte, sah es aus wie Trauerweiden über einer Wiese. ›Kleene Zwerche‹, dachte Gretchen, ›hubben drunter rum.‹ Eine schmerzliche Landschaft waren Herrn Stolzenecks Augen. Gewiß hatte er vieles Schwere erlitten. Der dunkle Drang, ihn zu trösten, erschütterte Gretchen. Da seufzte er, noch bevor sie selbst seufzte.
»Ach ja, Sie haben sich Ihre Eltern vorsichtig ausgesucht, Fräulein. Sie kennen natürlich nichts als bloß die besseren Familien. Wenn so 'ne Leute wie wir die Nase in 'ne Stadt stecken, dann rufen die Frauen über die Straße: Nachbarin, häng die Wäsche weg, die Komödianten kommen.«
»Das ist zu dumm«, behauptete Gretchen mit Nachdruck.
»Ja, das sagen Sie. Aber bitten Sie Ihre Frau Mama mal, sie soll mich einladen. An dem Tag müssen Sie wahrscheinlich doppelt so viele Strümpfe stopfen.«
Gretchen beugte die Stirn, denn es war so.
»Ich verkehre hier bloß bei der Frau Wendegast.«
»Ach ja«, machte Gretchen schnell. »Das ist so eine...«
»Sehen Sie! Weil sie mit uns Schauspielern verkehrt.«
Gretchen stammelte und verschluckte sich. Frau Wendegast war also gar keine, vor der man in die nächste Straße einbiegen mußte? Gretchen, neben der ein Schauspieler über den Wall ging, rückte unvermutet in Gesichtsweite eines Daseins, das sie so lange mit allen andern für höchst gewagt und ganz unzugänglich gehalten hatte.
Welch neues Leben! – Herr Stolzeneck sagte:
»Die Anschauungen sind gottlob nicht überall so rückständig. In Wien zum Beispiel hatte man einen tadellosen Verkehrskreis.«
»Waren Sie dort auch schon beim Theater?«

»Versteht sich, an der Burg. Ich hätte es natürlich nicht nötig, mich hier bei den Schmieren herumzutreiben; bloß daß man als Künstler den Wandertrieb mal in sich hat.«

»Es ist wohl reizend, wenn man Künstler ist?«

»Glänzende Sache, Fräulein. Aber Sie wollen wohl nicht weiter mit mir gehen? Ja, jetzt kommen die Straßen, und da könnte ein Bekannter Sie mit dem Komödianten sehen.«

Gretchens Gesicht flammte. Sie verdrehte die Augen, wollte sich wehren gegen den schrecklichen Verdacht. Aber es war die Wahrheit, und sie konnte sie nicht ändern.

»Lassen Sie nur«, sagte er inzwischen. »Ich bin nicht empfindlich. Jetzt gehen Sie getrost zu Ihrem Mittagessen, und ich will sehen, wer mir 'n Teller Suppe pumpt.«

»Ach! Haben Sie denn kein Geld?«

»Oh! Im Gegenteil!« und er lachte. »Es steckt nur grade in Geschäften. Glänzende Sache, Fräulein. Übrigens, können Sie Ihren Herrn Papa nicht mal fragen, ob er keinen Korrespondenten gebraucht? Ich stenographiere prachtvoll.«

»Aber Sie sind doch Künstler!«

»Nun ja. Erschrecken Sie nicht so furchtbar. Ich habe heute abend im ›Fallissement‹ zu spielen: man ist dann den ganzen Tag in der Rolle, wissen Sie. Im übrigen würde schon meine Herkunft mir verbieten... Denn natürlich bin ich von diskreter Geburt.«

Sie sah ehrfürchtig aus. Er sagte herablassend:

»Wir sehen uns schon wieder. Schreiben Sie mir gelegentlich, Fräulein. Sie wissen vielleicht, wo ich wohne?«

Wie oft hatte Gretchen nach seinem Fenster hinaufgelugt! Einmal hatte sie – aber ohne Elsa Baumann würde sie es nie gewagt haben – die Treppen erstiegen und an seiner Tür vor seiner Visitenkarte eine Andacht verrichtet. Gretchens Knie wurden ganz schwach; noch weiß bei der Erinnerung, hob sie die Augen zu ihm auf. Aber sogleich wich er aus, rückte am Zylinder, hoffte Gretchen bald wieder zu begegnen – und war, ehe sie innerlich soweit war, elegant und leicht von dannen.

v

»Warum ich so spät zum Essen komme? Ja, Muttchen, die Anprobe hat bis halb eins gewährt, und dann bin ich der Frau Doktor Harnisch begegnet. Du weißt ja, was die für 'ne alte Klatsche ist.«
Frau Heßling vergaß ihren Zorn.
»Was hat sie denn gesagt?«
Gretchen brauchte gar nicht nachzudenken, bevor sie log. Sie war völlig aufgewacht. Das Leben war auf einmal schrecklich interessant; sie hatte ein Geheimnis, ein Gebiet, das nur ihr gehörte und wohin niemand sich getraute – als ob sie auf der Seite des Stadtgrabens Schlittschuh liefe, wo immer das große Loch war. Die Damen Roché und Poppy konnten bei Frau Wendegast von ihr erzählen. Mathilde Bensch konnte aus dem Fenster gesehen haben: dann wußten alle, daß Gretchen mit Herrn Stolzeneck etwas hatte. Natürlich glauben sie dann, es sei ein Verhältnis, ›ich würde es auch glauben‹, gestand sich Gretchen; und ihr war fast schon zumut, als sei es eins. Das Herz klopfte bei jeder Erinnerung an ihn. Alles, was er zu ihr gesagt hatte, kehrte abwechselnd wieder.
»Was wirst 'n egal rot?« fragte Frau Heßling. »Papa meint es doch nicht so.«
Gretchen hatte nicht einmal gehört, was Papa sagte, und errötete noch tiefer. Aber dann machte sie Mathilde Bensch mit großer Gewandtheit schlecht: für den

Fall, daß Mathilde sie verklatschen wollte. Mittendrin hörte sie Herrn Stolzeneck sagen: ›Mein Fräulein, das ist doch nicht für Damen.‹ Zu ihr hatte er das gesagt, mit eben solch flotter Stimme und perfekter Anmut wie der Veilchenfresser; zu ihr allein. Es war, als hätte Gretchen selbst mitgespielt. ›Ob ich nicht Talent hätte? Warum nicht. Weeß mersch denn?‹ Sie hörte sich im Geiste grade so fein sprechen und sah an sich dasselbe gewandte Benehmen. Was sollte sie jetzt noch mit Klotzsche! Klotzsche, der über seinem Bierbauch Daumen drehte, der immer die halben Worte verschluckte und nicht ins Zimmer konnte, ohne an den Türpfosten zu rempeln.
»Du, Mama, mit Klotzsche tanz ich aber nich auf meiner Hochzeit, er schubst ein' immer mit sei'm Bauche.«
»Sei nicht so gemütlos!« verlangte Herr Heßling aufgebracht, und Gretchen mußte sich ducken.
Klotzsche aber konnte ihr nicht mehr imponieren.
Sobald sie allein im Zimmer mit dem Jugendstil saßen, fing Gretchen an.
»Du, Sophus, daß du's weißt, mich wirste nich um den Finger wickeln, ich bin ä modernes Weib.«
Da er hierauf nicht gefaßt schien:
»Ich will alles kennenlernen. Glaube giedigst bloß nich, ich will hier immer in der Klappe hocken. Unsere Hochzeitsreise machen wir ganz gemiedlich mal nach Berlin. Nu sag ämal, ob du mich auch egal in alle Lokale mitnimmst. Schitze bloß keine Müdigkeit vor und sperr dei Mund auf!«
Klotzsche verwirrte sich unter Gretchens unnachsichtigem Blick. Aber er mußte mit seinen Berliner Kenntnissen heraus. Er tat faul und vorsichtig. Gretchen ertappte ihn:
»Die Hauptsache haste weggelassen. Na? Na? Die Amorsäle doch! Schwörste, daß de mir die zeigen wirst?«

Klotzsche zögerte, er setzte zu Einwänden an. Gretchen schnitt sie ab.

»Du bist wohl ä Philister?«

Und Klotzsche versprach, Hals über Kopf, die Amorsäle.

Ihr eigener Mut berauschte Gretchen.

»Ä Philister, pfui Spinne, den nähm ich nicht. Überhaupt sollten wir Frauen alles dürfen, was ihr dürft. Ihr amüsiert euch egalweg, und kommt ihr zu uns, is nischt mehr da. Davon is dem Herrn Assessor Bautz sei Frau verriggt geworden. Seid ihr ßoo, da müssen wir uns ähm ä Geliebten nähm, und womöglich gleiche. Dir, mei Gudester, müßte das überhaupt ganz Sauce sein.«

»Nee, Krätchen, nee —«

Klotzsche erlangte Haltung.

»Das wär mir nu aber ganz und gar nicht Sauce. Da mußte dir en andern zum Manne nähm, nicht en Reserveleutnant.«

Gretchen krümmte die Lippe; aber hier, wo Klotzsches Selbstbewußtsein durch das einer Gesamtheit gestützt ward, fand sie ihn unerschütterlich.

Am nächsten Vormittag sagte sie zu Elsa Baumann, die Besuch machte, um zur Hochzeit geladen zu werden:

»Du, Elsa, ob 'ch Klotzsche heirat, muß ich mir noch sehre überlegen. Er is doch ä bißchen weit zurückgeblieben: er will nicht, daß 'ch mich ausleb.«

Elsa fand Gretchens Bedenken vollberechtigt und riet ihr von Klotzsche ab.

»Ich für mein Teil geh nach Berlin und fang ein Verhältnis an«, wiederholte sie.

Gretchen verschränkte und löste die Finger, löste und verschränkte sie. Endlich, berstend vor Mitteilungsdrang:

»Soll 'ch dir was erzählen?«

Und sie sagte alles. Elsa wollte es zuerst nicht glauben; und dann begann sie zu schreien:
»O jemersch!«
»Was ist denn, was lachste denn?« fragte Gretchen betroffen.
»Nichts!« und Elsa unterdrückte ihre Schadenfreude. »Ich denke bloß an Klotzsche. Dem gönne ich's.«
»Es wird ja doch nischt draus« – mit tiefem Seufzen.
»Wieso nicht? Mach dich fort mit dei'm Leon! – Ja, da kuckste. Wenn ihr aber erst durchgegangen seid, müssen sie euch wohl heiraten lassen, und Klotzsche hat's Nachsehen und alles brüllt.«
Gretchen lächelte geblendet; sie sagte nichts mehr, sie wagte kaum zu denken. Die Nacht hindurch kämpfte sie. In ihrem stürmischen Halbschlaf schimpfte Papa in Ausdrücken, die Gretchen nie gehört hatte, rang Mama die Hände wie eine Schauspielerin und stieg Klotzsche in Uniform und hinter sich die ganze Stadt drohend vor Gretchen auf. Aber da glänzte langsam Herrn Stolzenecks Gesicht hervor – und seine Hand, die den Zylinder lüftete, wischte alle anderen Visionen weg. Gretchen stand auf und schrieb ihm. Sie fühlte das unabweisbare Bedürfnis, ihn schon heute wiederzusehen. Er werde verstehen. »Wo?« überlegte sie. Es mußte draußen und abseits sein. Nein, etwas Passenderes gab es nicht. Und dann die schöne Erinnerung, die daran hing. Die Stimme ertönte wieder, mit der er gesagt hatte: ›Mein Fräulein, das ist doch nicht für Damen.‹ Und sie schrieb:
»Wieder bei dem Häuschen.«
Sie sagte, sie brauche Benzin, bezahlte mit dem Geld einen Dienstmann und kehrte zurück: die Flasche sei ihr zerbrochen. Schon um halb war sie am Ort des Stelldicheins. Aber auch um eins kam er noch nicht. Als sie ihn um halb zwei nicht sah, weinte Gretchen. Vielleicht liebte er sie schon nicht mehr? Um zwei beschloß

sie, trotzdem mit ihm zu fliehen. ›Er wird es gewiß tun, denn Papa hat Geld, und die Liebe kommt in der Ehe, sagt Mama.‹ Um halb drei war sie dafür in völliger Zerrüttung. Als sie aber um drei ihre Handschuhe ausgezogen hatte und sie glatt strich, um sie zu schonen: da stand er vor ihr und lächelte.
»Ich glaubte weiß Gott nicht, daß Sie noch da wären. Pardon, Pardon. Die Probe hat nämlich heute bis drei gewährt. Unliebsame Sache.«
Gretchens Inneres schmolz auf einmal vor Glück, ihre Miene ward gerührt. Nur die Probe! Alles war gut. Sein Blick aber wich aus, ging zerstreut umher, und Herr Stolzeneck räusperte sich oft. Er erklärte, wenig Zeit zu haben. Plötzlich wollte er mit Gretchen im Restaurant essen, besann sich sogleich darauf, daß es nicht gehe, und lachte übermäßig klangvoll.
»Es ist zwar 'ne komische Frage, aber, Fräulein, können Sie mir zufällig zwanzig Mark leihen? – Gott! Wie Sie sich erschrocken haben. Allerdings soll man 'ne Dame, die man verehrt, nicht anpumpen. Ärgerliche Sache ... Na, wir können wohl umkehren: heeme laatschen, würde man hier sagen, nicht?«
Er griff heute noch häufiger nach seinem Zylinder, drehte sich rascher in der engen Taille seines Überziehers, und sein Mund turnte, auch wenn er schwieg, unablässig in seinem blassen Antlitz mit den dicken Trauerrändern der Augen.
»Haben Sie eine hübsche Hand, Fräulein!« – er blieb stehen und nahm ihre Hand an sich, als gehörte sie ihm.
»Ein feiner Ring!«
Er zog ihn ab und schob ihn sich auf den Finger.
»Finden Sie, daß er mir steht?«
Dabei lachte er; und Gretchen wurde tiefrot. Gewiß erriet er, daß sie den Ring von Klotzsche hatte, und machte sich lustig.

»Soll ich heute abend damit auftreten? Sie müssen mich sehen in dem Stück, Fräulein, es ist furchtbar unanständig. Also abgemacht, ich trete mit dem Ring auf. Adieu. Weiter dürfen Sie nicht mitkommen, sonst werden wir abgefaßt. Adieu.«

VI

Gretchen hatte manches einzuwenden gehabt. Überrascht sah sie ihm nach; dann betrachtete sie die Stelle an ihrem Finger, wo der Ring gesessen hatte; und dann seufzte sie beklommen. Da ging er hin und spielte in dem unanständigen Stück. Er hatte gut lachen. So waren Männer. Daran dachte er nicht, wie Gretchen es zu Hause erklären sollte, daß sie drei Stunden zu spät zum Essen kam und keinen Ring mehr hatte. Mit bedrückter Miene zeigte sie sich und berichtete, sie sei bei Klärchen Harnisch geblieben. Klärchen sei sehr krank, auch den Abend müsse Gretchen an ihrem Bett verbringen. Sie weinte sogar; Mama mochte nur trösten. Herr Stolzeneck war nicht nett gewesen, Gretchen hatte vom Durchgehen kein Wort sagen können. Er war zerstreut und eilig gewesen. ›Hat er sich bei mir gelangweilt?‹ Ihr war sehr bange. ›Ich weiß wohl, ich bin ein dummes Ding und er ist ein berühmter Mann.‹ Mit leidender Miene verlangte sie Geld, um für Klärchen Tokaier zu kaufen, und dann ging sie ins Theater. Die Unanständigkeiten hörte sie gar nicht und merkte nicht, daß sie das einzige junge Mädchen war und besprochen war. Sie saß ganz vorn, und unverwandt starrte sie auf Herrn Stolzeneck. Er mußte sie sehen; aber er wollte nicht. Und an seinen Fingern staken mehrere mächtig funkelnde Brillantringe, aber keiner mit einem Rubin und sieben Perlen.
Betäubt, verlassen und arm ging Gretchen zu Bett. Sie

war zu matt zum Weinen. Er machte sich über sie lustig. Morgen kam nun einfach der Ring zurück, und vielleicht lag ein Zettel dabei, worauf in genialen Schriftzügen hingeworfen stand: »Fräulein, wie haben Sie sich gestern im Theater unterhalten?« Und dann war's aus. Den ganzen Morgen schlich Gretchen zwischen ihrem Zimmer und dem Briefkasten hin und her. Also geschah nichts? Herr Stolzeneck war noch grausamer, als Gretchen ihn sich vorgestellt hätte. Er konnte sich doch denken, welche Not sie damit hatte, bei jedem Handgriff den Finger wegzubiegen. Der tat schon ganz weh. Im Zorn verfaßte sie einen Brief. Schon am Abend fragte sie auf der Post nach Antwort; aber noch tags darauf war keine da. ›Nun versteht sich. Muß ich ihn auch beleidigen, ich dummes Luder ich. Ein großer Künstler wie er, soll egal an mein' Ring denken. So was verbummelt er ähm.‹ Und sie schrieb noch einmal, sehr demütig. Da flog ihr wirklich aus dem Schalter ein Brief zu: vor Erregung griff Gretchen daneben. Die Schriftreihen zogen sich zusammen wie Harmonikafalten; sie mußte warten, bis sie wieder am rechten Fleck standen: Nun las sie:

»Geehrtes Fräulein!

Bezüglich bewußten Ringes handelt es sich keineswegs, wie Sie anzunehmen belieben, um Irrtum oder Vergeßlichkeit meinerseits, sondern haben Sie mir denselben ausdrücklich geschenkt. Sie sagten noch: ›Er steht Ihnen besser als mir, tragen Sie ihn zum ewigen Angedenken.‹
Ich warne Sie daher, mich wegen des Ringes fernerhin in irgendeiner Weise zu belästigen, sonst müßten Sie allerdings gewärtigen, daß ich mein schonendes Verhalten aufgebe und Ihre unerlaubten Beziehungen zu mir publik mache.

Unsere Zusammenkünfte sind leicht zu beweisen, und außerdem sind Sie nicht die erste.
             Mit vollkommenster Hochachtung
             Leon Stolzeneck.«

Jaja; die Buchstaben standen alle schön und schwungvoll da und bedeuteten wirklich dies. Nur Gretchen hatte das Herz nicht mehr am Fleck und zitterte an allen Gliedern. Der Boden war gewichen, und schaurige Abgründe verlangten von Gretchen, daß sie hineinblickte. Die Hand vor den Augen, verließ sie die Post; und draußen schlich sie an den Mauern hin, als sei sie selbst der Dieb! Er war ein Dieb! Herr Stolzeneck war ein Dieb! Das wußte keiner außer Gretchen, und gewiß wäre auch keiner darauf verfallen: ebensowenig wie auf den Gedanken, daß Herr Stolzeneck ein Gespenst sei. Zwischen Lebenden und Toten war kein tieferer Graben als zwischen ehrlichen Leuten und Dieben. Gretchen hatte bis heute von Dieben nicht den Begriff gehabt wie von Menschen, die deutsch sprächen und Bemmchen äßen. Dort oben in der alten Stadtvogtei saßen sie, eine Schildwache ging davor auf und ab, und sie gehörten gar nicht dazu. Gretchen schielte, entsetzt durch ihre neuen Einblicke, hinauf. Derselbe Herr Stolzeneck, mit dem sie über den Wall spazierengegangen war, der war also eigentlich dort oben zu Hause. Oder vielmehr, man konnte ein Dieb sein und doch nicht dort oben sitzen, sondern über den Wall spazierengehen. Alles verwirrte sich und machte Kopfsprünge. Die sittliche Welt erlitt ein Erdbeben. Angstvoll rang Gretchen, sich aufrecht zu halten. Dieser Dieb war vielleicht nur aus der Stadtvogtei ausgebrochen und hatte Theater gespielt, um Gretchen ihres Ringes berauben zu können? Das war der Zweck des Ganzen gewesen? – Nein, so ging es wohl nicht. Verstört setzte Gretchen sich zu Tisch; wie konnten Papa und Mama

nur so gemütlich sein. Wußten sie nicht, daß dergleichen vorkam? Sie versteckte ihren Finger nicht mehr, sie fand es, in der Auflösung aller Dinge, nicht mehr der Mühe wert. So, nun hat Mama es gesehen!
»Wo hast du dei'n Rink?«
»Ach!« machte Gretchen unerschrocken. »Ich hab mir die Hände gewaschen, er liegt auf dem Waschtisch.«
»Hol ihn gleiche, daß er nicht wegkommt. Man soll kein' Menschen in Versuchung führen.«
Gretchen stand auf, aber Papa rief:
»Nicht vom Tisch weglaufen!«
›Dann nicht‹, dachte Gretchen.
Nach dem Essen ging sie in ihr Zimmer, warf die Tür zu und machte Fäuste. Sie war in Empörung. Das Schicksal war gemein, und die Menschen waren gemein. Klotzsche ein duckmäusiges Trampeltier, und Herr Stolzeneck ein Dieb: das hatte das Schicksal sich für Gretchen ausgedacht. Herr Stolzeneck hätte schließlich ebensogut ehrlich bleiben können, da Gretchen doch für ihn schwärmte! Und er drohte, sie für seine Geliebte auszugeben. »Du Lumich! Aber das woll'n mer dir schon austreim.« Ein Skandal kam freilich immer heraus. Oh! Herr Stolzeneck war schlau, schrecklich schlau – und heiß wallte es zu Gretchens Herzen. Er blieb doch der einzige Mann, den sie geliebt hatte! So schön, so fein und so gewandt! War's denn wirklich so schlimm, daß er gestohlen hatte? Am Ende konnte das vorkommen. Gretchen selbst hatte sich für Spiritus und Tokaier Geld geben lassen und es sozusagen unterschlagen. Ja, sie hatte welches aus Papas Hose stibitzt... Aber das hatte Mama so gewollt. Und überhaupt war das ganz etwas anderes; das blieb in der Familie, und niemand sah es. Herr Stolzeneck aber strich dort draußen umher und stahl. Gretchen schrak zusammen: sie hatte gemeint, eine schwarze Vagabundengestalt recke sich vor dem Fenster auf und spähe in

ihr geheiztes Zimmerchen ... Als sie aber sah, daß es nichts war, legte sie die Hände vors Gesicht und weinte. Sie beweinte Herrn Stolzeneck und daß er so allein von einem Ort zum andern zog und Verbrechen beging. Gewiß war ihm nicht wohl dabei; er hätte sogar lieber in Papas Geschäft stenographiert.
›Bin ich nicht schuld, weil ich Papa nichts gesagt habe? Herr Stolzeneck hatte Hunger, ich sah es doch; und wie nervös war er! Und wenn ich ihm den Ring nun schenke? So, nun gehört er ihm, und Herr Stolzeneck hat nichts getan, als was er durfte. Ich habe in Papas Hosentasche hineingelangt, das war reichlich so schlimm ...‹
Aber Gretchen mochte wollen oder nicht, sie zuckte zurück. Ihre kleine zahme, behütete Sünde lief vor seiner wild schweifenden winselnd davon, wie ein Mops vor einem Wolf.
›Ne, nu aber, ich wer wohl verriggt? Er gehört nu ähm in die Stadtvogtei; und wenn's nich wegen dem Krach wäre, müßt 'ch ihn, weeß Knebbchen, einsperren lassen.‹
Gretchen holte ihr Anschreibebuch hervor und notierte ihre Ausgaben von dem Geld, das sie übrigbehalten hatte, als sie statt des Tokaiers ein Theaterbillett gekauft hatte. Darauf fühlte sie sich besser. Was vorhin in ihr so unheimlich weich geworden war, hatte wieder feste Umrisse. Das Gute und Tüchtige war in Gretchen wieder obenauf.
Schon war es dämmrig, und Klotzsche trat ein.
»Seit 'ner Stunde laure ich auf dich, mei' Zuckertierchen«, sagte Gretchen und fiel ihm, so sehr er auch erschrak, um den Hals.
»Du bist und bleibst doch mei' kleener einzcher Sophus.«
Und verführerisch an seinem Ohr:
»Szaophis? Ich muß dir was gestehen.«

Gretchen schloß die Augen und schluckte hinunter.
›Jetzt hätt ich ihm mehr zu gestehen, als er mir‹, dachte sie; aber sie sagte:
»Dei Ring is nämlich futsch. Wo er is, das kann ich dir nich sagen; nee, das kann 'ch nu nich. Ich weeß es nämlich selbst nich. Aber Mama hat es schon gemerkt, und wenn ich ihn nicht wiederkriege, wird sie tückisch. Sophus: koof dei'm Krätchen en andern, ähmßolchen!«
Klotzsche blinzelte, es war ihm nicht recht; aber Gretchen koste verzweifelt.
»Wir machen auch keene Hochzeitsreise nach Berlin. Nischt is mehr mit Amorsälen, ich will reine gar nischt kennenlernen, mei Klotzschechen kann nur ruhig sein. Und wenn de's mit dei'm Krätchen auche ßo machst wie Assessor Bautz mit seiner Frau: ich werd noch lang nich verriggt. I wo werd ich denn, 's wär doch gemiedlos.«
Darauf entschloß sich Klotzsche, und sie gingen zum Goldschmied. Als Gretchen den Ring wieder am Finger hatte, brach sie aus:
»Dies is erscht der richtche. Er glänzt viel mehr, und der Rubin is auch größer. Da kann der Mann drinne nun sagen, was er will: der kost eichentlich 's Doppelte, und er is egal reingefallen. Na, wir werden's ihm nich unter die Nase reiben. Ach, du mei einzcher Klotzsche, ich mecht dir ja auf offner Straße ä Kuß gäm.«
Klotzsche fand Gretchen an seinem Arm ungewöhnlich schwer, aber er war stolz darauf. Ein Stück weiter verlangte sie, auf die andere Seite zu gehen.
»Da kommt die ekelhafte Elsa Baumann rangelaatscht. Daß de sie mir nicht grüßt! Das is nämlich ä ganz hinterlistches Luder. Aber ich durchschau sie. Se is mir bloß neidisch wegen mei'm Sophus.«
Klotzsche ward rot.
»Und zu unserer Hochzeit wird se nich eingeladen«, schloß Gretchen.

Eine Zeitlang blieb sie wortlos angeschmiegt. Dann, gelispelt:
»Szaophis? Jetzt fiehl ich egal so was; ich gloob, 's is die Gnade.«
»Siehste? Das hab ich mir doch gleiche gedacht, daß mei Krätchen zur Gnade kommen würde. Na, nu sag doch ämal, wie biste denn hingekomm?«
»Nee, Sophus, nee, das kann 'ch dir nu nicht sagen, das kann 'ch nu nich. Ich weeß es nämlich selbst nich«, setzte sie aus Vorsicht hinzu. Aber Klotzsche war nicht neugierig.
»Na, nu haste glücklich hingefunden«, sagte er, »das ist die Hauptsache. Wenn wir erst vor Gottes Thron stehen, wird er zu uns sprechen« – und Klotzsche schnarrte abgehackt:
»Ja, mein Sohn, auf welchem Wege du zur Gnade gekommen bist, das is mir janz wurscht.«

KARL KRAUS
(1874–1936)

## Die Mütter

»Als Angeklagte erschien vor dem Schwurgericht in Glatz die 27jährige Dienstmagd Anna Werner aus Steinwitz. Sie ist beschuldigt, ihr elf Monate altes uneheliches Kind Hedwig am 5. April 1908 ermordet zu haben. Die angeklagte Mutter ist selbst unehelicher Geburt und mußte bereits als Schulkind in Dienst treten. Sie hatte schon vor der Geburt der Hedwig zwei Kinder. Für diese hat sie liebevoll gesorgt; beide Kinder sind aber eines natürlichen Todes gestorben. Das kleine Mädchen wurde von der Mutter zunächst bei einer Frau in Glatz untergebracht. Diese behielt es aber nicht. Die Angeklagte brachte es zur Großmutter. Auch da blieb es nur einige Wochen und wurde ihr dann auf dem Felde wieder überbracht. Die Mutter fuhr dann überall herum, um eine Unterkunft für das Kind zu finden, wurde aber überall abgewiesen. Insbesondere wurde sie auch von den Gemeinden abgewiesen. Ja, die Gemeinden wehrten sich auch dann, als eine Pflegestelle sich fand, dagegen, daß das Kind dort bleibe, damit nicht etwa für das Kind die Gemeinde vorläufig sorgen müsse. Die Mutter suchte den Vater des Kindes und die Mutter des Vaters in Ullersdorf auf, aber diese nahm es auch nicht. Um das Kind selbst pflegen zu können, ging die Mutter einige Wochen hindurch jeden Abend von Oberhansdorf nach Niederhansdorf und übernachtete da und kehrte nach Oberhansdorf am andern Morgen zurück. Der Vorsteher in Oberhansdorf gab es nicht zu, daß das Kind dort untergebracht werde. Auch aus Niederhansdorf, wohin es in Pflege getan war, mußte es fortgenommen werden, weil der

Gemeindevorsteher widersprach. Schließlich brachte die Mutter das Kind bei einer Frau in Glatz unter. Sie zahlte zehn Mark monatliches Pflegegeld, während ihr Lohn nur elf Mark fünfzig Pfennig betrug. Von dem Vater des Kindes, der wegen Körperverletzung ins Gefängnis gekommen war, erhielt sie keine Unterstützung. Der Angeklagten wurde dann mitgeteilt, das Kind könne auch nicht in Glatz bleiben, die Polizei fordere die Fortschaffung des Kindes binnen vierundzwanzig Stunden. Die Mutter bat den Vormund, mit ihr den Bürgermeister zu ersuchen, das Kind in Glatz zu lassen. Der Vormund lehnte das ab. Er meinte, der Bürgermeister würde sie beide doch nur rausschmeißen. Sie ging dann selbst zum Bürgermeister und bat ihn flehentlich, das Kind in Glatz in der Pflege zu belassen. Der Bürgermeister wies aber die Bitte der Mutter ab. Nun wußte die Mutter nicht, wo sie das aus Oberhansdorf, Niederhansdorf, Ullersdorf, Glatz hinausgejagte Kind unterbringen könne. In ihrer Verzweiflung beschloß sie, das Kind zu töten. Sie legte es in eine Lehmgrube und bedeckte die Leiche mit Lehm und Erde. Erst ein Jahr später wurde durch Zufall die Leiche des Kindes aufgefunden und durch die Kleider die Herkunft des Kindes ermittelt. Der Waisenrat, an den sich der Vormund Rat suchend gewendet hatte, hatte diesem erklärt: ›Man muß es den ledigen Personen nicht so leicht machen, sonst kommen sie fortwährend mit Kindern.‹ Nach dieser Antwort glaubte der Vormund der Pflicht enthoben zu sein, dem Vormundschaftsgericht selbst mitzuteilen, daß für das Kind keine Pflegestelle aufzutreiben war. Ein Gemeindevorsteher wurde als Zeuge befragt, warum denn das Kind fortgeschoben sei, zumal doch keinerlei Kosten der Gemeinde erwachsen, da die Gemeinde ein Recht auf Wiedererstattung seitens der Unterstützungsgemeinde habe. Er erklärte, das verursache viel Schereien; um den Scherereien aus dem Wege zu gehen, schiebe man Personen, von denen man befürchtet, sie könnten unterstützungsbedürftig werden, dem Gesetz entsprechend ab. – Die Geschworenen bejahen die Frage, ob vorsätzliche und mit Überlegung ausgeführte Tötung vorliege. Das Urteil erging dahin, daß die Angeklagte zum Tode und zum Verluste der bürgerlichen Ehrenrechte verurteilt wurde. Der Vorsitzende leitete die Verkündung des Urteils mit den Worten ein: ›Wer Blut vergießt, dessen Blut soll wieder vergossen werden‹.«

»Um das Kind im Mutterleibe zu taufen, hatte man früher zwei Methoden. Es wurde per vias naturales das Taufwasser entweder mit dem Finger oder mit einer Spritze auf den Fötus übertragen. Bei der ersten Methode wird das Wasser, ehe es den Kindsteil erreicht, abgestreift. Bei der zweiten Methode müßten die Eihäute erst perforiert werden, was unter Umständen für die Geburt schädlich wäre. Dann müßte durch Fingerkontrolle die Uterinspritze auf den Kindsteil dirigiert werden. Diese wär bei engem Muttermund unmöglich, namentlich zu schwierig für eine ungeschickte Hebamme. In früheren Monaten der Schwangerschaft ist selbstverständlich diese Methode der Taufe unmöglich. Deshalb schlägt A. Treitner, Arzt in Innsbruck, eine neue Methode vor. Es wird eine Heilserumspritze mit 10 g Taufwasser gefüllt. Alle antiseptischen Kautelen, Desinfektion der Haut usw. werden gewahrt. Nur darf die Spritze nicht mit Desinfizientien desinfiziert werden, denn es könnte ein Rest der Desinfizientien in der Hohlnadel bleiben und in das Taufwasser gelangen, wodurch, namentlich wenn das Desinfiziens riecht, die Gültigkeit der Taufe in Frage gestellt würde. Das Taufwasser muß reines Wasser sein. Die Hohlnadel hat eine Länge von 10 cm. Bei Kopflage, also in 96%

aller Fälle, wird die Nadel zwei Querfinger oberhalb der Symphyse senkrecht eingestochen. Vorher soll die Mutter urinieren. Die Hohlnadel wird eingestochen, bis man ›auf eine resistente Stelle gelangt, welche auch durch mäßiges Andrücken der Nadel nicht überwunden werden kann‹. Diese Resistenz bieten die Kopfknochen dar. Findet man diese Resistenz nicht, so wird die Spritze bis an die Bauchhaut zurückgezogen, sie wird in anderer Richtung nach rechts, nach links, nach oben und unten eingestochen, bis man den Kopf findet. Gelingt es auch dann nicht, den Kopf zu finden, so zieht man die Hohlnadel völlig heraus, sticht sie 1–2 cm von der ersten Einstichöffnung ein, ›um sämtliche Kombinationen zu wiederholen‹. ›Mehr als drei bis vier erneute Einstiche brauchen kaum gemacht zu werden.‹ ›Falls etwa einer sterbenden Mutter eine Entkleidung zu beschwerlich fallen würde, so kann auch der Einstich der Nadel ganz leicht über dem Hemde vorgenommen werden.‹ Ja selbst aufs Geratewohl kann man an einer beliebigen Stelle des vorgewölbten Bauches durch die Kleidungsstücke hindurch den Einstich machen. Dann besitzt allerdings die Taufe nur wahrscheinliche Gültigkeit. Hat man den Knochen mit der Nadelspitze gefunden, ›so wird die Nadelspitze mit ziemlicher Kraftanwendung so weit als möglich in den Knochen eingespießt‹. Es soll nämlich das Taufwasser auch das Unterhautzellgewebe des Kindskopfes bespülen, weil ja der Kopf mit Vernix caseosa bedeckt sein kann, dann flösse das Wasser von dem Fette ›wirkungslos‹ ab, was die ›Gültigkeit der Taufe in Frage stellen würde‹. ›Die Anwendung eines hohen Druckes ist ein notwendiges Erfordernis‹, damit durch den gewaltsam eingepreßten Wasserstrahl das die Taufstelle umgebende Fruchtwasser möglichst weit beiseite gedrückt werde. Beim Ausspritzen des Wassers werden dann die Taufworte gesprochen. Diese Art der Taufe soll nicht vor Mitte der

Schwangerschaft angewendet werden, da die Schwangerschaft vorher von Nichtärzten nicht mit Sicherheit zu diagnostizieren ist. Es könnte ja ein Tumor vorliegen. Bei plötzlichen Todesfällen der Mutter soll man die bedingungsweise Taufe noch fünf bis sechs Stunden nach dem Tode, ja man kann sie noch zehn bis zwölf Stunden nach dem Tode spenden. Der Verfasser hält seine Methode für den Fötus nicht für schmerzhaft, ›weil die Gehirnsubstanz empfindungslos ist‹, auch nicht für gefährlich, denn ›die Erfahrungen der Gehirnchirurgie haben ergeben, daß ein Stich in die Gehirnhemisphäre, selbst mit einem Messer, nicht nur nicht tödlich, sondern nicht einmal gesundheitsschädlich ist‹. Die Pfarrämter sollen ihre Taufutensilien mit dieser Taufspritze komplettieren, ›um diese dann im Bedarfsfalle der Hebamme des Ortes zu überlassen‹.«

## Das Ehrenkreuz

In Österreich gibt es für junge Mädchen, die sich dem Laster in die Arme werfen, eine Klimax der Strafbarkeit. Man unterscheidet Mädchen, die sich der unbefugten Ausübung der Prostitution schuldig machen, Mädchen, die fälschlich angeben, daß sie unter sittenpolizeilicher Kontrolle stehen, und schließlich Mädchen, die zwar zur Ausübung der Prostitution, jedoch nicht zur Tragung eines Ehrenkreuzes befugt sind. Diese Einteilung wirkt auf den ersten Blick verwirrend, entspricht aber durchaus den tatsächlichen Verhältnissen. Ein Mädchen, das einem Detektiv bedenklich schien – nichts scheint einem Detektiv bedenklicher als ein Mädchen –, gab an, sie stehe unter sittenpolizeilicher Kontrolle. Sie hatte sich nur einen Scherz erlaubt; aber man ging der Sache nach. Da sich ihre Angabe als unrichtig herausstellte, wurde sie wegen unbefugter Ausübung der Prostitution in polizeiliche Untersuchung gezogen. Da sich aber auch dieser Verdacht als ungerechtfertigt erwies und sich demnach herausstellte, daß sie überhaupt keine Prostitution ausübe, so erhob die Staatsanwaltschaft die Anklage wegen Falschmeldung. Das Mädchen hatte sich, wie es in der Anklage hieß, »gegenüber dem Detektiv eine soziale Stellung angemaßt, die ihr nicht zukam«. Sie trieb weder erlaubte noch unerlaubte Prostitution, sie war also eine Schwindlerin, und nur weil sie bei der Verhandlung auf die Frage des Richters, was sie sich dabei gedacht habe, die Antwort gab: »Nichts«, entging sie der Verurteilung. Um also zu rekapitulieren: Sie hatte behauptet, sie stehe unter sittenpolizeilicher Kontrolle. Weil dies eine Unwahrheit war, wurde sie unter dem Verdachte des unsittlichen Lebenswandels in Untersuchung gezogen. Sie konnte nun zwar beweisen, daß sie nicht unsittlich genug sei, um einen unsittlichen Lebenswandel zu führen, aber sie konnte doch wieder nicht beweisen, daß sie sittlich genug sei, um unter sittenpolizeilicher Kontrolle zu stehen. So blieb nichts übrig, als sie wegen Falschmeldung anzuklagen, wegen deren ja schließlich auch die Mörder in Österreich verurteilt werden, wenn man ihnen den Mord nicht beweisen kann. Jetzt gehen wir einen Schritt weiter. Wenn ein Mädchen zur Ausübung der Prostitution befugt ist, so könnte es vorkommen, daß sie es verschweigt und schwindelhafterweise angibt, sie sei zur Ausübung der Prostitution nicht befugt. Sie würde sich also einen unsittlichen Lebenswandel anmaßen, den sie nicht deshalb führt, weil sie dazu befugt ist, sondern den sie führt, wiewohl sie dazu nicht befugt ist, während sie in Wahrheit bloß befugt ist, einen unsittlichen Lebenswandel zu führen, den zu führen sie befugt ist. Solche Fälle kommen in der Praxis selten vor, und die Judikatur des Obersten Gerichtshofes ist schwankend. Am schwierigsten war aber der

Fall, der sich kürzlich in Wiener-Neustadt zugetragen hat. In einem dortigen Freudenhause lebte ein Mädchen, das zur Ausübung der Prostitution befugt ist und bisher noch keinen Anstand gehabt hat. Sie hat sich nie einen unsittlichen Lebenswandel angemaßt, den sie nicht führt, und es ist ihr noch nicht einmal nachgewiesen worden, daß sie fälschlich angegeben hat, eine Prostitution nicht auszuüben, zu der sie befugt ist. Aber der Teufel reitet das bisher unbescholtene Mädchen, und sie geht eines Abends im Salon des Hauses mit einem Militärjubiläumsehrenkreuz an der Brust herum. »Dadurch erregte sie bei den Gästen –«, ja was glaubt man, hat sie dadurch bei den Gästen erregt? Nicht das, was man glaubt, sondern im Gegenteil: Ärgernis. Und wenn ein Freudenmädchen bei den Gästen eines Freudenhauses Ärgernis erregt, dann ist es wohl höchste Zeit, daß die Staatsanwaltschaft einschreitet. Tatsächlich wurde das Mädchen wegen einer Erregung, zu der sie nicht befugt war, angeklagt. Der erste Richter sprach sie frei. Er sagte, das Militärjubiläumsehrenkreuz sei kein Orden und das Ärgernis sei bloß ein solches Ärgernis, das von der Polizei zu ahnden sei. Damit gab er freilich zu, daß das Mädchen schuldig gewesen wäre, wenn sie etwa den Takowaorden getragen hätte. Es liegt nun zwar auf der Hand, daß das unbefugte Tragen eines Ordens vielleicht einen Journalisten, nie aber eine Prostituierte strafbar machen kann. In Wiener-Neustadt jedoch scheint die Frauenbewegung bereits derartige Fortschritte gemacht zu haben, daß man dort beide Geschlechter in gleichem Maße der Ordensstreberei für fähig hält. Immerhin sagte der erste Richter, ein Militärjubiläumsehrenkreuz sei kein Orden. Aber der Staatsanwalt war anderer Ansicht, er berief, und das Landesgericht verurteilte die Angeklagte zu zwanzig Kronen Geldstrafe. Ein Militärjubiläumsehrenkreuz, sagte das Landesgericht, sei als Ehrenzeichen jedem Orden gleichzustellen. Und als besonders erschwerend nahm der Gerichtshof »das Tragen des Kreuzes im Freudenhause« an. Als die Angeklagte gefragt wurde, was sie sich dabei gedacht habe, gab sie zur Antwort: »Nichts.« Aber diesmal nützte die Antwort nichts. Denn eher noch dürfte sich ein anständiges Mädchen die Prostitution anmaßen als eine Prostituierte das Ehrenkreuz. Welche Entschuldigung hatte sie? Ein Zivilist, sagte sie, habe es ihr geschenkt. Er war nobel und gab ihr das Ehrenkreuz als Schandlohn. Aber dann hätte sie es eben in den Strumpf stecken sollen. Das Tragen eines Ehrenzeichens im Freudenhause steht nur dessen Gästen zu, und wenn sie dadurch das Ärgernis der Mädchen erregen sollten, so würden sich die Mädchen einer strafbaren Handlung schuldig machen. Gibt aber ein Gast einem Mädchen statt zwanzig Kronen ein Ehrenkreuz, so darf sie das Ehrenkreuz nicht tragen, oder muß die zwanzig Kronen dem Gericht geben. Denn die Justiz ist eine Hure, die sich nicht blitzen läßt und selbst von der Armut den Schandlohn einhebt!

CARL STERNHEIM
(1878–1942)

## Vanderbilt

In fünfzimmeriger Parterrewohnung lebten die Gatten Printz à *l'aise*. Durch zwei Salons, ein Eß- zwei Schlafzimmer markierten Möbel in französischen Königsstilen Pracht. In einem gehimmelten Bett Louis XVI. schlief Frau Printz, in einer Mahagoniempirelade er. Allen Gegenständen fehlte ein Fuß, die Bekrönung; angestoßen war Rändern Porzellan, doch konnte jedes Ding als Gleichnis eines vollkommeneren dienen. Sprach man von Palais des Herrn Feisenberg, Schloß Linderhof oder von Versailles, durfte man: ein Ding gleich diesem Schrank Tisch Stuhl, sagen und das zu wirklicher Pracht Fehlende hinzudenken.
Auch Mahlzeiten deuteten nur an. Man gab ein Süppchen, das mit Fleisch und Zutat Bouillon gewesen wäre, Zwischengerichte, denen zum Entrée Substanz fehlte, ein Kalbskotelett oder Rindsstück, das Sensation wie der zehnpfündige Braten vom gleichen Tier verschaffte. Die saftige Frucht, sei's Apfel Birne Nuß, war, in zwei Hälften getrennt, beiden Gatten leckeres Dessert. Bei reines Mokkas, russischer Papyros Duft verdaute man so distinguiert wie einer.
Tadellos war stets etwas an ihrer Kleidung. Saß man sich bei Tisch in Kleiderbruchstücken gegenüber, war an der Krawatte, einem Stiefel doch zu sehen, was später würde. Der Frau Frisur, des Mannes blütenweißer Scheitel im schwarzen Haar gaben über Schlafrocktrümmern Haltung, und auch der Nägel Glanz ließ keinen Zweifel am Ende aufkommen.
Stets waren Gesten groß. Mit Würde gab man die fast kahle Schüssel, goß Wasser schwungvoll ins Glas und

lächelte fein. Oft schüttelte man die Hand auf besondere Art, daß Armband und Manschette klirrte. Stand eine Flasche zu trinken, hob man den Kelch zeremoniell, hinter seidener Wimper und Monokel blinkte erlesen der Blick.

Als Apotheose, großen Schlußauftritt dachte man das Geringste. Hohe Namen aus allen Kulturen waren zur Hand. Chateaubriand La Rochefoucauld wimmelten in die schlichtesten Silben, des Einemarkromans Verfasser wurde mit Swift und Stendhal verglichen. Gefühlen ersetzte man, was ihnen an Innigkeit abging, durch mörderisches Pathos. Konnten sie sich für eine Sache wie ein wirklich Ergriffener nicht begeistern, drängten sie eine Träne in den Blick, drückten Umstehenden die Hand. Oder Frau Printz fiel in einen Stuhl, Herr P. fuhr sich mit dem Tuch über die Stirn, als schwitze sie. Vor jedem Ding, das es gesellschaftlich verdiente, wurde man um einen Grad wärmer als der Empfindlichste.

Dafür lehnte man, was der Kenner Beifall nicht fand, brüsk und unwirsch ab. Den Ausdruck sächsischer Staatsanwälte hatten Printz und Frau, waren zur Milde nicht zu bewegen. Den Menschen, der in mondäner Welt nicht galt, nannten sie Hochstapler.

Niederem Volk waren sie unnahbar. Bronzepfosten saßen sie zwischen gewöhnlichem Gequirl in der Elektrischen. Ihr Wort an Ladner Dienstboten hatte metallischen Klang, Kommandoton. Gleichgestellten legte der schlanke Herr P. die Hand gönnerhaft auf die Achsel, fand ihre Meinung scharmant.

Ansichten der Hochgestellten waren Orakel. Bei eines Generals oder Aufsichtsratsmitgliedes Ausspruch wurde Rührung ohne Anstrengung in den Gatten lebendig, ihnen geschah, als habe Ursinn geäußert.

Eigenes Urteil wagten sie nicht. Bis in Knochen spürten sie: mit dreißigtausend Mark Renten aus der Frau Vermögen konnten sie äußerlich der Reichen Aufmachung haben. Nur ein Urteil durften sie sich mit der Summe nicht leisten. Zu ihm, glaubten sie, gehörte das große Haus, zahlreiche Livree, eine berühmte Bücher- und Gemäldesammlung als Voraussetzung. Ein Einkommen von dreihunderttausend mit einem Wort.

Wie einen Partner, ohne den des Lebens Spiel nicht klappt, brauchte Eugenie Alfons Alexander, bewunderte brutalen Willen an ihm, in oberster Welt gelten zu wollen, obwohl seine Herkunft dunkler als die ihre war, er kein Talent, das ihn berechtigt hätte, mitbrachte. Doch war er des gemeinsamen Aufstieges Veranlasser gewesen, sie folgte ihm wie das Dressierte dem Dresseur. Seine Sprungbereitschaft liebte sie, das Federn an ihm, mit dem er drahtig in jede Situation sprang, vergötterte seinen jedesmaligen Abgang mit Pauken und Trompeten durch die Mitte, der sie an Fortinbras mahnte.

Es ergab sich: der mit dreißigtausend Mark jährlich zu begleichende Aufwand ließ sich gleichwohl mit dieser Summe nicht bestreiten. Denn kam man zu Freunden, die in teuren Restaurants speisten, erst nach Tisch, nahm, bei Bekannten angeblich mit Leckerbissen überfüttert, nur Kaffee und Likör, ging man zu Carusos Auftreten, die Akte miteinander abwechselnd, auf den gleichen Sitz, forderte der Umgang mit Reichen unaufhörlich Bezahlung. So hatte Eugenie, als ohne Alfons Wissen eine ansehnliche Schuldsumme für den Haushalt bestand, sich schweren Herzens, dringendster Rechnungen Bezahlung von einem Freund, dem Kavallerieoffizier von Bencken anzunehmen, entschlossen, und, als in zwei Jahren das Benckensche Guthaben ziemliche Höhe erreicht hatte, seine Geliebte zu werden, da sie, der oberen Tausend Moral verlangte in der Verhältnisse Anbetracht so taktvolle Handlung von ihr, gewiß war.

Anfangs hatte sie gefürchtet, Benckens zu häufiges Auftreten in ihrer Häuslichkeit möchte Alfons Widerspruch und Argwohn wecken. Zum Glück erklärte ihr Gatte von B. für den bestgekleideten Mann der Stadt, bewunderte dessen in Regent Street gefertigten Kostüme und erwirkte vom Freunde die Erlaubnis, die bei Edouard & Buttler geschnittenen Kleider bei seinem billigen Schneider nachmachen zu dürfen.
Weit entfernt, ihr zu mißfallen, rührte Eugenie dieser Zug ihres Mannes. In Alfons bebte vor allen Kavalieren der Zeit der Wille, an ein selbstbestimmtes Ziel zu kommen; kleinliche Hemmungen gab es für den kessen Fechter nicht. Wie sein Schenkel eines Turners war sein innerer Aufschwung muskulös. Daher bot sie ihres Liebhabers überzähliges Pferd dem Gatten zu Spazierritten an, und abwechselnd war Alfons mit ihr einen Tag um den andern in prallem Dreß schneidiger Reiter. Die Gerte, die an Bridges und Gamaschen knallte, sein geziemendes Zepter.
Kein Ereignis im Theater auf Rennplätzen in der Gesellschaft war rund, ohne daß mit anderen Prinzen ein Printz beiwohnte; wie ein Witz hieß. Während die meiste Menschheit im Staub schlich, sprengte zu Pferd über Sand ohne andere Mühe das mondäne Paar, als daß es einer gewissen Gesellschaftsschicht jüngste Laune hurtig und unverdrossen riet.
Aus Bencken, der einer Hoheit Adjutant war, zog Eugenie untrügliche Tips. Alfons leistete Damen höchster Kreise zwielichtene Gesellschaft, belauschte ihre geheimen Sehnsüchte, die er als das für ein Weib Korrekte seiner Frau weitergab. An Orte, wo schicke Welt sich traf, liefen sie zwischen Ereignissen. Sie zum Tee; zum Billard er. Beide Bilder der Mode, Zugstücke für ihre Bekleider. Einen Tagen wie den andern zur gleichen Stunde.
Unbekümmert ging bei gegenseitiger Achtung ihr Le-

ben eine Reihe von Jahren. Dank kosmetischer Mittel merkten sie keine Veränderung aneinander. Zu Masken waren die Antlitze erstarrt; Empfindung änderte sie nicht. Nur Übereinkommen zog in ihnen des Lächelns, betroffenen Ernstes Register. Phonographenplatten surrten Reden ab. Selten stieg eine erstklassige Arie, meist schnurrten banale Lieder. Oft kratzte die Nadel im verbrauchten Wachs. Printzs waren hellhörig genug, merkten sie das Geräusch, die Walze mit einem Räuspern zu wechseln, ein weniger verbrauchtes Motiv singen zu lassen. Im übrigen war letztes Gleichgewicht überall erreicht. Wie Mahlzeiten und Hausstand auf den Pfennig berechnet waren, wandten sie für täglichen Reiz nicht mehr inneren Anteil, als unbedingt erforderlich schien, auf. Denn beide liebten abgöttisch das Leben, suchten durch strenge Beherrschung im seelisch Motorischen des Daseins irdische Dauer zu verlängern.

Solchen Anpassungsgrad hatten sie erreicht, daß Lachen beim Essen mit des Silbers und Kristalls Glanz übereinstimmte, einer bösen Laune Grad vom Ton der Möbel nicht abwich, unnötigen Energieaufwand beim Ausgleich zwischen Innen und Außen zu sparen. Eidechsen, glitten sie aus Warmem ins Kalte, blieben in der Ereignisse Hitze wie Salamander unverbrannt. War so ihres Seins Temperament angenehm lau, gab es ein Thema, bei dem sie warm wurden: Paris. Beide hatten die Stadt noch nicht gesehen, doch kam von dort alles, was sie im Mund führten. Zweimal im Jahr die Mode aus Paris für Frau Printz, von dort Parfüms Seifen Puder, hundert Geheimmittel, die sie für die Toilette brauchten. Es kam von dort der Tafel Luxus, doch auch Gemälde, die der Rede, verzückten Augenaufschlages lohnten. Der Balzac Flaubert Maupassant erhabenes Werk war dort geboren wie eines Tinseau Gyp Prévosts bevorzugte Romane. Beim Friseur im Restaurant beim

Kunsthändler Antiquar sprach man Paris. Ihres Lebens häufigstes Requisit war das Wort, wie Schminke das des Schauspielers, in Straßen auf Plätzen der vergötterten Stadt kannten sie der großen Schneider und Modistinnen Ateliers. Öfter sprachen sie die Rue Rivoli Place Vendôme als einen Odeonsplatz eine Ludwigstraße aus.

Sie hatten überlegt, ob kurzer Aufenthalt an diesem Mittelpunkt der Welt sich nicht für sie erschwingen ließe. Doch schien eine so phantastische Summe aus tausend verwirrenden Vorstellungen notwendig, daß sie mit ihren Mitteln ein für allemal auf des Traumes Verwirklichung verzichteten. Desto häufiger warfen sie ein Hotel Ritz Meurice, einen Voisin Paillard Larue Durand-Ruel und Vollard in die Rede, hielten den Mercure de France und die Gazette du bon ton.

Insbesondere bedeutete die Ankunft eines Heftes dieser Revue Festtag bei Printzs. Schon auf dem Umschlag die Aufschrift: *Art modes et frivolités* berauschte sie. Das Wort »*frivolité*«, an dem sie teilhatten, hob sie aus bürgerlichem Kitsch, der aufdringlich von Nachbarn zu ihnen herstank, machte sie von aller Krapule unabhängig. Über Anzeigen der großen Schneiderfirmen Chéruit Doucet Paquin Poiret Redfern Worth, die an dem Blatt mitarbeiteten, schlürften sie der großen Parfümeure und Juweliere Verkaufsangebote.

Sie unterrichteten sich über den Geschmack im Theater, was sie bei Tisch im Wagen auf der Jagd zu Pferd im Bett, Ansprüchen der strengen Redakteure zu genügen, zu tun oder zu lassen hatten; lernten »die Kaprizen der Wäsche« auswendig, das Geheimnis der Gürtel Schleier Muffe. Koffer und Handtaschen nannten sie *trunks and bags*, kannten die Kunst, untadelige Livreen zu schneiden; wußten, ihr Diener, hätten sie ihn gehabt, wäre ein Muster gewesen.

Vor allem erfuhren sie, perfekt zu sein, müßte man

einen Fetisch tragen. Sei es ein Symbol, kühn und unverständlich als einen Elefanten in Malachit Onyx Lapis Lazuli mit spirituellem Wahlspruch an der Uhrkette, sei es ein Fetisch-Rebus in Rubinstaub, Glücksschwan oder algebraisches Hieroglyph. Doch auch in jeder Salonecke mußte die kabbalistische Menagerie glänzen, zeigen, der Besitzer habe mit höheren Mächten als Gevatter Schneider und Handschuhmacher Umgang.

Über Eigenheiten und Merktage vorgesetzter Freunde führten sie Buch. Kauften auf dem Markt ein Dutzend Äpfel, zu fünfzig Pfennig das Stück, sandten sie, in ein Körbchen auf Watte gelegt, den hochgestellten Gönnern mit einer Karte: Herr und Frau Alfons Alexander Printz bitten, die frischen, ihnen aus dem Tirol geschickten Früchte, freundlichst anzunehmen. Sie fanden es so natürlich, die Krösusse ihrer Bekanntschaft dankten mit mächtigen Fasanen-Likör-Terrinnenarrangements, wie sie wußten, auch bei des Seelischen und Geistigen Austausch verausgabten die anderen mehr als sie selbst.

An einem Maitag, als Alfons Printz vom Morgenritt auf Benckens »Paria« in der Kraft und Blüte seiner achtunddreißig Jahre heimkam, »*rudement beau*«, wie er in solchen Augenblicken von sich sagte, trompetete seine Frau ihm zu, sie sei von den Freunden Feisenberg zu vierzehntägigem Aufenthalt nach Paris geladen!

So stark im Manne Bedauern war, daß die Einladung sich nicht auf ihn mitbezog, freute er sich des unverhofften Glanzes umsomehr, als er wußte, seiner Frau enthusiastische Schilderungen verbürgten für ihn selbst bei der Rückkehr manche Sensation. Nun fing in beiden Gatten ein Rausch von Champagner an, von dem sie fühlten, er werde sie bei Vorbereitungen und umständlichen Zurüstungen in den nächsten Wochen bis

zur Abreise immer stärker besitzen. Natürlich sahen sie keinen Menschen mehr, dem sie nicht die Nachricht zustießen: Frau Printz fährt nach Paris!
Von überallher holten sie Auskünfte. Schneiderin Putzmacherin Friseur wurden zu höchster Leistung gespornt, die Reisende wohlfeil in den Stand zu setzen, Ehre mit ihren Schöpfungen in Paris einzulegen.
Als Eugenie mit den Freunden in den Expreßzug stieg, Alfons ihr beim Abschied ritterlich die Hand küßte, stand beiden echte Ergriffenheit im Auge. Sie wußten, in diesen zwei Wochen mußte die Frau mächtige entscheidende Reserven mondänen Wissens gewinnen, mit der für lange Zeit kostspielig erkauften Erfahrungen des begüterten Freundeskreises ein Paroli geboten werden mußte.
Über alles hinaus bewegte beide Printz eines Sommerhutes Vorstellung, den für hundert Franken, die ihr Alfons mit dem Taschengeld eingehändigt hatte, Eugenie in Paris kaufen sollte. Sie wußten, mehr als brillanteste Berichte stattgefundener Überraschungen und Ereignisse würde dieser Hut des gefeierten Printzschen Geschmackes wahrer Repräsentant sein, dessen Sicherheit und Überlegenheit einer neidischen, auf ein Versagen lauernden Mitwelt beweisen müssen.

In Straßburg, wo die Reise unterbrochen wurde, meinte Frau Printz, französischer Art ersten Hauch zu spüren. Der Kathedrale aus bürgerlich deutschem Gewinkel germanisch-ekstatisch aufragenden Zierat übersah sie, entzückte sich an einem Speisehaus, das französischen Namen trug, in dem man pariserischer Art aß. Die langen weißen Brote gab es schon, von dem ihr jeder Frankreichfahrer gesprochen hatte. Längs der Wand saßen Gäste auf Bänken beieinander, nicht deutsch auf Stühlen um den Tisch. In braunen irdenen Kasserollen wurde das Angerichtete gebracht, Rebhühner, in Weinblätter gebunden. Und weißen *Hautes Sauternes* trank man dazu. Klopfenden Herzens wagte Eugenie französisch das Wort an den Aufwärter, und siehe: fließender Rede antwortete er. Schönen Dankes feurige Blicke warf sie ihm manchen zu.

Als man wieder im Zuge saß, Nancy Châlons Château Thiérry auftauchten, der Weltstadt mächtiger Lichterglanz endlich den Himmel färbte, bäumte Entzücken in Frau Printz zur Entladung. Beim Verlassen des Kupees begriff sie das eine: Lauter Franzosen standen auf dem Bahnsteig, ehe sie in wollüstiger Besinnungslosigkeit ihrer Person Kontrolle verlor.

Als sie anderen Morgens früh zum Fenster hinauslehnte, war Paris draußen, so weit sie sah. Frauen, die über den Platz liefen, richtige *femmes du monde, femmes entre-tenues* oder *filles soumises*. *Cabots voyous* waren *employés* und *hommes d'affaires* gemischt, *gamins* liefen zwischen ihnen. In den Türen lungerten die sattsam bekannten *mendiants*.

Da sie ins Zimmer bezaubert sich zurückwandte, begriff sie, jeder Gegenstand, den sie faßte, der ihre Vorstellung rührte, wollte französisch benannt sein. Als sie das Gesicht in die Waschschüssel zu tauchen sich anschickte, sah sie die Flüssigkeit als *eau froide* respektvoll an, trank mit Genuß »den« *chocolat*, aß ein *œuf à la coq* dazu. Als sie das befreundete Ehepaar in der Hotelhalle traf, schien der jüngste Tag angebrochen.

Draußen hatte sie ohne einen Pfennig Eintritt wieder lauter Begriffe um sich, die sie sich früher erst nach Entrichtung des Zolls und mancher Schwierigkeit hatte verschaffen können. Links lag die Rue de la Paix und, wohin sie den Blick wandte, grüßte als Pinaud Paquin Tiffany sie schwärmerisch Verehrtes. Pflaster, das sie trat, Luft, die sie atmete, schienen nichts Plausibles, doch Kostbares Rares. Der Schlamm, den Männer mit

Gummibürsten vom Fahrdamm schoben, schien ein besonderes Naß.

Als dann die großen Denkmäler vor sie traten, Kirche Notre Dame, die Place de la Concorde, Tuileriengärten das Louvre, sie an der Seine stand, die ihr mit Inseln und Brücken aus tausend Liebesgeschichten bekannt war, von Daumiers und Gavarnis Blättern her, hätte sie deren ganzes, von Sonne beleuchtetes Wasser am liebsten ausgetrunken, in der leeren Rinne all der galanten Heldinnen entseelte Körper wiederzufinden, die nach gerütteltem Maß komfortablen Liebesbehagens hier das einzig angemessene Grab gefunden hatten.

Über den Pont des Arts liefen sie am Odéon vorbei auf das Luxembourg zu, gewannen über St. Sulpize den Boulevard St. Germain, die Champs Elysées.

Hier sank Eugenie an der Freunde Seite in einen Stuhl, gab Frau Feisenberg mit innigem Druck die Hand. Doch auch ihres Gesichtes seit Jahren unverändert steinerne Züge waren gesprengt. Neben Schminkflecken blühte ihres Blutes richtiges Rot auf Backen, an Schläfen hatte sich ondulierte Coiffure in von menschlichem Schweiß getränkte Löckchen gelöst.

Eine Woche brauchte sie, aus atemloser Verzauberung sich zu sich selbst und eigenem Urteil zu finden, das ihr von Phänomenen, die sie oft geschaut geschmeckt gerochen hatte, zu wissen erlaubte.

An einem Regentag, den sie im Hotel bei einem Buch verbrachte, entblätterte sich die Bilderbuchwelt, einfach wurde die Märchenstadt, stürzte in wenige klare Linien zusammen. Metaphysische Masse begann, sich irdisch zu ordnen, Laut Licht Ruch wurde musikalisch deutbar.

Nun trat nach unbändig kindischem Vergnügen, das ihr jeden Nerv gewärmt hatte, die Mahnung zur Pflicht an sie heran, die bei der Abfahrt auf dem Bahnhof dringend in des Gatten Auge gestanden hatte. Noch war für später nichts getan. Hätte sie jetzt abreisen müssen, mit vagen Angaben wäre flüchtiges Gespräch daheim zu füllen, nicht mit jauchzenden schmetternden Gewißheiten Menschen zu überzeugen und beeinflussen gewesen. Mit großem Ruck ging sie auf Kenntnis der Dinge zu, die sie bis jetzt überfallen hatten, und, sank sie vor einer Erscheinung noch in Fassungslosigkeit, vor eines Silberfuchses Prachtexemplar, einem einsamen walnußgroßen Smaragd, der Leistung Guitrys der Réjane, blieb sie im ganzen gefaßt, sich gründlich über alles, was die einzige Stadt und seine Bewohner ausmachte, zu unterrichten, gewillt.

Zunächst stellte sie fest, der Geschlechter Beziehungen schienen im Gegensatz zu Deutschland unbefangen und entblößt. In Parks und öffentlichen Anlagen saßen gutgekleidete Frauen, die das Kleid öffneten, dem Kind zu trinken gaben. Sie sah, im Verkehr war die Frau der Angreifer. Mutig und ausdauernd ließ sie sich in einem begonnenen Kuß von keinem Vorübergehenden stören. Alle Arten der Liebe fand Eugenie legitimiert, durch sie die Pariserin ebenbürtig zu des Mannes Arbeit gestellt und sie begleitend. Nicht wie zu Haus erschien als Soldat Politiker und Mann von Bedeutung nur das Männliche herausfordernd, überall ging auftrumpfend Weibliches mit, in einer Farbe, einem bis über die Wade gezeigten Bein, einer dezenten Schamlosigkeit, die immer damenhaft blieb, sich meldend.

Noch in der Kokotten gemalter Schönheit fand sie das prachtvolle Zutrauen, das die Frau zu ihrem natürlichen Schmucksinn überall haben sollte, in bis zu afrikanischer Wildheit gesteigerten Frisuren und Aufdonnerungen Temperamentsausbrüche, die neben des Mannes Posen und Paradeschritt bestanden.

Den Mann erkannte sie bequemer, weil er durch der Frau gewohnte Begleitung mehr auf sie angewiesen war. Von ihm ging nicht jene Fremdheit aus, die sie

von Deutschen angeweht und verblüfft hatte. Er war der Kamerad, der mit dem Weib Lebendiges teilt, mit Ideen und kategorischen Befehlen sich keine Vorwände geschafft hat, hinter die er, ein Freimaurer und Clubman, gelegentlich verschwindet. Mit erotischem Reiz konnte man ihn augenblicklich zur Ordnung zur Sache rufen, und häufiger kam dieser Reiz von eines Kostüms pikanter Laune als einer Nacktheit her.
Der Pariserin Kleid wurde von Eugenie bis ins Raffinement begriffen. Hatte sie daheim die große Linie aus Journalen erwischt, drang sie jetzt in der Unterröcke und Wäsche letzten Schlitz, fing aller Raffungen Falten Linien gängelnder Geschmeidigkeit Reiz, sah einer Midinette die verschmitztesten Rhythmen ab. Nun hing beim Einschlafen eines sich senkenden Fußes, gereckten Knies, der offenen Achsel wundervolle Wendung vor ihrer Wimper, kitzelte sie in allen Gliedern. Aus besserem Maß sah sie ein, wie falsch Frau Zuckschwerdt, Exzellenz von Schaltitz saßen grüßten griffen, wie naiv ihr krampfhafter Flirt, ihrer Blicke Winken war. Mit dunklem Erröten gestand sie sich auch, sie hatte bis in ihr fünfunddreißigstes Jahr Bencken und Alfons Alexander mit Minderwertigkeiten gefesselt. Zog sich im Hotel die Welt zur Abendtafel an, stand sie im dunklen Zimmer, sah schönen halbnackten Frauen hinter durchsichtigen Gardinen in beleuchteten Räumen unaussprechliche Geheimnisse ab und frohlockte!
Als sie sich vorbereitet fühlte, übertrug sie das Erfaßte in die eigene Praxis. Mit herrlichem Schleifen kam sie eines Morgens des Hotels Freitreppe herab, und unten, beim Blickkreuzfeuer blasierter Menge, wagte sie die große Geste: den vielknöpfigen Handschuh zu knöpfen, renkte sie den Oberarm an den Körper aus der Schulter, und den Unterarm aufrecht, fast rechtwinklig zu ihm stellend, schloß sie feierlich ein Knopfloch ums

andere. Sie merkte, wie beifällige Stille folgte. Ein andermal faßte sie bei der Ankunft im Restaurant das feine Leder oben am Rand, und es mit Ruck wie Schlangenhaut zum Handgelenk stülpend, ließ sie weiß den Arm sehen, daß alle Welt die Sensation vollständiger sehr gewagter Entblößung hatte.

Fünf Tage vor der Abreise brach aus unteren Bezirken, wo sie ihn gebändigt hatte, an den zu kaufenden Hut der Gedanke mit elementarer Macht herauf. Doch noch vermochte sie, ihn zurückzudrängen, an der Herrschaft über sie zu hindern. Von der Gewißheit erfüllt, was für den Gatten und sie von diesem Kauf abhing, – denn entschwinden würde Paris mit allem, was der Freunde Börse in himmlischen Tagen für sie schaffte, bleiben als dieser hohen Zeit einzig sichtbare Trophäe der Hut – wollte sie ihn kaufen, wie Napoleon auf Schlachtfeldern, Frauen in Schlafzimmern der entscheidende Sieg gelingt: jäh und aus Eingebung höchsten Erfolg verbürgend.

Je mehr sie sich mit exaktem Wissen Gegenständen des verschwenderisch angebotenen Luxus näherte, sie sichtete, ihrem Urteil unterwarf, hinsichtlich des in hunderttausend unbeschreiblichen Varianten um sie her erscheinenden Huts sah sie von kleinlichen Feststellungen ab, wartete gläubig auf das Ereignis als auf ein mystisches Kataklisma, das sie mit jenseitiger Gewalt auf das einzig mögliche Exemplar blitzschnell nageln mußte.

Inzwischen beschwichtigte sie den Gatten, der einige Male, Bencken, der auch nach dem Hut gefragt hatte, mit Tips für die männliche Garderobe, die sie den mit dem letzten Boot aus England gekommenen Gentlemen abgesehen hatte.

»Der Schuh«, schrieb sie, »ist beim Mann noch immer Gradmesser sozialer Geltung. Höchstes Erfordernis bleibt, er unterscheidet sich auf den ersten Blick klassisch von jenem industriellen Massenartikel, der auch dem Durchschnittlichen, in Lackstiefeln aufzutreten, erlaubt. Ich empfehle die Gamasche beige oder weiß in jeder Form bis zum Mittag, doch ist es unbedingt, du wechselst mit dem Glockenschlag zwei den farbigen Schuh gegen den schwarzen Chevreaulackstiefel.« Oder: »Überlaß es anderen, bei Jagdeinladungen mit schwarzem Rock des Waldes kolorierten Zauber zu entweihen. Doch auch Rot ist shoking, existiert nur in Albums von Crafty. Denkbar ist Maronenbraun, Grün einer Weinflasche oder das *bleu royal foncé*. Doch alles mit weißer Hose und glänzendem (nicht mattem!) hohen Hut.«

Diese Schreiben sandte sie »durch Eilboten bestellen, nicht bei Nacht«. Die Nachrichten: »Zigaretten raucht man ohne Goldmundstück«, gab sie Bencken telegraphisch.

Begleitete sie Frau Feisenberg zu Einkäufen, die, je näher die Abreise rückte, um so stürmischer wurden, wohnte der Anprobe von Kleidern Mänteln, deren Schnitt sie absah, allerhand Toilettenkleinkram bei, hatte sie noch zu keiner Putzmacherin den Schritt gesetzt, keine Auslage mit einem Blick gestreift. Denn zu deutlich wußte sie vom Besuch des Louvremuseums her wieder, wie schnell das Auge glänzender Auswahl gegenüber erblindet, wie stumpf der ermüdete Blick vor einem Meisterwerk steht.

Sie erlebte noch einen Feiertag in Versailles, wo über Imperatorenanlagen sich mit gelassener Selbstverständlichkeit das seiner Erziehung sichere Volk ausgoß, den Besuch von Kunsthandlungen, bei dem sie feststellte, Matisse sei nächster Zukunft Trumpf; einen Abend, einer Nacht Beginn in einem Tanzlokal Montmartres.

Doch hier wie vorher im Theater nistete der gebieterische Gedanke an den Hut wie Alb in ihrem Tun und

Trachten. Schon war aller Vorgang im Gehirn, Wort Blick gezwungen, und nur mit halber Kraft projizierte sie sich selbst nach außen. Dazu schlugen Pulse, als habe sie Gift, das sie zu seinen Zwecken vergewaltigte, geschluckt.

Da sie begriff, der fixen Idee sei nicht mehr zu entrinnen, versuchte sie ihr ganzes Urteil auf »Hut« umzustellen, doch klaffte aus dem Mißverständnis mangelnder Beherrschung der Materie und Kürze der Zeit, sie einzuholen, solcher Abgrund, daß sie vom Wunsch nach Einsicht zur Hoffnung auf ein Wunderbares floh.

Stundenlang, während rings die Luft stieg, Menschliches in Strömen Champagner ersoff, betäubte sie sich tiefer in mystischer Andacht als das schwitzende, durch Musik gereizte Fleisch um sie her.

An des Entrées weiß und goldgemalter Tür hing schwärmerisch der Blick. Nur dieser Eingang war in ihre Welt. Ahnte sie nicht, wie das Übersinnliche, das ihr bestimmt war, sich darstellen würde, von dort mußte es erscheinen.

In dieser liederlichen Nacht kamen zum erstenmal Gefühle, die sie in der Kindheit und Jungfräulichkeit gesteigerten Perioden erfüllt hatten, wieder. Am Abend vor dem Tag zum letztenmal, an dem ihre Ehe geschlossen werden sollte, sie, der Transsubstantiation und Inkarnation Vorstellung hingegeben, in ihr schmales Mädchenbett für den jenseitigsten Traum gestiegen war.

Hinter einem Zigeuner im roten Frack, der die Fidel ans Kinn drückt, wölbt in der Tür sich schwarzes Loch. Dann schien Eugenie gewürzter Wind zu wehen, im Frack stand ein Mann da, den Unbegreifliches umhing.

Doch auch alle vom Wein trunkenen Gesichter wandten sich mit ihrem dem Ankömmling zu. Lautlos flache

Ebbe entstand im Schwatzen, nur ein Laut schlug militärisch kurz die Stille: Vanderbilt!
Eugenie gegenüber war der junge hochgewachsene Beau, der wie ein kostbares Porträt von Raeburn im Rahmen glänzte, in einen Stuhl gesunken, wo er müde blinzelnd verharrte. Sie aber war von Gewißheit erschüttert: ihr allgemeines, mit dem Hut besonderes Heil sei in diesen Herrscher der Welt beschlossen. Ekstatischer Blick flammte von ihr zu dem Blasierten, der zum Angriff auf das Weib einen Wallach gespornt hätte.
Vanderbilt, mit schrägem Blick, tastete sie ab, entzündete an ihrem unterirdischem Geglüh seine lahme Phantasie. Ein smartes Geräkel ließ er sehen, schleuderte, das lüsterne Geschiel bei Eugenie, dem Neger, der in der Saalmitte berauschten Tanz endete, mit dem Fuß eine auf des Lackschuhes Spitze gelegte Banknote zu, die der mit verrenkten Verbeugungen gegen den Geber aus der Luft fing.
Als Hundertdollarnote hatte Eugenie das Billet erkannt, und blauer Himmel jauchzte über ihrer Welt; jede Verwicklung galt im Irdischen als ausgeschlossen, solange der blonde Amerikaner weilte. Er war, da er erschienen, kein zufälliger, doch alles Menschlichen unbedingt natürlicher Gouverneur. Vor seinem Blick verschleierte untertänig religiös ihr Auge sich. Je länger des allmächtigen Mannes Weihrauch wirkte, um so mehr befahl sie in seine Hände ihren Geist, ihres Sehnens goldenen Schaum, auf dem zuoberst eines Hutes Gleichnis schwamm.
Als sie ins Hotel kam, war es ihr das Natürliche, sie fand ihn nach der Freunde Weggang im dunklen Korridor vor ihrer Tür; sah sich, an seine Seite genommen, als schätzbares Vergnügen korrekt ohne Umstände von ihm genossen. Ihr blieb von dieser Nacht aus dem Moment der Entspannung nur sein geschnarrtes »*all right*« in traumhafter Erinnerung.

Doch folgte am andern Morgen die gehoffte Apotheose. Zum Morgenspaziergang holte der Nabob in himmlischem Morgendreß sie ab, an Vanderbilts Seite schritt sie durch die Rue de la Paix in Camille Rogers über alle Erdteile berühmtes Atelier.

Dort stand, ein Heiligtum, in kristallener Vitrine einsam schon der Hut, vor dem kein Zögern und Wählen war: Ein blonder Florentiner, flach, mit nur Gerste und braunem Band garniert.

Was das Leben noch bringen mochte – als Mensch war sie in sich rund. Einmal hatte mit Traum vom Glück die Wirklichkeit gestimmt, Erinnerung an reinen Zusammenklang war ihr nicht mehr zu entreißen.

Die Gewißheit stützte Eugenie der Frage gegenüber, was zu dem Hut ihr Mann sagen würde, gab ihr bis zum Augenblick Haltung, als auf der Rückfahrt morgens um sechs in Augsburg der Heimatstadt Duft schon ins Kupee roch. Einen Abend, die Nacht hatte sie aufrecht in Polstern zugebracht, Berührung und körperliche Erschütterung nach Möglichkeit gemieden, unter dem neuen Hut die Pariser Coiffure nicht zu zerstören. Denn in der Ankunft selbst wollte sie den Gatten mit Eindruck zwingen und überreiten. Das kunstvoll getürmte Haar sollte vom Friseur in allen Einzelheiten für sie abgesehen werden.

Noch einmal wird der vergangenen Tage Vision mit Bild Schall Rauch in ihren Sinnen wach. Sie riecht des in Zigarettenwolken schwimmenden Nachtlokals Dunst, hört des Negers näselnden Refrain:

> *Pour t'avoir à moi*
> *Si tu veux, o mon âme,*
> *Je deviendrais infame*
> *Pour un baiser de toi.*

sieht *seines* Lackschuhes Spitze mit herrlichem Schwung die Banknote werfen – da fährt der Zug in des Hauptbahnhofs Halle, und ehe er das letztemal geruckt hat, erkennt sie auf dem Bahnsteig aus Dampfnebeln Alfons Alexanders und Benckens zwillingshafte Gestalten. Nun steht vor der unmittelbar zu erwartenden, doppelten Entscheidung der aus dem Fenster Gerenkten senkrecht der Atem, stockt Herzschlag und Puls. Im Leeren hängt sie, und nirgends ist Vanderbilt. Dann merkt sie ihres Mannes Blick sie greifen schmecken festhalten und mit Ruck, der sie bis ins Mark spaltet, von sich schütteln. Bencken habe schief gelächelt, meint sie in Tränen gesehen zu haben. Gestäupt entseelt ist sie aus der Welt gesprengt. Worte bedurfte es nicht, sie vergaß an die Männer fast den Willkomm. Von Alfons zu ihr hatte es sich blitzschnell entschieden: Null Greuel Kompost war der Hut, entsprach in keiner Weise. Sie selbst, die in Briefen von ihr üppig erhöhte Zeit in Paris waren vernichtend verurteilt.

Aus Zartgefühl vermied man, den Hut noch zu erwähnen. Doch, was sie aus Paris mitteilte, wurde mit Vorbehalt und spöttischer Ruhe aufgenommen, als traute man ihr nirgends mehr Einsicht zu. Als sie sah, wie wenig Eindruck ihrer Erlebnisse verführerischste Schilderungen machten, glitt sie in immer phantastischere gefälschtere Berichte mit der Sehnsucht hinein, einmal möchte der geschauten Wunder Darstellung die Männer doch zu Beifall hinreißen.

Doch blieb ihr Hoffen vergeblich. Vielmehr lenkte man, brachte sie die Rede auf ihre Reise, vom Thema wie von leichter Verlegenheit ab, gab, sie möchte die verpfuschte Angelegenheit sich nicht zu Herzen nehmen, zu verstehen.

Bencken übertrieb den gönnerischen Ton bis ins Alberne, da er persönliche Gründe für ihn nicht hatte. Wie ihn ihr Mann einst im Anzug, ahmte er jetzt Alfons Alexander in allem Geistigen nach; war ihr darum gleichgültig und ohne allen Wert. Ihres Mannes wirk-

liche Überlegenheit aber hatte sie tiefer, als sie es für möglich gehalten hatte, getroffen. Als gekränkte Eitelkeit besänftigt war, blieb Tieferes in ihr wund. Sie konnte nicht vergessen, wie sie um sein Urteil gezittert, alles Lebendige in ihr leidenschaftlich von seinem Spruch abgehangen hatte.
Mit dem Hut, sah sie, hatte seine Verdammung nicht mehr viel, alles mit ihrem Gefühl für ihn zu tun. Aus dem Ereignis stand fest, sie liebte diesen Mann mehr, als sie über tägliches Gewirr bis in ihr sechsunddreißigstes Jahr hatte ahnen können.
Je gewisser sie wurde, um so besser begriff sie ihres Lebens letzte Möglichkeit, aus neuem Aufschwung nach des Mannes Kern für sich zu greifen. Zugleich spürte sie dieser Liebe ungeheure gesellschaftliche Albernheit, schämte sich in erzogenem Bewußtsein.
Wußte nicht, wie sie ihm andeuten könnte, ohne daß notwendig Alfons zürnte. Scheu folgte sie seinen tadellosen Gesten, fand vor so viel Haltung den Gedanken an simple Liebesworte peinlich und fatal. Der mit Bewußtsein getragenen weltmännischen Würde konnte sie nicht mit Gefühlen, die jedes Mädchen seinem Proleten sagte, kommen. Doch war Leidenschaft in ihr so groß, daß sie nur Mittel suchte, ihrem Mann mit des besten Tons Allure beizubringen, wie sie ihn über sich selbst hinaus liebte. So, daß es ihn gesellschaftlich nicht zu genieren brauchte.
Jähem Entschluß, mystischem Instinkt mißtraute sie. Zu schlimme Erfahrungen hatte sie bei des Hutes Kauf damit gemacht. Fühlte, Größeres stand auf dem Spiel. Angestrengter Vernunft durchdrang sie den Stoff, prüfte Wahrscheinliches ohne Voreingenommenheit aus des Gatten Seele, täuschte sich nicht über seine Natur, fälschte nichts Wesentliches. Sie war wie der Dichter vor ihm, der demütig, ohne an Wirklichkeit zu wischen, den Helden aus ihm selbst aufbaut, bis zu der

Handlung reiner Führung und befreiendem Schluß alles aus Elementen bereit ist.

Als ihres Schicksals Atmosphäre sie durchsichtig umstand, lag sie nach festlichem, glänzend geglücktem Abendessen bei ihm in Weinlaune im Bett, so daß er sich seines Gefühls nicht schämen mußte. Und als er das oft besessene Weib reizend fand, zog Glanz in ihren Blicken, neues Feuer ihn an.

Er beugte sich zu und ihm schien, ein Geheimnis schleierte das lockende Fleisch ein. Wissen um eine Köstlichkeit kleidete sie und machte sie rar. Exotisches Aroma, das ihn erfrischte, ihm zu Kopf stieg, schien sie zu haben. Kein Weib hätte er in diesen Augenblicken vorgezogen.

Noch sank er hin, und seltener duftete sie. Nun witterte er deutlich die Fremdlingin, ein Unberührtes, das ihn quälte, es mit Wollust zu tilgen.

Sie aber sprüht in Kissen mit Kichern und Silben, aus denen er nichts erriet, die ihn dichter verstrickten. Aus Blickflämmchen, winzigen Stichworten irrlichterte Paris ihn an, wie sie es wirklich bis zu dem Augenblick, wo der Hut ihre überragende Sehnsucht blieb, erlebt hatte.

Als er sie in warmem Mitleben im Schoß hielt, Wort nur noch Hauch war, fragte sie ihn mit frischem Trieb, der seine Erwartung vor Schleusen staute, wer ihr den Hut als schönsten in Paris wohl bezeichnet hätte. Und als sein Atem stand, sein Blick ekstatisch gesperrt blieb, seufzte sie, und es flatterte ihr Auge: Vanderbilt!

Später plauderte sie dem ganz Gepackten von des Amerikaners königlicher Sicherheit, vor der kein Schwanken möglich gewesen sei, sah, wie gut er sie begriff. Nun saß er aufrecht im Bett, sah zu ihren Worten ein Weilchen den Hut an, der auf des Toilettentischs Lichthaltern thronte, sprang, als sie von schlichter Gerste und Band geschwärmt hatte, aus den Kissen, trat im Hemd

zum Tisch, sagte: vielleicht! Und setzte hinzu: Bestimmt. Ganz große Klasse!
Brachte das garnierte Stroh ans Bett, stülpte es ihr auf den Kopf, und während sie blondes Haar am Hinterhaupt zurechtstrich, küßte er sie tief in die Stirn und flüsterte begeistert: er ist himmlisch! Anderen Morgens sprach sie beim Frühstück von William Houston wie vom vertrautesten Freund, entzückte den Gatten durch seelische Intimität mit dem Milliardär. Wie einen Mannequin mußte sie ihn von allen Seiten zeigen, jeder Kragenknopf, jede Bügelfalte an ihm war wichtig. Dann nachahmen, wie er ging, sprach, sich trug.
Seines Weibes vollkommene Freiheit vor dem Krösus bewunderte Alfons, verstand, welches Kompliment in der Liebe einer Frau zu ihm lag, die auf einen Großen der Welt gewirkt hatte. Sofort sah er ihre unvergleichliche Rolle allen Frauen der Stadt gegenüber ein, die mit William Houston Vanderbilts bloßer Erwähnung an die Wand gedrückt sein mußten.
Nun hatte die Reise doch den gewünschten Zweck erfüllt. Über den todschicken Hut hinaus brachte Eugenie Ruf und Bedeutung mit, die sie für ihres gemeinsamen Lebens Rest in bester Gesellschaft »settlen« mußten.
Gleich begann er die Kunde von dem mächtigen Bekannten in die Welt zu filtern, sah mit Genugtuung, wie sachlich jedermann entsprach.
Brüsk ließ er einigen Umgang, der mit Vanderbilt nicht mehr zusammenstimmte, fallen. Vor allem litt zu Bencken das Verhältnis. Der war in ein Linienregiment versetzt, kam in fortgeschrittenen Umständen nicht mehr in Betracht.
Selig war auf leichtere Art die Frau. An einem Seil hielt sie den Mann, durfte ihn mit ihrer Jahre Glut lieben. Wollte er entschlüpfen, tuschte sie einen neuen vergessenen Zug ihrer Vertrautheit zu »Willy« ins Bild.
Bald kannte Alfons durch sie des Amerikaners gesamte

Familie. Den Großpapa Cornelius, den Onkel Frederik und Tante Beß mit ihren Hunden und Katzen. Er wußte jedes Familienmitgliedes fabelhaften Vermögensanteil; alle Verwandtschaft, Goulds und Hills waren ihm persönliche Freunde. Bei Todesfällen in der erlauchten Familie trug er mit Eugenie leichte kleidsame Trauer.

Die fürchtete nicht, es möchten sich je »nach drüben« die Beziehungen erschöpfen, neuer Feuer Flamme stokken. Denn schon gab es seit geraumer Zeit zwischen ihr und dem Gatten bei jedem zärtlichen Zusammensein das stumme Frage- und Antwortspiel, das sie beide wollüstig verwirrte, den Mann zu dumpfer Raserei brachte – bis er mit jedesmal größerem Respekt vor höheren Mächten in sein Weib verging.

FRANZ BLEI
(1871–1942)

## Der treue Diener seines Herrn

Hingebung und Opfer seines treuesten Dieners Wunibald Bausbacke bis zum Harakiri zu steigern, war dem Schriftsteller Carl Sternhaft während des Abendessens mit ihm und dessen junger Frau wachsender Wunsch und überlegender Gedanke gewesen. Nun, als die kleine, rundliche Hand der Frau nach der Orange des Desserts nach vielen Gängen griff und mit einem Hundeblick der Diener den Herrn zu gestatten bat, daß die Frau ihm die Frucht schäle, da waren Wille und Gedanke in Sternhaft reif geworden zum Plan. Rücksprache mit dem Direktor des Hotels, in dessen Grillroom man speiste, nahm kaum Minute. Das Wetter, nach dem er eben Blick geworfen, sei nicht derart, und zudem es spät geworden, um der jungen Frau die kalte Wagenfahrt nach Hause zuzumuten, solches mit gleich gutmachendem Bedauern sagend, trat er zurück an den Tisch, und er hätte also Zimmer im Hotel bestellt; nicht drei leider auf der ersten Etage hätte es gegeben, sondern nur zwei, das dritte im vierten Stockwerk:
»Aber das wird Ihnen für die eine Nacht ja nichts ausmachen, mein lieber Bausbacke.«
Dieser gab entzückt Versicherungen und Dankworte, halb unter den Tisch gesprochen vor Verehrung und die umsichtige Größe des Mannes bewundernd, der eben noch tiefste Probleme deutscher und europäischer Existenz mit ihm lösend, nun auch schon solches Geringes bedachte wie kalte Füße seiner kleinen Frau, die, wie er ärgerlich merkte, wieder einmal ihr dümmstes Gesicht machte und das leichte weibliche Wort zu dem großen Sternhaft nicht fände, das doch ihr Departement

sei wie das seine, den tiefen Äußerungen des Mannes zu lauschen und sie zustimmend zu kommentieren.
Solches nun in Ordnung gebracht, und an Uhr nicht mehr gebunden, könnte man – »Kellner, die Weinkarte«, befahl Sternhaft, klemmte das Einglas ein, zeigte in manchen sachlichen Bemerkungen weniger dem wartenden Kellner als dem Ehepaar treffliche Kennerschaft in Marken, Gebinden, Jahrgängen und bestellte. Kellner flitzte ab, und Sternhaft griff, ganz Weltmann und behaglich tuend nun, die auf dem Tisch ruhende Hand der Frau und äußerte Zufriedenheit mit der getroffenen Anordnung, da man noch ein Weilchen beisammenbleiben könne. Wunibald Bausbacke, Verfasser des Buches ›Die Pferde sind gesattelt – im deutschen Lustspiel von Christian Felix Weiße bis Carl Sternhaft‹, hatte bereits mehr getrunken, als er vertrug, hastig, da er es nicht gewohnt war, und aufgeregt von der Tatsache, daß er, Bausbacke samt Frau, hier in diesem ersten und teuersten Lokale der Stadt, gesehen von der besten Welt, mit ihm, dem derzeit und bekannt größten deutschen Dramatiker, an einem Tisch sitze, speise, rede. Gewiß sei er, Bausbacke, ja der eminente Kritiker und Literaturhistoriker, und man würde von ihm ja schon noch was erleben. Trotzdem ein Ereignis. Und nun auch noch dieses Übernachten unter dem gleichen Dache mit ihm, von ihm eingeladen – das gab Perspektiven einer geistigen Untrennbarkeit, einer Intimität auf Höhen der Menschheit, ungeahnt. Und Bausbacke leerte ein Glas Burgunder, als wäre es die rasch hinunter gespülte Tasse Tee des Morgens, bevor er auf die Bibliothek ging. Über dem etwas fahlen Gesichte, auf dem nur die Nase wie ein Knöpfchen aus Perlmutt glänzte, stand Haar strohgelb in verschieden starken, etwas verklebten Büscheln lächerlich. Doch versuchte, wenn auch erfolglos, solches Outsidertum des jungen Gelehrten korrektest im neuesten Schnitt

und Schmiß gebauter modefarbiger Anzug wieder ins Gleis und den ganzen Mann in die Welt, die sich nicht langweilt, zu bringen. Verbeult stand die linke Manschette zu weit ab als allzu enger Behälter eines Nastuches, mehr vom Format für eine geräumige Tasche. Mißglückter Versuch mit einem Monokel, nachmittags angestellt, hatte für das Tuch im Ärmel entschieden als de rigueur im Grillroom und in Gesellschaft des großen Mannes.

Frau Hanna, wie sie hieß, oder Anais, wie sie von ihrem seit vier Monaten geehelichten Manne Wunibald genannt wurde in den gehobeneren Momenten des Daseins – das Gemeine des Alltags wurde von ihm kurzweg mit Hanna besprochen –, Frau Anais war wie immer in Gesellschaft bedeutender und bestaunter Männer vollauf damit beschäftigt, nicht zu vergessen, ihr Mündchen zu beachten, daß dessen Lippen sich schlossen. Diese zwei winzigen Rosenblättchen hatten die Neigung ihrer Abneigung voreinander, so daß das pfennigrunde Mäulchen immer leicht offen stand, was zusammen mit den kugelrunden Augen geeignet war, Anais als eine rechte Hanne zu denunzieren mit ihrem allerliebsten zierlichen Schafsgesichtchen. Aus einem einfachen Jungmädchen-Dasein kleinbürgerlicher und provinzieller Färbung durch ihre Heirat in den ständigen Wind schöngeistiger Betriebsamkeit gekommen, tat sie ihr möglichstes, das Hütchen auf dem zierlichen Kopfe zu behalten, strengte sich über ihre Kraft an, zu kapieren, worum man da redete; aber es blieb meist dabei, daß sie verkrampft dachte, sie müsse sich was denken. Von welcher Anstrengung sie immer wieder in ihr Vertrautes glitt, indem ihr etwa einfiel, ein gesehenes Möbelstück würde gut ins Eßzimmer passen, oder ob Frieda der, mit dem sie jetzt ginge, heiraten würde, oder daß Wunibald doch furchtbar gescheit sei, und was derlei mehr. Fiel ihr auch solches nicht ein, sah sie wie jetzt aufmerksam einer Fliege zu, die sich auf dem Streuzucker zu schaffen machte, während sie ihrem Gesichte den Zug größter Aufmerksamkeit gab, um damit Beteiligung an der geistigen Turnerei der beiden Männer auszudrücken. Glücklich war sie, ergab sich aus Tonfall und Lachen der Männer Meinung zu einer Sache deutlicher, wie dann zuweilen, wenn der Name irgendeines von ihnen nicht geachteten Kollegen, etwa Goethens, fiel. Denn da konnte sie ja schnell ein wenig ihr Näschen verziehen und wegwerfend den verfemten Namen wiederholen: Das brachte sie mühelos au pair und rechtfertigte sie als Schriftstellersgattin. Lieber war ihr statt bloßen Zusammensitzens, daß man lange und ausführlich aß. Einmal, weil sie das gern tat, und dann war es eine Beschäftigung, die Aufmerksamkeit verlangte, von der an geistvolle Gespräche was abzugeben nicht nötig war, um gefällige Anwesenheit bemerklich zu machen. Da paßte es dazu ebensogut, entzückt von der Kalbskotelette und der Bechamelsauce zu sprechen, zumal Sternhaft als ein Schlecker, der er war, in solches Entzücken, wenn auch kritischer, einstimmte.

Nun gab die Eröffnung, daß man im Hotel übernachten würde, dem Denken der Frau Anais Inhalt und Richtung. Sie sagte, daß sie es reizend finde. Das Arrangement mit den zwei Zimmern unten, dem einen Zimmer vier Stockwerke höher, in einigen der Möglichkeiten auszudenken, dazu brauchte sie eine kleine Weile, um, als sie es begriffen hatte, das Mündchen offen zu lassen, wie es wollte. Denn sie bekam eine vage Vorstellung ins Gefühl der Haut, die ihr etwas zu prickeln begann, aber zu einem Gedanken diese Vorstellung zu bringen, versagte die Kraft. Oder war es der Wein und Wohlbehagen nach dem vielen guten Essen, das im Wege stand. Das Mäulchen ging dann in ein kleines Lächeln etwas auseinander und behielt es. Daß sie seit einer Minute Sternhafts Knie an ihrem spürte, wurde

ihr nun bewußt, und sie empfand das Bedürfnis, ein zärtliches Gefühl, das in ihr für Wunibald aufkam, diesem zu zeigen. Wozu sie ihr Glas ergriff und an das seine stieß, der ihren verschwimmenden Blick mit einem Auge beantwortete, das, auf Entfernungen nicht mehr ganz richtig einzustellen fähig, um einige Linien an ihr vorbeisah. Er schluckte kennerhaft tuend den Wein, um hier auf der Höhe des Gastgebers zu sein, der, Rothschild und dessen Weinagent in einer Person, ihm zuschnalzte: »Ein Tröpfchen das, was, Freundchen?« Worauf Wunibald, als ob er damit bestätigen müßte, sein Glas leertrank in einem Zuge. Inzwischen wurde das Knie an ihrem schäkernd intimer, und sie drückte leise wieder, wie sie meinte, hielt aber nur fest stand, wich nicht aus.
Es war Mitternacht, als man sich als die längst letzten Gäste erhob und durch den Korridor in die Halle schritt. Anais in Wunibald gehängt und Sternhaft knapp hinterdrein. Der Aufzug sei der späten Stunde wegen bereits außer Betrieb gesetzt, sagte der Portier, als er Sternhaft die drei Schlüssel überreichte, je zwei und einen. Nummer 17 und 18 und Nummer 112. Die Nummer 112 drückte der berühmte Schriftsteller seinem Panegyriker zusamt dem Gutenachtwunsch in die Hand, während Anais ›meinem Wuni‹ einen Kuß auf die Backe gab, mit den kleinen Zähnen nachhelfend, denn wieder spürte sie die Welle zärtlichster Liebe zu ihm über sie wegspülen und das Bedürfnis, ihn solches merken zu lassen. Carl Sternhaft fühlte die Notwendigkeit einer Umschaltung in den Fingerspitzen, sollte nicht im letzten Augenblick zu lächerlicher Szene werden, was er als das Schauspiel höchsten Triumphes arrangiert hatte. Er sagte daher, den Ton übersteigernd und mit der Wichtigkeit eines Mannes, der erklärt, es sei nun genug gescherzt und der Ernst des Lebens trete in seine Rechte: »Überdenken Sie Gesprochenes, Lieber!

Zeit steht fordernd, und wir haben der Antwort Definitives. Kampf der Metapher! Pardon wird nicht gegeben!«
Es hatte keinerlei Sinn in Verbindung zu Gesprochenem, das einerseits aus Klatsch, anderseits aus Versicherungen Sternhafts über seine eigene Bedeutung bestanden hatte, aber der große Schriftsteller war längst überzeugt, daß diese ihm selber etwas unklaren napoleonisch geschmetterten Dikta Ispirationen seines Daimon seien und nichts, als eben von sich zu geben.
»Wird nicht gegeben«, echote Wunibald Bausbacke, von Gefühlen großartiger Ungewöhnlichkeit ergriffen und unterstützt darin von einem ganz simplen kleinen Rausche, und war der festen Gewißheit, in diesem Satze die Lösung des Welträtsels zu besitzen und auszusprechen. Im Schwung solchen Zustands nahm er drei Treppenstufen und noch drei, um aber darauf Stufe um Stufe, auf das Geländer sich stützend, in das vierte Stockwerk hinaufzuklimmen, wodurch er unserm Blick und aus dieser Geschichte entschwindet. Er soll, so geht ein Gerücht, im Halbschlaf erbrochen und darauf bis in den nächsten Nachmittag fest geschlafen haben.
Sternhaft hatte Frau Anais nah bei der Achsel unter den Arm genommen und führte sie ins erste Stockwerk. Hier ärgerte sie sich ein wenig über die gar geringe Beleuchtung der Gänge, denn es konnte deshalb Sternhaft nicht sehen, daß sie die Augen geschlossen hätte, sich führen ließe wie eine vor dem Schicksal ergebene Blinde. Sie hatte das Gefühl, das Gesicht, das sie gerade mache, stünde ihr einerseits reizend, andererseits drücke es ohne große Mühe etwas aus, wofür ihr das Wort romantisch einfiel, sie wußte nicht warum.
Aber da stand man schon in Zimmer Nummer 17. Und hier bekam sie etwas Ohrensausen, so daß sie nur undeutlich, was Sternhaft sagte, hörte, der sie nun durch

die Verbindungstüre nach dem Zimmer Nummer 18 führte und entschied, das sei als das größere das ihre. Ob es ihr nicht zu heiß sei, und er die Heizung abstellen solle? Da platzte das Sausen, und sie hatte sich wieder bei sich, sagte, es sei sehr behaglich warm, ging in raschem Schritt hierhin, dorthin, warf die Handschuhe auf den Tisch, den Beutel in ein Fauteuil, knipste mehr Licht auf, nun ganz, da das Romantische im Korridor mangels Licht durchgefallen war, mondäne Sicherheit und Zuhause betonend. Irgend in einem Winkel in ihr krabbelte ein kleines Unbehagen wie ein Käfer in der geschlossenen Hand. Sie lachte auf, wie um es wegzuscheuchen, ganz laut, ohne äußern Anlaß lachte sie und brach plötzlich ab, weil ihr einfiel, Sternhaft könnte es dem Weine zuschreiben. Nun stand sie an den ovalen Tisch gelehnt und streckte ihm die Hand hin: »Gute Nacht!« Er nahm die Hand, zog sie daran näher, tat, als schaute er ihr den Rücken hinunter. Dann, ob er ihr als Zofe dienen könne, es sei rückwärts geknöpft. Nein, das träfe sie ganz alleine. »Dann also...« sagte Sternhaft, machte die Augen, die das Weitere sagen sollten, und beugte sich zum Kusse über die Hand, küßte sie lang und auf der Innenfläche. Und ging.

Carl Sternhaft schritt durch die Verbindungstür in sein Zimmer, drückte sie zu und blieb lauschend davor stehen. Er wartete und wartete darauf, daß sie den Riegel vorschöbe. Den Schlüssel hatte er zu sich genommen. Mit dem Fuß zog er nahstehenden Stuhl an sich, setzte sich vorsichtig, beide Ohren im Nebenzimmer, wo er, Schritte dämpfte der dicke Teppich völlig, leises Geräusch vernahm: Kleider lösen sich, Wasser rauschte in die Schüssel, ein Plätschern. Sternhaft begann sich die Schuhe aufzuknöpfen. Kam dem Schlüsselloch nah, schaute, sah nichts als gleichgültige Gegenstände des Zimmers in rötlichem Halbdunkel der unsichtbaren Lampe vom Bette her: Anais hatte die Deckenbeleuch-

tung gelöscht. Sternhaft steckte seine Augen in seine Ohren. Da war Geräusch wie von einem, der sich auf den Bettrand setzt. Sie wird ihr Haar aufstecken, dachte Sternhaft. Nun hörte er Geräusch des Bettes. Sie hatte sich gelegt. Das Licht brannte weiter auf dem Nachttisch, wie er sich nach einer Weile durch das Schlüsselloch überzeugte. Geärgert ließ er den Stiefel fallen. Wäre es Vergeßlichkeit, daß sie den Riegel nicht vorgeschoben hatte? Dummheit? Oder, und dies war Sternhaft das Unangenehme, allzu großes Entgegenkommen der dummen Pute? Sein Appetit nach dieser kleinen Person war nicht stark genug, als daß er, ihn zu reizen, auf Widerstand hätte verzichten können. Der Kampf um die Tür wäre ihm, das fühlte er geärgert, nötig gewesen. Und nun legte sich diese kindische Person einfach auf den Rücken, wartend...
Die kindische Person aber war vor Müdigkeit eingeschlafen, und das war so rasch über sie gekommen, daß sie nicht einmal die kleine Lampe ausgeknipst hatte, die auf dem Bettisch stand. Kaum, daß sie sich mit gestreckten Gliedern zurechtgelegt hatte, um die Situation, ja bloß die angenehme Kühle des Linnens zu genießen, zog man ihr das Brett weg, daß sie mit einem Ruck in das schwarze Loch des Schlafes fiel.
Carl Sternhaft setzte seine Stiefel vor die Tür. Legte dann, was er in den Taschen trug, auf den Tisch und zog den Rock aus. Wusch sich, spülte den Mund. Er dachte, schlafen wäre eigentlich das beste. Sorgfältig legte er die Hose in ihre Falten und über einen Stuhl. Gestern hatte er dem Reisenden Simpson and Simpson, London, New Bondstreet, der nur ihn und den Fürsten Thurn und Taxis in Deutschland belieferte, neben andern Dingen ein weichselrotes mit Schwarz ausgeputztes Pyjama abgekauft. Jetzt vermißte er dieses Kleidungsstück außerordentlich, denn mehr als ein solches wäre es unzweifelhaft für die Nachbarin gewesen. Er

streckte ein Bein, um seidenes hellrosafarbenes Unterbeinkleid, stramm über Schenkel prallend, zu begutachten, und die Halbstrümpfe in etwas mehr fleischiger Farbe. Er entfernte, als zu entkleidet wirkend, die Halter von den Socken. Pumps sollte man hier haben. Vor dem Spiegel band er besser den schwarzen Schlips, glättete das Hemd, zog es straff in das Trikot, daß nichts bauschte. Dann machte er »Tja!« und klemmte das Glas. Aber es hielt nicht. Er war zu müde. Und warf sich aufs Bett.
Genuß, den er von Anais als deren zweites Manneserlebnis erwartete, war das geringste, das ihn wachhielt. Das wäre nur ein unterwegs Mitgenommenes im Sturm auf das Ziel. Wahrscheinlich kaum der Rede wert. Widerstandslos in ein vom Zufall, wie sie es nennen würde, Gefügtes sich faltend, könnte es darin ohne Rest aufgehen und wäre also ergebnislos und so gut wie nicht geschehen. Und Sternhafts Lust zur Frau war immer gewesen, Ereignis zu bedeuten, nicht galant bedienender Liebhaber im Spenden und Nehmen sinnlicher Freuden, naiv glücklich und beglückend. Viele Jahrzehnte zurück lag festigendes Erlebnis solcher Haltung, und mannigfach waren seitdem deren Variationen gewesen. Jenes bleichsüchtige Mädchen drängte sich im Schrecken zur Tür, als der damals noch nicht große Schriftsteller ihm olympisch befahl, vor ihn hinzuknien und ihn anzubeten als den Gott, und stürzte, als es die Tür verschlossen fand, ans Fenster und sprang auf die Straße, wo es mit gebrochenen Beinen liegen blieb. Sternhaft mußte sich damals für vier Monate in ein Sanatorium flüchten, um gerichtlichen Unannehmlichkeiten zu entgehen, und mußte da, um seine Anwesenheit zu rechtfertigen, seiner Praxis mit jenem Mädchen so was wie ein System und Theorie geben, was wieder dem Anstaltsarzt den besonderen Fall gab, in welchem Karussell Patient und Arzt vier Monate

lang herumfuhren, – als sie ausstiegen, glaubte der Arzt an seinen Heilerfolg, Sternhaft an seine Theorie. Aber er verzichtete doch in seinem weiteren Liebesleben auf so gewaltige Probe seiner Personswirkung und begnügte sich, jenen Sprung aus dem Fenster nur als ein Beispiel seiner intensiven Gefühle zu erzählen. Zumal es mit wachsender Bekanntheit des Theaterschriftstellers genügte, solche in allen ihren Weiten und Tiefen dem jeweiligen Mädchen gehörig zu explizieren, um ganz willenlosen Respekt zu erreichen. Als sich auch dies müde lief, indem die Bekanntheit dem Ruhme Platz machte und zu viele andere Leute über ihn redeten, als daß er selber es noch nötig gehabt hätte, versuchte es Sternhaft wieder damit, durch Erzählung erfundener erotischer Erfolge als bloßes Ergebnis seines Ruhmes gewünschte Wirkung zu erreichen: Erschütterung, wie er es nannte. So bedeutete er einer jungen Frau, in dem Hotelzimmer, in dem er sie empfange, habe er die Nacht vor acht Tagen mit der Fürstin L. verbracht. Die Frau war aber zu dumm gewesen, die ihr erteilte Bedeutung, unmittelbare Zimmer- und Bettnachfolgerin einer Fürstin zu sein, zu begreifen, und hatte gelacht.

Sternhaft hatte solche Mißerfolge seines Systems in der letzten Zeit öfter und zunehmend erfahren, was ihm um so peinlicher war, als ihn mit den zunehmenden Jahren – er ging an die Fünfzig – auch die natürlichen Wirkungsmittel des Mannes allmählich zu verlassen begannen. Scheitel lichtete sich bedenklich, vier falsche Zähne hielt eine Goldplatte, und dem wortreichen Elan, den er seinem Vorher gab, war im Nachher nur mit größter Anstrengung so etwas wie Balance zu geben. Das alles war deutlich genug, selbst für ihn, der zur Maske erstarrt war, die nun da und dort abzubröckeln begann. Und die fahle Haut trüber Gedanken kam ans Licht und juckte ihn. Er suchte Ausweg aus bedrängendem Gewissen, Standpunkt in irgend Sittlichem, das ihn rechtfertige nicht nur, sondern billige und zu scheinbar unsittlichem Mittel das mache, was er tue, um höchsten sittlichen Zweck zu erreichen. Solcher schien ihm ganz in seiner Literatur gegeben: Sie und ihre ganz einzigartige Bedeutung verlange jedes Opfer von ihm, auch das seiner Moral, ja das seiner ewigen Seele, wenn es sein müsse. Als Diener meines Werkes bin ich nicht Herr meines Tuns: so war sein ihn betäubender Schluß. Er lag auf dem Bette, verfiebert in hitzigen Schemen dessen, was er Gedanken nannte, und bohrte in der Nase.

Frau Anais erwachte traumbedrängt an ganz ausgetrocknetem Halse und brennendem Durst. Sie glaubte, nur gerade ein Auge zugemacht zu haben. Leise erhob sie sich und ging an den Waschtisch. Da trank sie aus der Flasche, das Geräusch ins Glas gegossenen Wassers zu vermeiden. Schlaf war ganz weg, nur von einem Traume mochte etwas geblieben sein, daß sie so ihren Körper spürte, der ihr eben noch im Traum nicht gehört hatte und der nun wie zu ihr zurückgekehrt war; und in vertrauter Fremdheit dazu fuhren ihre Hände über Brust und Hüften. Ein angenehmes Erschrecken schauerte sie, als ihr, aus Weibtum, Wärme, Lektüre der Einfall kam, zur Tür zu gehen, sie zu öffnen, in Sternhafts Schlafzimmer zu treten. Wunibald wird es, erzähl' ich es ihm, großartig finden, auf der Höhe! Er wird vor ihr auf die Knie stürzen! Nie hätte er solche Größe der Leidenschaft von seiner Anais erwartet. Und sie machte eine Bewegung, als ob sie mit beiden Armen Wunibald aus der Knielage höbe. Ja, da stünde sie in Sternhafts Zimmer. Weiter konnte sie ihre Rolle nicht denken. Aber es würde eben Sternhaft auf sie zueilen und »Geliebte«! ausrufen oder so etwas, und sie würde in der stummen Größe ihrer Leidenschaft, ihrer Tat, Worte nicht nötig haben. Die beiden Männer sprächen doch immer von der Geste. Ja, das sei es, sie habe eben die Geste.

Frau Anais würde nie in ihrem Leben und unter keinen Umständen zugegeben haben, daß sie sich im Genuß ihres Einfalls schon völlig verausgabt hatte und jetzt, wo sie leise an die Türe schlich, gar nicht daran dachte, diese zu öffnen und einzutreten. Sie kauerte hin und guckte durchs Schlüsselloch. Im günstiger arrangierten Zimmer erblickte sie das Bett und darauf liegend im vollen Lichte aller Lampen des Raumes Carl Sternhaft, wie er in seiner Nase bohrte. Wie selber bei solcher Beschäftigung ertappt, nahm sie ihren Blick gleich weg, ließ ihn über den übrigen Mann gleiten und konstatierte, daß er jedenfalls ausgezogen sei. Da platzte ihr das Strumpfband und, erschreckt davon, glaubend, es müsse das auch für Sternhaft ein deutlich vernommenes Geräusch hervorgerufen haben, ließ sich Anais nach rückwärts auf den Teppich sinken und kroch, so rasch sie, ohne sich gehört zu glauben, konnte, auf allen vieren zum Bett, stieg hinein und spürte ihr Herz klopfen. Vorsichtig zog sie sich die Strümpfe ab.

Er warte also, dachte sie. Erwarte er sie? dachte sie. Nicht ausgeführt zu haben, was sie gerade gewollt hatte, dessen gab sie Grund, daß sie Carl Sternhaft in einer Weise beschäftigt gesehen habe, die nicht erwarten ließ, daß er a tempo in ihre große Geste einstimmen würde. Er hat sich um etwas Schönes gebracht, bedauerte sie ihn, er hat sich um etwas großes Erlebtes gebracht. Es sind die Männer, die uns im Stich lassen.

Aber als sie etwa eine Stunde später Sternhaft erzählte, daß er ihr zuvorgekommen sei und sie es sich so herrlich gedacht habe, zu ihm zu kommen, was sie gerade hätte tun wollen, als er eintrat, da glaubte sie solches durchaus und hatte vergessen, wie sie den Geliebten durch das Schlüsselloch gesehen hatte. Doch ich eile der Geschichte voraus und will nur, um diese Episode zu schließen, sagen, daß Anais mit ihrem Geständnis weiter keinen Eindruck auf den Theaterschriftsteller machte, er ihr aber versicherte, sie sei eine grande amoureuse, womit sie mehr als zufrieden war.

Carl Sternhafts Gedanken wurden bestimmter, als sie sich nun mit dem eigentlichen Gegenstand dieses ganzen Abenteuers beschäftigten, mit diesem flachen Hirn Bausbacke, wie er ihn bei sich nannte. Da kröche dieser Literat um ihn herum, be-eckermanne ihn und bringe dann nichts weiter zustande als dieses Werk von den gesattelten Pferden, das eine schlechte Presse gehabt habe. Und was gebe er sich Mühe, diesem leeren Kopfe Genius einzublasen und höheres Begreifen von Sternhafts Weltmission! Aber eben da hapere es! Dem Burschen fehle der Blick für die großen Zusammenhänge. Der liege beim Weibchen und mache dann am Schreibtisch erlebnisstumpfe Bureauarbeit. Dem Kerle müsse eben noch ganz anders eingetrichtert werden! Leben, Erschütterung, Konflikt, Aufwühlendes: Das sei es, was der blonde Junge brauche, um Mann zu werden. Das habe eben nichts hinter sich als Lektüre und kapiere seine eigene Trine nicht.

Ging's um Dinge, die Sternhafts Fortkommen und Bedeutung betrafen, verstand er sich auf die Realitäten dieses Daseins wie ein Geldverleiher, sah ihnen kalt ins Auge, zog seine harten Schlüsse und machte sich nicht das mindeste vor. Da war er von einer Präzision wie in seinen Geldgeschäften: Die Dinge mußten klappen wie eine Bankabrechnung. Er wußte: Bausbacke würde, spräche Anais nicht von selber, sie fragen. Sagt sie, sie hätte die Nacht geschlafen, wird er es nicht glauben und nicht glauben wollen, als durch das von Sternhaft nicht beachtete Weib in seiner Ehre getroffen. Zudem würde sich die Sache mit dem Übernachten herumsprechen, und der glatte Anschein sei für Ehebruch, was auch die Beteiligten andres sagen mögen. Und

Sternhaft schloß weiter. Bliebe er hier liegen, schliefe hier in den Morgen, früher oder später würde Bausbacke erkennen, daß seine Frau die Wahrheit gesprochen habe, als sie den Ehebruch leugnete. Dann verlöre er den darob geärgerten Eckermann, denn alle Welt hielte ihn für einen Hahnrei und seine Frau für eine dürftige, weiblich unbemittelte Person: Davon trage die Kosten ich, sagte sich der Schriftsteller, unbekümmert darum, was die Frau dabei trüge. Ginge er aber hinüber zu Anais, wird einzige Wichtigkeit, daß es bei dieser Nacht sein Bewenden und die zum großen Erlebnis verpflichtete Erschütterung nur dann zur Folge habe, wenn es als scharlachner Rausch Einzigkeit des Faktums behalte und sich nicht in triviale Wochen und Monate eines lächerlichen Liebesverhältnisses verbreite. Hierin traute Sternhaft seiner erprobten Geschicklichkeit, daß in gelegentlichen notwendigen oder auch gerade angenehmen Vertraulichkeiten gröberer Art die geschraubte Ekstase der einen Nacht ohne Gefühligkeiten und sonstige größere Auslagen verkümmere. Und ganz aus seiner Natur heraus, auf die der armseligste Teufel bei der Schöpfung seinen Schwanz gelegt hatte, fand es Sternhaft nicht ohne Witz, daß vielleicht nach dieser Nacht dieser gute Bausbacke Anlaß haben könnte, sich nicht nur um Carl Sternhafts geistige Kinder zu sorgen.
Dieser Spaß schnellte ihn aus dem Bette. Als ob er nur gerade rasch wohin müßte, ging er zur Tür, öffnete sie, stand in Anais' Zimmer. Da löschte sie das Licht und hörte nur seine Worte: »Mein blonder Traum, daß ich dich halte.«
Und dann ganz nah an ihrem Bette:
»Die Nacht rauscht, Anais. Das Blut rauscht.«
Die Kriegswirren und deren Folgen auf allen Gebieten, also auch auf denen des Hotelwesens, erklären es, daß selbst in diesem ersten Hotel der Stadt, dem ›Hohen-

zollernhof‹, ein Wanze sich befand. In dem haardünnen Spalt zwischen Tür und Schwelle, welche Nummer 17 und Nummer 18 gemeinsam hatten, war das flache braune Scheibchen auf der Lauer gelegen, all die Zeit wartend, in welchem der beiden Zimmer ihm mit dem Signal des gelöschten Lichtes der Tisch gedeckt wäre. Wie ein Hündchen seinem Herrn, so lief das kluge Tierchen Herrn Carl Sternhaft in Anais' Zimmer nach, – besäße es durch Gottes Willen ein solches, es hätte mit dem Schweifchen gewedelt.

KURT TUCHOLSKY
(1890–1935)

# Hitler und Goethe

Ein Schulaufsatz

*Einleitung*

Wenn wir das deutsche Volk und seine Geschichte überblicken, so bieten sich uns vorzugsweise zwei Helden dar, die seine Geschicke gelenkt haben, weil einer von ihnen hundert Jahre tot ist. Der andre lebt. Wie es wäre, wenn es umgekehrt wäre, soll hier nicht untersucht werden, weil wir das nicht auf haben. Daher scheint es uns wichtig und beachtenswert, wenn wir zwischen dem mausetoten Goethe und dem mauselebendigen Hitler einen Vergleich langziehn.

*Erklärung*

Um Goethe zu erklären, braucht man nur darauf hinzuweisen, daß derselbe kein Patriot gewesen ist. Er hat für die Nöte Napoleons niemals einen Sinn gehabt und hat gesagt, ihr werdet ihn doch nicht besiegen, dieser Mann ist euch zu groß. Das ist aber nicht wahr. Napoleon war auch nicht der größte Deutsche, der größte Deutsche ist Hitler. Um das zu erklären, braucht man nur darauf hinzuweisen, daß Hitler beinah die Schlacht von Tannenberg gewonnen hat, er war bloß nicht dabei. Hitler ist schon seit langen Monaten deutscher Spießbürger und will das Privateigentum abschaffen, weil es jüdisch ist. Das was nicht jüdisch ist, ist schaffendes Eigentum und wird nicht abgeschaffen. Die Par-

tei Goethes war viel kleiner wie die Partei Hitlers.
Goethe ist nicht knorke.

*Begründung*

Goethes Werke heißen der Faust, Egmont erster und
zweiter Teil, Werthers Wahlverwandtschaften und die
Piccolomini. Goethe ist ein Marxstein des deutschen
Volkes, auf den wir stolz sein können und um welchen
uns die andern beneiden. Noch mehr beneiden sie uns
aber um Adolf Hitler. Hitler zerfällt in 3 Teile: in einen
legalen, in einen wirklichen und in Goebbels, welcher
bei ihm die Stelle u. a. des Mundes vertritt. Goethe hat
niemals sein Leben aufs Spiel gesetzt; Hitler aber hat
dasselbe auf dasselbe gesetzt. Goethe war ein großer
Deutscher. Zeppelin war der größte Deutsche. Hitler ist
überhaupt der allergrößte Deutsche.

*Gegensatz*

Hitler und Goethe stehen in einem gewissen Gegensatz. Während Goethe sich mehr einer schriftstellerischen Tätigkeit hingab, aber in den Freiheitskriegen im Gegensatz zu Theodor Körner versagte, hat Hitler uns gelehrt, was es heißt, Schriftsteller und zugleich Führer einer Millionenpartei zu sein, welche eine Millionenpartei ist. Goethe war Geheim, Hitler Regierungsrat. Goethes Wirken ergoß sich nicht nur auf das Dasein der Menschen, sondern erstreckte sich auch ins kosmetische. Hitler dagegen ist Gegner der materialistischen Weltordnung und wird diese bei seiner Machtübergreifung abschaffen sowie auch den verlorenen Krieg, die Arbeitslosigkeit und das schlechte Wetter. Goethe hatte mehrere Liebesverhältnisse mit Frau von Stein, Frau von Sesenheim und Charlotte Puff. Hitler dagegen trinkt nur Selterwasser und raucht außer den Zigarren, die er seinen Unterführern verpaßt, gar nicht.

*Gleichnis*

Zwischen Hitler und von Goethe bestehen aber auch ausgleichende Berührungspunkte. Beide haben in Weimar gewohnt, beide sind Schriftsteller und beide sind sehr um das deutsche Volk besorgt, um welches uns die andern Völkern so beneiden. Auch hatten beide einen gewissen Erfolg, wenn auch der Erfolg Hitlers viel größer ist. Wenn wir zur Macht gelangen, schaffen wir Goethe ab.

*Beispiel*

Wie sehr Hitler Goethe überragt, soll in folgendem an einem Beispiel begründet werden. Als Hitler in unsrer Stadt war, habe ich ihn mit mehrern andern Hitlerjungens begrüßt. Der Osaf hat gesagt, ihr seid die deutsche Jugend, und er wird seine Hand auf euern Scheitel legen. Daher habe ich mir für diesen Tag einen Scheitel gemacht. Als wir in die große Halle kamen, waren alle Plätze, die besetzt waren, total ausverkauft und die Musik hat gespielt, und wir haben mit Blumen dagestanden, weil wir die deutsche Jugend sind. Und da ist plötzlich der Führer gekommen. Er hat einen Bart wie Chaplin, aber lange nicht so komisch. Uns war sehr feierlich zu Mute, und ich bin vorgetreten und habe gesagt Heil. Da haben die andern auch gesagt heil und Hitler hat uns die Hand auf jeden Scheitel gelegt und hinten hat einer gerufen stillstehn! weil es fotografiert wurde. Da haben wir ganz still gestanden und der Führer Hitler hat während der Fotografie gelächelt. Dieses war ein unvergeßlicher Augenblick fürs ganze Leben und daher ist Hitler viel größer als von Goethe.

### Beleg

Goethe war kein gesunder Mittelstand. Hitler fordert für alle SA und SS die Freiheit der Straße sowie daß alles ganz anders wird. Das bestimmen wir! Goethe als solcher ist hinreichend durch seine Werke belegt, Hitler als solcher aber schafft uns Brot und Freiheit, während Goethe höchstens lyrische Gedichte gemacht hat, die wir als Hitlerjugend ablehnen, während Hitler eine Millionenpartei ist. Als Beleg dient ferner, daß Goethe kein nordischer Mensch war, sondern egal nach Italien fuhr und seine Devisen ins Ausland verschob. Hitler aber bezieht überhaupt kein Einkommen, sondern die Industrie setzt dauernd zu.

### Schluß

Wir haben also gesehn, daß zwischen Hitler und Goethe ein Vergleich sehr zu Ungunsten des letzteren ausfällt, welcher keine Millionenpartei ist. Daher machen wir Goethe nicht mit. Seine letzten Worte waren mehr Licht, aber das bestimmen wir! Ob einer größer war von Schiller oder Goethe, wird nur Hitler entscheiden und das deutsche Volk kann froh sein, daß es nicht zwei solcher Kerle hat!
Deutschlanderwache
judaverreckehitlerwirdreichspräsident
dasbestimmenwir!

*Sehr gut!*

## KARL KRAUS
(1874–1936)

Mir fällt zu Hitler nichts ein.

WOLFDIETRICH SCHNURRE
(geb. 1920)

## Der Ausmarsch

Um sechs traten sie an.
War noch dunkel.
Sie stellten sich vor der Kiste auf. Über die Kiste war eine Fahne gebreitet. Auf der Fahne stand ein Kruzifix. Neben dem Kruzifix lag ein Buch.
Scheinwerfer brannten.
Sie rieben sich die Augen und blinzelten. Ein paar hatten sich aneinandergelehnt und schliefen im Stehn weiter.
Die Gewehre hielten sie in der Hand; sie hatten noch nicht gelernt, sie zusammenzusetzen.
Draußen, vorm Tor, standen die Mütter; schweigend.
Der Posten ging auf und ab. Sein Stahlhelm glänzte.
Es nieselte sanft. Nebel stand auf den Höfen.
In der Kaserne war Licht. Die Unteroffiziere liefen durch die Gänge und holten die Nachzügler aus den Stuben. Verschlafen, in der einen Hand das Gewehr, in der andern ihre Teddybären und Puppen, taumelten sie die Treppen herunter.
»Los, los!« rief der Feldwebel. Er war alt.
Sie fingen an zu laufen.
»Abzählen!« rief der Feldwebel.
Wie ein Xylophonhammer lief der Befehl durch die Reihen; es war, als ob er an Weingläser schlüge, so zart klangen die Stimmen.
»Na?« rief der Feldwebel.
Das Abzählen stockte.
»Wir sind erst vier«, sagte eins; »wir können noch nicht zählen.«
»Dacht ich mir doch«, sagte der Feldwebel. Zog seinen Bleistift. Lief die Reihen ab. Zählte selbst.

»Häng deine Gasmaske richtig«, sagte er.
Hinterm Podium strahlte aus dem Dunkel das Glutloch der Gulaschkanone. Ihr Deckel war zugeschraubt. Das Ventil zischte.
Aus der Kaserne kamen die Unteroffiziere; sie salutierten und stellten sich an den linken Flügel. Die Mütter vorm Tor starrten durchs Gitter. »Heini«, rief eine.
Der Nebel begann sich zu lichten. Man konnte im Umriß schon die Latrinen erkennen.
Der Hauptmann kam. Er ging an Krücken. Sein Bart leuchtete.
»Stillgestanden!« rief der Feldwebel.
An der Gulaschkanone klapperte der Koch mit der Rührkelle.
Die Kinder preßten ihre Teddybären und Puppen an sich und sahen ernst gradeaus.
»Augen – rrrrechts!«
Im ersten Glied fiel ein Kasperle zu Boden.
»Melde dem Hauptmann!« Der Feldwebel lief auf ihn zu und schlug die Hacken zusammen. »Kinderbataillon Sechshundertvierzehn zum Abmarsch angetreten!«
»Danke«, sagte der Hauptmann. Er nahm die Front ab. »Klick«, machte sein Holzbein, wenn er es aufsetzte; »klack«, wenn er es hob. »Lassen Sie rührn.« »Rührn«, sagte der Feldwebel. Schrie: »Rührt euch!«
Der Hauptmann legte die Hand aufs Podium, er mußte sich stützen.
»Morgen, Kinder!«
»Guten Morgen, Onkel!« riefen die Kinder. Ein paar wollten aus der Reihe laufen und ihm die Hand geben. Aber die andern hielten sie zurück.
Der Nieselregen nahm zu.
Dämmrung sickerte aus dem Grau.
Auf dem Kopfsteinpflaster spiegelten sich die Scheinwerfer.
»Ihr zieht heut ins Feld«, sagte der Hauptmann.

»Ja, Onkel!« sagten die Kinder.
»Das ist ein großer Tag für euch.«
»Ja, Onkel.«
»Ich hoffe, ihr zeigt euch seiner würdig und seid so tapfer wie eure Väter, die auf dem Felde der Ehre geblieben sind.«
»Ja, Onkel«, sagten die Kinder.
»Ihr seid die letzten«, sagte der Hauptmann.
»Ja, Onkel«, sagten die Kinder.
»Das Vaterland blickt mit Stolz auf euch.«
»Quatsch!« schrie der Koch an der Gulaschkanone seinen Gehilfen an; *Salz* sollste nehmen!«
»– stolz auf euch«, sagte der Hauptmann.
»Ja«, sagten die Kinder.
Kam der Pfarrer.
»Der Pfaffe, Herr Hauptmann«, sagte der Feldwebel.
Der Pfarrer salutierte. Er war in Uniform. Um den Hals hing ihm an einer Silberkette das Kreuz. Er roch nach Parfüm. Seine Schaftstiefel glänzten.
»Markig, kurz, erhebend«, sagte der Hauptmann.
Der Pfarrer salutierte. »– woll, Herr Hauptmann.«
Er stieg aufs Podium; federnd, leicht.
»Ihr lieben Kindlein«, sagte er und ließ die Silberkette mit dem Kreuz um seinen Zeigefinger pendeln.
Die Kinder sahen zu ihm auf.
»Da zieht ihr nun wider den Feind«, sagte der Pfarrer, »um den befleckten Schild unseres ruhmvollen Vaterlandes zu sühnen.«
»Ja«, sagten die Kinder.
»Ach«, sagte der Pfarrer und lächelte, »ach, ihr lieben Kindlein, wißt ihr denn aber auch, daß Einer ist, Der euch beschützt dort draußen im arg fernen Lande des grausamen Feinds?«
»Nein«, sagten die Kinder.
»Ach, ihr lieben Kindlein«, sagte der Pfarrer, »aber ihr *solltet* es wissen.«

»Ja«, sagten die Kinder.
»So wisset denn«, sagte der Pfarrer und wirbelte sich die Silberkette mit dem Kreuz um den Finger, »daß es ist der Herr und oberste Heerführer all unserer ruhmreichen Truppen –«
Der Koch an der Gulaschkanone schraubte den Deckel auf; Dampf schoß heraus. »Mist!« schrie er seinen Gehilfen an; »alles zerkocht!«
»– ruhmreichen Truppen«, sagte der Pfarrer und hüstelte. »Er, Der jetzt verklärten Blicks herabschaut auf euch, Seine tapferen Söhne, denen Er durch mich, Seinen Diener, den himmlischen Segen erteilt.« Er breitete die Arme aus.
»Amen«, sagte der Feldwebel.
Der Hauptmann sah auf die Uhr.
»Moment noch, Herr Hauptmann«, sagte der Pfarrer, ohne die Arme sinken zu lassen. »So spende ich denn«, fuhr er fort, »euch und euren sieghaften Waffen den Segen Gottes, des allmächtigen Herrn aller Ihm wohlgefälligen Schlachten.«
»Kaffee fassen!« schrie der Koch.
Der Pfarrer ließ die Arme sinken. »Amen«, sagte er. Seine Stimme zitterte.
»So«, sagte der Hauptmann; »*auch* geschafft. Lassen Sie Kaffee fassen.«
Der Feldwebel salutierte. »Kaffee fassen.«
Der Pfarrer blies die Backen auf und stieg federnd vom Podium.
»Kaffee fassen!« rief der Feldwebel.
Die Kinder schnallten ihre Kochtöpfe ab und rannten zur Gulaschkanone. Die Schulranzen auf ihrem Rücken sprangen auf und ab.
Es war hell geworden. Vorm Tor konnte man jetzt deutlich die Mütter erkennen. Sie hielten rote, grüne und blaue Einschulungstüten im Arm, die mit weißem Seidenpapier verschlossen waren. Sie winkten.

Hinter ihnen, auf der Chaussee, bauten alte Leute an einer Panzersperre. Die Kinder hatten hinter der Gulaschkanone eine Reihe gebildet. Einige spielten Kriegen und jagten sich.
»Los, los!« rief der Feldwebel; »Beeilung!«
Die ihren Kaffee hatten, traten wieder in Marschordnung an. Als alle durch waren, ließ der Feldwebel sie ihre Gewehre umhängen.
»Laßt bloß nicht mal aus Versehn eure Teddybären los!«
»Nein, Onkel«, sagten die Kinder.
»Liebe tapfre Kerle«, sagte der Pfarrer und schob sich die Bibel in die Gesäßtasche.
»Ja«, sagte der Hauptmann; »das Vaterland braucht sich ihrer nicht zu schämen.«
Eine Ordonnanz kam. »Das Frühstück, Herr Hauptmann.«
»Endlich«, sagte der Hauptmann. »Lassen Sie abmarschiern.«
»Abmarschiern.« Der Feldwebel salutierte. »Unteroffiziere eintreten.«
Die Unteroffiziere hinkten durch die Pfützen. Die meisten gingen an Krücken. Keiner war unter sechzig.
Der Posten drückte die Torflügel auf. Die Mütter wurden zurückgedrängt.
»Heini!« rief eine.
Der Nebel war dünner geworden. Nur in den Chausseebäumen saß er noch. Der Nieselregen hielt an.
»Stillgestanden!« kommandierte der Feldwebel. »Im Gleichschritt – maaaaarsch!«
Der Hauptmann winkte. Die Ordonnanz hatte einen Regenschirm aufgespannt über ihm.
»Ein Lied!« schrie der Feldwebel.
»*Hänschen klein!*« riefen die Kinder.
Die ersten gaben den Ton an.
»Drei –«, zählten die Unteroffiziere, »– vier!«

Sie sangen. Es war ein klarer und lieblicher Gesang, aus dem die Bässe der Unteroffiziere sehr bald herausfielen.

Singend marschierten sie durch das Tor; singend und ohne sie anzublicken, an den Müttern vorbei zur Chaussee.

»Heini!« rief eine Frau.

»*Hat ja nun kein Hänschen mehr!*« sangen die Kinder.

Auf den Feldern stoppelten Greise Kartoffeln. Ihre Säcke waren leer. Krähenschwärme warfen sich in den Wind. Am Stadtrand qualmten die Munitionsfabriken.

Der Asphalt war glitschig. Regenbogenfarbige Ölflecke zerflossen auf ihm. In den Ölflecken spiegelte sich der Himmel. Der Himmel war grau.

HEINRICH BÖLL
(geb. 1917)

# Nicht nur zur Weihnachtszeit

I

In unserer Verwandtschaft machen sich Verfallserscheinungen bemerkbar, die man eine Zeitlang stillschweigend zu übergehen sich bemühte, deren Gefahr ins Auge zu blicken man nun aber entschlossen ist. Noch wage ich nicht, das Wort Zusammenbruch anzuwenden, aber die beunruhigenden Tatsachen häufen sich derart, daß sie eine Gefahr bedeuten und mich zwingen, von Dingen zu berichten, die den Ohren der Zeitgenossen zwar befremdlich klingen werden, deren Realität aber niemand bestreiten kann. Schimmelpilze der Zersetzung haben sich unter der ebenso dicken wie harten Kruste der Anständigkeit eingenistet, Kolonien tödlicher Schmarotzer, die das Ende der Unbescholtenheit einer ganzen Sippe ankündigen. Heute müssen wir es bedauern, die Stimme unseres Vetters Franz überhört zu haben, der schon früh begann, auf die schrecklichen Folgen aufmerksam zu machen, die ein »an sich« harmloses Ereignis haben werde. Dieses Ereignis selbst war so geringfügig, daß uns das Ausmaß der Folgen nun erschreckt. Franz hat schon früh gewarnt. Leider genoß er zu wenig Reputation. Er hat einen Beruf erwählt, der in unserer gesamten Verwandtschaft bisher nicht vorgekommen ist, auch nicht hätte vorkommen dürfen: er ist Boxer geworden. Schon in seiner Jugend schwermütig und von einer Frömmigkeit, die immer als »inbrünstiges Getue« bezeichnet wurde, ging er früh auf Bahnen, die meinem Onkel Franz – diesem herzensguten Menschen – Kummer bereiteten. Er liebte es, sich der Schulpflicht in einem Ausmaß zu entziehen, das nicht mehr als normal bezeichnet werden kann. Er traf sich mit fragwürdigen Kumpanen in abgelegenen Parks und dichten Gebüschen vorstädtischen Charakters. Dort übten sie die harten Regeln des Faustkampfes, ohne sich bekümmert darum zu zeigen, daß das humanistische Erbe vernachlässigt wurde. Diese Burschen zeigten schon früh die Untugenden ihrer Generation, von der sich ja inzwischen herausgestellt hat, daß sie nichts taugt. Die erregenden Geisteskämpfe früherer Jahrhunderte interessierte sie nicht, zu sehr waren sie mit den fragwürdigen Aufregungen ihres eigenen Jahrhunderts beschäftigt. Zunächst schien mir, Franzens Frömmigkeit stehe im Gegensatz zu diesen regelmäßigen Übungen in passiver und aktiver Brutalität. Doch heute beginne ich manches zu ahnen. Ich werde darauf zurückkommen müssen.

Franz also war es, der schon frühzeitig warnte, der sich von der Teilnahme an gewissen Feiern ausschloß, das Ganze als Getue und Unfug bezeichnete, sich vor allem später weigerte, an Maßnahmen teilzunehmen, die zur Erhaltung dessen, was er Unfug nannte, sich als erforderlich erwiesen. Doch – wie gesagt – besaß er zu wenig Reputation, um in der Verwandtschaft Gehör zu finden.

Jetzt allerdings sind die Dinge in einer Weise ins Kraut geschossen, daß wir ratlos dastehen, nicht wissend, wie wir ihnen Einhalt gebieten sollen.

Franz ist längst ein berühmter Faustkämpfer geworden, doch weist er heute das Lob, das ihm in der Familie gespendet wird, mit derselben Gleichgültigkeit zurück, mit der er sich damals jede Kritik verbat.

Sein Bruder aber – mein Vetter Johannes –, ein Mensch, für den ich jederzeit meine Hand ins Feuer gelegt hätte, dieser erfolgreiche Rechtsanwalt, Lieblingssohn meines Onkels – Johannes soll sich der kommunistischen Par-

tei genähert haben, ein Gerücht, das zu glauben ich mich hartnäckig weigere. Meine Kusine Lucie, bisher eine normale Frau, soll sich nächtlicherweise in anrüchigen Lokalen, von ihrem hilflosen Gatten begleitet, Tänzen hingeben, für die ich kein anderes Beiwort als existentialistisch finden kann, Onkel Franz selbst, dieser herzensgute Mensch, soll geäußert haben, er sei lebensmüde, er, der in der gesamten Verwandtschaft als ein Muster an Vitalität galt und als ein Vorbild dessen, was man uns einen christlichen Kaufmann zu nennen gelehrt hat.
Arztrechnungen häufen sich, Psychiater, Seelentestler werden einberufen. Einzig meine Tante Milla, die als Urheberin all dieser Erscheinungen bezeichnet werden muß, erfreut sich bester Gesundheit, lächelt, ist wohl und heiter, wie sie es fast immer war. Ihre Frische und Munterkeit beginnen jetzt langsam uns aufzuregen, nachdem uns ihr Wohlergehen lange Zeit so sehr am Herzen lag. Denn es gab eine Krise in ihrem Leben, die bedenklich zu werden drohte. Gerade darauf muß ich näher eingehen.

II

Es ist einfach, rückwirkend den Herd einer beunruhigenden Entwicklung auszumachen – und merkwürdig, erst jetzt, wo ich es nüchtern betrachte, kommen mir die Dinge, die sich seit fast zwei Jahren bei unseren Verwandten begeben, außergewöhnlich vor.
Wir hätten früher auf die Idee kommen können, es stimme etwas nicht. Tatsächlich, es stimmt etwas nicht, und wenn überhaupt jemals irgend etwas gestimmt hat – ich zweifle daran –, hier gehen Dinge vor sich, die mich mit Entsetzen erfüllen. Tante Milla war in der ganzen Familie von jeher wegen ihrer Vorliebe für die Ausschmückung des Weihnachtsbaumes bekannt, eine

harmlose, wenn auch spezielle Schwäche, die in unserem Vaterland ziemlich verbreitet ist. Ihre Schwäche wurde allgemein belächelt, und der Widerstand, den Franz von frühester Jugend an gegen diesen »Rummel« an den Tag legte, war immer Gegenstand heftigster Entrüstung, zumal Franz ja sowieso eine beunruhigende Erscheinung war. Er weigerte sich, an der Ausschmückung des Baumes teilzunehmen. Das alles verlief bis zu einem gewissen Zeitpunkt normal. Meine Tante hatte sich daran gewöhnt, daß Franz den Vorbereitungen in der Adventszeit fernblieb, auch der eigentlichen Feier, und erst zum Essen erschien. Man sprach nicht einmal mehr darüber.

Auf die Gefahr hin, mich unbeliebt zu machen, muß ich hier eine Tatsache erwähnen, zu deren Verteidigung ich nur sagen kann, daß sie wirklich eine ist. In den Jahren 1939 bis 1945 hatten wir Krieg. Im Krieg wird gesungen, geschossen, geredet, gekämpft, gehungert und gestorben – und es werden Bomben geschmissen – lauter unerfreuliche Dinge, mit deren Erwähnung ich meine Zeitgenossen in keiner Weise langweilen will. Ich muß sie nur erwähnen, weil der Krieg Einfluß auf die Geschichte hatte, die ich erzählen will. Denn der Krieg wurde von meiner Tante Milla nur registriert als eine Macht, die schon Weihnachten 1939 anfing, ihren Weihnachtsbaum zu gefährden. Allerdings war ihr Weihnachtsbaum von einer besonderen Sensibilität.

Die Hauptattraktion am Weihnachtsbaum meiner Tante Milla waren gläserne Zwerge, die in ihren hocherhobenen Armen einen Korkhammer hielten und zu deren Füßen glockenförmige Ambosse hingen. Unter den Fußsohlen der Zwerge waren Kerzen befestigt, und wenn ein gewisser Wärmegrad erreicht war, geriet ein verborgener Mechanismus in Bewegung, eine hektische Unruhe teilte sich den Zwergenarmen mit, sie schlugen wie irr mit ihren Korkhämmern auf die glockenförmigen Ambosse und riefen so, ein Dutzend an der Zahl, ein konzertantes, elfenhaft feines Gebimmel hervor. Und an der Spitze des Tannenbaumes hing ein silbrig gekleideter rotwangiger Engel, der in bestimmten Abständen seine Lippen voneinander hob und »Frieden« flüsterte. »Frieden«. Das mechanische Geheimnis dieses Engels ist, konsequent gehütet, mir später erst bekannt geworden, obwohl ich damals fast wöchentlich Gelegenheit hatte, ihn zu bewundern. Außerdem gab es am Tannenbaum meiner Tante natürlich Zuckerkringel, Gebäck, Engelhaar, Marzipanfiguren und – nicht zu vergessen – Lametta, und ich weiß noch, daß die sachgemäße Anbringung des vielfältigen Schmuckes erhebliche Mühe kostete, die Beteiligung aller erforderte und die ganze Familie am Weihnachtsabend vor Nervosität keinen Appetit hatte, die Stimmung dann – wie man so sagt – einfach gräßlich war, ausgenommen bei meinem Vetter Franz, der an diesen Vorbereitungen ja nicht teilgenommen hatte und sich als einziger Braten und Spargel, Sahne und Eis schmecken ließ. Kamen wir dann am zweiten Weihnachtstag zu Besuch und wagten die kühne Vermutung, das Geheimnis des sprechenden Engels beruhe auf dem gleichen Mechanismus, der gewisse Puppen veranlaßt, »Mama« oder »Papa« zu sagen, so ernteten wir nur höhnisches Gelächter. Nun wird man sich denken können, daß in der Nähe fallende Bomben einen solch sensiblen Baum aufs höchste gefährdeten. Es kam zu schrecklichen Szenen, wenn die Zwerge vom Baum gefallen waren, einmal stürzte sogar der Engel. Meine Tante war untröstlich. Sie gab sich unendliche Mühe, nach jedem Luftangriff den Baum komplett wiederherzustellen, ihn wenigstens während der Weihnachtstage zu erhalten. Aber schon im Jahre 1940 war nicht mehr daran zu denken. Wieder auf die Gefahr hin, mich sehr unbe-

liebt zu machen, muß ich hier kurz erwähnen, daß die Zahl der Luftangriffe auf unsere Städte tatsächlich erheblich war, von ihrer Heftigkeit ganz zu schweigen. Jedenfalls wurde der Weihnachtsbaum meiner Tante ein Opfer – von anderen Opfern zu sprechen, verbietet mir der rote Faden – der modernen Kriegführung; fremdländische Ballistiker löschten seine Existenz vorübergehend aus.
Wir alle hatten wirklich Mitleid mit unserer Tante, die eine reizende und liebenswürdige Frau war. Es tat uns leid, daß sie nach harten Kämpfen, endlosen Disputen, nach Tränen und Szenen sich bereit erklären mußte, für Kriegsdauer auf ihren Baum zu verzichten.
Glücklicherweise – oder soll ich sagen unglücklicherweise? – war dies fast das einzige, was sie vom Krieg zu spüren bekam. – Der Bunker, den mein Onkel baute, war einfach bombensicher, außerdem stand jederzeit ein Wagen bereit, meine Tante Milla in Gegenden zu entführen, wo von der unmittelbaren Wirkung des Krieges nichts zu sehen war; es wurde alles getan, um ihr den Anblick der gräßlichen Zerstörungen zu ersparen. Meine beiden Vettern hatten das Glück, den Kriegsdienst nicht in seiner härtesten Form zu erleben. Johannes trat schnell in die Firma seines Onkels ein, die in der Gemüseversorgung unserer Stadt eine entscheidende Rolle spielte. Zudem war er gallenleidend. Franz hingegen wurde zwar Soldat, war aber nur mit der Bewachung von Gefangenen betraut, ein Posten, den er zur Gelegenheit nahm, sich auch bei seinen militärischen Vorgesetzten unbeliebt zu machen, indem er Russen und Polen wie Menschen behandelte. Meine Kusine Lucie war damals noch nicht verheiratet und half im Geschäft. Einen Nachmittag in der Woche half sie im freiwilligen Kriegsdienst in einer Hakenkreuzstickerei. Doch will ich hier nicht die politischen Sünden meiner Verwandten aufzählen.

Aufs Ganze gesehen jedenfalls fehlte es weder an Geld noch an Nahrungsmitteln und jeglicher erforderlichen Sicherheit, und meine Tante empfand nur den Verzicht auf ihren Baum als bitter. Mein Onkel Franz, dieser herzensgute Mensch, hat sich fast fünfzig Jahre hindurch erhebliche Verdienste erworben, indem er in tropischen und subtropischen Ländern Apfelsinen und Zitronen aufkaufte und sie gegen einen entsprechenden Aufschlag weiter in den Handel gab. Im Kriege dehnte er sein Geschäft auch auf weniger wertvolles Obst und Gemüse aus. Aber nach dem Kriege kamen die erfreulichen Früchte, denen sein Hauptinteresse galt, als Zitrusfrüchte wieder auf und wurden Gegenstand des schärfsten Interesses aller Käuferschichten. Hier gelang es Onkel Franz, sich wieder maßgebend einzuschalten, und er brachte die Bevölkerung in den Genuß von Vitaminen, und sich in den eines ansehnlichen Vermögens.

Aber er war fast siebzig, wollte sich nun zur Ruhe setzen, das Geschäft seinem Schwiegersohn übergeben. Da fand jenes Ereignis statt, das wir damals belächelten, das uns heute aber als Ursache der ganzen unseligen Entwicklung erscheint.

Meine Tante Milla fing wieder mit dem Weihnachtsbaum an. Das war an sich harmlos; sogar die Zähigkeit, mit der sie darauf bestand, daß alles »so sein sollte wie früher«, entlockte uns nur ein Lächeln. Zunächst bestand wirklich kein Grund, diese Sache allzu ernst zu nehmen. Zwar hatte der Krieg manches zerstört, das wiederherzustellen mehr Sorge bereitete, aber warum – so sagten wir uns – einer charmanten alten Dame diese kleine Freude nehmen?

Jedermann weiß, wie schwer es war, damals Butter und Speck zu bekommen. Aber sogar für meinen Onkel Franz, der über die besten Beziehungen verfügte, war die Beschaffung von Marzipanfiguren, Schokoladen-

kringeln und Kerzen im Jahre 1945 unmöglich. Erst im Jahre 1946 konnte alles bereitgestellt werden. Glücklicherweise war noch eine komplette Garnitur von Zwergen und Ambossen sowie ein Engel erhalten geblieben.
Ich entsinne mich des Tages noch gut, an dem wir eingeladen waren. Es war im Januar 1947, Kälte herrschte draußen. Aber bei meinem Onkel war es warm, und es herrschte kein Mangel an Eßbarem. Und als die Lampen gelöscht, die Kerzen angezündet waren, als die Zwerge anfingen zu hämmern, der Engel »Frieden« flüsterte, »Frieden«, fühlte ich mich lebhaft zurückversetzt in eine Zeit, von der ich angenommen hatte, sie sei vorbei.
Immerhin, dieses Erlebnis war, wenn auch überraschend, so doch nicht außergewöhnlich. Außergewöhnlich war, was ich drei Monate später erlebte. Meine Mutter – es war Mitte März geworden – hatte mich hinübergeschickt, nachzuforschen, ob bei Onkel Franz »nichts zu machen« sei. Es ging ihr um Obst. Ich schlenderte in den benachbarten Stadtteil. Ahnungslos schritt ich an bewachsenen Trümmerhalden und verwilderten Parks vorbei, öffnete das Tor zum Garten meines Onkels, als ich plötzlich bestürzt stehenblieb. In der Stille des Abends war sehr deutlich zu hören, daß im Wohnzimmer meines Onkels gesungen wurde. Singen ist eine gute deutsche Sitte, und es gibt viele Frühlingslieder – hier aber hörte ich deutlich: *holder Knabe im lockigen Haar*...
Ich muß gestehen, daß ich verwirrt war. Ich ging langsam näher, wartete das Ende des Liedes ab. Die Vorhänge waren zugezogen, ich beugte mich zum Schlüsselloch. In diesem Augenblick drang das Gebimmel der Zwergenglocken an mein Ohr, und ich hörte deutlich das Flüstern des Engels. Ich hatte nicht den Mut, einzudringen, und ging langsam nach Hause zurück. In

der Familie rief mein Bericht allgemeine Belustigung hervor. Aber erst als Franz auftauchte und Näheres berichtete, erfuhren wir, was geschehen war:
Um Mariä Lichtmeß herum, zu der Zeit also, wo man in unseren Landen die Christbäume plündert, sie dann auf den Kehricht wirft, wo sie von nichtsnutzigen Kindern aufgegriffen, durch Asche und sonstigen Unrat geschleift und zu mancherlei Spiel verwendet werden, um Lichtmeß herum war das Schreckliche geschehen. Als mein Vetter Johannes am Abend des Lichtmeßtages, nachdem ein letztes Mal der Baum gebrannt hatte – als Johannes begann, die Zwerge von den Klammern zu lösen, fing meine bis dahin so milde Tante jämmerlich zu schreien an, und zwar so heftig und plötzlich, daß mein Vetter erschrak, die Herrschaft über den leise schwankenden Baum verlor, und schon war es geschehen: es klirrte und klingelte, Zwerge und Glocken, Ambosse und der Spitzenengel, alles stürzte hinunter, und meine Tante schrie.
Sie schrie fast eine Woche lang, Neurologen wurden herbeitelegraphiert, Psychiater kamen in Taxen herangerast – aber alle, auch Kapazitäten, verließen achselzuckend, ein wenig erschreckt auch, das Haus. Keiner hatte diesem unerfreulich schrillen Konzert ein Ende bereiten können. Nur die stärksten Mittel brachten einige Stunden Ruhe, doch ist die Dosis Luminal, die man einer Sechzigjährigen täglich verabreichen kann, ohne ihr Leben zu gefährden, leider gering. Es ist aber eine Qual, eine aus allen Leibeskräften schreiende Frau im Hause zu haben: schon am zweiten Tage befand sich die Familie in völliger Auflösung. Auch der Zuspruch des Priesters, der am Heiligen Abend der Feier beizuwohnen pflegte, blieb vergeblich: meine Tante schrie.
Franz machte sich besonders unbeliebt, weil er riet, einen regelrechten Exorzismus anzuwenden. Der Pfar-

rer schalt ihn, die Familie war bestürzt über seine mittelalterlichen Anschauungen, der Ruf seiner Brutalität überwog für einige Wochen seinen Ruf als Faustkämpfer.
Inzwischen wurde alles versucht, meine Tante aus ihrem Zustand zu erlösen. Sie verweigerte die Nahrung, sprach nicht, schlief nicht; man wandte kaltes Wasser an, heiße Fußbäder, Wechselbäder, die Ärzte schlugen in Lexika nach, suchten nach dem Namen dieses Komplexes, fanden ihn nicht.
Und meine Tante schrie. Sie schrie so lange, bis mein Onkel Franz – dieser wirklich herzensgute Mensch – auf die Idee kam, einen neuen Tannenbaum aufzustellen.

III

Die Idee war ausgezeichnet, aber sie auszuführen, erwies sich als äußerst schwierig. Es war fast Mitte Februar geworden, und es ist verhältnismäßig schwer, um diese Zeit einen diskutablen Tannenbaum auf dem Markt zu finden. Die gesamte Geschäftswelt hat sich längst – mit erfreulicher Schnelligkeit übrigens – auf andere Dinge eingestellt. Karneval ist nahe: Masken und Pistolen. Cowboyhüte und verrückte Kopfbedeckungen für Czardasfürstinnen füllen die Schaufenster, in denen man sonst Engel und Engelhaar, Kerzen und Krippen hat bewundern können. Die Zuckerwarenläden haben längst den Weihnachtskrempel in ihre Lager zurücksortiert, während Knallbonbons nun ihre Fenster zieren. Jedenfalls, Tannenbäume gibt es um diese Zeit auf dem regulären Markt nicht.
Es wurde schließlich eine Expedition raublustiger Enkel mit Taschengeld und einem scharfen Beil ausgerüstet: sie fuhren in den Staatsforst und kamen gegen Abend, offenbar in bester Stimmung, mit einer Edeltanne zu-

rück. Aber inzwischen war festgestellt worden, daß vier Zwerge, sechs glockenförmige Ambosse und der Spitzenengel völlig zerstört waren. Die Marzipanfiguren und das Gebäck waren den gierigen Enkeln zum Opfer gefallen. Auch diese Generation, die dort heranwächst, taugt nichts, und wenn je eine Generation etwas getaugt hat – ich zweifle daran –, so komme ich doch zu der Überzeugung, daß es die Generation unserer Väter war.
Obwohl es an Barmitteln, auch an den nötigen Beziehungen nicht fehlte, dauerte es weitere vier Tage, bis die Ausrüstung komplett war. Währenddessen schrie meine Tante ununterbrochen. Telegramme an die deutschen Spielzeugzentren, die gerade im Aufbau begriffen waren, wurden durch den Äther gejagt, Blitzgespräche geführt, von jungen erhitzten Postgehilfen wurden in der Nacht Expreßpakete angebracht, durch Bestechung wurde kurzfristig eine Einfuhrgenehmigung aus der Tschechoslowakei durchgesetzt.
Diese Tage werden in der Chronik der Familie meines Onkels als Tage mit außerordentlich hohem Verbrauch an Kaffee, Zigaretten und Nerven erhalten bleiben. Inzwischen fiel meine Tante zusammen: ihr rundliches Gesicht wurde hart und eckig, der Ausdruck der Milde wich dem einer unnachgiebigen Strenge, sie aß nicht, trank nicht, schrie dauernd, wurde von zwei Krankenschwestern bewacht, und die Dosis Luminal mußte täglich erhöht werden.
Franz erzählte uns, daß in der ganzen Familie eine krankhafte Spannung geherrscht habe, als endlich am 12. Februar die Tannenbaumausrüstung wieder vollständig war. Die Kerzen wurden entzündet, die Vorhänge zugezogen, meine Tante wurde aus dem Krankenzimmer herübergebracht, und man hörte unter den Versammelten nur Schluchzen und Kichern. Der Gesichtsausdruck meiner Tante milderte sich schon im

Schein der Kerzen, und als deren Wärme den richtigen Grad erreicht hatte, die Glasburschen wie irr zu hämmern anfingen, schließlich auch der Engel »Frieden« flüsterte, »Frieden«, ging ein wunderschönes Lächeln über ihr Gesicht, und kurz darauf stimmte die ganze Familie das Lied O Tannenbaum an. Um das Bild zu vervollständigen, hatte man auch den Pfarrer eingeladen, der ja üblicherweise den Heiligen Abend bei Onkel Franz zu verbringen pflegte; auch er lächelte, auch er war erleichtert und sang mit.

Was kein Test, kein tiefenpsychologisches Gutachten, kein fachmännisches Aufspüren verborgener Traumata vermocht hatte: das fühlende Herz meines Onkels hatte das Richtige getroffen. Die Tannenbaumtherapie dieses herzensguten Menschen hatte die Situation gerettet.

Meine Tante war beruhigt und fast – so hoffte man damals – geheilt, und nachdem man einige Lieder gesungen, einige Schüsseln Gebäck geleert hatte, war man müde und zog sich zurück, und siehe da: meine Tante schlief ohne jedes Beruhigungsmittel. Die beiden Krankenschwestern wurden entlassen, die Ärzte zuckten die Schultern, alles schien in Ordnung zu sein. Meine Tante aß wieder, trank wieder, war wieder liebenswürdig und milde. Aber am Abend darauf, als die Dämmerstunde nahte, saß mein Onkel zeitunglesend neben seiner Frau unter dem Baum, als diese plötzlich sanft seinen Arm berührte und zu ihm sagte: »So wollen wir denn die Kinder zur Feier rufen, ich glaube, es ist Zeit.« Mein Onkel gestand uns später, daß er erschrak, aber aufstand, um in aller Eile seine Kinder und Enkel zusammenzurufen und einen Boten zum Pfarrer zu schicken. Der Pfarrer erschien, etwas abgehetzt und erstaunt, aber man zündete die Kerzen an, ließ die Zwerge hämmern, den Engel flüstern, man sang, aß Gebäck – und alles schien in Ordnung zu sein.

## IV

Nun ist die gesamte Vegetation gewissen biologischen Gesetzen unterworfen, und Tannenbäume, dem Mutterboden entrissen, haben bekanntlich die verheerende Neigung, alle Nadeln zu verlieren, besonders, wenn sie in warmen Räumen stehen, und bei meinem Onkel war es warm. Die Lebensdauer der Edeltanne ist etwas länger als die der gewöhnlichen, wie die bekannte Arbeit *Abies vulgaris und abies nobilis* von Dr. Hergenring ja bewiesen hat. Doch auch die Lebensdauer der Edeltanne ist nicht unbeschränkt. Schon als Karneval nahte, zeigte es sich, daß man versuchen mußte, meiner Tante neuen Schmerz zu bereiten: der Baum verlor rapide an Nadeln, und beim abendlichen Singen der Lieder wurde ein leichtes Stirnrunzeln bei meiner Tante bemerkt. Auf Anraten eines wirklich hervorragenden Psychologen wurde nun der Versuch unternommen, in leichtem Plauderton von einem möglichen Ende der Weihnachtszeit zu sprechen, zumal die Bäume schon angefangen hatten, auszuschlagen, was ja allgemein als ein Zeichen des herannahenden Frühlings gilt, während man in unseren Breiten mit dem Wort Weihnachten unbedingt winterliche Vorstellungen verbindet. Mein sehr geschickter Onkel schlug eines Abends vor, die Lieder *Alle Vögel sind schon da* und *Komm, lieber Mai, und mache* anzustimmen, doch schon beim ersten Vers des erstgenannten Liedes machte meine Tante ein derart finsteres Gesicht, daß man sofort abbrach und *O Tannenbaum* intonierte. Drei Tage später wurde mein Vetter Johannes beauftragt, einen milden Plünderungszug zu unternehmen, aber schon, als er seine Hände ausstreckte und einem der Zwerge den Korkhammer nahm, brach meine Tante in so heftiges Geschrei aus, daß man den Zwerg sofort wieder komplettierte, die Kerzen anzündete und etwas hastig, aber sehr laut in das Lied *Stille Nacht* ausbrach.

Aber die Nächte waren nicht mehr still; singende Gruppen jugendlicher Trunkenbolde durchzogen die Stadt mit Trompeten und Trommeln, alles war mit Luftschlangen und Konfetti bedeckt, maskierte Kinder bevölkerten tagsüber die Straßen, schossen, schrien, manche sangen auch, und einer privaten Statistik zufolge gab es mindestens sechzigtausend Cowboys und vierzigtausend Czardasfürstinnen in unserer Stadt: kurzum, es war Karneval, ein Fest, das man bei uns mit ebensolcher, fast mit mehr Heftigkeit zu feiern gewohnt ist als Weihnachten. Aber meine Tante schien blind und taub zu sein: sie bemängelte karnevalistische Kleidungsstücke, wie sie um diese Zeit in den Garderoben unserer Häuser unvermeidlich sind; mit trauriger Stimme beklagte sie das Sinken der Moral, da man nicht einmal an den Weihnachtstagen in der Lage sei, von diesem unsittlichen Treiben zu lassen, und als sie im Schlafzimmer meiner Kusine einen Luftballon entdeckte, der zwar eingefallen war, aber noch deutlich einen mit weißer Farbe aufgemalten Narrenhut zeigte, brach sie in Tränen aus und bat meinen Onkel, diesem unheiligen Treiben Einhalt zu gebieten.

Mit Schrecken mußte man feststellen, daß meine Tante sich wirklich in dem Wahn befand, es sei »Heiliger Abend«. Mein Onkel berief jedenfalls eine Familienversammlung ein, bat um Schonung für seine Frau, Rücksichtnahme auf ihren merkwürdigen Geisteszustand, und rüstete zunächst wieder eine Expedition aus, um wenigstens den Frieden des abendlichen Festes garantiert zu wissen.

Während meine Tante schlief, wurde der Schmuck vom alten Baum ab- und auf den neuen montiert, und ihr Zustand blieb erfreulich.

## V

Aber auch der Karneval ging vorüber, der Frühling kam wirklich, statt des Liedes *Komm, lieber Mai,* hätte man schon singen können »Lieber Mai, du bist gekommen«. Es wurde Juni. Vier Tannenbäume waren schon verschlissen, und keiner der neuerlich zugezogenen Ärzte konnte Hoffnung auf Besserung geben. Meine Tante blieb fest. Sogar der als internationale Kapazität bekannte Dr. Bless hatte sich achselzuckend wieder in sein Studierzimmer zurückgezogen, nachdem er als Honorar die Summe von 1356 Mark kassiert hatte, womit er zum wiederholten Male seine Weltfremdheit bewies. Einige weitere sehr vage Versuche, die Feier abzubrechen oder ausfallen zu lassen, wurden mit solchem Geschrei von seiten meiner Tante quittiert, daß man von derlei Sakrilegien endgültig Abstand nehmen mußte.

Das Schreckliche war, daß meine Tante darauf bestand, alle ihr nahestehenden Personen müßten anwesend sein. Zu diesen gehörten auch der Pfarrer und die Enkelkinder. Selbst die Familienmitglieder waren nur mit äußerster Strenge zu veranlassen, pünktlich zu erscheinen, aber mit dem Pfarrer wurde es schwierig. Einige Wochen hielt er zwar ohne Murren mit Rücksicht auf seine alte Pönitentin durch, aber dann versuchte er unter verlegenem Räuspern, meinem Onkel klarzumachen, daß es so nicht weiterging. Die eigentliche Feier war zwar kurz – sie dauerte etwa achtunddreißig Minuten – aber selbst diese kurze Zeremonie sei auf die Dauer nicht durchzuhalten, behauptete der Pfarrer. Er habe andere Verpflichtungen, abendliche Zusammenkünfte mit seinen Konfratres, seelsorgerische Aufgaben, ganz zu schweigen vom samstäglichen Beichthören. Immerhin hatte er einige Wochen Terminverschiebungen in Kauf genommen, aber gegen Ende Juni fing er an, energisch Befreiung zu erheischen.

Franz wütete in der Familie herum, suchte Komplizen für seinen Plan, die Mutter in eine Anstalt zu bringen, stieß aber überall auf Ablehnung.

Jedenfalls: es machten sich Schwierigkeiten bemerkbar. Eines Abends fehlte der Pfarrer, war weder telefonisch noch durch einen Boten aufzutreiben, und es wurde klar, daß er sich einfach gedrückt hatte. Mein Onkel fluchte fürchterlich, er nahm dieses Ereignis zum Anlaß, die Diener der Kirche mit Worten zu bezeichnen, die zu wiederholen ich mich weigern muß. In alleräußerster Not wurde einer der Kaplane, ein Mensch einfacher Herkunft, gebeten, auszuhelfen. Er tat es, benahm sich aber so fürchterlich, daß es fast zur Katastrophe gekommen wäre. Immerhin, man muß bedenken, es war Juni, also heiß, trotzdem waren die Vorhänge zugezogen, um winterliche Dunkelheit wenigstens vorzutäuschen, außerdem brannten Kerzen. Dann ging die Feier los; der Kaplan hatte zwar von diesem merkwürdigen Ereignis schon gehört, aber keine rechte Vorstellung davon. Zitternd stellte man meiner Tante den Kaplan vor, er vertrete den Pfarrer. Unerwarteterweise nahm sie die Veränderung des Programmes hin. Also: die Zwerge hämmerten, der Engel flüsterte, es wurde *O Tannenbaum* gesungen, dann aß man Gebäck, sang noch einmal das Lied, und plötzlich bekam der Kaplan einen Lachkrampf. Später hat er gestanden, die Stelle ». . . nein, auch im Winter, wenn es schneit« habe er einfach nicht ohne zu lachen ertragen können. Er plusterte mit klerikaler Albernheit los, verließ das Zimmer und ward nicht mehr gesehen. Alles blickte gespannt auf meine Tante, doch die sagte nur resigniert etwas vom »Proleten im Priestergewande« und schob sich ein Stück Marzipan in den Mund. Auch wir erfuhren damals von diesem Vorfall mit Bedauern – doch bin ich heute geneigt, ihn als einen Ausbruch natürlicher Heiterkeit zu bezeichnen.

Ich muß hier – wenn ich der Wahrheit die Ehre lassen will – einflechten, daß mein Onkel seine Beziehungen zu den höchsten Verwaltungsstellen der Kirche ausgenutzt hat, um sich sowohl über den Pfarrer wie den Kaplan zu beschweren. Die Sache wurde mit äußerster Korrektheit angefaßt, ein Prozeß wegen Vernachlässigung seelsorgerischer Pflichten wurde angestrengt, der in erster Instanz von den beiden Geistlichen gewonnen wurde. Ein zweites Verfahren schwebt noch.
Zum Glück fand man einen pensionierten Prälaten, der in der Nachbarschaft wohnte. Dieser reizende alte Herr erklärte sich mit liebenswürdiger Selbstverständlichkeit bereit, sich zur Verfügung zu halten und täglich die abendliche Feier zu vervollständigen. Doch ich habe vorgegriffen. Mein Onkel Franz, der nüchtern genug war, zu erkennen, daß keinerlei ärztliche Hilfe zum Ziel gelangen würde, sich auch hartnäckig weigerte, einen Exorzismus zu versuchen, war Geschäftsmann genug, sich nun auf Dauer einzustellen und die wirtschaftlichste Art herauszukalkulieren. Zunächst wurden schon Mitte Juni die Enkelexpeditionen eingestellt, weil sich herausstellte, daß sie zu teuer wurden. Mein findiger Vetter Johannes, der zu allen Kreisen der Geschäftswelt die besten Beziehungen unterhält, spürte den Tannenbaum-Frischdienst der Firma Söderbaum auf, eines leistungsfähigen Unternehmens, das sich nun schon fast zwei Jahre um die Nerven meiner Verwandtschaft hohe Verdienste erworben hat. Nach einem halben Jahr schon wandelte die Firma Söderbaum die Lieferung des Baumes in ein wesentlich verbilligtes Abonnement um und erklärte sich bereit, die Lieferfrist von ihrem Nadelbaumspezialisten, Dr. Alfast, genauestens festlegen zu lassen, so daß schon drei Tage, bevor der alte Baum indiskutabel wird, der neue anlangt und mit Muße geschmückt werden kann. Außerdem werden vorsichtshalber zwei Dutzend

Zwerge auf Lager gehalten, und drei Spitzenengel sind in Reserve gelegt.

Ein wunder Punkt sind bis heute die Süßigkeiten geblieben. Sie zeigen die verheerende Neigung, vom Baume schmelzend herunterzutropfen, schneller und endgültiger als schmelzendes Wachs. Jedenfalls in den Sommermonaten. Jeder Versuch, sie durch geschickt getarnte Kühlvorrichtungen in weihnachtlicher Starre zu erhalten, ist bisher gescheitert, ebenso eine Versuchsreihe, die begonnen wurde, um die Möglichkeiten der Präparierung eines Baumes zu prüfen. Doch ist die Familie für jeden fortschrittlichen Vorschlag, der geeignet ist, dieses stetige Fest zu verbilligen, dankbar und aufgeschlossen.

VI

Inzwischen haben die abendlichen Feiern im Hause meines Onkels eine fast professionelle Starre angenommen: man versammelt sich unter dem Baum oder um den Baum herum. Meine Tante kommt herein, man entzündet die Kerzen, die Zwerge beginnen zu hämmern, und der Engel flüstert »Frieden, Frieden«, dann singt man einige Lieder, knabbert Gebäck, plaudert ein wenig und zieht sich gähnend mit dem Glückwunsch »Frohes Fest auch« zurück – und die Jugend gibt sich den jahreszeitlich bedingten Vergnügungen hin, während mein herzensguter Onkel Franz mit Tante Milla zu Bett geht. Kerzenrauch bleibt im Raum, der sanfte Geruch erhitzter Tannenzweige und das Aroma der Spezereien. Die Zwerge, ein wenig phosphoreszierend, bleiben starr in der Dunkelheit stehen, die Arme bedrohlich erhoben, und der Engel läßt ein silbriges, offenbar ebenfalls phosphoreszierendes Gewand sehen.

Es erübrigt sich vielleicht festzustellen, daß die Freude

am wirklichen Weihnachtsfest in unserer gesamten Verwandtschaft erhebliche Einbußen erlitten hat: wir können, wenn wir wollen, bei unserem Onkel jederzeit einen klassischen Weihnachtsbaum bewundern – und es geschieht oft, wenn wir sommers auf der Veranda sitzen und uns nach des Tages Last und Müh Onkels milde Apfelsinenbowle in die Kehle gießen, daß von drinnen der sanfte Klang gläserner Glocken kommt, und man kann im Dämmer die Zwerge wie flinke Teufelchen herumhämmern sehen, während der Engel »Frieden« flüstert, »Frieden«. Und immer noch kommt es uns befremdlich vor, wenn mein Onkel mitten im Sommer seinen Kindern plötzlich zuruft: »Macht bitte den Baum an, Mutter kommt gleich.« Dann tritt, meist pünktlich, der Prälat ein, ein milder, alter Herr, den wir alle in unser Herz geschlossen haben, weil er seine Rolle vorzüglich spielt, wenn er überhaupt weiß, daß er eine und welche er spielt. Aber gleichgültig: er spielt sie, weißhaarig, lächelnd, und der violette Rand unterhalb seines Kragens gibt seiner Erscheinung den letzten Hauch von Vornehmheit. Und es ist ein ungewöhnliches Erlebnis, in lauen Sommernächten den erregten Ruf zu hören: »Das Löschhorn, schnell, wo ist das Löschhorn?« Es ist schon vorgekommen, daß während eines heftigen Gewitters die Zwerge sich plötzlich bewogen fühlten, ohne Hitzeinwirkung die Arme zu erheben und sie wild zu schwingen, gleichsam ein Extrakonzert zu geben, eine Tatsache, die man ziemlich phantasielos mit dem trockenen Wort Elektrizität zu deuten versuchte.
Eine nicht ganz unwesentliche Seite dieses Arrangements ist die finanzielle. Wenn auch in unserer Familie im allgemeinen kein Mangel an Barmitteln herrscht, solch außergewöhnliche Ausgaben stürzen die Kalkulation um. Denn trotz aller Vorsicht ist natürlich der Verschleiß an Zwergen, Ambossen und Hämmern

enorm, und der sensible Mechanismus, der den Engel zu einem sprechenden macht, bedarf der stetigen Sorgfalt und Pflege und muß hin und wieder erneuert werden. Ich habe das Geheimnis übrigens inzwischen entdeckt: der Engel ist durch ein Kabel mit einem Mikrophon im Nebenzimmer verbunden, vor dessen Metallschnauze sich eine ständig rotierende Schallplatte befindet, die, mit gewissen Pausen dazwischen, »Frieden« flüstert, »Frieden«. Alle diese Dinge sind um so kostspieliger, als sie für den Gebrauch an nur wenigen Tagen des Jahres erdacht sind, nun aber das ganze Jahr strapaziert werden. Ich war erstaunt, als mein Onkel mir eines Tages erklärte, daß die Zwerge tatsächlich alle drei Monate erneuert werden müssen und daß ein kompletter Satz nicht weniger als 128 Mark kostet. Er habe einen befreundeten Ingenieur gebeten, sie durch einen Kautschuküberzug zu verstärken, ohne jedoch ihre Klangschönheit zu beeinträchtigen. Dieser Versuch ist gescheitert. Der Verbrauch an Kerzen, Spekulatius, Marzipan, das Baumabonnement, Arztrechnungen und die vierteljährliche Aufmerksamkeit, die man dem Prälaten zukommen lassen muß, alles zusammen, sagte mein Onkel, komme ihm täglich im Durchschnitt auf elf Mark, ganz zu schweigen von dem Verschleiß an Nerven und von sonstigen gesundheitlichen Störungen, die damals anfingen, sich bemerkbar zu machen. Doch das war im Herbst, und man schrieb die Störungen einer gewissen herbstlichen Sensibilität zu, wie sie ja allgemein beobachtet wird.

VII

Das wirkliche Weihnachtsfest verlief ganz normal. Es ging etwas wie ein Aufatmen durch die Familie meines Onkels, da man auch andere Familien nun unter Weih-

nachtsbäumen versammelt sah, andere auch singen und Spekulatius essen mußten. Aber die Erleichterung dauerte nur so lange an, wie die weihnachtliche Zeit dauerte. Schon Mitte Januar brach bei meiner Kusine Lucie ein merkwürdiges Leiden aus: beim Anblick der Tannenbäume, die auf den Straßen und Trümmerhaufen herumlagen, brach sie in ein hysterisches Geschluchze aus. Dann hatte sie einen regelrechten Anfall von Wahnsinn, den man als Nervenzusammenbruch zu kaschieren versuchte. Sie schlug einer Freundin, bei der sie zum Kaffeeklatsch war, die Schüssel aus der Hand, als diese ihr milde lächelnd Spekulatius anbot. Meine Kusine ist allerdings das, was man eine temperamentvolle Frau nennt; sie schlug also ihrer Freundin die Schüssel aus der Hand, nahte sich dann deren Weihnachtsbaum, riß ihn vom Ständer und trampelte auf Glaskugeln, künstlichen Pilzen, Kerzen und Sternen herum, während ein anhaltendes Gebrüll ihrem Munde entströmte. Die versammelten Damen entflohen, einschließlich der Hausfrau, man ließ Lucie toben, wartete in der Diele auf den Arzt, gezwungen, zuzuhören, wie drinnen Porzellan zerschlagen wurde. Es fällt mir schwer, aber ich muß hier berichten, daß Lucie in einer Zwangsjacke abtransportiert wurde.
Anhaltende hypnotische Behandlung brachte das Leiden zwar zum Stillstand, aber die eigentliche Heilung ging nur sehr langsam vor sich. Vor allem schien ihr die Befreiung von der abendlichen Feier, die der Arzt erzwang, zusehends wohl zu tun; nach einigen Tagen schon begann sie aufzublühen. Schon nach zehn Tagen konnte der Arzt riskieren, mit ihr über Spekulatius wenigstens zu reden, ihn zu essen, weigerte sie sich jedoch hartnäckig. Dem Arzt kam dann die geniale Idee, sie mit sauren Gurken zu füttern, ihr Salate und kräftige Fleischspeisen anzubieten. Das war wirklich die Rettung für die arme Lucie. Sie lachte wieder, und sie

begann die endlosen therapeutischen Unterredungen, die der Arzt mit ihr pflegte, mit ironischen Bemerkungen zu würzen.

Zwar war die Lücke, die durch ihr Fehlen bei der abendlichen Feier entstand, schmerzlich für meine Tante, wurde aber durch einen Umstand erklärt, der für alle Frauen als hinlängliche Entschuldigung gelten kann, durch Schwangerschaft.

Aber Lucie hatte das geschaffen, was man einen Präzedenzfall nennt: sie hatte bewiesen, daß die Tante zwar litt, wenn jemand fehlte, aber nicht sofort zu schreien begann, und mein Vetter Johannes und sein Schwager Karl versuchten nun, die strenge Disziplin zu durchbrechen, indem sie Krankheit vorschützten, geschäftliche Verhinderung oder andere, recht durchsichtige Gründe angaben. Doch blieb mein Onkel hier erstaunlich hart: mit eiserner Strenge setzte er durch, daß nur in Ausnahmefällen Atteste eingereicht, sehr kurze Beurlaubungen beantragt werden konnten. Denn meine Tante merkte jede weitere Lücke sofort und brach in stilles, aber anhaltendes Weinen aus, was zu den bittersten Bedenken Anlaß gab.

Nach vier Wochen kehrte auch Lucie zurück und erklärte sich bereit, an der täglichen Zeremonie wieder teilzunehmen, doch hat ihr Arzt durchgesetzt, daß für sie ein Glas Gurken und ein Teller mit kräftigen Butterbroten bereitgehalten wird, da sich ihr Spekulatiustrauma als unheilbar erwies. So waren eine Zeitlang durch meinen Onkel, der hier eine unerwartete Härte bewies, alle Disziplinschwierigkeiten aufgehoben.

VIII

Schon kurz nach dem ersten Jahrestag der ständigen Weihnachtsfeier gingen beunruhigende Gerüchte um:

mein Vetter Johannes sollte sich von einem befreundeten Arzt ein Gutachten haben ausstellen lassen, auf wie lange wohl die Lebenszeit meiner Tante noch zu bemessen wäre, ein wahrhaft finsteres Gerücht, das ein bedenkliches Licht auf eine allabendlich friedlich versammelte Familie wirft. Das Gutachten soll vernichtend für Johannes gewesen sein. Sämtliche Organe meiner Tante, die zeitlebens sehr solide war, sind völlig intakt, die Lebensdauer ihres Vaters hat achtundsiebzig, die ihrer Mutter sechsundachtzig Jahre betragen. Meine Tante selbst ist zweiundsechzig, und so besteht kein Grund, ihr ein baldiges seliges Ende zu prophezeien. Noch weniger, so finde ich, es ihr zu wünschen. Als meine Tante dann mitten im Sommer einmal erkrankte – Erbrechen und Durchfall suchte diese arme Frau heim –, wurde gemunkelt, sie sei vergiftet worden, aber ich erkläre hier ausdrücklich, daß dieses Gerücht einfach eine Erfindung übelmeinender Verwandter ist. Es ist eindeutig erwiesen, daß es sich um eine Infektion handelte, die von einem Enkel eingeschleppt wurde. Analysen, die mit den Exkrementen meiner Tante vorgenommen wurden, ergaben aber auch nicht die geringste Spur von Gift.

Im gleichen Sommer zeigten sich bei Johannes die ersten gesellschaftsfeindlichen Bestrebungen: er trat aus seinem Gesangverein aus, erklärte, auch schriftlich, daß er an der Pflege des deutschen Liedes nicht mehr teilzunehmen gedenke. Allerdings, ich darf hier einflechten, daß er immer, trotz des akademischen Grades, den er errang, ein ungebildeter Mensch war. Für die *Virhymnia* war es ein großer Verlust, auf seinen Baß verzichten zu müssen.

Mein Schwager Karl fing an, sich heimlich mit Auswanderungsbüros in Verbindung zu setzen. Das Land seiner Träume mußte besondere Eigenschaften haben: es durften dort keine Tannenbäume gedeihen, deren Import mußte verboten oder durch hohe Zölle unmöglich gemacht sein; außerdem – das seiner Frau wegen – mußte dort das Geheimnis der Spekulatiusherstellung unbekannt und das Singen von Weihnachtsliedern verboten sein. Karl erklärte sich bereit, harte körperliche Arbeit auf sich zu nehmen.

Inzwischen sind seine Versuche vom Fluche der Heimlichkeit befreit, weil sich auch in meinem Onkel eine vollkommene und sehr plötzliche Wandlung vollzogen hat. Dies geschah auf so unerfreulicher Ebene, daß wir wirklich Grund hatten, zu erschrecken. Dieser biedere Mensch, von dem ich nur sagen kann, daß er ebenso hartnäckig wie herzensgut ist, wurde auf Wegen beobachtet, die einfach unsittlich sind, es auch bleiben werden, solange die Welt besteht. Es sind von ihm Dinge bekanntgeworden, auch durch Zeugen belegt, auf die nur das Wort Ehebruch angewandt werden kann. Und das Schrecklichste ist, er leugnet es schon nicht mehr, sondern stellt für sich den Anspruch, in Verhältnissen und Bedingungen zu leben, die moralische Sondergesetze berechtigt erscheinen lassen müssen. Ungeschickterweise wurde diese plötzliche Wandlung gerade zu dem Zeitpunkt offenbar, wo der zweite Termin gegen die beiden Geistlichen seiner Pfarre fällig geworden war. Onkel Franz muß als Zeuge, als verkappter Kläger einen solch minderwertigen Eindruck gemacht haben, daß es ihm allein zuzuschreiben ist, wenn auch der zweite Termin günstig für die beiden Geistlichen auslief. Aber das alles ist Onkel Franz inzwischen gleichgültig geworden: bei ihm ist der Verfall komplett, schon vollzogen.

Er war auch der erste, der die Idee hatte, sich von einem Schauspieler bei der abendlichen Feier vertreten zu lassen. Er hatte einen arbeitslosen Bonvivant aufgetrieben, der ihn vierzehn Tage lang so vorzüglich nachahmte, daß nicht einmal seine Frau die ausgewechselte

Identität bemerkte. Auch seine Kinder bemerkten es nicht. Es war einer der Enkel, der während einer kleinen Singpause plötzlich in den Ruf ausbrach: »Opa hat Ringelsocken an«, wobei der triumphierend das Hosenbein des Bonvivants hochhob. Für den armen Künstler muß diese Szene schrecklich gewesen sein, auch die Familie war bestürzt, und um Unheil zu vermeiden, stimmte man, wie so oft schon in peinlichen Situationen, schnell ein Lied an. Nachdem die Tante zu Bett gegangen, war die Identität des Künstlers schnell festgestellt. Es war das Signal zum fast völligen Zusammenbruch.

IX

Immerhin: man muß bedenken, eineinhalb Jahre, das ist eine lange Zeit, und der Hochsommer war wieder gekommen, eine Jahreszeit, in der meinen Verwandten die Teilnahme an diesem Spiel am schwersten fällt. Lustlos knabbern sie in dieser Hitze an Printen und Pfeffernüssen, lächeln starr vor sich hin, während sie ausgetrocknete Nüsse knacken, sie hören den unermüdlich hämmernden Zwergen zu und zucken zusammen, wenn der rotwangige Engel über ihre Köpfe hinweg »Frieden« flüstert, »Frieden«, aber sie harren aus, während ihnen trotz sommerlicher Kleidung der Schweiß über Hals und Wangen läuft und ihnen die Hemden festkleben. Vielmehr: sie haben ausgeharrt.
Geld spielt vorläufig noch keine Rolle – fast im Gegenteil. Man beginnt sich zuzuflüstern, daß Onkel Franz nun auch geschäftlich zu Methoden gegriffen hat, die die Bezeichnung »christlicher Kaufmann« kaum noch zulassen. Er ist entschlossen, keine wesentliche Schwächung des Vermögens zuzulassen, eine Versicherung, die uns zugleich beruhigt und erschreckt.
Nach der Entlarvung des Bonvivants kam es zu einer

regelrechten Meuterei, deren Folge ein Kompromiß war: Onkel Franz hat sich bereit erklärt, die Kosten für ein kleines Ensemble zu übernehmen, das ihn, Johannes, meinen Schwager Karl und Lucie ersetzt, und es ist ein Abkommen getroffen worden, daß immer einer von den vieren im Original an der abendlichen Feier teilzunehmen hat, damit die Kinder in Schach gehalten werden. Der Prälat hat bisher nichts von diesem Betrug gemerkt, den man keineswegs mit dem Adjektiv fromm wird belegen können. Abgesehen von meiner Tante und den Kindern ist er die einzige originale Figur bei diesem Spiel.

Es ist ein genauer Plan aufgestellt worden, der in unserer Verwandtschaft Spielplan genannt wird, und durch die Tatsache, daß einer immer wirklich teilnimmt, ist auch für die Schauspieler eine gewisse Vakanz gewährleistet. Inzwischen hat man auch gemerkt, daß diese sich nicht ungern zu der Feier hergeben, sich gerne zusätzlich etwas Geld verdienen, und man hat mit Erfolg die Gage gedrückt, da ja glücklicherweise an arbeitslosen Schauspielern kein Mangel herrscht. Karl hat mir erzählt, daß man hoffen könne, diesen »Posten« noch ganz erheblich herunterzusetzen, zumal ja den Schauspielern eine Mahlzeit geboten wird und die Kunst bekanntlich, wenn sie nach Brot geht, billiger wird.

X

Lucies verhängnisvolle Entwicklung habe ich schon angedeutet: sie treibt sich fast nur noch in Nachtlokalen herum, und besonders an den Tagen, wo sie gezwungenermaßen an der häuslichen Feier hat teilnehmen müssen, ist sie wie toll. Sie trägt Kordhosen, bunte Pullover, läuft in Sandalen herum und hat sich ihr prachtvolles Haar abgeschnitten, um eine schmucklose Fransenfrisur zu tragen, von der ich jetzt erfahre, daß sie unter dem Namen Pony schon einige Male modern war. Obwohl ich offenkundige Unsittlichkeit bei ihr bisher nicht beobachten konnte, nur eine gewisse Exaltation, die sie selbst als Existentialismus bezeichnet, trotzdem kann ich mich nicht entschließen, diese Entwicklung erfreulich zu finden; ich liebe die milden Frauen mehr, die sich sittsam im Takte des Walzers bewegen, die angenehme Verse zitieren und deren Nahrung nicht ausschließlich aus sauren Gurken und mit Paprika überwürztem Gulasch besteht. Die Auswanderungspläne meines Schwagers Karl scheinen sich zu realisieren: er hat ein Land entdeckt, nicht weit vom Äquator, das seinen Bedingungen gerecht zu werden verspricht, und Lucie ist begeistert; man trägt in diesem Lande Kleider, die den ihren nicht unähnlich sind, man liebt dort die scharfen Gewürze und tanzt nach Rhythmen, ohne die nicht mehr leben zu können sie vorgibt. Es ist zwar ein wenig schockierend, daß diese beiden dem Sprichwort »Bleibe im Lande und nähre dich redlich« nicht zu folgen gedenken, aber andererseits verstehe ich, daß sie die Flucht ergreifen.

Schlimmer ist es mit Johannes. Leider hat sich das böse Gerücht bewahrheitet: er ist Kommunist geworden. Er hat alle Beziehungen zur Familie abgebrochen, kümmert sich um nichts mehr und existiert bei den abendlichen Feiern nur noch in seinem Double. Seine Augen haben einen fanatischen Ausdruck angenommen, derwischähnlich produziert er sich in öffentlichen Veranstaltungen seiner Partei, vernachlässigt seine Praxis und schreibt wütende Artikel in den entsprechenden Organen. Merkwürdigerweise trifft er sich jetzt häufiger mit Franz, der ihn und den er vergeblich zu bekehren versucht. Bei aller geistigen Entfremdung sind sie sich persönlich etwas näher gekommen.

Franz selbst habe ich lange nicht gesehen, nur von ihm

gehört. Er soll von tiefer Schwermut befallen sein, hält sich in dämmrigen Kirchen auf, ich glaube, man kann seine Frömmigkeit getrost als übertrieben bezeichnen. Er fing an, seinen Beruf zu vernachlässigen, nachdem das Unheil über seine Familie gekommen war, und neulich sah ich an der Mauer eines zertrümmerten Hauses ein verblichenes Plakat mit der Aufschrift »Letzter Kampf unseres Altmeisters Lenz gegen Lecoq. Lenz hängt die Boxhandschuhe an den Nagel«. Das Plakat war vom März, und jetzt haben wir längst August. Franz soll sehr heruntergekommen sein. Ich glaube, er befindet sich in einem Zustand, der in unserer Familie bisher noch nicht vorgekommen ist: er ist arm. Zum Glück ist er ledig geblieben, die sozialen Folgen seiner unverantwortlichen Frömmigkeit treffen also nur ihn selbst. Mit erstaunlicher Hartnäckigkeit hat er versucht, einen Jugendschutz für die Kinder von Lucie zu erwirken, die er durch die abendlichen Feiern gefährdet glaubte. Aber seine Bemühungen sind ohne Erfolg geblieben; Gott sei Dank sind ja die Kinder begüterter Menschen nicht dem Zugriff sozialer Institutionen ausgesetzt.

Am wenigsten von der übrigen Verwandtschaft entfernt hat sich trotz mancher widerwärtiger Züge – Onkel Franz. Zwar hat er tatsächlich trotz seines hohen Alters eine Geliebte, auch sind seine geschäftlichen Praktiken von einer Art, die wir zwar bewundern, keinesfalls aber billigen können. Neuerdings hat er einen arbeitslosen Inspizienten aufgetan, der die abendliche Feier überwacht und sorgt, daß alles wie am Schnürchen läuft. Es läuft wirklich alles wie am Schnürchen.

## XI

Fast zwei Jahre sind inzwischen verstrichen: eine lange Zeit. Und ich konnte es mir nicht versagen, auf einem meiner abendlichen Spaziergänge einmal am Hause meines Onkels vorbeizugehen, in dem nun keine natürliche Gastlichkeit mehr möglich ist, seitdem fremdes Künstlervolk dort allabendlich herumläuft und die Familienmitglieder sich befremdenden Vergnügungen hingeben. Es war ein lauer Sommerabend, als ich dort vorbeikam, und schon als ich um die Ecke in die Kastanienallee einbog, hörte ich den Vers: *weihnachtlich glänzet der Wald...*

Ein vorüberfahrender Lastwagen machte den Rest unhörbar, ich schlich mich langsam ans Haus und sah durch einen Spalt zwischen den Vorhängen ins Zimmer: Die Ähnlichkeit der anwesenden Mimen mit den Verwandten, die sie darstellten, war so erschreckend, daß ich im Augenblick nicht erkennen konnte, wer nun wirklich an diesem Abend die Aufsicht führte – so nennen sie es. Die Zwerge konnte ich nicht sehen, aber hören. Ihr zirpendes Gebimmel bewegt sich auf Wellenlängen, die durch alle Wände dringen. Das Flüstern des Engels war unhörbar. Meine Tante schien wirklich glücklich zu sein: sie plauderte mit dem Prälaten, und erst spät erkannte ich meinen Schwager als einzige, wenn man so sagen darf, reale Person. Ich erkannte ihn daran, wie er beim Auspusten des Streichholzes die Lippen spitzte. Es scheint doch unverwechselbare Züge der Individualität zu geben. Dabei kam mir der Gedanke, daß die Schauspieler offenbar auch mit Zigarren, Zigaretten und Wein traktiert werden – zudem gibt es ja jeden Abend Spargel. Wenn sie unverschämt sind – und welcher Künstler wäre das nicht? –, bedeutet dies eine erhebliche zusätzliche Verteuerung für meinen Onkel. Die Kinder spielten mit Puppen und hölzernen Wagen

in einer Zimmerecke: sie sahen blaß und müde aus, vielleicht müßte man auch an sie denken. Mir kam der Gedanke, daß man sie vielleicht durch Wachspuppen ersetzen könne, solcherart, wie sie in den Schaufenstern der Drogerien als Reklame für Milchpulver und Hautcreme Verwendung finden. Ich finde, die sehen doch recht natürlich aus.
Tatsächlich will ich die Verwandtschaft einmal auf die möglichen Auswirkungen dieser ungewöhnlichen täglichen Erregung auf die kindlichen Gemüter aufmerksam machen. Obwohl eine gewisse Disziplin ihnen ja nichts schadet, scheint man sie hier doch über Gebühr zu beanspruchen.
Ich verließ meinen Beobachtungsposten, als man drinnen anfing, *Stille Nacht* zu singen. Ich konnte das Lied wirklich nicht ertragen. Die Luft ist so lau – und ich hatte einen Augenblick lang den Eindruck, einer Versammlung von Gespenstern beizuwohnen. Ein scharfer Appetit auf saure Gurken befiel mich ganz plötzlich und ließ mich leise ahnen, wie sehr Lucie gelitten haben muß.

XII

Inzwischen ist es mir gelungen, durchzusetzen, daß die Kinder durch Wachspuppen ersetzt werden. Die Anschaffung war kostspielig – Onkel Franz scheute lange davor zurück –, aber es war nicht länger zu verantworten, die Kinder täglich mit Marzipan zu füttern und sie Lieder singen zu lassen, die ihnen auf die Dauer psychisch schaden können. Die Anschaffung der Puppen erwies sich als nützlich, weil Karl und Lucie wirklich auswanderten und auch Johannes seine Kinder aus dem Haushalt des Vaters zog. Zwischen großen Überseekisten stehend, habe ich mich von Karl, Lucie und den Kindern verabschiedet, sie erschienen mir glücklich, wenn auch etwas beunruhigt. Auch Johannes ist aus unserer Stadt weggezogen. Irgendwo ist er damit beschäftigt, einen Bezirk seiner Partei umzuorganisieren.

Onkel Franz ist lebensmüde. Mit klagender Stimme erzählte er mir neulich, daß man immer wieder vergißt, die Puppen abzustauben. Überhaupt machen ihm die Dienstboten Schwierigkeiten, und die Schauspieler scheinen zur Disziplinlosigkeit zu neigen. Sie trinken mehr, als ihnen zusteht, und einige sind dabei ertappt worden, daß sie sich Zigarren und Zigaretten einsteckten. Ich riet meinem Onkel, ihnen gefärbtes Wasser vorzusetzen und Pappzigarren anzuschaffen.

Die einzig Zuverlässigen sind meine Tante und der Prälat. Sie plaudern miteinander über die gute alte Zeit, kichern und scheinen recht vergnügt und unterbrechen ihr Gespräch nur, wenn ein Lied angestimmt wird.

Jedenfalls: die Feier wird fortgesetzt.

Mein Vetter Franz hat eine merkwürdige Entwicklung genommen. Er ist als Laienbruder in ein Kloster der Umgebung aufgenommen worden. Als ich ihn zum erstenmal in der Kutte sah, war ich erschreckt: diese große Gestalt mit der zerschlagenen Nase und den dikken Lippen, sein schwermütiger Blick – er erinnerte mich mehr an einen Sträfling als an einen Mönch. Es schien fast, als habe er meine Gedanken erraten. »Wir sind mit dem Leben bestraft«, sagte er leise. Ich folgte ihm ins Sprechzimmer. Wir unterhielten uns stockend, und er war offenbar erleichtert, als die Glocke ihn zum Gebet in die Kirche rief. Ich blieb nachdenklich stehen, er ging: er eilte sehr, und seine Eile schien aufrichtig zu sein.

HANS WERNER RICHTER
(geb. 1908)

## Das Ende der I-Periode

Theo Heinz Theo, mit bürgerlichem Namen Franz Walter Lehmann, entdeckte das I. Bevor er das I entdeckte, wurde er geboren, ging zur Schule, besuchte die Universität, machte sein Staatsexamen, wurde Dramaturg. In seiner Jugend interessierte er sich für Fußball, später für Literatur. Schon früh wurde ihm der Reiz des Gegensatzes bewußt. Er schrieb darüber: ›Der Gegensatz ist der Gegensatz des Gegensatzes ohne Gegensatz.‹
Nach diesem Grundsatz lebte er. Trugen die einen noch die Haarmode des vergangenen Jahres, trug er bereits die des kommenden, waren ihre Hosenbeine breit, waren seine eng, war ihr Pullover ausgeschnitten, war seiner hochgeschlossen, gingen sie glattrasiert, ließ er sich einen Bart stehen, wuchs ihnen der Bart, entfernte er den seinen. Unübertroffen in modischen Dingen, stimulierte er durch den revolutionären Gegensatz die Mode selbst, und als ihn der Fußball zu langweilen begann, übertrug er diese Methode auf die Literatur.
Hier entdeckte er den Stuhl. Einen gewöhnlichen. Das war zu der Zeit, als die Literatur sich mit weitläufigen Dingen, großen Räumen, gesellschaftlichen Umwälzungen, also mit Themen beschäftigte, die sie nicht bewältigen konnte. Theo Heinz Theo hielt das für unerträglich. Er zerlegte den Stuhl. Zuerst in vier Beine. Über jedes Bein schrieb er einen Text von zehn Zeilen. Er nannte die Texte Text. Der Verleger fand Text zu kurz, Theo Heinz Theo fand ihn zu lang. Er hätte Text gern noch einmal zerlegt, in zwei Teile, in Te und xt. Der

Verleger bestand auf einem Untertitel: Kantate – Kantate auf vier Beine.
Das Buch wurde ein Erfolg. Die Kritiker, einer neuen Mode gegenüber, kapitulierten. Nach zwei Monaten des Widerstandes schlossen sie sich geschlossen der neuen Mode an.
Theo Heinz Theo wurde von allen Dichter-Reise-Vermittlungsbüros fast gleichzeitig an- und aufgefordert. Er begann zu reisen, von Universität zu Universität, von einer Aula in die andere. Sein Ruhm stieg, der Verleger baute sich ein neues Haus. Theo Heinz Theo wurde von ihm eingeladen, in dem Swimmingpool täglich zu baden, falls er es für notwendig hielte. Er hielt es nicht für notwendig.
Das Stuhlbein wurde zur allgemeinen Mode. Wer es noch nicht besaß, schaffte sich eins an. Dort, wo Theo Heinz Theo auftauchte, um seine Texte zu lesen, wurden sie aus Ermangelung an Theo-Heinz-Theo-Werken als Souvenirs gehandelt. Seine Vorlesungen waren überfüllt. Das Publikum saß dichtgedrängt, Mund an Mund, Ohr an Ohr, Arm an Arm, Bein an Bein, unübersehbar in Hörsälen, Nebensälen, Prachtsälen, Mikrophone übertrugen Theo Heinz Theos Fistelstimme an jedes Ohr, bis auf die Straße hinaus.
Mit der Zeit fühlte er sich bedrängt, seine Schweißausbrüche während der Lesungen wurden immer heftiger. Je häufiger er seine Texte las, um so mehr erschienen sie ihm veraltet. Zu lang, zu unpräzis, thematisch nicht straff genug. Mit jedem Vortrag wuchs er über sein eigenes Stuhlbein hinaus. Er beschloß sich zurückzuziehen, und er zog sich zurück.
Wieder begann er zu denken. Die Zeit der Kurzform in Texten war vorüber, das spürte er. Er sah sich jeden Gegenstand in seinem Zimmer an, untersuchte ihn sorgsam auf seine literarische Tragfähigkeit: das Bett, den Nachttisch, die Lampe, die Uhr.

Eines Abends im Bett entdeckte er den Plattfuß. Sofort zerschnitt er Plattfuß in drei Teile, in Pla, ttf und uß, zersägte diese Teile wiederum in Teile, setzte sie neu zusammen, warf sie in die Luft, zerkaute sie zwischen seinen Zähnen. Aber sie gaben nichts her. Seine Nächte waren unruhig und ohne Schlaf. Nächte zerquälter Poetik.

In einer solchen Nacht erschien ihm das I. Es war seinem eigenen Alphabet entsprungen. Nervös schwebte es über sein Bett, gaukelte um die Lampe, sonnte sich sekundenlang im Licht, federte an die Decke.

Es war, wie Theo Heinz Theo mit geschlossenen Augen feststellte, jugendlich vital, sonnig heiter, unkonventionell aufgeschlossen, leichtfüßig astral, merkantil gelassen, schlank, erleuchtet, geläutert, hell, so wie Theo Heinz Theo das I weder gesehen noch beachtet hatte. Ein Glockenschlag hoher Poetik stand zitternd im Raum. Theo Heinz Theo spürte es. Das I war die Idee.

Er sprang auf. Er versuchte es einzufangen. Schwerfällig hob er sich zur Decke empor, gaukelte hinter dem I her um die Lampe herum, ergriff es nicht ohne Brutalität, und begann zu experimentieren.

Zuerst zerschnitt er es in vier Längsstreifen, dann in Querstreifen, dann die so entstandenen Karos in kleinere und größere Stücke. Das I schrie. ›Still‹, sagte Theo Heinz Theo und warf es in seinen Ölofen. Sofort nahm die Ölflamme die Form des I an. Theo Heinz Theo nannte es eine Offenbarung.

Der Verleger war begeistert. Das Buch erschien ein halbes Jahr später. Es hatte nur achtzig Seiten. Auf jeder Seite standen I's, insgesamt fünftausenddreihundertunddrei. Die Titelseite trug ein doppeltes I. Beide I's waren durch einen Punkt in der Mitte vereint. Dies war Theo Heinz Theos einzige Konzession. Das Buch wurde zu einer Sensation. Zum erstenmal in der Literaturgeschichte konnte man ein Buch von oben nach unten, von unten nach oben, von vorn nach hinten, von hinten nach vorn, kreuz und quer, und wie immer man wollte, lesen. Ja, man konnte es während der Lektüre sogar auf den Kopf stellen und es war immer noch lesbar.

Wieder waren die Kritiker verblüfft. Erregt und gefaßt zugleich starrten sie auf das I. Stimmen des Widerspruchs wurden vom Verleger niedergekämpft und als völlig veraltet abgetan. Er war bereits im Geschäft. Die Übersetzer drängten sich in seinem Vorzimmer, ausländische Verleger erbaten per Fernschreiber dringend die Option. Nach zahlreichen Telefonaten untereinander ergaben sich auch die letzten Sykophanten. Geschlossen schlossen sie sich der neuen Mode an.

Die I-Periode dauerte vier Jahre. Theo Heinz Theos Buch wurde zum Bestseller und zur allgemeinen Reiselektüre. Der Werbeslogan *Reise nie ohne I* hing in allen Motels von der Costa Brava bis zur Küste Finnlands, vom Shannon bis Teheran, vom Nordwesten Irlands bis zum Persischen Golf. Theo Heinz Theo wurde insgesamt dreiundvierzigmal preisgekrönt. Die Preisrichterkollegien (es waren immer dieselben) aller Städte, Vereine und Selbstbedienungsläden rissen sich um ihn. Es fiel ihnen nie etwas anderes ein als Theo Heinz Theos I.

Wieder begann Theo Heinz Theo zu reisen. Jetzt reiste er von Botschaft zu Botschaft, las in Syrien, im Libanon, in Athen, in Uganda. Auf Wunsch der Botschafter vertauschte er seinen Pullover mit einem Frack. Das Zeremoniell der Vorlesung war immer dasselbe. Der jeweilige Botschafter hielt einen Einleitungsvortrag über die Notwendigkeit des I, über Sinn, Gestalt, Gehalt und Form, über die einmalige Wirkung und belebende Wirkung des I schon in Goethes Prosa. Dann bestieg Theo Heinz Theo das Podium. Kaum öffnete er den

Mund, kam das erste I. Spontan geriet das Publikum in Verzückung. Schon beim dritten I brachen ältere Damen in Tränen aus. Beim vierten oder fünften I horchte das diplomatische Corps auf und nahm Haltung an. Beim achten I begannen die internationalen I-Fans den I-Takt zu trommeln. Nach einem Dutzend von Is war der Saal ein brodelndes Durcheinander von Tränen, Rührung, Sinnenfreude, von zuckenden Beinen, Füßen, Händen, Ohren, Nasen, eine einzige I-Influenza, wie Theo Heinz Theo es nannte. Er modulierte jedes I in seinen spezifischen Tönen, Farben, und Aspekten. Bald klang es hell, leicht, astral, bald dunkel, vital, bekömmlich. Jedes I hatte seine eigene individuelle Existenz, seine eigene Ausstrahlung und sein eigenes literarisches Gesicht. Das letzte I, das er in den Saal mehr hauchte als sprach, war der Höhepunkt, das I schlechthin, ein I, das alle Eigenschaften der anderen in sich vereinte, umschloß, aufhob, noch einmal aufleuchten ließ und dann vernichtete.

Der darauf folgende Beifall war einzigartig. Ein Orkan der weinenden Lust, des jubelnden Hochmuts, und der literarischen Freude. Ältere Snobs rissen sich begeistert ihre neuesten Krawatten vom Hals und warfen sie mit einem heiser gehauchten ›Nein – Nein‹ auf das Podium. Theo Heinz Theo nahm alles wie selbstverständlich hin. Lächelnd zog er seinen Frack aus und ließ ihn sanft in die beifalljubelnde Menge fallen. Dort wurde er zerrissen, aufgeteilt und in tausend kleinen I-Fetzen zu Souvenirs verarbeitet.

Immer mehr Kritiker schlugen Theo Heinz Theo für den Nobelpreis vor. Einige verfaßten Kommentare, Erläuterungen, Analysen zu Werk, Leben und Gestalt von Theo Heinz Theo und kamen so zu Ruhm und Ansehen. Nur die Einladung zu Werkstattgesprächen lehnte Theo Heinz Theo ab. Die internationale Mode hatte sich längst des I bemächtigt. Auch physisch ver-

suchte sich die junge Generation dem I-Kult anzupassen. Mädchen und Jünglinge wurden immer mehr zu Strichen ätherisch abstrakter Art. Die Haarfrisur beider Geschlechter verjüngte sich zu I-Punkten. Selbst die Autoindustrie verschloß sich dem Einfluß der modernen Literatur nicht länger. Der erste I-Wagen kam heraus, und Theo Heinz Theo begrüßte ihn, als er vom Fließband lief, mit zweihundert ausgewählten I's.
Als der erste I-Apfelsinenzerstäuber angezeigt wurde, war der Höhepunkt überschritten. Theo Heinz Theo begann bei seinen Vorträgen zu stottern. Anfälle von Unlust sperrten ihm sekundenlang die Lippen. Seine Is wurden langweilig, vertrocknet, alt, und plötzlich wurde ihm bewußt, daß alles bereits vorüber sei, überholt, verbraucht, eine literarische Mode, die ihm nichts mehr bedeute.
Überstürzt zog er sich in die Einsamkeit zurück.
Wieder saß er bedrückt auf seinem Stuhl. Es war der Stuhl, den er einmal in einer Form besungen hatte, die ihm jetzt als ein vergangenes Jahrhundert eingefrorener Literatur vorkam. Aber auch die Zeit des I erschien ihm nun eine epische, eine Periode der Kurzform gewiß, doch nicht eine Epoche der möglichen kürzesten Form. Wieder und wieder griff er ohnmächtig in schlaflosen Nächten zum Alphabet. Er versuchte es mit dem Z, dem Y, dem W, experimentierte mit dem K herum, öffnete das O. Alle Experimente endeten im Profanen. In einer solchen Nacht zersägte er wütend das widerspenstige A. Er sägte es von oben nach unten durch, zersägte die beiden Hauptteile in kleinere Teile, zerschnitt diese in noch kleinere Stücke und versuchte, die so entstandenen A-Teilchen in einem Kleinstmörser zu zertrümmern.
Der Kleinstmörser, ein neues Hilfsmittel der Industrie, war ein Mittelding zwischen Elektronenbeschleuniger und veraltetem Atomgeschütz, Marke Honest John, für

private Zwecke. Theo Heinz Theo hatte sich dieses Gerät mehr aus Liebhaberei angeschafft. Erst in den letzten Tagen war ihm sein experimenteller Charakter bewußt geworden, und die Zertrümmerung des A war der erste Versuch, den Apparat seinen literarischen Zwecken dienstbar zu machen.
Neugierig sah er der Reaktion der A-Teilchen zu. Er war – so schien es ihm – einer neuen Entdeckung auf der Spur. Etwas geschah, etwas Ungewöhnliches. In seiner Freude stellte er den Kleinstmörser ab, schabte die zertrümmerten A-Teilchen zusammen, und warf sie in seinen Ölofen. Was jetzt geschah, kam unerwartet. Mit ungeheurer Kraft strebten die A-Teilchen zueinander. Sie wollten sich fusionieren, und bevor Theo Heinz Theo begriff, was in seinem Ölofen vor sich ging, erreichte der Fusionsprozeß seinen Höhepunkt. Eine Explosion riß den Ofen auseinander, und Theo Heinz Theo flog auf einem donnernden neu entstandenen A in die Luft.
Das war der erste gelungene Fusionsversuch der Meta-Literar-Physik. Er blieb jedoch unbekannt. Erst zehn Jahre später kam Theo Heinz Theo zur Erde zurück. Nach einem radioaktiven Regen, der über West-Turkestan niederging, fanden sich Teile eines Ersatzzahns. Sie ergaben, von fachkundigen Experten zusammengesetzt, jene I-Form, die Theo Heinz Theos Zahnarzt bei der Gestaltung neuer Zähne bevorzugt hatte. Schatten von A-Kernteilchen wurden in der Rinde des Zahns entdeckte, womit nicht nur Theo Heinz Theos Ableben, sondern auch die erste Fusionsexplosion der Meta-Literar-Physik ihre Würdigung fanden.
Der Zahn wurde zu einer Berühmtheit. Ausgestellt im Theo-Heinz-Theo-Literatur-Museum, zog er alljährlich die inzwischen alt gewordenen I-Fans an. Die letzte Rede vor diesem Zahn hielt Professor Mischendorf, der eigentliche Erfinder der Meta-Literar-Physik. In äußerst

knapper, wenn auch brillanter Form, wandte er sich von der I-Periode ab.

Eine neue Mode war entstanden, eine Art Überkurzform. Sie war weder sichtbar noch hörbar darzustellen. Statt zu schreiben, dachten jetzt die Schreibenden das zu Schreibende. Immer noch – wie zu Theo Heinz Theos Zeiten – reisten die modernen Dichter von Ort zu Ort. Schweigend standen sie nun auf den Podien, geehrt vom Beifall des Publikums.

Die Kritiker, wiederum verblüfft, zerfielen, jeder mit dem anderen und jeder zugleich mit sich selbst. Dann schlossen sie sich geschlossen der neuen Mode an. Wo ihre Kritiken bisher erschienen waren, brachten die Zeitungen leere Stellen, die vom wißbegierigen Publikum mit großer Freude erwartet und verschlungen wurden.

So folgte auf die I-Periode eine Epoche der Zehntelsekunden-Meditation.

REINHARD LETTAU
(geb. 1929)

## Der Feind

Draußen regnet es. Der General kommt zurück.
»Haben Sie gewonnen?« wird er gefragt.
»Ich habe den Feind nicht gefunden«, antwortet der General. Neben ihm stehen die Herren, die mit ihm hereingekommen sind, in triefenden Paletots. Pfützen auf der Diele.
»Der Gegner wurde nicht sichtbar. Wir fanden ihn nirgends«, sagt der General.
Unterdessen ist der Feldmarschall eingetreten. Man hat ihn geweckt. Er setzt sich auf den Stuhl, den man ihm hinrückt. Dort knüpft er die Uniformjacke bis obenhin zu, dann sagt er: »Berichten Sie von der Schlacht.«
Der General schlägt die Augen nieder. »Ich hatte eben den Herren schon mitgeteilt, daß die Auffindung des Gegners schwierig war. Zum Beispiel glaubten wir einmal, auf eine feindliche Patrouille gestoßen zu sein. Bei dem Nebel ist es schwierig. Es sind alles Schemen.«
Er zeigt hinter sich.
Der Feldmarschall ist jetzt aufgestanden und ans Fenster getreten. Knarren der Dielen, der Feldmarschall bewegt sich am Fenster. Die Anwesenden beobachten ihn dort. Ein Soldat tritt neben den Feldmarschall und hält die Gardine beiseite, damit der Feldmarschall nach draußen blicken kann. Der Feldmarschall beugt sich gegen das Glas. Im Zimmer herrscht Ruhe. Nach einer Weile sagt der Feldmarschall: »Draußen ist wirklich nichts zu sehen.« Der General atmet auf. Noch vom Fenster aus fragt der Feldmarschall: »Gehört haben Sie den Feind wohl auch nicht?«

»Einmal war der Feind im Baum und hat einen Vogel nachgemacht«, antwortet der General. »Wir gingen und hörten es von oben zwitschern. Deutliches Zwitschern im Laub. Echte Vögel, bei unserm Näherkommen, wären aufgeflogen.«
Der Feldmarschall geht in sein Zimmer zurück. Der General zeigt zur Zimmertür.
»Ist er dort allein?«
»Er ist viel allein. Immer ist er da drin.«
Zusammen mit zwei Soldaten tritt ein Oberst ein. Noch bei der Tür, ehe diese geschlossen ist, ruft er: »Wo sind meine Truppen?« Dann erst bemerkt er den anwesenden General, salutiert.
»Erklären Sie die Frage«, sagt der General.
»Exzellenz, es regnet stark. Zuletzt sah ich die Truppen auf der Landstraße hinter einem Feind herrennen. Vorn rannte der Feind, dahinter meine Truppen. Auf einer Anhöhe, um mir Überblick zu verschaffen, hielt ich selbst an. Die Truppen rannten alle an mir vorbei. Zuletzt, in der Entfernung, wo die Straße Hügel gewann, sah ich sie noch lange, langsamer rennen. Abgehetzt rannten sie wie Verlierer hinter dem Feind her.«
In der offenen Tür steht wieder der Feldmarschall.
»Hat der Feind sich manchmal umgedreht?« fragt er.
Der Oberst grüßt den Feldmarschall, steht vibrierend.
»Exzellenz«, sagt er, »der Feind wandte sich beim Laufen öfters um.«
»Wie sieht der Feind aus?« fragt der Feldmarschall.
»Dieser Feind«, sagt der Oberst, »wie soll man ihn beschreiben?«
»Entspricht sein Äußeres den Vorstellungen, die man sich in der Heimat macht?« fragte der Feldmarschall.
Der Oberst denkt nach.
»Beschreiben Sie das Äußere des Feindes«, ruft der General. »Entspricht es den Erwartungen?«

»Dieser Feind ist ein ziemlich kleiner Mensch und rennt sehr schnell. Sie sehen ja, wo meine Truppen sind. Zum Beispiel hat er Pickel. Durch das Fernglas habe ich Pickel im Gesicht gesehen.«
»Hat also Pickel?« ruft der Feldmarschall. »Ja, weiter. Ich höre schon.«
»Und ist sehr klein und läuft schnell, aber schief.«
»Und weiter?« ruft der Feldmarschall.
»Beim Laufen gehn die Knie so spitz hoch. Haben Sie Ihre Schlacht gewonnen?« fragt er jetzt den General.
»Haben Sie es schießen hören? Hat es gepfiffen? Sind bei mir Brandspuren? Meine Züge verräuchert?«
»Natürlich«, sagt der Oberst, »ist es ein schlechtes Gefühl, wenn ganze Kompanien hinter einem einzigen Feind herrennen.«
»Aha«, ruft der Feldmarschall. »Und warum? Nur weil wir mehr sind, dürfen wir da nicht Recht haben? Soll ich allein hierbleiben? Mich ganz klein machen, geduckt herumlaufen? Sollen Zwerge immer gewinnen? Man stellt hier zehn Menschen hin, dort einen, dann hat der eine gleich Recht, nur weil er allein ist, Hautausschlag hat, aber wir sind Teufel, weil wir gesund sind, groß sind, zu zehnt sind?«

Später, in der Nacht, steht der Feldmarschall wieder im Zimmer, bindet sich noch den Morgenmantel zu und sagt: »Ich habe einige Überlegungen angestellt und meine, daß wir den Feind heute schlagen werden.«
Unruhe vor dem Haus. Ein Major betritt den Raum.
»Sie haben ja Blumen in der Hand«, sagt der Feldmarschall.
»Gewiß, ein Blumenstrauß«, antwortet der Major. Er blickt zur Hand. »Feldblumen.«
Dann, auf Befragen: »Sie wissen, wie hier die Leute aus den Häusern treten, wenn man durchs Dorf kommt. Wir hatten das Dorf kaum hinter uns, vor uns flaches

Land, da sehen wir in der Ferne Männer gegen uns vorrücken, etwa tausend. Eben habe ich meinen Leuten Deckung befohlen, sind diese schon bei uns, gehen weiter, auf einem großen Spaziergang ins Dorf. Ich dränge mich durch ihre Reihen hindurch zu den ersten, wo ich den Anführer vermute, stelle mich vor ihnen auf und rufe: ›Halt!‹ ›Warum Halt?‹ rufen diese und schreiten weiter voran, so daß ich gezwungen bin, rückwärts zu laufen, um sie bei ihrem Vorwärtsgehen noch im Auge zu behalten. ›Seid ihr nicht Feinde?‹ rufe ich, darauf lachen diese, Zahnwerk wird sichtbar, machen Grimassen, lachen aber und rufen hinzu: ›Damit du nicht Angst hast‹ und sind schon vorbei, den Hügel hinan und dahinter verschwunden.«
»Befinden sie sich noch immer hinter jenem Hügel?«
»Wir standen vor der Wahl, nachzuschaun oder uns zunächst hierher zu begeben, um Meldung zu erstatten.«
»Alle Ihre Leute?«
»Meine Leute wollten die Aufnahme der Meldung hier beobachten.« Der Major bemerkt jetzt den General. »Sie wollten doch eine Schlacht machen?« fragt er ihn.

Frisch, mit leuchtenden Augen, tritt der Feldmarschall am frühen Morgen ins Zimmer.
»Wir schlagen den Feind heute«, sagt er.
Der Adjutant meldet sich.
»Warum heute?«
Da tritt ein Leutnant in die Stube. Er salutiert nach allen Seiten.
»Ein Mann«, sagt er, »sagte, er würde uns den Ort zeigen, wo der Feind sich aufhält, wenn er nicht unterwegs sei. Bald sagte er: ›Verharret hier‹, verschwand, kam zurück: ›Womöglich woanders‹, sagte er. Woanders angekommen rief er: ›Dahinten‹, dort: ›Nein, wo

wir vorher waren‹, dort: ›Nun folgt‹, auf einmal: ›Nun wartet‹, wir warteten.«

»Während Sie warteten, ist er nicht wiedergekommen?«

»Nicht. Während wir dastanden nicht.«

»Sie haben ihn nicht mehr gesehen?«

»Auf dem Rückweg. Er focht, aber es war niemand sonst da. ›Wo ist ihr Gegner?‹ fragten wir ihn. ›Zuletzt dort drüben‹, sagte er. ›Zählt, was sie tun?‹ fragten wir ihn. ›Diesen Hieb, er spürt ihn‹, rief er.«

»Haben Sie den Feind berührt?« fragte der Feldmarschall.

»Ich selbst habe ihn angefaßt.«

»Wie faßt sich der Feind an?« fragt der Feldmarschall.

Der Leutnant berührt seinen Nebenmann.

»Er faßt sich an wie der Herr hier. Nur muß man sich bücken, um ihn anzufassen.«

»Wie tief etwa?«

Der Leutnant geht in die Knie.

»So tief schon«, sagt er.

Die Herren kauern jetzt, unterhalb der Fenstersimse, Köpfe in Tischhöhe, und betasten sich.

»Und wie ging es hier?« fragt der Leutnant.

Ein Soldat stolpert herein. Die Herren richten sich schnell auf und wenden sich zur Tür um. Der Soldat steht schwankend.

»Sie haben da einen sehr schönen Orden«, sagt der Feldmarschall zu ihm.

»Einen bei uns in dieser Größe noch nie gesehenen Orden«, sagt der Oberst.

»Wo haben Sie denn den Orden her?« fragt der Adjutant.

Der Soldat tritt von einem Fuß auf den andern.

»Der Orden«, er zeigt auf den Orden, »ist mein Orden.«

»Gewiß«, sagt der Feldmarschall. »Nun kommen Sie mal her.«

Der Soldat geht torkelnd zwei Schritte auf den Feldmarschall zu.
»Der Orden ist wohl schwer?« fragt der Feldmarschall.
»Den Orden kann man kaum tragen«, sagt der Soldat.
»Und wo haben Sie den Orden her?« fragt der Feldmarschall.
»Vor dem Haus. Gleich bei der Statue.«
»Welcher Statue?« ruft der Feldmarschall und eilt vors Haus. Der Feldmarschall steht vor dem Haus, die Offiziere im Halbkreis hinter ihm.
Draußen Sonne.
»Wo ist die Statue?« ruft der Feldmarschall. »Ich sehe keine Statue.«
»Hier war nie eine Statue«, sagt der Adjutant.
»Aber dahinten sind viele Statuen«, ruft der General und zeigt zum Horizont.
»Die Statuen sind mir neu«, ruft der Adjutant.
»Die Vielfalt der Posen«, ruft der Oberst.
»Ziemlich kugelrund«, ruft der Major.
»Ragend, steigend, schreitend«, ruft der Leutnant.
»Eine doch beim Haus«, ruft der Adjutant. Er zeigt seitwärts. Im Nu sind alle im Zimmer.
Der Feldmarschall erteilt jetzt Befehle, die Statuen zu beobachten, indem um jede herum ein paar Mann zu postieren sind. Nachdem dies geschehen ist, steht der Feldmarschall wieder am Fenster. Ein Soldat hält wieder die Gardine beiseite. Der Feldmarschall schaut nach draußen. Trüber, nebliger Tag, stumme Gruppen im Feld, den Hang hoch, eine Armlänge vom Fenster entfernt. Der Feldmarschall wendet sich zurück ins Zimmer. »Ein Kerl hat gezwinkert«, flüstert er.
Öder Vormittag, schweigend verbracht. Herumsitzen der Herren längs der Wand. Das Zimmer: kleine Blumentapete, weißer Kaminsims, Schiffsbild. Braune, spiegelnde Diele. Einzelne, entfernte, wattierte Rufe von außen. Der General schaut eine Karte an, die

mehrfach, dick gefaltet ist, der Major hält ein Buch in der Hand, starrt gegen die Wand. Gelegentliches Durchlaufen des Feldmarschalls durchs Zimmer. Er tritt aus seiner Kammer heraus, winkt den sofort schon im Aufspringen begriffenen Herren zu, sitzenzubleiben, und läuft, von diesen von unten her, von unten nach oben beobachtet, durchs Zimmer. Einmal, beim Vorbeigehen an dem General, flüstert er diesem zu: »Na, haben Sie die Schlacht gewonnen, haha?« und ist an dem Errötenden schon vorbei. Er eilt ins Speisezimmer, ob schon gedeckt wird. Er kommt zurück. »Sind die Statuen noch da?« fragt er. »Alle noch da, Exzellenz«, flüstert der Adjutant.
Mittag gemeinsam nebenan, stumme Mahlzeit. »Meldungen?« fragt später der Feldmarschall. »Anfragen von zu Hause«, antwortet der Adjutant. »Was halten Sie von Anfragen von zu Hause?« fragt der Feldmarschall. »Zeugnisse der Ungeduld«, sagt der Adjutant. »Der Neugierde«, sagt der General. »Gut charakterisiert«, sagt der Feldmarschall.
Betäubende Mittagsruhe, Knarren des Bettes des Feldmarschalls von drinnen hörbar. Man hört den Feldmarschall aufspringen, sich rüsten. Wieder Durchgänge des tadellos gekleideten Feldmarschalls durchs Zimmer, während es draußen dunkelt. Die fröstelnden Herren lassen im Kamin ein Feuer machen. Indessen betritt der Feldmarschall die Stube, die Herren erheben sich nur gekrümmt aus den Knien und sacken gleich zurück.
»Habe ich abgewunken?« ruft der Feldmarschall. Als alle gleich stehen: »Haha, schon gut, setzen«, ruft er.
Später, finsterer Nachmittag. Von draußen Rufe. »Ihr habt jetzt die Zähne im Feind«, sagt der Feldmarschall. »Beißt tiefer und tiefer, bis er zerstört ist.«
Dann, nach einem Wortwechsel vor der Tür, betreten zwei Herren das Zimmer und salutieren zusammen.

»Was sind das für Uniformen?« fragt der Feldmarschall.
Die Ankömmlinge mustern einander, dann die Herren im Raum.
»Unsere Uniformen? Und Ihre? Was haben Sie denn für Uniformen?«
»Wir haben richtige Uniformen«, sagt der Adjutant.
»Keine giftgrünen Röcke«, sagt der General. »Bei uns stimmt es.«
»Unsere Uniformen«, sagt einer der Ankömmlinge, »werden bei uns von allen getragen.«
»Ich bin ein Feldmarschall«, sagt der Feldmarschall und zeigt links und rechts auf die Achselklappen.
»Weg hier«, sagt der erste Herr zum zweiten Herrn und beide entfernen sich.

Ruhig verbrachte Nacht. Der Feldmarschall hat sich noch einmal Bücher ins Zimmer bringen lassen. Der Adjutant, der als einziger aufblieb, hat ihn drinnen bald gähnen, das Licht ausknipsen hören.
Zum Frühstück erscheint der Feldmarschall pünktlich.
»Statuen noch da, ja?« fragt er zur Seite, beim Setzen. Als alle nicken: »Meine Laune ist gut«, sagt er. Er überblickt die Frühstückstafel.
Danach, im Wohnzimmer, stehen die Herren im Halbkreis vor ihm. Adjutant am nächsten, daneben der General mit dem Oberst, zur Linken Major und Leutnant, bei der Tür ein Soldat.
»Wie geht es den Truppen heute?« fragt der Feldmarschall. »Hat sie jemand gesehen?« fragt er. »Wie sehen sie heute aus?«
»Es fehlt Tätigkeit«, sagt der Adjutant.
»Wir müssen einen neuen Anlauf nehmen«, sagt der Feldmarschall. »Noch einmal hier ankommen und es ausnutzen. Oder doch hierbleiben und von vorn anfangen.«
»Wie weit von vorn?« fragt der Adjutant.

Erwartung im Zimmer. Der Feldmarschall nimmt eine entschiedene Haltung an.

»Ganz von vorn«, sagt er. »Setzen Sie sich, holen Sie Hefte und Bleistifte raus, schreiben Sie!«

Die Herren sitzen mit gezückten Bleistiften.

»Ich, du, er, sie, es, wir, ihr, sie«, sagt der Feldmarschall.

»So weit von vorn?« fragt der Adjutant.

»Haben Sie das geschrieben?« fragt der Feldmarschall. Alle nicken.

»Dann lesen Sie vor, was Sie geschrieben haben«, sagt der Feldmarschall.

Er zeigt auf den Adjutanten.

Dieser erhebt sich.

»Exzellenz, im Namen der Herren bitte ich gleich um ein zusammenhängendes Diktat.«

»Zum Beispiel einen Aufsatz über einen Ausflug«, ruft der General.

»Zuerst die Geschlechtswörter«, sagt der Feldmarschall. »Deklinieren Sie!«

Der aufgerufene Oberst erhebt sich. Er starrt auf das Heft, das er vor sich hält. Die Herren warten.

»Der, des, dem, den«, sagt er.

»Gut«, sagt der Feldmarschall.

»Die, der, der, die«, sagt der Oberst.

»Weiter«, sagt der Feldmarschall.

»Das, des, dem, den«, sagt der Oberst.

»Gut«, sagt der Feldmarschall.

»Falsch«, sagt der Adjutant.

»Inwiefern falsch?« fragt der Feldmarschall.

»Exzellenz«, sagt der Adjutant, »es heißt das Kind, nicht den Kind. Zum Beispiel: Ich sehe das Kind. Es ist ein anderer Fall.«

»Ich sehe das Kind, ich sehe das Kind«, murmelt der Feldmarschall. Er senkt den Kopf, legt die Hand an die Stirn. Die Standuhr schlägt. Schließlich hebt der Feldmarschall den Kopf mit einem Ruck hoch.

»Den Kind kann man auch sagen«, sagt er.
»Den Kind, den Kind«, murmeln alle und schütteln den Kopf.
»Den Kind klingt auch gut«, sagt der Feldmarschall.
»Den Haus kann man auch sagen. Ich gehe in den Haus, wie klingt das?«
Der Oberst meldet sich.
»Oder den Oberst«, sagt er. »Wie ist das?«
»Das Baum«, sagt der General und setzt sich sofort.
»Ich Laub«, sagt der Leutnant.
Jetzt steht der Major. Er wartet, bis die Herren sich erholt haben. Dann hebt er den Zeigefinger hoch, schaut drauf und sagt: »Oh Hut.« Beifall von allen Seiten.
»Ruhe«, brüllt der Feldmarschall. »Li, lu, a, o.« Nicken aller Herren.

HELMUT HEISSENBÜTTEL
(geb. 1921)

# Gruppenkritik

Von 25 Autoren lasen 16 zum erstenmal 10 wurden positiv 9 negativ und 6 verschieden beurteilt in der Kritik fielen von 200 Wortmeldungen je 20 auf Walter Jens und Joachim Kaiser 17 auf Walter Höllerer 16 auf Erich Fried 12 auf Günter Grass 11 auf Hans Mayer 9 auf Marcel Reich-Ranicki je 7 auf Heinz von Cramer Fritz J. Raddatz und Peter Weiß 6 auf Erich Kuby je 5 auf Hans Magnus Enzensberger Alexander Kluge Jacov Lind und Hermann Piwitt 13 Kritiker sprachen je 4mal und weniger

Hermann Piwitt glaubt eine wirklich positive Geschichte gehört zu haben Günter Grass ist mit dieser Geschichte nicht so einverstanden Peter Rühmkorf unterscheidet einen blassen Erzähler Marcel Reich-Ranicki ist nur nicht im geringsten dafür daß die Grenze zwischen fiction und nonfiction verwischt wird Fritz J. Raddatz muß sich fragen was dem Thema nun Neues abgezwungen wird Walter Jens fragt sich in welcher Weise ein bestimmtes Milieu angemessen dargestellt werden kann also Heinz von Cramer findet das eine ganz besonders saubere Arbeit

Joachim Kaiser sieht sich als Zeugen eines Manövers bei dem am Schluß das Gelände beinah leer ist Walter Höllerer sieht eine Metapher aus einem Familienbild heraustreten dann Pantomime werden und schließlich Kabinettstück Dieter Wellershoff erscheint das als Analogie zum Fertighausbau Roland H. Wiegenstein riecht eher eine schweißtreibende Modernität Reinhard

Baumgart sieht eine furchtbare Art von Demokratie im Stil Günter Grass sieht reines Papier Hans Mayer geht die moralité daneben Walter Jens glaubt daß es gelungen ist

Walter Höllerer fragt nach der Bezugsfigur und entdeckt die Relativität der Relationen als Prinzip es geht ihm um Daseinsformen und Bewußtseinsmöglichkeiten Walter Jens hat von Walter Höllerers Rede nichts verstanden Hans Magnus Enzensberger gesteht daß er beim Zuhören etwas geschwankt hat Marcel Reich-Ranicki kann nicht recht verstehn was Hans Magnus Enzensberger gesagt hat und befürchtet dadurch den Schritt vom Asketischen zum Sterilen er hat wenig dagegen nichts dafür zu sagen Hans Mayer hat Walter Höllerer eigentlich durchaus verstanden und beim Hören die merkwürdigsten Evolutionen durchgemacht Joachim Kaiser wendet sich gegen das Wort steckenbleiben von Walter Höllerer

Walter Mannzen weiß nicht ob Günter Grass weiß ob Brecht wissen konnte was Grass weiß und Unseld wissen kann was Brecht wußte und Grass weiß ob Brecht wissen konnte ob Unseld weiß was Grass nicht weiß aber er sagts auch nicht

Walter Höllerer findet sehr viel an subtiler Substanz Walter Jens findet weder Theologie noch Libretto Alexander Kluge findet eine sehr interessante Abkehr von der Rhetorik Günter Grass findet das nun einmal eine pausbäckige Angelegenheit Hans Mayer findet den Text sehr schön

Günter Grass kommt es auf den langen Atem an Marcel Reich-Ranicki will nur nicht gleich aufhören zu kritisieren wenn es sich nicht um avantgardistische Kunststücke handelt Hans Mayer findet es schwer etwas zu sagen er ist sehr bewegt und findet es wunderschön Joachim Kaiser hat keinen Kunstfehler entdeckt

Hans Werner Richter wundert sich über sich selbst

# Literatur als Aufklärung
## oder
## Satire in Deutschland

Revolution kommt nur einmal vor. Am Wendepunkt der Satire deutscher Sprache erscheint, in einem Traum, die gesellschaftliche Wirklichkeit, die Wirklichkeit der Herrscher und Untertanen, als das Hauptbuch einer Handelsfirma, und in diesem ereignet sich Revolution. Die Zahlen, allesamt einfacher Herkunft, fleißig, redlich und von geradem Verstand, erheben sich gegen die Nullen, die zwar für sich allein nichts, ganz und gar: nichts darstellen, dank dem Rechnungssystem jedoch, sind sie an Zahlen angehängt, erst den wahren Reichtum und Glanz ausmachen. Laut Hauptbuch ist deshalb die Null König. Je weiter von den Zahlen entfernt, desto größer, fürstlicher, königlicher ist die Bedeutung der Nullen. Doch eines Tages sind – in der Satire – die Zahlen dahintergekommen, daß dies an deren Null- und Nichtigkeit nicht das geringste ändert. Das Volk erhebt sich gegen die Nullen, die ohne das Volk nichts anderes als ein Nichts sind. Ein Kaufmann mit dem bezeichnenden Namen Preiss erfährt Schrecken über Schrecken, als er im Traum die Zahlen seines Hauptbuchs gegen die Nullen aufmarschieren sieht und diese nur so purzeln. Er sieht sein Ende gekommen.
Es kam nicht. Die Schilderung des Kampfes der Zahlen gegen die Nullen meinte die Revolution von 1848. Es ist bekannt, wohin sie führte. Erläutert in der Diktion des Satirenschreibers Georg Weerth, in dessen *Skizzen aus dem deutschen Handelsleben* die Revolution auf die angedeutete Weise zum Alptraum des vermögenden Spießers wird, geschah nur folgendes: Um die aufsässigen Zahlen zur Räson zu bringen, verbündete sich

der Herr Preiss mit den Nullen, also den Fürsten und Königen, lieferte ihnen Geld und Schrapnells, wurde Ministerpräsident und sah dieserart die Ordnung seines Hauptbuchs gerettet. Und damit war unter anderem auch ein neues Kapitel der Geschichte der Satire in Deutschland beendet, noch ehe es recht begonnen hatte. Daß bis heute Satire nur in einzelnen Fällen innerhalb der Literatur aktuell erscheint, daß sie, dazu bestimmt, die literarische Auseinandersetzung mit gesellschaftlicher Realität kritisch voranzutreiben, diese Rolle schon lange nur noch in Ausnahmefällen zu spielen fähig erscheint, hat in diesem Bruch seine Gründe.
Doch nicht allein die Herren Preiss haben das Faktum zu verantworten. Georg Weerth war ein Freund Heinrich Heines, und er war außerdem ein Freund von Karl Marx und Friedrich Engels. Die Satire vom Kampf der Zahlen gegen die Nullen erschien im Revolutionsjahr 1848 in der *Neuen Rheinischen Zeitung*, als diese von Karl Marx redigiert wurde. Wenig später tat sich im Parlament der Frankfurter Paulskirche ein Advokat aus Hannover namens Johann Hermann Detmold hervor. Detmold war ebenfalls ein Satirenschreiber. Jahre zuvor hatte auch er mit seinen Versuchen die Aufmerksamkeit und den Beifall Heinrich Heines gewonnen. Die erstaunlicherweise bis heute fast ganz vergessene Satire *Die schwierige Aufgabe*, ein Kabinettstück, in dem der Kunst- und Kulturbetrieb in den Residenzen der deutschen Kleinstaaten unnachahmlich attackiert wird, weist Detmold als einen scharfsichtigen Beobachter und rabiaten Gesellschaftskritiker aus, als einen – im gängigen Wortsinn – zweifellos höchst aufgeklärten Mann. In der Paulskirche jedoch stand er auf der Seite der äußersten politischen Rechten. Sein gesellschaftskritischer Scharfblick hatte ihn in eine der Georg Weerths genau entgegengesetzte Richtung geführt. Er verpflichtete sich jenen, die für Weerth die Nullen wa-

ren. Detmold war gewiß kein Herr Preiss – dennoch diente er den Interessen der Reaktion. Er war sicher, die besten Gründe dafür zu haben, Gründe eines Mannes der Aufklärung. Er nahm sogar persönliche Unbill in Kauf, um ihnen zu entsprechen. Und diese Paradoxie, sie ist bezeichnend für das Geschick der Satire in deutscher Sprache. Übrigens nicht für diese allein – sie ist bezeichnend auch dafür, was immer wieder aus dem geworden ist, was man Aufklärung nennt.

Satire in Deutschland hat eine vielseitigere und reichere Geschichte, als die deutsche Literaturgeschichtsschreibung wahrhaben will. Seit dem Mittelalter hat es in der deutschen Literatur fast aller Epochen auch Satire gegeben. Dabei ist der Anteil jener literarischen Arbeiten, die sich eindeutig als Satiren absondern lassen, die völlig auf eine spezifische satirische Absicht und Aussage fixiert sind, so groß er ist, noch gering gegenüber dem Anteil des Satirischen als einer allgemeineren Intention innerhalb der Literatur. Der satirische Impuls tritt von Fischart und Andreas Gryphius bis Jean Paul, von Christoph Martin Wieland bis Heinrich Heine, von Goethe, Kleist und Lichtenberg bis zu Heinrich Mann, Carl Sternheim, Heinrich Böll immer wieder hervor als ein wirksames Element, ohne doch jedesmal zu formal geschlossenen Satiren zu führen. Satire ist ja auch nicht die Bezeichnung für eine literarische Form, sondern für eine Intention innerhalb der Literatur. Eine formal fast nichtssagende Definition ist deshalb die umfassendste: Satire ist die Charakteristik und Verspottung von Mißständen jeglicher Art.

Was die Form betrifft, so entspricht dem eine absolute Beliebigkeit. Es gibt Satire in jeder Form: als Epigramm, Fabel, Anekdote, Feuilleton, Gedicht, Vers- und Prosaerzählung, Drama, Roman – und in sämtlichen Zwischenstufen. Das deutet sich im Wort Satire schon an. Das hat nämlich nichts zu tun mit den Satyrn, den pferdehufigen, geschwänzten, Nymphen jagenden Fruchtbarkeitsdämonen aus dem Gefolge des Dionysos. Es geht zurück auf das lateinische *satura*. So wurde eine Opferschüssel genannt, die mit verschiedenen Früchten gefüllt war. Das Wort bedeutet auch Gemengsel, Allerlei, Füllsel. Die lateinische Herkunft des Wortes Satire deutet übrigens an, daß Satire ein Produkt römischer Mentalität war. Republikanischer Mentalität. Zwar gab es Satire schon bei den Griechen, doch erst in Rom wurde sie mit soviel Energie und Einfallsreichtum kultiviert, daß die Charakteristik und Verspottung von Mißständen jeglicher Art zu einer faßlichen Intention innerhalb der Literatur wurde.

Die Definition des Begriffs bringt die Satire unmittelbar in Zusammenhang mit Erfahrung und Erkenntnis. Von der Verspottung einmal abgesehen, die gewiß ein konstituierendes Moment der Satire bleibt und von der auszugehen wäre bei dem Versuch, Satire als Form zu beschreiben – von der Verspottung abgesehen, ist Unterscheidung von Mißständen und ihre Charakteristik abhängig von einem vorausgegangenen Erkenntnisprozeß, und zwar in bezug auf die Gesellschaft. Ein solcher Prozeß wiederum ist abhängig von Begriffen von Realität. Die Unterscheidung von Mißständen ist ferner unvorstellbar ohne Begriffe von den Möglichkeiten innerhalb der Realität, davon, ob diese veränderbar sei oder nicht. (Georg Weerth – um die Skizze des angeführten Beispiels zu erweitern – hielt sie für veränderbar, Detmold für heillos unveränderbar.)

Die klassische Definition der Satire findet sich in Schillers Aufsatz *Über naive und sentimentalische Dichtung*. Als Bedingung der Satire nennt Schiller die Erfahrung des Widerspruchs zwischen Ideal und Wirklichkeit. Wirklichkeit, die dem Ideal nicht entspricht, provoziert Kritik vom Ideal her. Die Formel erscheint inzwischen statisch und pathetisch, die Relationen sind zweifellos

allzu sehr vereinfacht. Tatsächlich entscheidet ja die Wirklichkeit auch über das Ideal, dieses läßt sich ihr nicht so ohne weiteres als autonom entgegenstellen. Doch in der Redeweise seiner Zeit, so viele Irrtümer sie später, als man sie dogmatisierte, hervorgerufen hat, bezieht sich auch Schiller auf die Unterscheidung zwischen Wirklichkeit, wie sie sich zeigt, und den Möglichkeiten, die sie dennoch enthält. Entscheidend ist, welche Inhalte diesen Begriffen zugesprochen werden. Von hier aus läßt sich die Geschichte der Satire schreiben.
Das Wort, das den ganzen hier angedeuteten Komplex noch immer pauschal umfaßt, sei endlich wiederholt: Aufklärung. Satire ist eine Weise der Literatur als Aufklärung, bezeichnet exemplarisch jene Intention innerhalb der Literatur, die bestimmt ist dadurch, daß sie auf Aufklärung zielt, auf Unterscheidung zwischen Bildern und Wirklichkeit, zwischen Vorurteil und Wirklichkeit, zwischen herrschender Meinung und Wirklichkeit – auf Bewußtsein. Formal stehen ihr dabei so viele Möglichkeiten offen, daß sie bis in die politischen Alltagsquerelen hinein praktiziert werden kann, was üblich ist, seitdem es Satire gibt. Im Sinne der akademischen Vorstellungen von den Gattungen und von der Würde der Literatur ist sie deshalb durchweg degoutant. Inhaltlich, in ihrer Tendenz, ja auch in ihrer Qualität hängt die Satire jeweils unmittelbar ab vom Stand der Aufklärung.
Als das Jahrhundert der Aufklärung gilt das 18., und was die Satire betrifft, so hat sie in der Tat quantitativ wie qualitativ in Deutschland zu keiner Zeit eine vergleichbare Bedeutung gehabt. Zwar gab es, vom Mittelalter abgesehen, schon seit der Zeit des Übergangs von der Renaissance zum Barock satirische Invektiven der verschiedensten Art und in großer Zahl, doch sie tendierten, wo sie großes Format erreichten, eher zum Grandguignol, zum apokalyptischen oder sarkastischen

Bild der »schnöden Welt«, als daß sie Kritik und Änderung beabsichtigt hätten. Solches blieb auf Verhaltensfragen beschränkt. Das große Gegenbild des Barock, das Jenseits, war prinzipieller Gegensatz, nicht gemeint als Vorbild für das Diesseits. Erst die beginnende Epoche des Individualismus entdeckte die Hoffnung, auch auf Erden glücklich zu sein, und damit die Verheißungen der Aufklärung. Damit geriet die Satire in direkte Beziehung zur zentralen humanen Energie einer Epoche. Sie half mit, die Rolle des autonomen Individuums zu fixieren und ins allgemeine Bewußtsein zu bringen.

Die Anfänge sind optimistisch. Man ging aus von der Erwartung, daß auch die schlimmsten Zustände sich, bei gehöriger vernünftiger Anstrengung, in absehbarer Zeit ändern ließen – in der besten aller Welten. Die Anstrengungen sollte jeder einzelne für sich und an sich machen. Gottlieb Wilhelm Rabener, der bei weitem erfolgreichste Satirenschreiber der frühen Aufklärung, verbot es sich und anderen in seiner theoretischen Abhandlung *Vom Mißbrauch der Satire* ausdrücklich, Respektspersonen, Politik und Kirche satirisch aufs Korn zu nehmen. Rabener attackierte ausschließlich die Schwächen und Beschränktheiten des Bürgers, auf allgemeiner Ebene. Obwohl aber solche Zurückhaltung gegenüber den bestehenden Ordnungen nahezu selbstverständlich schien, gab es schon damals einen Mißklang: Christian Ludwig Liscow, der talentierteste Konkurrent Rabeners, riskierte mittels der Literatursatire immerhin Ansätze zu einer Satire auf politische Zustände und geriet prompt ins Gefängnis. So aufgeklärt war der Absolutismus, der bis heute das Idealbild vom vollkommenen Individuum mitbestimmt, hinwiederum auch nicht.

Meist wurden die Bedingungen akzeptiert, sie erschienen als vernünftig, sie entsprachen durchaus den Erwartungen, die man in die Aufklärung setzte. Die Chance, über einige wenige Repräsentanten der Ordnung eine aufgeklärte Lebensform zu erreichen, galt zweifellos als die einzig reelle Chance. Dem paßte die Satire sich an. Sie hatte tatsächlich ein greifbares Ideal, an dem sie die Wirklichkeit maß – den Weltbürger, den umfassend gebildeten, vernünftigen, und das heißt: des gegebenen menschlichen Maßes bewußten, also auf Ausgleich bedachten Weltmann. Vernunft, einerseits vorgestellt als etwas Absolutes, war andererseits etwas dieserart Mittleres und Vermittelndes, war Weltläufigkeit, Gewährenlassen, Fähigkeit zum Maß. Das ist in seiner Konsequenz ein elitäres Bild, doch blieb es bis zu einem gewissen Grade konvertibel: jeder sollte ihm nach seinem Stand, seinem Vermögen, seinem Rang entsprechen. Es war also nicht doktrinär verfestigt, es ließ, fast leger, Spielraum. Ließ Spielraum auch der Satire. Besonders vielfältig zeigt sich das in der umfangreichen Produktion Wielands, die über weite Strecken satirisch gestimmt ist. Wieland hat den einzigen überragenden satirischen Roman deutscher Sprache geschrieben: *Die Abderiten*. In diesem Roman finden sich selbst da, wo die Entlarvung spießbürgerlicher Dummheit, Borniertheit und Prüderie radikal erscheint, nur Spuren von Bitterkeit und Hoffnungslosigkeit. Wieland hält Maß, er entläßt die Satire nicht aus ihrer innerhalb der Aufklärung eindeutigen Funktion: Besserung zu bewirken, beim Menschen.

Von der schlichten Biederkeit, der gelehrt-nachdenklichen, auf einfache Wirkungen bedachten Alltagsvernunft, wie etwa bei Rabener und Helfrich Peter Sturz, bis zur scharfsinnigen Analyse zwischenmenschlicher und kultureller Verhältnisse, wie etwa bei Lichtenberg, entfaltete sich eine breite Skala satirischer Unternehmungen, tief in die Bereiche hinein, die heute von der Tagespresse repräsentiert werden. Doch drängte bald die

Aufklärung, nimmt man sie als prozessuales Bewußtwerden von Realität, über das gesetzte Maß hinaus, ja nur für eine vergleichsweise kurze Stunde war, so scheint es, das Bild aufgeklärt-maßvoller, gebildeter, weltläufiger Humanität ein wahrhaftiges und produktives Vorbild. Schon war *Belphegor oder die wahrscheinlichste Geschichte unter der Sonne* von Johann Carl Wezel erschienen, ein Voltaires *Candide* verpflichtetes, sehr schwarzes Panorama einer Wirklichkeit, welche die bestehende als die schlechteste aller Welten auswies. In der Satire wird nun, bei Jakob Reinhold Lenz, Adolph Freyherr Knigge, Jean Paul z. B., direkt und indirekt immer wieder die Fiktivität und praktische Wirkungslosigkeit des Bildes vom aufgeklärten, seiner selbst absolut gewissen Weltbürgers angedeutet. Es bewirkte nicht mehr Besserung und Veränderung, es wandelte sich zum Vorwand.

Der Sturm auf die Bastille hatte mit dem scheinbaren Sieg der Aufklärung des 18. Jahrhunderts in Europa auch die Stunde bezeichnet, in der ihr Niedergang einsetzte. Doch dieser ging langsam vor sich, über Jahrzehnte hin. Die Schicht der Gebildeten gab die Vorstellungen jener Aufklärung weiter und versuchte, sich weiterhin entsprechend der maßvollen praktischen Vernunft, welche sie gelehrt hatte, zu verhalten. Bis tief ins 19. Jahrhundert hinein erschienen z. B. immer wieder große Ausgaben von Wielands gesammelten Werken, während Goethe zeitweilig nahezu vergessen schien. Auf lange Zeit hin hielt die Aufklärung des 18. Jahrhunderts, die bis heute meist für mehr oder weniger identisch mit Aufklärung überhaupt gehalten wird, als eine auch die Gesellschaft des 19. Jahrhunderts formierende Macht den verschiedensten Impulsen gegenüber bis zu einem gewissen Grade stand – hielt sie stand dem sich allerdings verstärkenden Nationalismus wie der Spießerei, dem Kleinbürgersinn der Kleinstaatler,

der Provinzialisierung des Denkens. Zugleich aber machte sie einen Prozeß durch, der sie schließlich teils absterben ließ, teils in eine Art Untergrund drängte. Sie starb ab als ein Moment der Restauration. Tatsächlich waren es zu einem guten Teil gerade restaurative Kräfte, die sich ihrer einst revolutionären, inzwischen jedoch hochbetagten Ideen bedienten. (Um wiederum auf den eingangs erwähnten Detmold zurückzukommen – er demonstrierte, daß die Demokraten des Vormärz den Ansprüchen des alten Bildes vom aufgeklärten Weltbürger in keiner Weise entsprachen, vielmehr lauter »Meyers« waren, und verweigerte ihnen aus diesem scheinbar guten Grund alle Rechte auf Souveränität.)
Ausgang des 18. und in der ersten Hälfte des 19. Jahrhunderts werden also zwei Erscheinungsformen von Aufklärung – und Satire – erkennbar; eine durchaus konservative, welche die Vorstellungen des 18. Jahrhunderts einschließlich des Absolutismus dogmatisierte, und, in Ansätzen, eine progressive, die in der Absicht, Aufklärung zu bewirken, die gesellschaftlichen Inhalte und Ideen der Vergangenheit nicht einfach voraussetzte, sondern die neuen gesellschaftlichen Inhalte zu unterscheiden und zu formulieren suchte. Diese progressive Aufklärung wurde unterdrückt. Wie das vor sich ging, schildert z. B. die bis vor kurzem fast völlig vergessene Satire *Des seligen Etatsraths Samuel Conrad von Schaafskopf hinterlassene Papiere* von Adolph Freyherr Knigge, in der Geschichte und Prinzipien der Gemeinschaft der Gegner der Aufklärung, des »Pinsel-Ordens«, drastisch beschrieben sind. Ebenso vergessen war übrigens in Deutschland bis vor kurzem Georg Weerth.
Knigge ist weit davon entfernt, sich noch Illusionen zu machen. Er läßt eine Skepsis spüren, die gelegentlich an Lenz erinnert. Doch er versagt sich den Welt- und

Menschenhaß, der durchaus – wie bei Wezel – eine Folge radikaler Aufklärung sein kann. Weit davon entfernt, sich noch Illusionen zu machen, geht er aus von der Realität, und die ist finster. Doch in dem Faktum, daß die Menschen da sind und in Gesellschaften leben, erkennt er die Notwendigkeit, die Gesellschaften zum Besseren hin zu ändern, ganz ohne Hoffnung auf Idealzustände. Er macht den Versuch, durch eine Aufklärung zu bessern, die ohne idealistische Visionen auskommt, obwohl sie Ziele hat, obwohl sie Änderung und Besserung für möglich hält und darin die primäre Geste der Aufklärung beibehält.

An ihrem Wendepunkt gewinnt die Geschichte der Satire in Deutschland unmittelbare Aktualität. Sie macht, sehr deutlich, etwas sichtbar, was nirgendwo sonst in der deutschen Literatur- und Geistesgeschichte sich so direkt fassen läßt: daß es verschiedene Formen der Aufklärung gibt, daß auch Aufklärung reaktionär werden kann, daß es unerläßlich ist, geschichtliche Formen der Aufklärung zu unterscheiden. Sie vermittelt eine Vorstellung davon, wieso die Inhalte der Begriffe von Wirklichkeit wie von Möglichkeit veränderlich sind und wie sie sich verändern.

Ein Vergleich der Satiren von Georg Weerth und Johann Hermann Detmold gibt Einblick in diesen Sachverhalt. Zunächst erscheint Detmold als der Verfechter der Aufklärung. Seine Satiren haben geradezu wielandsches Format, man glaubt, hier würden die *Abderiten* fortgesetzt. In der *Schwierigen Aufgabe* verwendet Detmold den Trick, bei der Namensgebung mit dem Anhängsel -meyer das Alphabet durchzubuchstabieren. Ameyer bis Zetmeyer heißen die Leute. Und das trifft. Es artikuliert schlagend die Mediokrität all der erst auftrumpfenden, bei der geringsten Weisung der Obrigkeit jedoch sofort kuschenden Kleinbürger, ehemals Schildbürger. Kein Zweifel, hier werden Mißstände charakterisiert und verspottet. Als Anti-Aufklärer im Kostüm einer längst historischen Epoche der Aufklärung und damit als Mißachter des Grundgesetzes der Satire, die Wirklichkeit von ihren Möglichkeiten her zu sehen und damit verändern zu wollen, entlarvt sich Detmold im Text nur auf kaum merkliche, ja zunächst unmerkliche Weise. Erst sein später Bilderbogen vom Paulskirchen-Abgeordneten Piepmeyer, mit dem er das Parlament als eine Veranstaltung der Meyers lächerlich machte, ja vielleicht erst seine reaktionäre politische Haltung lassen ganz eindeutig erkennen, daß schon in der *Schwierigen Aufgabe* die Möglichkeit einer Veränderung sich ausschließt, daß aus Detmolds Meyers nie etwas anderes werden kann und soll, als sie sind. Detmold ist überzeugt, daß sie weitere Aufmerksamkeit nicht verdienen, daß man sie vielmehr hart an die Kandare nehmen müsse. Um die Heraufkunft der Meyers zu verhindern, verdingte er sich der Restauration. Für ihn wurde Metternich der rechte Aufgeklärte.

Der Denkfehler – es ist der ewige Fehler vorurteilsvollen, unfreien Denkens, und er zeigt bis heute die tatsächliche Herkunft auch so mancher »linker« Ideologen an –, der Denkfehler liegt darin, daß Detmold die Möglichkeiten nicht von der Wirklichkeit her sah, sondern als abstraktes, im Grunde unkontrolliertes Idealbild. Kein Mensch wäre fähig, den imaginären Forderungen Detmolds zu entsprechen, von denen anzunehmen, sie seien in der Vergangenheit tatsächlich einmal realisiert gewesen, einsteht als ein anderes Indiz für unfreies, durch Vorurteile beschränktes Denken.

Wie die Wirklichkeit haben die Möglichkeiten prozessualen Charakter, und daran ändert sich auch dann nichts, wenn man sie Ideale nennt. Von den meisten, auch von Detmold, unbemerkt, begann das Ideal schon damals, sich grundsätzlich zu wandeln. In welche Richtung, das wird spürbar bereits in der Satire Knigges, mehr noch in der Georg Weerths. Beide haben noch eine Illusion weniger als Detmold, es fehlt ihnen nämlich auch jene, der souveräne Weltbürger sei irgendwann früher einmal menschliche, gesellschaftliche Realität gewesen. Beide sind jedoch entschlossen, die Wirklichkeit des menschlichen Zusammenlebens von den in ihr enthaltenen Möglichkeiten her zu ändern. Da sie, statt ein Ideal, und sei es das des rundum aufgeklärten Menschen, vorrätig zu haben und nach ihm die Wirklichkeit zu beurteilen und zu manipulieren, sich unvoreingenommen mit dieser beschäftigen, kommen sie sehr bald darauf, daß die gesellschaftliche Wirklichkeit prinzipiell einen quantitativen Aspekt hat. Der besagt: Es gibt nicht nur das Individuum, es gibt Individuen in sehr großer Zahl, und ihre Lebensbedingungen sind auf eine Weise unterschiedlich, die es nur sehr wenigen erlaubt, individuell zu leben. Knigge wurde durch die Französische Revolution, die er noch verteidigte, als der Abscheu vor ihr längst allgemein war, Georg Weerth wurde durch Marx und Engels darauf gebracht. Was die Aufklärung des 18. Jahrhunderts sich bewußt verboten hatte: das Individuum von vornherein in seiner Beziehung zur Gesellschaftsordnung zu sehen und damit deren Grundlagen zu reflektieren, jetzt setzten einzelne an, dies nachzuholen. Weerth geht schon von einem völlig neuen Gesellschaftsbegriff aus. Es kommt ihm auf jeden der vielen einzelnen an; jene, die stellvertretend für diese zu leben beanspruchen, sind ihm Nullen.

Hier ließe sich einwenden, daß es sinnlos sei, die Menschen ändern zu wollen ohne eine Vorstellung, einen Begriff vom anderen, besseren, menschlicheren Menschen. Einen solchen Begriff bot und bietet die prozessual und quantitativ orientierte neue Aufklärung nicht. Hier bleibt sie ekletisch und pauschal. Es erscheint jedoch legitim, die gesellschaftliche Bedingtheit des einzelnen und damit die Gesellschaftsordnung so lange im Mittelpunkt der Reflexion zu halten, wie die Konsequenzen aus der Erkenntnis dieses Sachverhalts in der Gesellschaft noch nicht gezogen sind. Es erscheint geradezu als realistisch unter der Voraussetzung, daß mit der Wirklichkeit ja auch die Möglichkeiten der Menschen einem Prozeß unterliegen, sich verändern. Für die Aufklärung wie für die Satire tritt damit an die Stelle des Ideals der ersten Aufklärung die Utopie. Diese ist auf die Zukunft gerichtet. Von der Utopie aus sieht sich die Wirklichkeit ganz anders an als vom Ideal her.

Das Jahr 1848 bezeichnet den Wendepunkt in der Satire deutscher Sprache. Und es brachte mit der Liquidation aller revolutionären Impulse zugleich auch die Liquidation der Satire für mindestens ein halbes Jahrhundert. An die Stelle der Utopie einer neuen Aufklärung: Befreiung aller Menschen durch Änderung der Gesellschaftsordnung, schob sich ein irrational-gefühlshaft begründetes Idol: das Zielbild der Nation. Die Satire verstummte. Die Literatur suchte ihr Heil in der Innerlichkeit und fand damit in der irrealen Gesellschaft ihren Ort.

Es sei die These riskiert, daß die Satire nur mit der neuen Aufklärung wieder einen Entwicklungsstand hätte erreichen können, wie sie ihn innerhalb der Aufklärung des 18. Jahrhunderts auf anderer Ebene erreicht hat. Daß es in der zweiten Hälfte des 19. Jahrhunderts Satire deutscher Sprache praktisch nicht mehr gibt, ist nahezu hinreichend als Bestätigung. Die Rückstände der frühen Aufklärung, meist noch vergleichsweise nützlich, wurden schließlich mit Vokabeln wie »Humanitätsduselei« und »Aufkläricht« ausgefegt. Da man ohne Aufklärung der Wahrheit, dem wirklichen Leben, näher zu sein glaubte, war der Satire der Boden entzogen, sie erschien sinnlos. Der Untertan etablierte sich. Jetzt waren nicht einmal mehr die Herrscher aufgeklärt.

Erst um die Jahrhundertwende wurde die Satire wiederbelebt. Heinrich Mann, dann Karl Kraus, Carl Sternheim, Franz Blei schrieben satirisch. Anfang des 20. Jahrhunderts kam auch wieder eine gewisse satirische Praxis in der aktuellen politisch-gesellschaftlichen Auseinandersetzung auf, in Zeitschriften und Zeitungen, zudem durch das Kabarett, und diese Praxis wurde nach 1945 mit einigem Elan weiter ausgebaut. Wie die nach dem Zweiten Weltkrieg entstandenen Satiren auf literarischem Niveau aber, von Autoren wie Heinrich Böll, Hans Werner Richter oder Reinhard Lettau, blieb die Satire im 20. Jahrhundert insgesamt gewissermaßen desorientiert. Obwohl treffende einfallsreiche Texte entstanden, die schwerwiegende Mißstände definierten, charakterisierten und dem Spott überantworteten, blieb Satire eine mehr oder weniger zufällige und in den Tendenzen widersprüchliche Angelegenheit. Grund dafür ist die bis heute nicht aufgehobene Unsicherheit, was denn Aufklärung noch bedeute. Bis heute ist Satire noch immer meist bezogen auf Vorstellungen, die Einzelaspekte der Aufklärung des 18. Jahrhunderts reaktivieren. Bezüge zu dem, was hier neue Aufklärung genannt worden ist, lassen sich kaum einmal feststellen. Obwohl diese neue, seit der Mitte des 19. Jahrhunderts radikal unterdrückte Aufklärung in den letzten Jahren mit sehr viel Energie rekapituliert worden ist, läßt sich offenbar das gesellschaftliche Versäumnis eines Jahrhunderts nur langfristig überbrücken. Hinzu kommt, daß es mit einer solchen Rekapitulation nicht getan ist. Auch diese neue Aufklärung ist nicht identisch mit dem, was Aufklärung nach den materiellen, den technisch-industriellen Revolutionen der Moderne zu sein hätte, um diese im gesellschaftlichen Bewußtsein zu realisieren, um dieses Bewußtsein der Utopie zu öffnen.

Mag es zunächst zweifelhaft erscheinen, ob überhaupt

Satire hier noch einmal Bedeutung gewinnen kann, so ist doch gewiß, daß Literatur als Aufklärung eine primäre Funktion der Literatur selbst ist, und von ihr her wird auch Satire sich immer wieder rekonstituieren. Dies aber heißt zugleich, daß die Geschicke der Satire unmittelbar an jene der Aufklärung gebunden sind. Deren Chancen allerdings waren und sind in Deutschland gering. Sie war und ist die Sache weniger.

Heinrich Vormweg

## Zur vorliegenden Auswahl

Die Anthologie versucht, das Panorama der Satire in Deutschland seit dem Barock zu vermitteln, und zwar der Satire auf dem Niveau der Literatur. Von vornherein ausgeschlossen war dabei, jede einzelne Erscheinungsform der Satire in dieser Zeit zu dokumentieren. Dazu wäre eine ganze Folge von Bänden erforderlich, denn die Geschichte der Satire in Deutschland ist beinahe so vielfältig und unübersichtlich, wie sie unbekannt ist. Das rechtfertigt den zweiten Grundsatz der Auswahl: das Vergnügen des Lesers sowie die Faßlichkeit und Aktualität der Thematik im Zweifelsfall der ausschließlich literarhistorischen Erwägung überzuordnen. Deshalb hat z. B. der Anteil des Barock nur den Charakter eines Präludiums. Deshalb blieb die umfangreiche Produktion von Vers-Satiren im 18. Jahrhundert unberücksichtigt. Deshalb wurde meist der geschlossenen Prosa-Satire der Vorzug gegeben. Der Herausgeber glaubt im übrigen, daß im Fall der Satire das Lesevergnügen ein legitimes Kriterium ist. Die Satire selbst rechnet ja mit ihm, es war und ist eines der Mittel, deren sie sich versichert, um desto besser treffen zu können.
Vermieden wurde nach Möglichkeit, Auszüge aus umfangreichen Werken aufzunehmen. Mit folgenden Ausnahmen: der Text von Liscow vermittelt nur einen Teil des gleichnamigen Werkes; *Demokrit unter den Abderiten* von Wieland ist dem ersten Teil des Romans *Die Abderiten* entnommen; *Die echten Pinsel* von Adolph Freyherr Knigge umfaßt eine Reihe jeweils in sich geschlossener Ausschnitte aus Knigges Satire *Des seligen Herrn Etatsraths Samuel Conrad von Schaafskopf hinterlassene Papiere*; *Aufenthalt in Zipfelstadt* von Johann Andreas Wendel ist entnommen dessen Buch *Josua Zippleins Ferienreisen*; *Ein neues Athen* umfaßt das dritte Kapitel des dritten Teils von Heinrich Heines *Reisebildern*; von den 14 *Skizzen aus dem deutschen Handelsleben* von Georg Weerth wurden fünf ausgewählt – hier allerdings, wie auch bei Rabener, handelt es sich um weitgehend in sich geschlossene Partien, die zuerst auch einzeln veröffentlicht worden sind.
Bewußt wurde darauf verzichtet, eines der satirischen Kurz-

dramen des jungen Goethe aufzunehmen, ebenso auf die *Xenien* und auf eine umfangreiche satirische Prosa von Heinrich Heine, wie etwa *Die Bäder von Lucca*. Diese Arbeiten sind zwar exemplarisch für Satire in Deutschland, doch vielen bekannt und jedermann leicht zugänglich.

Der Herausgeber

36488

ST. MARY'S COLLEGE OF MARYLAND LIBRARY
ST. MARY'S CITY, MARYLAND

| DUE | |
|---|---|
| FEB 4 1998 | |
| | |
| | |
| | |
| | |
| | |
| | |
| | |
| | |
| | |
| | |
| | |
| | |
| | |
| | |
| | |
| | |
| | PRINTED IN U.S.A. |